DONDERWOLKEN

Van William Boyd is eerder verschenen:

Rusteloos

William Boyd

DONDERWOLKEN

VERTAALD DOOR TON HEUVELMANS

MOURIA

© 2009 William Boyd
All rights reserved
© 2009 Nederlandse vertaling
Ton Heuvelmans en uitgeverij Mouria, Amsterdam
Alle rechten voorbehouden
Oorspronkelijke titel: *Ordinary Thunderstorms*
Omslagontwerp: DPS/Davy van der Elsken
Omslagfotografie: Miilennium Images / [image]store
Foto auteur: David Levenson

ISBN 978 90 458 0115 5
NUR 305

www.mouria.nl
www.watleesjij.nu

Voor Susan

Gewone onweersbuien zijn in staat zichzelf te veranderen in veelcellige stormen van aldoor toenemende complexiteit. Dergelijke veelcellige stormen vertonen een opmerkelijke toename in hevigheid, en hun levensduur kan worden verlengd met een factor tien of zelfs meer. De grootmoeder van alle onweersbuien is echter de supercel-onweersbui. Er dient te worden opgemerkt dat zelfs gewone onweersbuien kunnen veranderen in supercel-onweersbuien. Dergelijke buien nemen slechts geleidelijk in kracht af.

Stormdynamica en hagelbuien
door L.D. SAX en W.S. DUTTON

1

We zullen beginnen met de rivier – alles begint bij de rivier en ongetwijfeld zullen we hier ook eindigen – maar laten we even afwachten hoe de zaken verlopen. Over een paar minuten zal er een jongeman aan de oever van de rivier komen staan, hier bij de Chelsea Bridge in Londen.

Kijk, daar is hij al, hij stapt aarzelend uit een taxi, betaalt de chauffeur, kijkt om zich heen en kijkt verstrooid naar het heldere water (het is vloed en de waterstand in de rivier is ongebruikelijk hoog). Het is een lange, bleke jongeman van begin dertig, met gelijkmatige trekken en vermoeide ogen. Zijn korte haar is keurig geknipt en zijn nek uitgeschoren, alsof hij net van de kapper komt. Hij is een vreemdeling, nieuw in de stad, en zijn naam is Adam Kindred. Hij heeft zojuist een sollicitatiegesprek gehad en hij heeft zin om naar de rivier te kijken. Het gesprek was de gebruikelijke spannende confrontatie waarbij veel op het spel stond, en hij heeft behoefte aan wat frisse lucht. Het sollicitatiegesprek van zonet verklaart waarom hij onder zijn dure trenchcoat een antracietgrijs kostuum draagt, een bruine das en een nieuw wit overhemd, en waarom hij een stevige, glanzend zwarte diplomatenkoffer met zware messing sloten en hoekversteviging bij zich heeft. Hij steekt de straat over, en weet niet dat zijn leven in de uren die komen gaan drastisch en onherroepelijk zal veranderen. Hij heeft absoluut geen flauw idee.

Adam liep naar de hoge stenen balustrade waarlangs de weg met een boog overging in de Chelsea Bridge, leunde erop en keek naar beneden, naar de Theems. Het was hoogwater en de vloed stroomde landinwaarts, zag hij, en de normale stroomrichting van het water was omgekeerd, alsof de zee haar rotzooi in de rivier dumpte in plaats van zoals gebruikelijk omgekeerd. Adam wandelde het brede voetpad van de brug op naar het midden van de rivier, zijn blik gleed van de vier schoorstenen van het Battersea Power Station (waarvan er een aan het oog onttrokken was door de kruisarcering van steigers, naar het westen, langs de gouden pinakel van de Peace Pagoda naar de twee schoorstenen van het Lots Road Power Station. De platanen in Battersea Park aan de overkant stonden nog niet helemaal in blad, alleen de wilde kastanjes waren voortijdig diepgroen. Begin mei in Londen... Hij draaide zich om en keek naar de Chelsea-kant: nog meer bomen, hij was vergeten hoe groen, hoe ronduit bebost sommige delen van Londen zijn. De daken van de chique, aan de rivier gelegen, negentiende-eeuwse herenhuizen staken boven de platanendreef op het Embankment uit. Hoe hoog was dat wel niet? Twintig meter? Vijfentwintig meter? Afgezien van het gemurmel van het niet aflatende verkeer en zo nu en dan een claxon en een gillende sirene, had hij absoluut niet het gevoel dat hij zich midden in een wereldstad bevond: de bomen, de stille kracht van de stromende getijrivier onder zijn voeten, het speciale licht dat door een wateroppervlak wordt weerkaatst, dat alles kalmeerde hem; het was een goede beslissing van hem geweest om naar de rivier te komen. Vreemd eigenlijk hoe de mens zich op mysterieuze wijze laat leiden door zijn instincten, dacht hij.

Hij liep terug, zijn blik gericht op een duidelijk afgetekende, scherpe driehoek braakliggend land ten westen van de Chelsea Bridge, die gevormd werd door de brug zelf, de waterkant en de vierbaansweg van het Embankment. Het was een en al groen, hoog, dicht gras en verwilderde struiken en bomen. De gedachte schoot door hem heen dat zo'n stukje grond op die plek een fortuin waard moest zijn, en in gedachten had hij er al een wigvormig gebouw van drie verdiepingen opgetrokken met twaalf luxeappartementen met balkon. Toen zag hij dat hij, om dat te kunnen bereiken, eerst een reusachtige vijgenboom vlak bij de brug zou moeten omhakken; tientallen jaren oud, schatte hij, terwijl hij ernaartoe liep, met grote, stijve, glanzende bladeren. Een echte vijgenboom aan de Theems, dacht hij, wat vreemd. Hoe was die hier geplant en wat gebeurde er met de vruchten? In gedachten zag hij prompt een bord voor zich met parmaham en gehalveerde verse vijgen. Waar had hij dat gegeten? Tijdens zijn huwelijksreis met Alexa in Portofino? Of al eerder? Misschien op een van zijn vakanties als student... Het was verkeerd om aan Alexa te denken, besefte hij; zijn nieuwe, rustige stemming maakte plaats voor een van woede en verdriet, en dus concentreerde hij zich op de honger die hij voelde opkomen. Door de gedachte aan vijgen en parmaham kreeg hij plotseling enorme trek in Italiaans eten; Italiaans eten van het simpele, op-rechte, pure soort: *insalata tricolore, pasta alle vongole, scaloppine al limone, torta di nonna.* Daar zou hij nu geen bezwaar tegen hebben. Hij wandelde Chelsea in en trof vrijwel onmiddellijk, en tot zijn niet geringe verbazing, in de rustige straatjes achter het Royal Hos-pital, een Italiaans restaurant – alsof hij zich in een sprookje be-vond. Het had gele markiezen met als logo een Venetiaanse leeuw en stond in een smal straatje tussen gestuukte en uit baksteen op-getrokken rijtjeshuizen. Het leek een anomalie, een droombeeld: geen winkels, geen pub, geen enkel ander restaurant in de buurt – hoe had het zich ooit kunnen vestigen hier tussen al die woonhui-zen? Adam keek op zijn horloge – 18.20 uur – een beetje vroeg om te eten, maar hij had inmiddels razende honger, en hij zag dat er al een paar klanten binnen zaten. Er verscheen een glimlachende, bruinverbrande man in de deuropening die de deur voor hem open-hield met de woorden: 'Komt u binnen, meneer, komt u binnen; ja, we zijn open, komt u binnen, komt u binnen.' De man nam zijn jas aan, hing die op een haakje en ging hem voor langs de kleine bar naar de lichte, L-vormige eetzaal, ondertussen instructies en milde verwijten roepend naar de andere obers, alsof Adam zijn fa-voriete stamgast was die op de een of andere manier gehinderd werd door hun inefficiënte optreden.

Hij leidde Adam naar een tweepersoonstafel, waaraan die plaats-nam met zijn rug naar de straat. Hij bood aan Adams diploma-tenkoffer op te bergen, maar Adam besloot die bij zich te houden. Hij nam het hem aangeboden menu aan en keek om zich heen. Er zaten acht toeristen – vier mannen en vier vrouwen – rustig aan een grote ronde tafel te eten, stuk voor stuk in het blauw gekleed en met identieke blauwe plastic tassen naast zich. Twee tafeltjes ver-derop zat nog een man alleen te eten, hij had zijn bril afgezet en depte zijn gezicht met een papieren zakdoekje. Hij maakte een ge-jaagde indruk, leek slecht op zijn gemak, en keek naar Adam toen hij zijn bril weer had opgezet. Toen hun blikken elkaar ontmoet-ten, knikte de man licht en bevestigde glimlachend de situatie waar-in hij verkeerde – de solidariteit van de solitaire eter – waarmee men wil zeggen: ik ben niet sneu of eenzaam, ik doe dit uit vrije wil, net als u. Voor hem op tafel lagen een paar mappen en ande-re papieren. Adam glimlachte terug.

Adam at de huissalade – spinazie, bacon en geraspte parmezaan met een romige dressing – en was halverwege zijn *scaloppine di vitello* (met boontjes en gebakken aardappeltjes), toen de andere solitaire eter in zijn richting boog en vroeg of hij de juiste tijd had. Zijn accent was Amerikaans, zijn Engels onberispelijk. Adam gaf de tijd – 18.52 uur –, de man zette zijn horloge gelijk, en ze raakten onvermijdelijk aan de praat. De man stelde zich voor: dr. Philip Wang. Adam deed hetzelfde en vertelde dat dit zijn eerste verblijf in Londen was sinds zijn kindertijd. Dr. Wang merkte op dat hij de stad ook niet goed kende. Hij woonde en werkte in Oxford en bracht onregelmatige, korte bezoekjes van een of twee dagen aan Londen om patiënten te spreken die deelnamen aan een onderzoeksproject dat hij leidde. Adam zei dat hij vanuit Amerika naar Londen was gekomen, dat hij gesolliciteerd had naar een baan hier, zich hier 'opnieuw wilde vestigen', weer naar huis wilde komen, als het ware.

'Een baan?' vroeg dr. Wang, en zijn blik viel op Adams chique kostuum. 'Zit u in de financiële wereld?' In zijn vraag klonk vaag iets afkeurends door.

'Nee, aan de universiteit – een onderzoeksbeurs – aan het Imperial College,' vervolgde Adam, die zich afvroeg of dat wel op Wangs instemming kon rekenen. 'Ik was er voor het sollicitatiegesprek.'

'Prima universiteit,' zei Wang terughoudend, en hij vervolgde: 'Ja…' alsof hij met zijn gedachten inmiddels ergens anders was. Hij herpakte zich en vroeg beleefd: 'Hoe ging het?'

Adam haalde zijn schouders op en zei dat je dat soort dingen nooit kon voorspellen. De drie mensen van de sollicitatiecommissie – twee mannen en een vrouw met gemillimeterd haar – hadden niets laten blijken en waren absurd beleefd en formeel, volkomen anders dan zijn voormalige Amerikaanse collega's, dacht Adam toen hij voor hen zat.

'Imperial College. Dus dan bent u natuurwetenschapper,' zei Wang. 'Dat ben ik ook. Wat is uw discipline?'

'Klimatologie,' zei Adam. 'En u?'

Wang dacht even na, alsof hij twijfelde over het antwoord. 'Immunologie, denk ik, ja… Je zou kunnen zeggen dat ik allergist ben,' zei hij. Hij keek op zijn zojuist gelijk gezette horloge en zei dat hij weg moest, dat hij nog moest werken en mensen bellen. Hij betaalde zijn rekening contant en raapte onhandig zijn spullen bij elkaar, waarbij hij papieren op de grond liet vallen. Hij bukte zich om die op te rapen, in zichzelf mompelend. Plotseling leek hij erg in de war, alsof nu de maaltijd ten einde was zijn normale leven, met alle stress en zorgen, weer een aanvang nam. Uiteindelijk kwam hij weer overeind, gaf Adam een hand, wenste hem succes en zei te hopen dat hij de baan zou krijgen. 'Ik heb er een goed gevoel over,' concludeerde Wang op onlogische wijze, 'een heel goed gevoel.'

Adam was halverwege zijn tiramisu toen hij ontdekte dat Wang iets had laten liggen: onder een stoel tussen hun tafels lag een dichtgeritste map van doorzichtig plastic, half aan het oog onttrokken door het tafelkleed. Hij raapte hem op en zag dat in een vakje aan de voorkant een visitekaartje van Wang zat. Adam haalde het eruit en las: DR. PHILIP Y. WANG MD, PHD (YALE), FBSI, MAAIA, en daaronder HOOFD ONDERZOEK & ONTWIKKELING CALENTURE-DEUTZ NV. Op de achterkant stonden twee adressen met telefoonnummers vermeld, een in het Cherwell Business Park, Oxford (Unit 10) en het andere in Londen – Anne Boleyn House, Sloane Avenue, SW3.

Nadat Adam zijn rekening had betaald, en met genoegen vaststelde dat hij zijn nieuwe pincode nog wist, die hij zelfverzekerd intoetste op de pinautomaat, vroeg hij of dr. Wang een vaste klant was, en men deelde hem mee dat hij nooit eerder in het restaurant was geweest. Adam besloot de map zelf langs te brengen – het leek hem sympathiek om dat te doen, te meer omdat dr. Wang zo enthousiast was geweest over zijn toekomstige carrière – en hij vroeg hoe hij in Sloane Avenue kon komen.

Adam wandelde door King's Road, waar het nog druk was met winkelend publiek (zo te zien uitsluitend Franse of Spaanse toeristen), en bedacht ineens dat Wang misschien met opzet zijn map had laten liggen in de hoop dat hij hem zou ontdekken. Hij vroeg zich af of het een smoes was om hem nog een keer te zien: twee eenzame mannen in de grote stad, verlangend naar gezelschap... Zou er zelfs sprake zijn van een homo-erotische opzet? Adam had zich wel eens afgevraagd of hij iets had wat aantrekkelijk was voor homoseksuele mannen. Hij herinnerde zich heel goed drie gelegenheden waarbij een man met hem geflirt had, en één keer had een man hem zelfs opgewacht bij een toilet in een restaurant in Tucson, Arizona, en hem ongevraagd gekust. Maar Wang leek hem helemaal geen homo – nee, dat was bespottelijk – maar hij besloot dat het niettemin verstandig was om eerst te bellen, en dus haalde hij Wangs visitekaartje uit het strakke plastic vakje, ging op een houten bank bij een pub zitten, haalde zijn mobiele telefoon tevoorschijn en belde het nummer.

'Philip Wang.'

'Dr. Wang, met Adam Kindred. We hebben elkaar daarnet ontmoet in het restaurant...'

'Ja, natuurlijk, en u komt mijn map brengen. Dank u wel. Ik heb zojuist gebeld, en ze zeiden dat u hem had meegenomen.'

'Het leek mij sneller om hem zelf even langs te brengen.'

'Wat aardig van u. Komt u alstublieft boven iets drinken. O, er is iemand aan de deur. Dat bent u toch niet, hè?'

Adam lachte, zei dat hij er over een minuut of vijf kon zijn en klapte zijn telefoon dicht. Kom boven even iets drinken – het klonk heel vriendelijk, geen enkele seksuele ondertoon – maar misschien kwam het door het Amerikaanse accent dat zakelijk emotieloos klonk en niets verried, waardoor Adam de indruk had dat Wang niet verbaasd genoeg reageerde toen hij hoorde dat Adam onderweg was...

Anne Boleyn House was een imposant, bijna vestingachtig art deco-appartementencomplex uit de jaren dertig, met een halfronde entree met buxushaag en een portier in uniform achter een lange, marmeren balie. Adam zette zijn naam in een gastenboek en werd verwezen naar appartement G14 op de zevende verdieping. Na zijn telefoontje had hij getwijfeld of hij wel bij Wang op bezoek zou gaan, hij had de map net zo goed bij de portier kunnen afgeven, besefte hij nu. Maar hij had niets anders te doen en hij had niet echt zin om terug te gaan naar zijn bescheiden hotel in Pimlico: een paar drankjes met Wang zouden in ieder geval de tijd doden, en bovendien was Wang een beschaafd mens.

Adam stapte de lift uit en betrad een lange, kale gang: donker parket, pistachegroene wanden, identieke deuren die alleen verschilden in huisnummer. Het lijken wel cellen, dacht hij, of in een film zou het de interpretatie van een luie artdirector van kafkaëske uniformiteit kunnen zijn. Er hing een onaangename, prikkelende geur, van boenwas vermengd met een krachtige, chloorachtige wc-reiniger. Kleine, felle lampjes in het plafond leidden hem naar appartement G14, waar de gang een bocht naar rechts maakte en nog een gang vol zielloze serviceflats zichtbaar werd. Aan het einde gaf een groen lampje een nooduitgang aan.

Adam zag dat Wang de deur op een kier had gelaten – een teken van welkom? – maar hij drukte evengoed op de bel omdat hij het niet netjes vond om gewoon door te lopen. Hij hoorde Wang een deur openen, er ging een deur dicht, maar niemand zei: 'Adam? Kom binnen.'

Hij drukte opnieuw op de bel.

'Hallo?' Adam duwde de deur een beetje open. 'Dr. Wang? Philip?'

Hij opende de deur helemaal en betrad een kleine, hokkerige zitkamer. Twee fauteuils vlak bij een salontafel, een enorm tv-scherm, droogbloemen in strooien vazen. Een piepklein keukentje achter twee halve louvredeurtjes. Adam zette zijn diplomaten-koffertje naast de salontafel en legde de map van Wang naast een aantal golftijdschriften, met allemaal glimlachende mannen in pastelkleuren met hun golfclub in de aanslag. Toen hoorde hij Wangs stem, zacht en dringend.

'Adam? Ik ben hier...'

Het volgende vertrek. Nee, alsjeblieft, toch niet de slaapkamer, hè? dacht Adam bij zichzelf, en hij had spijt dat hij naar boven was gekomen, terwijl hij naar de deur liep en hem open duwde.

'Ik kan helaas maar vijf minu...'

Philip Wang lag op zijn bed in een steeds groter wordende plas bloed. Hij leefde nog, was bij bewustzijn en gebaarde met een beweging van zijn hand dat Adam dichterbij moest komen. De kamer was één grote rotzooi, twee kleine archiefkasten waren omgekeerd en leeggehaald, laden van een nachtkastje omgekiept, een klerenkast met een paar halen leeg geveegd, kleren en hangertjes lagen op een ordeloze hoop.

Wang wees naar zijn linkerkant. Adam had niet gezien dat het heft van een mes uit Wangs drijfnatte trui stak.

'Trek het eruit,' zei Wang. Zijn gezicht vertoonde sporen van een aframmeling: zijn bril was verbogen maar niet gebroken, een straaltje bloed uit een neusgat, een dikke lip, een vuurrode plek op een jukbeen.

'Weet je het zeker?' vroeg Adam.

'Alsjeblieft, nu...'

Met bevende handen leek hij Adams rechterhand naar het heft van het mes te willen leiden. Adam pakte het losjes vast.

'Volgens mij is dit niet iets wat...'

'Eén snelle beweging,' zei Wang en hij hoestte. Er liep wat bloed uit zijn mond langs zijn kin.

'Weet je het absoluut zeker?' herhaalde Adam. 'Ik weet niet of het de juiste...'

'Nú!'

Zonder verder na te denken greep Adam het mes stevig vast en trok het eruit. Het ging vlot, alsof hij het uit de schede trok. Het was een broodmes, viel hem op, terwijl een golf bloed met het mes naar buiten kwam, langs het lemmet omhoogschoot tot aan Adams knokkels, waar het warm en vochtig aanvoelde.

'Ik ga de politie bellen,' zei Adam; hij legde het mes neer en veegde zonder erbij na te denken zijn vingers af aan de sprei.

'De map,' zei Wang. Zijn vingers trilden en bewogen alsof ze een onzichtbaar toetsenbord beroerden.

'Die heb ik bij me.'

'Wat je ook doet, zorg dat je in geen geval...' Op dat moment overleed Wang, met een korte zucht van uitputting, zo klonk het.

Adam deed een stap naar achteren, geschrokken, verbijsterd, stootte tegen een stapel jasjes en broeken aan, en liep terug naar de zitkamer, op zoek naar een telefoon. Het toestel stond keurig op een console bij de deur, en terwijl hij de hoorn wilde pakken, zag hij dat er nog steeds bloed van een van zijn vingers droop. Er vielen druppels op de telefoon.

'Shit...' zei hij, en hij besefte dat het zijn eerste uitgesproken uiting van schrik was. Wat was hier godverdomme aan de hand...?

Toen hoorde hij dat het raam in Wangs slaapkamer openging en er iemand zwaar naar binnen stapte. De paniek die hij voelde was op slag verdwenen. Althans hij dacht dat het een raam was – misschien in de badkamer – maar hij had duidelijk het geluid gehoord van een raam dat werd opengedraaid, zo'n koperen grendel waarmee de in massa geproduceerde en van vele ruiten voorziene stalen ramen waren uitgerust, waaraan het Anne Boleyn House zijn bedompte, ziekenhuisachtige atmosfeer dankte.

Adam greep zijn diplomatenkoffer en de map van Wang, verliet razendsnel de flat en sloeg de deur met een klap achter zich dicht. Hij keek in de richting van de liften en besloot die niet te nemen, ging de hoek om en liep met stevige pas maar niet overdreven snel naar het groene bordje UITGANG en de brandtrap.

Hij liep de schaars verlichte stenen trap af zonder iemand tegen te komen en kwam uit in een zijstraat achter het Anne Boleyn House, naast vier reusachtige vuilcontainers op stevige rubberen wielen. Er hing een sterke lucht van rottend voedsel, waardoor Adam moest kokhalzen en spugen terwijl hij neerhurkte en de map van Wang in zijn diplomatenkoffer stopte. Hij keek op en zag twee jonge koks in hun witte buis en blauwgeruite broek, die een paar meter verderop in een deuropening een sigaret opstaken.

'Wat een stank, niet?' zei een van hen grijnzend.

Adam stak zijn duimen naar hen op en verdween, in wat volgens hem een ontspannen tempo was, in de tegenovergestelde richting.

Hij dwaalde een poosje doelloos door de straten van Chelsea. Hij probeerde helder te denken, probeerde te doorgronden wat hij zojuist had gezien en wat er precies was gebeurd. Het was een puinhoop in zijn hoofd, een afschuwelijk, gebroken mozaïek aan recente beelden – Wangs bont en blauw geslagen gezicht, het heft van het broodmes, zijn krampachtige, wijzende gebaren – maar het was ook weer niet zó'n puinhoop in zijn hoofd dat hij niet besefte wat hij zojuist had gedaan en wat de gevolgen waren van zijn onwillekeurige, natuurlijke reacties. Hij realiseerde zich nu dat hij nóóit Wangs instructies had moeten opvolgen. Hij had nooit dat mes uit zijn lichaam moeten trekken; hij had gewoon de telefoon moeten pakken en het alarmnummer bellen. Nu had hij sporen van Wangs bloed op zijn handen en onder zijn nagels, en wat nog erger was, zijn vingerafdrukken stonden op het mes. Maar wat had je anders moeten doen onder die omstandigheden, riep een woedende, gefrustreerde stem in hem. Je had geen andere keus: het was het laatste verzoek van een stervende man in doodsnood. Wang had min of meer zijn hand om het heft van het mes geplooid, hem gesmeekt het eruit te trekken, hem gesmeekt…

Hij bleef even stilstaan en dwong zichzelf te kalmeren. Het zweet gutste van zijn gezicht en hij hijgde zwaar, alsof hij zojuist de vijftienhonderd meter had gerend. Hij ademde luidruchtig uit, rustig aan, rustig aan. Denk na, denk na… Hij liep verder. Had hij de moordenaar van Wang in zijn werk gestoord? Of was het gewoon een roofoverval die gruwelijk uit de hand was gelopen? Hij dacht: de deur die hij had horen dichtslaan toen hij de flat binnenkwam, moet de indringer zijn geweest die de slaapkamer verliet, en het geluid van de persoon die opnieuw binnenkwam, moet opnieuw de indringer, de moordenaar zijn geweest. Hij moet zijn binnengekomen vanaf het balkon, besefte hij, en hij herinnerde zich ook dat sommige hoger gelegen serviceflats in het Boleyn House smalle balkons hadden. Dus de man was naar buiten geglipt toen hij Adam had horen binnenkomen, en had gewacht op het balkon, en toen hij hoorde dat Adam de slaapkamer verliet om te bellen... Ja, de politie, die moet ik bellen, hield Adam zichzelf voor. Misschien, bedacht hij plotseling, was het wel een enorme blunder geweest om te vertrekken, om de brandtrap af te lopen... Maar als die man hem betrapt had, wat dan? Nee, het was volkomen begrijpelijk, hij móést weg, zo snel mogelijk, anders was hij eraan gegaan, jezus... Hij haalde zijn mobiele telefoon uit zijn zak en zag dat het bloed van Wang op zijn knokkels opgedroogd was. Dat moest hij eerst even afwassen.

Hij liep een open ruimte op, een soort breed plein dat leidde naar een sportterrein en vreemd genoeg een kunstgalerie, waar waterstralen in groepjes vanuit het plaveisel omhoogspoten. Er zaten stelletjes op lage muurtjes, en een paar kinderen flitsten heen en weer op dure metalen autopeds.

Hij hurkte neer bij een fontein en spoelde zijn rechterhand schoon in het koude water, een schommelende, opwaartse, verticale straal die de zwaartekracht trotseerde. Zijn rechterhand was nu schoon – en beefde, merkte hij –, hij had behoefte aan een borrel, hij moest rustig worden, orde scheppen in zijn hoofd; daarna zou hij de politie bellen: ergens in zijn achterhoofd voelde hij dat hem iets dwarszat, iets wat hij wel of niet had gedaan, en daar wilde hij even goed over nadenken.

Adam vroeg de weg naar Pimlico en ging op pad, vastbesloten waar hij heen wilde. Onderweg ging hij een pub in, een geruststellend middelmatige kroeg, waar het woord 'doorsnee' alle ambities van het etablissement leek samen te vatten: een doorsnee vloerkleed met vlekken, doorsnee muzikaal behang, drie gokautomaten die niet al te hard stonden te pinkelen en rinkelen, een sjofel geklede arbeidersclientèle, een volkomen normaal aantal verschillende biersoorten en een doorsnee menukaart: pastei, sandwiches en een dagschotel (slordig van het bord geveegd). Adam voelde zich vreemd genoeg gerustgesteld door zijn beslissing om zich hiermee tevreden te stellen en niets meer na te streven dan dit gemiddelde niveau. Deze kroeg wilde hij onthouden. Hij bestelde een dubbele whisky en een zakje pinda's, ging ermee naar een tafeltje in de hoek en dacht na.

Hij voelde zich schuldig. Waarom voelde hij zich schuldig, hij had toch niets verkeerd gedaan? Kwam het omdat hij weggelopen was…? Maar dat zou iedereen in zijn situatie toch hebben gedaan, hield hij zichzelf voor: de schok, de aanwezigheid van een moordenaar in het aangrenzende vertrek… Het was een atavistische angst, een soort onlogisch verantwoordelijkheidsgevoel, iets dat ieder kind snapt dat wordt geconfronteerd met ernstige problemen. Het was een logische, natuurlijke handelwijze geweest om zo snel mogelijk een veilig heenkomen te zoeken en de balans op te maken. Hij had wat tijd nodig, een beetje ruimte…

Hij nipte van zijn whisky en genoot van het brandende gevoel in zijn keel. Hij kauwde op de pinda's, likte het zout van zijn handpalm en pulkte stukjes noot met een vingernagel tussen zijn tanden vandaan. Wat zat hem dwars? Was het wat Wang had gezegd, zijn laatste woorden? 'Wat je ook doet, zorg dat je in geen geval…' In geen geval wat? De map meeneemt? De map achterlaat? Toen realiseerde hij zich dat Wang dood was, en de uitgestelde schok kwam hard aan. Hij huiverde. Hij liep naar de bar en bestelde nog een whisky en een zakje pinda's.

Adam dronk van zijn whisky en at zijn pinda's met een snelheid en een gretigheid die hem verbaasden; hij gooide het zakje leeg in zijn hand en kiepte de noten bijna als een aap achteloos in zijn mond (waarbij losse nootjes op het tafelblad voor hem stuiterden). Het zakje was binnen een paar seconden leeg, hij frommelde het in elkaar en legde het op tafel, waar het een paar seconden lang probeerde zichzelf weer te ontkreukelen, terwijl Adam de losse nootjes, die aan zijn gulzige honger waren ontkomen, opraapte en in zijn mond stak. Terwijl hij genoot van de zoute, wasachtige pindasmaak, vroeg hij zich af of er op aarde een voedzamer of bevredigender voedingsmiddel bestond; soms had een mens genoeg aan zoute pinda's om te kunnen overleven.

Hij ging naar het herentoilet en moest daarvoor een smalle gebogen trap af – alsof die ooit wenteltrap had willen zijn, maar halverwege de moed had opgegeven – en kwam in een stinkend souterrain, waar de lucht van bier en urine wedijverden om de suprematie.

Terwijl hij opnieuw zijn handen waste onder het genadeloze licht boven de wasbakken, zag hij dat zijn das en overhemd onder de donkere spikkels zaten: bloedvlekjes, nam hij aan. Bloed van dr. Wang... Plotseling begon het Adam te duizelen, hij herinnerde zich de scène in Wangs flat, het uittrekken van het broodmes en de bloedstraal die het gevolg daarvan was. De vertraagde schok om wat hij had gezien en gedaan keerde terug. Hij moest naar zijn hotel, besloot hij abrupt, een ander overhemd aantrekken (en dit bewaren als bewijsstuk), en vervolgens de politie bellen. Niemand zou het hem kwalijk nemen dat hij de plaats delict had verlaten, omdat die man, de moordenaar op het balkon, plotseling terugkwam. Het was onmogelijk om onder die omstandigheden kalm en helder te blijven; nee, nee, nee, hem trof geen enkele blaam.

Terwijl hij terugliep naar Pimlico en Grafton Lodge – zijn bescheiden hotel – herhaalde hij zijn versie van de gebeurtenissen. Hij stond een paar keer stil om zich te oriënteren in die vrijwel identieke straten met wit gestuukte rijtjeshuizen, en toen hij eenmaal zeker wist dat hij in de goede richting liep, hervatte hij met hernieuwd zelfvertrouwen zijn wandeling, opgelucht dat deze afschuwelijke avond – de verschrikkelijke dingen waarvan hij getuige was geweest – op een passende gerechtelijke wijze zouden worden afgehandeld.

Grafton Lodge bestond uit twee van die rijtjeshuizen die waren samengevoegd en zo een klein hotel met achttien kamers vormden. Ondanks de overduidelijke pretenties van de naam hadden de eigenaren – Seamus en Donal – volgens de beste traditie van de B-film achter een raam op de begane grond een roze neonreclame geïnstalleerd met een in een cursieve letter oplichtend KAMERS VRIJ. De voordeur was rijkelijk voorzien van logo's van internationale reisorganisaties, vakantiegezelschappen en hotelgidsen: een glimmende collage van plakplaatjes, stickers en plastic etiketten. Het was zonneklaar dat Grafton Lodge voor reizigers vanuit Vancouver tot Osaka als een tweede thuis was.

In alle eerlijkheid dient gezegd dat Adam geen klachten had over zijn kleine maar schone kamer, die uitzag op een steeg met schuurtjes aan de achterkant. Alles werkte naar behoren: het thee- en koffiezetapparaat, de douche, de minibar, de tv met zijn achtennegentig zenders. Seamus en Donal waren behulpzaam, charmant en attent tegenover hun gasten, maar nu hij de straat in liep op weg naar het hotel en de roze neonreclame KAMERS VRIJ zag, voelde hij toch een lichte angst door hem heen gaan. Hij bleef staan en dwong zichzelf na te denken: het was nu ruim een uur geleden, bijna twee uur zelfs, dat hij was weggevlucht uit het Anne Boleyn House. Maar hij had zijn naam genoteerd in het gastenboek dat de portier hem had voorgehouden – Adam Kindred – en hij had als woonadres Grafton Lodge, SW1 opgegeven. Dat was de enorme stommiteit waar hij zich zorgen om maakte, dát had hem de hele tijd dwarsgezeten... De laatste persoon die Philip Wang voor zijn dood had bezocht, was zo attent geweest zijn naam en adres te noteren in het gastenboek. Terwijl hij Grafton Lodge naderde, voelde hij zich plotseling misselijk worden toen hij nadacht over de mogelijke gevolgen van zijn argeloze openhartigheid. Er leek niets aan de hand te zijn, door de met plakplaatjes bedekte glazen deur zag hij Seamus achter de receptie staan praten met een van de kamermeisjes – hij meende dat ze Branca heette – en hij zag een paar gasten in de voor hotelgasten gereserveerde bar. Aan de overkant van de straat stond een taxi geparkeerd, het bordje met VRIJ was onverlicht en de chauffeur zat te dutten achter het stuur, ongetwijfeld wachtend tot een van de brassende zakenlui in de bar eindelijk naar buiten zou komen.

Adam dwong zichzelf door te lopen: ga naar binnen, ga naar je kamer, trek die bebloede kleren uit, bel de politie en ga naar een politiebureau, zorg dat die hele akelige toestand naar behoren wordt opgelost. Het leek de meest logische volgende stap, de enige volkomen natuurlijke handelwijze, en daarom vroeg hij zich af waarom hij besloot naar het einde van de straat te lopen en vanuit de steeg achter het hotel een blik op zijn raam te werpen. Er zat hem nog iets anders dwars, iets anders wat hij wel of niet had gedaan, en die daad of nalatigheid spookte hem door het hoofd. Als hij zich nu maar kon herinneren wat het was en er verstandig over kon nadenken, dan zou hij misschien een stuk rustiger worden.

Hij stond in de donkere steeg achter Grafton Lodge, keek naar de achtergevel van het hotel, zocht het raam van zijn kamer en vond het: donker, de gordijnen halfdicht, zoals hij ze die ochtend had achtergelaten toen hij vertrok naar het Imperial College voor het sollicitatiegesprek. Wat was dit voor een wereld? mijmerde hij. Alles was nog precies zoals het geweest was, er was helemaal niets veranderd. Hij was een idioot die achterdoch...

'Adam Kindred?'

Later kon Adam met geen mogelijkheid verklaren waarom hij zo agressief gereageerd had op het noemen van zijn naam. Misschien was hij ernstiger getraumatiseerd dan hij gedacht had; misschien dwong de mate van stress waaraan hij zojuist onderworpen was geweest hem tot een reflex in plaats van tot logisch redeneren. Hoe dan ook, toen hij de mannenstem zo vlakbij zijn naam hoorde uitspreken, greep hij het handvat van zijn nieuwe, zware diplomatenkoffer stevig vast en zwaaide die met volle kracht achterwaarts. De onmiddellijke, ongeziene impact joeg een pijnscheut door zijn arm en schouder. De man maakte een geluid tussen zuchten en kreunen, en Adam hoorde hem met een bons en gekletter op de grond vallen.

Adam draaide zich razendsnel om – er ging een golf van absurde bezorgdheid door hem heen – jezus christus, wat had hij gedaan? – en knielde neer naast het halfbewuste lichaam. De man bewoog zich nauwelijks, en er stroomde bloed uit zijn mond en neus. Het zware, rechthoekige, koperen beslag op een van de onderste hoeken van Adams diplomatenkoffer was onzacht in aanraking gekomen met de rechterslaap van de man, en in het schemerige licht van de straatlantaarns in de steeg zag hij een heldere, rode, L-vormige wond die leek op een brandmerk. De man kreunde en probeerde overeind te komen; hij strekte zijn handen alsof hij iets wilde pakken. Adam volgde het gebaar en zag dat hij een automatisch pistool (met geluiddemper, realiseerde hij zich een paar tellen later) wilde pakken dat op de klinkers naast hem lag.

Adam stond op, angst en paniek namen de plaats in van zijn schuldgevoel, en direct daarop hoorde hij het geluid van een politiesirene naderbij komen. Maar hij wist zeker dat de man die voor zijn voeten lag geen politieman was. Voor zover hij wist waren politieagenten in burger niet uitgerust met van geluiddempers voorziene automatische pistolen. Hij probeerde rustig te blijven, terwijl de logische gevolgtrekking steeds duidelijker werd: er zat nog iemand anders achter hem aan, deze man was erop uitgestuurd om hem op te sporen en te doden. Adam voelde de misselijkheid opstijgen in zijn keel. Hij besefte dat wat hij voelde pure doodsangst was, als van een dier, een in het nauw gedreven dier. Hij keek naar de man en zag dat die duizelig half overeind had weten te komen, heen en weer zwaaiend als een baby, en een tand uitspuugde. Adam schopte het pistool weg, dat ratelend over de klinkers van de steeg gleed, en deed een paar passen naar achteren. De man was dan wel niet van de politie, maar de echte politie kwam steeds dichterbij; hij hoorde een paar straten verderop nog een sirene, die pijnlijk dissonant was met de eerste. De man begon aarzelend over de klinkers te kruipen in de richting van zijn pistool. Goed: de man was op zoek naar hem en de politie ook – hij hoorde hoe de eerste politieauto stopte voor het hotel en hoe de portieren haastig werden dichtgesmeten – en de avond was helemaal uit de klauwen gelopen op een manier die hij niet voor mogelijk had gehouden. Hij keek om en zag dat de kruipende man bijna zijn pistool had bereikt en onzeker een arm uitstrekte om het op te rapen, alsof zijn zicht belemmerd werd en hij zijn ogen nauwelijks kon focussen. De man viel om en kwam weer moeizaam overeind. Adam wist dat hij onmiddellijk, binnen een paar seconden, een beslissing moest nemen, en met die wetenschap kwam het onaangename besef dat het waarschijnlijk een van de belangrijkste beslissingen van zijn leven zou worden. Moest hij zich aangeven bij de politie, of niet? Een of andere onduidelijke angst diep in hem schreeuwde: néé! néé! rennen! En hij wist dat zijn leven ieder moment een wending kon nemen die hij nooit meer ongedaan zou kunnen maken. Hij kon zichzelf nu niet aangeven, hij mócht zichzelf niet aangeven: hij had tijd nodig. Hij was doodsbang, realiseerde hij zich, voor de gruwelijke omstandigheden waarin hij verkeerde, doodsbang voor de rampzalige, onvoorstelbare problemen waarin de onheilspellende, afschuwelijke gevolgen van het verhaal dat hij te vertellen had – het ware verhaal – hem zouden kunnen storten. Alles draaide dus om tijd, tijd was op dit moment zijn enig denkbare vriend en bondgenoot. Als hij wat tijd kreeg, zou alles op keurige wijze kunnen worden verklaard en opgelost. En dus nam hij een beslissing, een van de belangrijkste beslissingen van zijn leven. De kwestie was niet of hij de juiste of de verkeerde handelwijze had gekozen. Hij kon alleen maar afgaan op zijn instinct, hij moest eerlijk zijn tegenover zichzelf. Hij draaide zich om, rende in een stevig tempo de steeg uit en verdween in de naamloze straten van Pimlico.

Wat dreef hem om terug te keren naar Chelsea? vroeg hij zich af. Waren het de vijgenboom en zijn kortstondige droom van dure appartementen aan de rivier die hem het idee gaven dat dat driehoekige stuk onland naast de Chelsea Bridge hem vierentwintig uur lang een veilige schuilplaats zou bieden, totdat dit hele krankzinnige avontuur achter de rug was? Hij wachtte net zo lang tot er geen auto's meer te zien waren langs het Embankment, klom razendsnel over het puntige hek en verdween in de driehoek. Hij baande zich een weg door de bosjes en de struiken, weg van de brug en het schijnsel van koplampen, en spreidde zijn regenjas uit. Daar zat hij een tijdje met zijn armen om zijn knieën, probeerde nergens aan te denken, en voelde de onweerstaanbare behoefte in zich opkomen om te gaan slapen. Hij schakelde zijn telefoon uit, ging liggen, legde zijn hoofd op zijn diplomatenkoffer en sloeg zijn armen om zich heen. Eindelijk dacht hij nergens aan, hij probeerde niets te begrijpen of te analyseren, liet alleen maar de beelden van de afgelopen dag en avond als een op hol geslagen diavertoning door zijn hoofd flitsen. Rust maar uit, zei zijn lichaam, je bent hier veilig, je hebt extra kostbare tijd gewonnen, maar nu moet je rusten, hou maar op met denken. En dat deed hij dan ook: hij viel in een diepe slaap.

2

Rita Nashe probeerde aan Vikram uit te leggen waarom ze zo de pest had aan cricket, waarom cricket in welke vorm dan ook, ouderwets of modern, haar een gruwel was, toen de melding doorkwam. Ze stonden geparkeerd vlak bij King's Road, op de hoek bij een Starbucks, waar ze nog een paar bekers koffie hadden kunnen bemachtigen voordat de vestiging sloot. Rita herinnerde zich de melding, ze moesten naar een 'cocktailparty' in het Anne Boleyn House aan Sloane Avenue. Ze schreef de details in haar notitieboekje en startte de auto.

'Cocktailparty,' zei ze tegen Vikram.

'Sorry?'

'Huiselijk geweld. Zo noemen we dat in Chelsea.'

'Cool. Dat zal ik onthouden: "cocktailparty".'

Ze reed ontspannen naar Sloane Avenue, zwaailicht en sirene waren niet nodig. Een vrouw had het bureau gebeld met klachten over gedreun en gebons op de vloer in de flat boven haar, waarna er vlekjes op haar plafond waren verschenen. Ze parkeerde tegenover de ingang en liep naar de deur. Vikram bleef een eindje achter haar – hij leek problemen te hebben met zijn veiligheidsgordel – niet bepaald een wakkere jongen. Haar mobiele telefoon rinkelde.

'Rita, ik kan mijn bril nergens vinden.'

'Pap, ik ben aan het werk. Waar is je reservebril?'

'Ik heb godverdomme geen reservebril, dat is het nou juist. Ik zou je niet bellen als ik een reservebril had.'

Ze hield even in bij de ingang totdat Vikram bij haar was.

'Heb je al gekeken,' vroeg ze haar vader en haar stem klonk verwachtingsvol, 'in de kast vóór, waar we de blikjes in bewaren?' Ze hoorde zijn hersens bijna knarsen.

'Waarom?' zei hij kwaad. 'Waarom zou mijn bril in de kast vóór bij de blikjes liggen…?'

'Omdat je hem daar al eens eerder in hebt gelegd, herinner ik me.'

'O ja? O… Goed, ik zal eens kijken.'

Ze klapte glimlachend haar telefoon dicht; ze had zijn bril zelf in de kast verstopt, als straf omdat hij zo lomp en egoïstisch deed. Negentig procent van de irritaties in zijn leven waren haar schuld – daar had hij geen idee van – en hij had nooit gemerkt dat die irritaties afnamen naarmate zijn humeur zonniger werd. Hij was een intelligente man, hield ze zichzelf voor, terwijl zij en Vikram de glazen deuren openduwden en de lobby betraden, eigenlijk had hij het allang door moeten hebben.

Van achter de brede marmeren balie keek de portier verbaasd op toen er plotseling twee politieagenten – een man en een vrouw – voor zijn neus stonden, en toen ze hem de triviale reden voor hun komst vertelden, begreep hij niet waarom de klaagster (een moeilijke oude vrouw) niet gewoon naar de receptie had gebeld, uiteindelijk zat hij daarvoor. Rita zei dat er ook sprake was van vlekken op het plafond. Ze keek in haar notitieboekje. Appartement F14.

'Welk appartement zit er boven F14?'

'G14.'

Zij en Vikram gingen met de lift naar boven.

'Ik zou hier ook wel willen wonen,' zei Vikram. 'Een studio-appartement, Chelsea, King's Road...'

'Tja, dat willen we allemaal wel, Vik.'

De deur van appartement G14 stond op een kier; Rita vond dat vreemd. Ze zei tegen Vikram dat hij buiten moest blijven wachten, en ging naar binnen. De lampen brandden en de flat was grondig overhoopgehaald. Inbraak, dacht ze meteen, hoewel de enorme chaos erop wees dat iemand naar iets speciaals op zoek was geweest en het niet gevonden had. De tv stond er nog, de dvd-speler. Misschien ook niet...

Toen ze de dode aantrof in de slaapkamer, liggend op zijn rug op doorweekte lakens, begreep ze ook waar de vlekken op het plafond beneden vandaan kwamen. In de loop van haar politiecarrière had ze eerder doden en gewonden gezien, maar ze was altijd weer verbaasd door de enorme hoeveelheid bloed die uit een menselijk lichaam kon stromen. Ze hield haar neus dicht en slikte; ze voelde een lichte duizeligheid opkomen. Ze ademde licht in en uit en liet, staande in de deuropening, de trilling die door haar lichaam ging wegzakken. Ze keek snel om zich heen, ook hier was alles overhoopgehaald, de glazen deur naar het balkonnetje stond open, ze hoorde het verkeer op Sloane Avenue, en zag de vitrages bewegen en opbollen als zeilen in de nachtbries.

Ze liep behoedzaam terug door de flat naar de voordeur, waar ze haar mobilofoon aanklikte en de brigadier van dienst op het bureau in Chelsea belde.

'Iets interessants?' vroeg Vikram.

3

Onderbroek of geen onderbroek? dacht Ingram Fryzer bij zichzelf, terwijl hij naar de lange rij van wel vijfentwintig kostuums keek die in de kleerkast in zijn kleedkamer hingen. Hij droeg een crèmekleurig overhemd met een das die hij al gestrikt had, en zijn gebruikelijke kniehoge, marineblauwe sokken. Ingram verafschuwde het wanneer zijn witte, harige huid tussen sok en broekomslag te zien was als hij met gekruiste benen ging zitten, wat een hardnekkige en typisch Engelse slordigheid op kledinggebied scheen. Scheen, glimlachte hij in zichzelf, of liever: scheenbeen. Hoe dan ook, als hij in vergadering was met rijke en machtige mannen, en hij zag hoe ze hun benen over elkaar sloegen en daarbij zo'n vijf centimeter melkwitte huid toonden, merkte hij dat ze onmiddellijk in zijn achting daalden; dat soort nalatigheid zei iets over hen. De kwestie van de onderbroek was echter een onvervreemdbaar persoonlijke kwestie: het was ondenkbaar dat iemand in zijn gezelschap ooit maar het flauwste benul kon hebben dat de voorzitter en CEO naakt was onder zijn volmaakt gesneden kostuum en dat zijn lul en ballen los in zijn broek bungelden.

Ingram dacht nog even na over dit aangename dilemma – onderbroek of geen onderbroek – en stelde zich de mogelijke prikkels voor die hem die dag te wachten stonden. Hij vond het een heerlijk gevoel als zijn eikel langs de stof van zijn broek gleed of even vastzat tegen een zoom; op dat soort momenten kon je er zeker van zijn dat hij spontaan een halve erectie kreeg, en die mogelijkheid verhoogde het risico, vooral als je op het punt stond een belangrijke vergadering te betreden. De hele opbouw – iedere nuance – van een dag op kantoor veranderde radicaal als je niets aanhad onder je broek. *Une journée de frotti-frotta*, zoals een Franse vriend het noemde, en Ingram genoot van de subtiele pretentie die deze benaming verleende aan zijn kleine ondeugd. Hij had een besluit genomen – het werd geen onderbroek – en hij koos een pak met een prince-de-galles-ruit, trok de pantalon aan, klemde er zijn rode bretels aan en deed het colbert aan. Hij koos een paar donkerbruine loafers met kwastjes, en ging naar beneden voor het uitgebreide Engelse ontbijt dat Maria-Rosa van maandag tot vrijdag iedere ochtend om half acht voor hem klaar had staan.

Onderweg naar kantoor vroeg hij Luigi te stoppen bij het metrostation Holborn. Dat deed hij vaak – een paar haltes met de ondergrondse naar het werk terwijl Luigi verder reed met de auto –, vooral op dagen dat hij geen onderbroek aanhad. Hij mengde zich graag onder 'de mensen', keek om zich heen naar de diverse mensentypes die te zien waren en vroeg zich dan af wat voor leven ze leidden.

Niet dat hij minachting voor hen voelde of een prettig superioriteitsgevoel had – het was gewoon een kwestie van antropologische nieuwsgierigheid, hij was geïntrigeerd door al die andere leden van de menselijke soort – en hij meende dat hij daar als mens beter van werd, aangezien niemand anders uit zijn sociale en economische klasse hetzelfde deed. Tien minuten lang was hij een van de vele anonieme forenzen die met de Central Line naar hun werk gingen.

Hij stond in de drukke coupé nieuwsgierig en onschuldig om zich heen te kijken. Dichtbij stonden redelijk knappe meisjes in mantelpak via piepkleine oortelefoons naar muziek te luisteren. Chic gekleed, met sieraden, zwaar opgemaakt... Een keek even in zijn richting, alsof ze voelde dat hij haar aanstaarde, en wendde haar blik weer af. Ingram voelde zijn pik bewegen, en hij vroeg zich af of dit ook een dag voor Phyllis zou worden. Mijn god, wat was er toch aan de hand met hem? Dachten andere mannen van negenenvijftig ook voortdurend aan seks? Hoe heette dat ook weer? Ja, was hij een erotomaan? Dat was in ieder geval niet de ergste categorie van zedendelinquenten om in te worden ingedeeld, maar soms vroeg hij zich af of er niet iets klinisch mis was met hem, iets wat te diagnosticeren was, dat te maken had met zijn obsessies... Maar aan de andere kant, mijmerde hij terwijl hij de trappen van het Bank Station opliep en de glazen toren zag waarin zijn bedrijf was gevestigd – Calenture-Deutz nv – waar op een aantal verdiepingen tweehonderd van zijn employees hun werkdag begonnen, waren dat soort gevoelens, dat soort behoeftes misschien wel heel normaal en gezond.

Hij wist meteen dat er iets niet in orde was toen hij zag dat zowel Burton Keegan als Paul de Freitas in de hal op hem stonden te wachten. Terwijl hij op hen af liep, bereidde hij zich voor op de meest rampzalige scenario's: zijn vrouw, zijn kinderen verminkt, dood; een bedrijfsongeval in de laboratoria in Oxford, vervuiling, een besmettingsuitbraak; afschuwelijk gedoe op de beurs; een rel in de directiekamer, faillissement...

'Burton, Paul,' zei hij, en hij zorgde dat zijn gezicht net zo uitdrukkingloos was als het hunne. 'Goede morgen. Dit kan alleen maar slecht nieuws betekenen.'

Keegan keek naar De Freitas: wie zou de boodschapper zijn? De Freitas knikte en Keegan deed een stap naar voren.

'Philip Wang is dood,' mompelde Keegan zacht. 'Vermoord.'

4

Adam werd wakker bij zonsopgang. Zeemeeuwen schreeuwden en krijsten vlak boven hem, ze vlogen laag en doken agressief, en heel even dacht hij: o ja, natuurlijk, ik droom, dit is allemaal niet gebeurd. Maar de kou in zijn benen, de algehele vochtigheid en het gevoel van smerigheid, brachten hem met kracht terug in de werkelijkheid en de zorgelijke omstandigheden waarin hij verkeerde. Hij ging rechtop zitten en voelde zich gedeprimeerd; hij kon wel huilen toen hij ten volle besefte wat er gebeurd was. Hij keek naar de rivier en zag dat het vloed was, het bruine water stroomde krachtig. Hij had honger, hij had dorst, hij moest pissen, hij wilde zich scheren… Het urineren vormde geen enkel probleem, en terwijl hij zijn gulp opentrok stelde hij somber vast dat dit de eerste keer in zijn leven was dat hij onder de blote hemel had geslapen. Het beviel hem niets.

Hij trok zijn regenjas aan, pakte zijn diplomatenkoffer, baande zich een weg door de bedauwde struiken naar het Embankment, en zag de eerste forenzen over de lege weg scheuren voor het spitsuur begon. Hij sprong over het hek en bleef met zijn regenjas aan de spijlen haken, maakte die los en liep door. Het was koel 's morgens zo vroeg en Adam voelde de kilte, terwijl hij stilstond en de grassprieten van zijn bevuilde regenjas klopte. Hij moest iets eten.

In een cafetaria in King's Road bestelde hij een uitgebreid Engels ontbijt, dat hij snel naar binnen werkte. Hij keek in zijn portefeuille: papiergeld en munten ter waarde van 118 pond en 38 pence. Hij vond dat hij, als hij zich ging aangeven bij de politie, er in ieder geval toonbaar uit moest zien, en dus ging hij naar een drogist, waar hij wegwerpscheermesjes en scheercrème kocht – nu zijn honger was gestild wilde hij nog maar één ding: zich scheren – en nam de ondergrondse van Sloane Square naar Victoria Station, waar hij twee pond betaalde voor het gebruik van de nieuwe 'exclusieve toiletten'. Hij schoor zich zorgvuldig glad en kamde zijn haar achterover zodat het weer netjes op zijn plaats zat. De voren van de kam waren zichtbaar als bij corduroy; na één nacht buiten slapen begon het dus al vet te worden. In de stationshal vroeg hij een medewerker van de spoorwegen naar het dichtstbijzijnde politiebureau, en hij werd verwezen naar Buckingham Palace Road, op een loopafstand van een paar minuten.

Hij vond het bureau gemakkelijk, bleef even staan om moed te verzamelen en liep zelfverzekerd de trap op van wat een nieuw gebouw leek te zijn – vierkante, karamelkleurige blokken steen en felblauwe relingen. Hij had met opzet niet nagedacht over wat hem te wachten zou kunnen staan, of wat de onmiddellijke gevolgen konden zijn van de aanklacht die mogelijk tegen hem zou worden ingediend. Er was erg veel belastend bewijs dat tegen hem pleitte, dat was overduidelijk. Sterker nog, dat was precies de reden waarom hij gisteren was gevlucht. Hij ging er pessimistisch van uit dat hij gearresteerd en opgesloten zou worden voordat hij een advocaat kreeg toegewezen. Hij besefte dat hij maar al te gemakkelijk voor de dader kon worden aangezien; ze zouden hem heus niet zijn lezing van de gebeurtenissen laten vertellen en hem dan laten teruggaan naar zijn hotel om te wachten op hun telefoontje. Denkend aan dat telefoontje, dacht hij ook meteen weer aan de baan, de baan als universitair hoofdmedewerker, waarvoor hij gistermiddag een sollicitatiegesprek had gevoerd. Ze hadden beloofd dat ze hem zouden bellen... Maar hij was na het sollicitatiegesprek niet gebeld op zijn mobiele telefoon. Hij controleerde zijn telefoon en zag dat hij ook geen berichten had, afgezien van reclame van zijn telefoonmaatschappij. Nadat hij de States verlaten had, had hij vrijwel niet meer ge-sms't – geen gebabbel of geleuter meer van vrienden, collega's of studenten – de stilte van de schuld... Niettemin was hij benieuwd naar een bericht van het Imperial College. Was hij geselecteerd, zo vroeg hij zich af, wilde ze hem hebben? Hij had medelijden met zichzelf, voelde zich onheus bejegend: wat er ook met hem ging gebeuren, het zou absoluut niet goed staan op zijn cv.

Hij stapte via de automatische deuren een kleine hal binnen en zag tegenover zich een onbemande balie. Een rode lichtkrant erboven vermeldde dat de brigadier van dienst ieder moment terug kon komen. Er zaten een man en een vrouw te wachten en zwijgend naar de grond te staren. Adam bleef staan, draaide zich om en zag zijn spiegelbeeld in het glas van de informatieborden, dat vol hing met waarschuwingen, instructies voor het indienen van klachten betreffende huiselijk geweld, vacatures bij de Metropolitan Police, juridische informatie en foto's van diverse boeven. Zijn blik dwaalde onwillekeurig af en hij zag zijn eigen naam staan: ADAM KINDRED – GEZOCHT OP VERDENKING VAN MOORD. Nog verontrustender dan zijn naam was zijn eigen gezicht: een vertrouwde foto van zichzelf, geknipt uit een andere foto (in de rechter benedenhoek was nog de schaduw van een onbekende zichtbaar). Adam wist meteen waar de foto genomen was, terwijl hij naar zijn jongere, glimlachende ik keek – bij zijn huwelijk met Alexa. Hij wist ook dat hij bij die gelegenheid een jacquet, een grijs vest en zilverkleurige das had gedragen, geheel in de Engelse traditie, ook al had de trouwerij plaatsgevonden in Phoenix, Arizona en droegen alle andere aanwezige mannen smokingjasjes en strikjes. Er was goedaardig om gegniffeld. Hij bekeek zijn jongere ik: de brede grijns, het langere haar, en de volle voorlok, die opwaaide door de felle woestijnwind en jongensachtig over zijn voorhoofd hing. Gegeneerd veegde Adam zijn kortere, grijze haar opzij. Hij zag er nu anders uit – magerder en bezorgder. Toen dacht hij: hoe waren ze in hemelsnaam zo snel aan die foto gekomen? Via zijn vader? Zijn vader was in Australië met zijn zus. Nee... Hij deed een stap naar achteren, verbijsterd: hij moest afkomstig zijn van Alexa, zijn ex-vrouw. Verbitterd liet hij de gebeurtenissen weer de revue passeren: geen wonder dat ze hem zo snel op het spoor waren, zijn naam en adres in het gastenboek van het Anne Boleyn House leidden hen rechtstreeks naar het Grafton Lodge Hotel (Seamus en Donal waren op de hoogte van het sollicitatiegesprek); vervolgens e-mails, telefoontjes naar zijn vorige werkgever, naar familieleden. Een foto ter beschikking gesteld door zijn ex-vrouw ('Adam? Weet u het zeker?' – hij hoorde haar stem, net niet twijfelend genoeg), gescand en in een fractie van een seconde langs elektronische weg naar Londen gestuurd. Misschien hadden ze ook al wel contact gehad met zijn vader...? Hij werd misselijk. Hij zag zijn zaak nu vanuit het gezichtspunt van de politie – ze waren op zoek naar één man, de man die zijn naam in het gastenboek van het Anne Boleyn House had gezet, de laatste man die Philip Wang levend had gezien, de man wiens vingerafdrukken op het moordwapen stonden – een uitgemaakte zaak. Zoek Adam Kindred en je hebt je moordenaar.

Adam voelde een steeds strakker wordende band om zijn borst, terwijl hij de onweerlegbare indirecte bewijzen tegen zichzelf overdacht. Hij bevond zich op de plaats delict op het tijdstip van overlijden. Zijn vingerafdrukken waren overal. Zijn kleren waren bevlekt met het bloed van het slachtoffer. Hij was overduidelijk de verdachte; iedereen, wie dan ook, zou denken dat hij Philip Wang had gedood. Maar wat was zijn motief? Waarom zou hij die eminente immunoloog hebben willen vermoorden? Waarom...? Een crime passionnel was de verklaring die zich opdrong. Later bedacht hij dat het de confrontatie met zijn jonge, onschuldige gezicht was die hem had doen handelen zoals hij had gedaan. Die foto straalde iets van zijn overduidelijke onschuld uit, en dat kon hij moedwillig laten bezoedelen. Hij dwong zichzelf op te houden met piekeren, keerde de beeltenis van die gelukkige, glimlachende, zorgeloze, jongere Adam de rug toe en liep door de schuifdeuren naar buiten en de trap af (langs drie binnenkomende geüniformeerde en geanimeerd pratende agenten), liep in westelijke richting en sloeg rechts af naar Pimlico Road in de richting van het betrekkelijk veilige Chelsea.

Terwijl Adam het politiebureau steeds verder achter zich liet – diplomatenkoffer in de hand, warm, bijna koortsig van angst – besefte hij dat hij op een kruispunt van wegen was gekomen. Nee, geen kruispunt – verkeerde beeldspraak – het was een tweesprong, en bovendien zo'n dramatische tweesprong als weinig mensen in hun leven zouden tegenkomen. Hij kon a) zichzelf aangeven en het recht zijn loop laten hebben – inbeschuldigingstelling, opgesloten, borgsom geweigerd, voorarrest, proces, vonnis – of hij kon b) zichzelf niet aangeven. Hij was van nature een gezagsgetrouw persoon – hij had het volste vertrouwen in het rechtssysteem van alle landen waar hij had gewoond – maar nu was alles plotseling veranderd. 'Respect voor de wet' was voor hem niet langer van het allerhoogste belang. Nee: instinctief was vrijheid nu zijn voornaamste drijfveer, zijn persoonlijke vrijheid. Als hij zichzelf op de een of andere manier moest zien te redden, dan moest hij vrij blijven, ten koste van alles. En vrij blijven was de enige strategie die hij zou en moest volgen. Het was een vreemde filosofische openbaring, maar hij was zich er terdege van bewust dat de individuele vrijheid die hij nu genoot ongelooflijk veel voor hem betekende – omdat hij zich nu realiseerde hoe subtiel en kwetsbaar die vrijheid was – en hij was niet van plan die vrijheid uit handen te geven, aan niemand, ook niet tijdelijk. En bovendien, zo hield hij zichzelf voor, terwijl hij voortsjokte en het met iedere stap die hij zette warmer kreeg, hij was verdorie toch onschuldig! Hij was onschuldig en hij wilde niet beschuldigd worden van een moord die hij niet had gepleegd. De situatie was simpel, de keuze die hij gemaakt had – die hij moest maken – was de enige mogelijke keuze geweest. Hij voelde geen dilemma, geen twijfel; iedereen die in deze afschuwelijke omstandigheden beland was, zou precies hetzelfde hebben gedaan. En dan was er nog die andere factor, die 'X-factor' waarmee rekening moest worden gehouden. Wie was de man in de steeg die zijn naam wist en die een vuurwapen met geluiddemper bij zich droeg? Dat was ongetwijfeld de moordenaar geweest. De man op het balkon die Adam had betrapt toen hij de flat van Wang betrad...

Hij passeerde links een pub en kreeg zin om naar binnen te gaan en iets te drinken, maar tegelijk met zijn geloof in persoonlijke vrijheid, was hij zich bewust van het feit dat alles verschrikkelijk duur was in deze stad. Hij moest zuinig zijn op zijn resterende geld terwijl hij bedacht wat hij moest doen en wachtte tot de echte schuldige geïdentificeerd en opgepakt was.

Hij ging zitten op een bankje langs een lommerrijk pleintje en staarde dromerig voor zich uit naar een standbeeld van Mozart als kind. Wat moest Mozart in dit deel van Londen? Adam dwong zichzelf om zich te concentreren: de beste handelwijze was misschien om zich een poosje gedeisd te houden – een paar dagen, een week – om te zien hoe de zaak zich ontwikkelde. Wat was de uitdrukking ook weer? 'Ondergronds gaan'; ja, als hij nu eens een paar dagen ondergronds ging, zodat de politie de andere aanwijzingen in de zaak kon natrekken... Hij kon de gebeurtenissen volgen in de kranten, of via radio en tv. Toen drong zich plotseling de gedachte op: als Wang nu eens wél homo was geweest? Wang en Adam ontmoetten elkaar in een restaurant en raakten aan de praat. Er waren getuigen. Adam begaf zich naar zijn flat, Wang probeerde hem te versieren, ze kregen ruzie, raakten slaags, de zaak liep gierend uit de klauwen... Hij voelde zich opnieuw slap worden, hij keek naar de jonge Mozart en probeerde zich een aria van Mozart te herinneren, of een melodie, welke dan ook, om hem af te leiden, maar de tekst die hem te binnen schoot was van een rocksong uit zijn jeugd: '*Going underground, going underground / Well, the brass bands play and feet start to pound*'.

De woorden waren voorspellend, besloot hij, hij zou inderdaad ondergronds gaan, liever dan zichzelf zomaar aan te geven op het politiebureau en beschuldigd te worden van een misdaad die hij niet gepleegd had. Een paar dagen, hield hij zichzelf voor, dan komen er nieuwe aanwijzingen en heeft de politie nieuwe scenario's en verdachten. De melodie van Mozart schoot hem uiteindelijk te binnen, de ouverture van *Così Fan Tutte*, die hem altijd opmonterde. Hij stond op en neuriede de ouverture in zichzelf; het werd tijd om de noodzakelijke voorbereidingen te treffen voor zijn nieuwe leven.

Later die dag, toen de duisternis begon te vallen, gooide Adam zijn drie zakken met spullen over de balustrade bij de Chelsea Bridge en sprong er zelf snel achteraan. Hij zocht de plek waar hij de vorige nacht had geslapen en bekeek die aandachtig: er stonden drie grote struiken en een paar halfhoge bomen, een plataan en een paar hulststruiken, bij de scherpe punt van de driehoek – de westelijke punt, het verst verwijderd van de Chelsea Bridge – vormden een kleine open plek, en een van de struiken had van onderen een soort holte waar hij in kon kruipen en zich kon verschuilen onder de laagste takken. Hij hurkte neer; ja, als hij daarin wegdook, was hij zo goed als onzichtbaar voor het verkeer langs het Embankment, over de Chelsea Bridge en over de rivier.

Hij maakte zijn tassen leeg en overzag wat hij had gekocht: een slaapzak, een pioniersschop, een grondzeil, een kleine primus met extra gastankjes, een zaklantaarn, een metalen geldkist, een bestekset, twee flessen water, een sauspannetje en zes blikjes witte bonen. Hij was zuinig geweest met zijn aankopen, en had alleen de goedkoopste spullen gekocht. Hij had nog tweeënzeventig pond en wat kleingeld over. Hij kon zich hier overdag schuilhouden en zich indien nodig 's avonds naar buiten wagen om op strooptocht te gaan. Zo leidde hij nog een min of meer normaal bestaan.

Hij maakte een schuilplaats in de holle struik, brak een paar takken af om wat meer ruimte te scheppen en hing het grondzeil over de andere takken in de vorm van een omgekeerde 'V', zodat er een lage, geïmproviseerde tent ontstond. Hij rolde de slaapzak uit en legde die onder het grondzeil. Ja, hier kon hij droog blijven, beschermd tegen de regen, behalve tegen stortbuien. Hij keek om zich heen, hoorde een politieauto met gillende sirene langsscheuren over het Embankment, en glimlachte in zichzelf. De hele Londense politie was op zoek naar hem, tapes van bewakingscamera's zouden worden bestudeerd, er zou getelefoneerd worden met zijn ex-vrouw en met zijn familie in Sydney, Australië, verre familie zou worden opgespoord. Iemand nog iets gezien of gehoord van Adam Kindred? Wat zouden ze lachen om zijn avonturen als die voorbij waren! Hij werd gezocht, maar was nergens te vinden. Nadat hij zijn bed had opgemaakt, stak hij de primus aan en warmde zijn bonen op. Hij at rechtstreeks uit de pan, de bonen waren heet en smeuïg, heerlijk. Leef bij de dag, Adam, hield hij zichzelf voor: hou je hoofd zo leeg mogelijk. Hij was nu echt ondergronds.

5

Kruidnagelolie, dacht Jonjo Case. Wie had dat ooit bedacht? Wie verzon zoiets? Hij pakte het flesje, goot een paar druppels olie op zijn wijsvinger en masseerde die op en rond zijn beschadigde tand. Bijna onmiddellijk voelde hij de scherpe pijn wegtrekken. De grote vulling was eruit gevallen toen die lul, Kindred, hem met zijn diplomatenkoffer tegen de zijkant van zijn hoofd had geraakt. De andere tand was er helemaal uit geschoten, alsof een tandarts hem getrokken had. Toen hij weer helemaal bij bewustzijn was, zag hij hem naast zich op de klinkers liggen. Hij raapte hem op en stopte hem in zijn zak: bewijsmateriaal.

Jonjo bekeek zijn gezicht in de spiegel. Hij was toch al nooit kapot geweest van zijn uiterlijk, maar door de diplomatenkoffer van Kindred was het nog erger geworden. Zijn neus was gelukkig niet gebroken maar wel opgezwollen, en hij zou er blauwe plekken aan overhouden van zijn oor tot zijn kaak. Maar wat hem de meeste zorgen baarde was de wond die het gevolg was van een scharnier of een versterkte hoekpunt van het koffertje, die zich bij de uithaal in zijn rechterslaap had geboord. Hij draaide zich half om zodat hij een beter zicht had in de spiegel. Daar was hij, een duidelijke 'L', een lelijke, bloedrode wond. De L van Loser, dacht Jonjo. Er kwam natuurlijk een korst op en dan zou er waarschijnlijk een L-vormig litteken achterblijven. Nee, nee, daar kon geen sprake van zijn: hij zou het later wel bijwerken met een mespunt, onherkenbaar maken. Hij wilde niet de rest van zijn leven rondlopen met een L-vormig litteken op zijn voorhoofd; geen sprake van, godverdomme.

Hij liep naar zijn drankentafel en duwde De Hond zachtjes aan de kant met zijn voet. De Hond keek hem aan, klaaglijk, terwijl Jonjo tussen de vele flessen zocht naar zijn favoriete maltwhisky. Wat had hem toch bezield om een basset puppy te nemen van zijn zus, vroeg hij zich af, en hij nam een slok whisky rechtstreeks uit de fles. Die grote bruine ogen die hem beschuldigend aankeken? Die kop met die voortdurend gefronste wenkbrauwen, die belachelijk lange fluwelen oren... Dat was geen dier, dat was een knuffel, iets wat je op je bed legde, of voor de deur tegen de tocht. Hij trok een grimas terwijl de whisky zich vermengde met de krachtige smaak van kruidnagel in zijn mond. Smerig.

Hij zuchtte en liet zijn blik door zijn kleine huis gaan; de pijn trok nu echt weg. Hij moest hier eens grondig opruimen: afwas van een week in de gootsteen en een stapel van vier jaargangen *Yachting Monthly* achter de televisie. Hij vroeg zich af wat sergeant-majoor Snell zou zeggen als die het onderkomen van Jonjo Case zou zien. Hij had hem helemaal stijf gevloekt. Ooit was ik de slimste soldaat van het hele regiment, hield Jonjo zichzelf voor. Waar is het fout gegaan?

Hij haalde wat kleren van de fauteuil en ging zitten. De Hond liep mee, ging voor hem staan en keek hem doordringend aan. Hij heeft natuurlijk honger, besefte Jonjo. Door dat gedoe van de vorige avond had die arme klootzak in geen vierentwintig uur iets te eten gehad. Onder een kussen op de bank vond hij een half pakje tarwekoekjes, die hij op de grond strooide. De Hond begon ze op te peuzelen, met zijn grote roze tong slobberde hij ze naar binnen.

Jonjo dacht na over de vorige avond en liet de gebeurtenissen willekeurig de revue passeren. Godzijdank had hij de tand en het pistool snel gevonden, want er was overal politie. Hij dacht aan Wang, hoe hij hem in elkaar had geslagen en op bed had gedwongen, hem met de linkerhand bijna had gewurgd en met de rechter het broodmes diep in hem had gestoken. Op de een of andere manier had hij het hart gemist, Snell zou hem om die fout op een haartje na dood hebben gemarteld. Maar toen kwam er godverdomme iemand binnen! Razendsnel naar het balkon, maar

Wang was nog niet dood... Fout, fout, fout. Hij vroeg zich af wat er binnen was voorgevallen terwijl hij buiten stond. Helaas merkte hij dat hij niet zo scherp meer was; twee jaar geleden zou hij ook hebben afgerekend met die andere kerel. Hardvochtig, maar zonder problemen; hij was toen veel efficiënter. Nu leefde die Kindred nog, volgens de krant was hij niet gearresteerd en liep hij ergens vrij rond in Londen. Hij gaf De Hond een Marsreep. Zelf nam hij nog een slok whisky en een paar druppels kruidnagelolie.

Wang doden, een troep achterlaten en alle dossiers en mappen meebrengen, hadden ze gezegd. Dat had hij keurig gedaan. Wang en zijn flat toegetakeld, en alle dossiers in een vuilniszak achter in zijn taxi. Ze zouden inmiddels wel weten dat het fout gelopen was – helemaal fout – hij hoefde alleen nog maar te wachten op hun telefoontje.

Jonjo dacht verder: Kindred was via de brandtrap achterlangs gegaan. Jonjo was achter hem aan gegaan, nadat hij alle dossiers die hij kon vinden in zijn vuilniszak had gestopt, en twee rokende koks bevestigden dat ze een paar minuten eerder een jongeman in een regenjas en met een diplomatenkoffer hadden zien vertrekken. Die is dus allang weg, dacht Jonjo, terwijl hij naar zijn taxi liep en de vuilniszak achterin gooide. Hij dacht een paar minuten na en wandelde naar de voordeur van het Anne Boleyn House. Hij haalde een pakje lucifers uit zijn zak; hij had altijd pakjes lucifers bij zich, van verschillende zaken. Hij vouwde een lucifer om, stak die aan met zijn aansteker en gooide het hele pakje in de halfvolle vuilnisbak bij de ingang. Hij hoorde het pakje sissend ontploffen terwijl de lucifers vlam vatten, en toen de eerste rook naar buiten kolkte, liep hij nonchalant de lobby in. De portier keek op met een niet gemeende glimlach.

'Sorry dat ik je lastigval, *mate*,' zei Jonjo, 'maar een paar kwajongens hebben net fikkie gestookt in je vuilnisbak.'

'De klootzakken!'

De portier rende naar buiten, en Jonjo draaide het gastenboek om. Daar stond het: G14, bezocht door Adam Kindred, Grafton Lodge, SW1.

Buiten had de portier de brandende troep op de weg gegooid, en probeerde die nu uit te stampen.

'Tot ziens,' zei Jonjo. 'Wat een rotzakken, hè?'

'Castreren, die lamzakken.'

'Of vergassen.'

'Bedankt, kerel.'

Jonjo reed in zijn taxi naar het Grafton Lodge Hotel in Pimli-co en parkeerde er recht tegenover. Een jongeman met een regen-jas en een diplomatenkoffer… Het was een zachte avond en er lie-pen niet veel mannen in regenjas rond. Toch moest hij langer wachten dan hij had verwacht – een paar uur – voordat de persoon die hij voor Kindred hield eindelijk kwam opdagen. Jong, donker haar, lang, met das, regenjas en diplomatenkoffer. Maar wat hem verbaasde was dat hij het hotel niet binnen ging. De echte Kindred zou toch meteen naar binnen zijn gegaan? Maar deze man liep de smalle straat in die naar de steeg achter het hotel leidde. Jonjo stap-te stilletjes uit zijn taxi en volgde hem behoedzaam tot in de steeg, waar de man naar de ramen aan de achterkant van het hotel stond te turen. Was hij de weg kwijt? Was hij een geheim agent? Wás het Kindred wel? Om daar achter te komen hoefde hij alleen maar een simpele vraag te stellen.

Zijn tand begon weer te zeuren. Met het topje van zijn wijsvin-ger voelde hij aan de L-vormige wond op zijn voorhoofd. Hij hoop-te dat ze hem zouden vragen Kindred te doden. Met alle vormen van genoegen, meneer. De telefoon rinkelde, drie keer. Toen hield het rinkelen op en begon het weer. Jonjo nam op; hij wist dat zij het waren.

6

Ingram spreidde de krant voor zich uit terwijl Maria-Rosa naast hem stond te drentelen met de koffiepot.

'Een halfje,' zei Ingram, zonder zijn blik van de krantenpagina te halen. Hij zat te lezen over de man die Philip Wang had ver-moord, en hij was zowel gefascineerd als enigszins verwonderd. In-gram las verder.

'Adam Kindred, 31 (op de foto rechts), volgde de Bristol Cathedral School, waar hij vice-hoofdmonitor was. Hij kreeg een studiebeurs voor Bristol University, waar hij technische wetenschappen studeerde. Moeder overleed toen hij veertien was, een oudere zus, Emma-Jane, vader – Francis Kindred – als senior luchtvaartkundig ingenieur betrokken bij het Concorde-project...'

Ingram keek opnieuw naar de foto van de glimlachende jongeman. Hoe kon zo iemand een moordenaar worden? Die Kindred kreeg vervolgens een beurs (de Clifton-Garth Scholarship) voor een Amerikaanse universiteit (Cal-Tech), waar hij promoveerde in toegepaste techniek. Was dat een aanwijzing? vroeg Ingram zich plotseling argwanend af; de Verenigde Staten? ... Op Cal-Tech maakte Kindred deel uit van een team dat piepkleine gyroscopen ontwikkelde voor de NASA. Geen woord over drugs of geneesmiddelen, geen enkele betrokkenheid bij de medische wereld, redeneerde Ingram, niets wat wees op enige belangstelling voor Calenture-Deutz en haar bedrijf. Hij las verder.

Dus die Kindred promoveert en krijgt een baan aangeboden als hoogleraar aan de Marshall McVay University in Phoenix, Arizona, waar hij helpt met het bouwen van de grootste wolkenkamer ter wereld bij Painted Rock, de Western Campus van de Marshall McVay University, in de Mohawk Mountains bij Yuma. (Wat was in godsnaam een wolkenkamer, vroeg hij zich af? Aha, heeft iets te maken met klimatologie.) Kindred werd hoogleraar en kreeg een vaste aanstelling aan de faculteit Klimatologie en Ecologie, Marshall McVay University... Hij sloeg een paar regels over. MMU was een privé-instelling, tweeduizend rijke studenten, waarvan ruim de helft postdoctoraal, met een verhouding studenten-staf van 6:1, gesticht en gefinancierd door een multimiljardair die zijn vermogen verdiend had met de winning van bauxiet over de hele wereld. Ingram nipte van de koffie die Maria-Rosa had ingeschonken, en dacht na. Dus Kindred had acht, negen jaar in Amerika gewoond, lang genoeg om door iemand omgekocht te worden. Hij zette in gedachten de vier of vijf voor de hand liggende rivalen op een rijtje, de grote farmaceutische bedrijven, die gigantische bedragen tot hun beschikking hadden, en bovendien tijd en geduld hadden. Hij moest eens laten uitzoeken wie van hen iets te maken had met die Marshall McVay University, een leerstoel, een onderzoeksprogramma, dat soort zaken. Maar het klopte van geen kant: waarom contact gezocht met een ingenieur-klimatoloog? Waar ze behoefte aan hadden was een arts, iemand uit de medische wereld. Wat moesten ze met een ingenieur die klimatoloog was geworden om Philip Wang te vermoorden en daarmee Calenture-Deutz te vernietigen? Ingram las verder.

'Kindred trouwde met ene Alexa Maybury, 34 (op de foto links), makelaar bij Maybury-Weiss in Phoenix, Arizona. Het huwelijk eindigde negen maanden geleden in een echtscheiding. Kindred nam ontslag aan de universiteit en keerde terug naar Londen, waar hem, op de dag dat hij de moord pleegde, een baan was aangeboden als universitair hoofddocent klimatologie aan het Imperial College' (een aanbod dat kennelijk schielijk is ingetrokken).

Ingram duwde Maria-Rosa's koud geworden koffie van zich af. Er klopte helemaal niets van; het moest gewoon stom toeval zijn. Waarom zou zo'n jonge, succesvolle academicus Philip Wang vermoorden en zijn flat overhoophalen? Zat er misschien iets seksueels achter? Of iets met drugs? (Ingram was nog steeds vaag onder de indruk van de hoeveelheden drugs die jongelui tegenwoordig gebruikten, veel meer en veel effectiever dan die in zijn jeugd.) Wat voor aanwijzingen voor de duistere, kwaadaardige kant van Adam Kindreds persoonlijkheid gingen er schuil achter dat lovende, onschuldige curriculum vitae?

Hij keek op. Maria-Rosa stond weer te drentelen.

'Ja, wat is er, Maria-Rosa?'

'Luigi, hij hier. Met auto.'

Onderweg naar Calenture-Deutz belde Ingram met Pippa Deere, hoofd public relations, en vroeg haar om het profiel van Adam Kindred uit de krant te kopiëren en te laten circuleren onder alle leden van de raad van bestuur voorafgaand aan de bijzondere bestuursvergadering. Iedereen moest weten met wie ze te maken hadden; de hele samenzwering had duidelijk enorme en complexe gevolgen.

Hij nam de lift naar de verdiepingen van Calenture-Deutz in de glazen toren, en hij voelde zich opmerkelijk sterk en belangrijk en gaf blijmoedig toe aan dat gevoel. Hij had alle bestuursleden opgeroepen voor deze bijzondere vergadering omdat hij een plan had bedacht en een belangrijke mededeling wilde doen die verband hield met de reputatie van het bedrijf. Hij was een poosje in de weer in zijn kantoor en won informatie in bij zijn persoonlijk assistente, mevrouw Prendergast, over de verblijfplaats en aanwezigheid van de andere bestuursleden. Mevrouw Prendergast was een humorloze, volstrekt professionele vrouw van in de vijftig. Na een paar jaar ontdekte Ingram dat hij – zakelijk gezien – zonder haar nauwelijks kon functioneren, met als gevolg dat hij haar genereus bedeelde met extra vakantiedagen, opties en salarisverhogingen. Hij wist dat ze Edith heette en meende dat ze twee volwassen zoons had (foto's op haar bureau), maar dat was alles, en ze bleven onverbiddelijk meneer Fryzer en mevrouw Prendergast voor elkaar.

Toen ze hem ten slotte meldde dat iedereen aanwezig was in de directiekamer, sloop hij via de achtertrap naar de 'eetkamer van de voorzitter' zoals hij met enig aplomb het vertrek grenzend aan de bestuurskamer noemde (hij had het zelf ingericht: een fraaie eikenhouten tafel met tien stoelen, een lange notenhouten ladekast, een paar fraaie schilderijen – een Craxton, een Sutherland, een grote sprankelende Hoyland), waar hij stiekem snel een cognac achterover wilde gooien voordat hij de directie toesprak, om zijn concentratie te verdiepen. Hij was nerveus, wat ongebruikelijk was, alsof hij een slecht voorgevoel had bij wat er te gebeuren stond, bij wat er in de lucht hing. Dat kwam hem heel vreemd voor, en dus was een beetje dronkemansmoed niet verkeerd, ook al rechtvaardigde hij zichzelf tegelijkertijd met het feit dat het niet iedere dag voorkwam dat een van je naaste collega's op gruwelijke wijze om het leven werd gebracht.

En dus reageerde hij behoorlijk geïrriteerd toen hij in de 'eetkamer' zijn zwager aantrof, op zijn dooie gemak genietend van een dubbele whisky die hij zich had ingeschonken uit een van de flessen op het zilveren dienblad dat op de walnoten ladekast (onder de sprankelende Hoyland) stond.

'Ivo,' zei Ingram met een brede, valse grijns. 'Beetje vroeg, niet?'

Ivo Redcastle draaide zich om. 'Nee, helemaal niet; ik ben de hele nacht opgebleven, in een opnamestudio. Ik kreeg je bericht om drie uur vanochtend. Dank je, Ingram.' Hij nam een flinke slok whisky en schonk nog eens bij. 'Als je wilt dat ik wakker blijf, moet dit echt even.'

Ingram kon nu met goed fatsoen zelf geen borrel meer nemen, en dus nam hij met tegenzin genoegen met appelsap. Hij keek naar zijn zwager – die zijn tweede whisky achteroversloeg – en merkte voor de duizendste keer op dat Ivo, ondanks zijn lichtzinnigheid en pretenties nog steeds een belachelijk knappe man was. Sterker nog, mijmerde Ingram, het was gewoon griezelig hoe knap hij was: het dikke, halflange, zwarte haar dat hij aan een kant van zijn voorhoofd veegde maar dat steeds weer schalks terugviel, de rechte neus, de volle lippen, zijn lengte, zijn souplesse, hij was bijna een karikatuur van de knappe man. God zij dank was hij niet intelligent, dacht Ingram dankbaar. Gelukkig had hij zich geschoren en droeg hij een pak en een das. Ieder bedrijf moest een *Lord on the Board* hebben – althans dat was hem aangeraden toen hij de zakenwereld binnenstapte – en een zwager die aan die eis voldeed leek dus simpel aan dat ideaal te voldoen, maar zoals alles met Ivo, lord Redcastle, waren er ook tal van complicaties. Ivo zette zijn glas neer en Ingram keek op zijn horloge: het was bijna 9.30 uur.

'Ik zie dat de schilders weer aan het werk zijn geweest,' zei Ingram.

'Ik begrijp je niet.'

'Die nieuwe blauwzwarte glans op je rijke haardos, Ivo.'

'Wou je suggereren of insinueren dat ik mijn haar verf?'

'Ik "suggereer" of "insinueer" helemaal niets,' zei Ingram op neutrale toon, 'ik stel gewoon een feit vast. Je kunt net zo goed een bordje om je nek hangen met "ik verf mijn haar" erop. Je ziet op honderd meter afstand al of een man zijn haar verft. Zeker jij zou dat toch moeten weten.'

Ivo stond even te mokken, anders kon Ingram het niet omschrijven.

'Als je geen familie van me was,' zei Ivo met trillende stem, 'dan zou ik je een klap in je gezicht geven. Dit is mijn natuurlijke haarkleur.'

'Je bent zevenenveertig en je begint grijs te worden, net als ik. Geef dat toch gewoon toe.'

'Krijg de kanker, Ingram.'

Mevrouw Prendergast opende de deur van de eetkamer.

'Iedereen is klaar, meneer Fryzer.'

De vergadering verliep goed, aanvankelijk. De volledige directie was aanwezig, leidinggevende en adviserende leden: Keegan, De Freitas, Vintage, Beasetone, Pippa Deere, de drie Oxbridge-professoren, de voormalige Tory minister, de gepensioneerde topambtenaar, een voormalige president van de Bank of England. Ze luisterden ernstig en zwijgend terwijl Ingram in een korte toespraak de tragedie rond de dood van Philip Wang toelichtte en vermeldde hoeveel iedereen bij Calenture-Deutz hem verschuldigd was. Pas toen hij begon te speculeren over de toekomst en het nieuwe geneesmiddel waaraan Philip gewerkt had, vond de eerste interruptie plaats.

'Zembla-4 gaat onveranderd door,' zei Burton Keegan, die bij wijze van toevoeging zijn hand opstak. 'Het lijkt me goed dat iedereen weet dat niets van het werk van Philip verloren is gegaan. Het programma gaat gewoon door, op volle kracht.'

Ingram zweeg geïrriteerd; Keegan had kunnen weten dat hij nog niet klaar was.

'Nou ik ben blij dat te horen natuurlijk. Maar de bijdrage van Philip Wang aan het succes...'

'Maar Philip had zich min of meer teruggetrokken van de derde fase, dat is toch juist, Paul?'

De Freitas knikte instemmend.

'Eigenlijk wel, ja. Ik sprak Philip twee dagen voor het drama. We waren aan het einde van de derde fase van de klinische tests, en hij was meer dan tevreden met alles. "Volle kracht vooruit", waren zijn woorden, als ik me goed herinner. Hij was een gelukkig mens.'

'Maar voor zover ik weet had hij zich nog niet echt teruggetrokken,' zei Ingram.

Een van de professoren (Ingram wist zijn naam niet meer) onderbrak hem. 'Philip was meer dan gelukkig; de resultaten waren uitmuntend. Dat heeft hij me vorige week nog verteld: uitmuntend.'

Nu Ingram zo uitgebreid onderbroken was, ging er alom gemompel rond de lange, gepolitoerde tafel. Ingram boog zich naar mevrouw Prendergast.

'Hoe heet die man ook weer, mevrouw P.?'

'Professor Goodforth, Green College, Oxford.' Ze keek op haar lijst. 'Professor Sam M. Goodforth.'

Ingram herinnerde zich hem weer, ook nieuw benoemd in de directie, samen met Keegan en De Freitas. Ingram schraapte luid zijn keel.

'Goed nieuws, uitstekend nieuws,' zei hij, en hij hoorde zelf hoe nietszeggend dat klonk. 'Het werk van Philip kan dus gewoon doorgang vinden.'

Keegan was deze keer zo fatsoenlijk zijn hand op te steken.

'Burton, ga je gang.'

'Dank je,' zei Keegan met een beleefd glimlachje. 'Ik zou de directie graag willen meedelen dat we professor Costas Zaphonopolous laten invliegen om de dagelijkse supervisie op zich te nemen van de laatste fase van de tests voordat we onze NMV indienen bij de VWA. Ons Nieuwe Medicatie Verzoekschrift,' voegde hij er beleefd aan toe ter wille van de niet begrijpende adviserende directieleden, 'bij de Voedsel en Waren Autoriteit.' Hij wendde zich tot Ingram: 'Costas is emeritus professor Immunologie aan Baker-Field.'

Eerbiedig gemompel van de andere professoren rond de tafel. Ingram voelde zich lichtelijk ongemakkelijk. Wie was die man die werd ingevlogen? En wat kostte dat wel niet? Waarom was hij niet geraadpleegd? Hij zag dat Ivo zijn nagels zat schoon te maken met de scherpe punt van het potlood dat op het vloeiblad voor hem was neergelegd.

'Des te beter,' zei Ingram, en hij kreeg het gevoel dat hij opnieuw zijn autoriteit moest laten gelden; uiteindelijk had hij nog niet de kans gekregen met zijn pièce de résistance te komen.

'Juist, nou…' begon hij en zweeg weer. De Freitas had zijn hand opgestoken. 'Paul?'

'Voor de goede orde wil ik even opmerken dat er gegevens ontbreken aan Philips dossiers.'

Ingram hield zijn gezicht strak, autoritair strak. 'Gegevens ontbreken?'

'Wij vermoeden,' de Freitas zwaaide met het dossier van Kindred, 'dat Kindred ze heeft.'

De professoren snakten naar adem. Ingram kreeg dat misselijkmakende voorgevoel weer. Er stond iets onheilspellends te gebeuren, hij wist nog niet wat, maar die afschuwelijke moord was nog maar het begin van de ellende.

'Wat voor gegevens?' vroeg Ingram op kalme toon.

Keegan zag zijn kans om te scoren. 'Gegevens die onbegrijpelijk zijn voor iemand die niet tot in detail op de hoogte is van het Zembla-4-programma. Wij vermoeden dat Kindred ze heeft, maar hij heeft geen idee wat hij in handen heeft.'

Ingram zette zijn instinct aan het werk, hij voelde zich ongerust worden: hij liet zich niet om de tuin leiden door de onverschilligheid van Keegan en De Freitas, dit was een serieuze kwestie. Plotseling was hij blij dat hij appelsap had gedronken en geen cognac.

'Hoe weet je dat die gegevens ontbreken, Burton?' vroeg hij behoedzaam.

Keegan lachte zijn valse lachje. 'Toen we het materiaal onderzochten dat uit de Londense flat kwam, ontdekten we dat er inconsequenties zijn. Spullen die we verwachtten, zaten er niet bij.'

Ingram leunde achterover in zijn stoel en sloeg zijn benen over elkaar. 'Ik dacht dat die Londense flat een plaats delict was.'

'Correct. Maar de politie was uiterst behulpzaam. We informeerden hen over het belang van het Zembla-4-programma. Vervolgens gaven ze ons de vrije hand.'

'Ik snap het niet,' zei Ingram. 'Weet de politie dat er gegevens ontbreken? Levert dat geen motief op?'

'Dat zullen ze wel te weten komen, als de tijd rijp is.' Keegan zweeg even terwijl De Freitas hem iets in het oor fluisterde. Keegan keek Ingram met zijn donkere, intense ogen aan, en toen wierp hij tegen: 'In het belang van het Zembla-4-programma, lijkt het me beter dat deze kennis binnen de muren van dit vertrek blijft.'

'Absoluut,' zei Ingram. 'Absolute discretie.' Er werd instemmend gemompeld rond de tafel. Toen zei hij drie keer 'goed', schraapte zijn keel, vroeg mevrouw Prendergast om nog een kopje koffie en kondigde aan dat hij had besloten dat Calenture-Deutz een beloning van honderdduizend pond moest uitloven voor degene die de politie kon helpen bij het opsporen van Adam Kindred. Hij legde het de directie ter goedkeuring voor, en hij was ervan overtuigd dat het unaniem zou worden aangenomen.

'Ik ben het hier van harte mee oneens,' zei Ivo, lord Redcastle, met stemverheffing, en hij smeet zijn potlood op het vloeiblad, waar het op indrukwekkende wijze twee keer stuiterde, alvorens met een dun, houterig, minder indrukwekkend geluid van het vloeiblad op de grond te vallen.

'Ivo, alsjeblieft zeg,' zei Ingram. Hij perste er een neerbuigend lachje uit maar voelde het maagzuur opborrelen in zijn slokdarm.

'Laat de politie gewoon haar werk doen, Ingram,' zei Ivo bijna smekend. 'Dit werkt alleen maar vertroebelend. Als wij zoveel geld bieden, zal iedere geldbeluste loser de politie overspoelen met nutteloze informatie. Het zou een enorme vergissing zijn.'

Ingram bleef glimlachen en bedacht dat het nogal kostelijk was dat een geldbeluste loser zijn eigen soort zo afviel.

'Je bezwaren staan genoteerd, Ivo,' zei Ingram. 'Noteer je dat even, Pippa?' Pippa Deere deed de notulen. 'Lord Redcastle heeft bezwaar tegen het voorstel van de voorzitter... Goed, staat genoteerd. Zullen we stemmen? Voorstanders van een beloning...'

Er gingen elf handen omhoog, waaronder die van Keegan en De Freitas.

'Tegen?'

Ivo stak langzaam zijn hand op met een uitdrukking vol weerzin op zijn gezicht.

'Voorstel aangenomen.' Ingram glunderde een paar tellen lang om zijn onbetekenende overwinning, in de wetenschap dat deze kleine revolutie van Ivo een mislukte wraakoefening was voor zijn beschuldiging dat hij zijn haar verfde. Het zat hem kennelijk nog steeds dwars. Ingram sloot de vergadering en iedereen vertrok.

'Niet persoonlijk bedoeld, hoor,' zei Ivo terwijl ze de zaal verlieten. 'Ik vind gewoon dat beloningen niet eerlijk zijn en corruptie in de hand werken. Waarom huur je niet meteen een premiejager in?'

'Een van jouw naaste collega's is op gruwelijke wijze vermoord. Jij hebt zojuist gestemd tegen het enige wat wij als bedrijf, als zijn vrienden, kunnen doen om de moordenaar voor het gerecht te krijgen. Schaam je, Ivo.' Hij draaide zich om en liep zijn eetkamer in, hunkerend naar zijn cognac. 'Prettige dag nog,' zei hij terwijl hij de deur achter zich dichtdeed.

7

Toen brigadier Duke haar een afscheidskus wilde geven, wist Rita op het laatste moment te voorkomen dat hij haar op haar mond zou zoenen; hij mocht haar een kusje op de wang geven, net als iedereen op het bureau.

'Ik zal je missen, Nashe,' zei hij. 'Waar moeten we nu onze glamour vandaan halen?'

Ze wist dat hij dol op haar was – Duke was getrouwd en had drie kinderen – en hij wist dat zij en Gary uit elkaar waren: zijn gevoelens van deelneming waren zowel oprecht als egocentrisch. Ze moest oppassen voor hem, straks bij het afscheidsfeestje. Brigadier Duke, buiten dienst, met een paar borrels op... Ze voelde zich plotseling neerslachtig: ze hield niet van afscheid nemen.

Duke praatte verder. 'Maar je komt wel terug voor de lijkschouwing natuurlijk. En voor het proces.'

'Wat bedoel je, brigadier?'

'De moordzaak-Wang. Jij staat in de schijnwerpers, Rita. Chelsea, brute moord, eminente buitenlandse hoogleraar. De mooie politieagente Nashe legt een getuigenis af in de Old Bailey. De pers kijkt zijn ogen uit.'

'Ja hoor. Als we nou eerst Kindred eens oppakken,' zei ze droogjes. 'Anders komt er niet eens een proces. Tot straks in The Duchess.'

'Ik zal er zijn, Rita,' zei hij, met een duidelijk geile ondertoon in zijn stem. 'Ik zou het niet willen missen, schat, voor geen goud.'

Shit, dacht ze, terwijl ze haar tas pakte en het bureau verliet. Ze had nu al spijt van het feestje. Vikram stond te wachten bij de hoofdingang, in een vergeefse poging nonchalant te doen.

'Ik zal je missen, Nashy.'

'Wil je me geen Nashy noemen, Vik.'

Hij gaf haar een kusje op de wang. 'Sorry. Hoe dan ook, bedankt voor alles. Het was me nooit gelukt zonder jou.' Vikram had zojuist zijn aanstelling als politieagent gekregen, zijn dagen als *hobby-bobby* zaten erop.

'Tot straks in The Duchess, acht uur.'

'Ik zou het voor geen goud willen missen.'

Rita liep voor het laatst politiebureau Chelsea uit en besloot een taxi te nemen naar Nine Elms. Uiteindelijk was dit een overwinning, al was het op kleine schaal – niet in de categorie 'droom uitgekomen', maar het betekende een belangrijke verandering in haar leven en ook nog ten goede, hoopte ze – en dus mocht ze zichzelf wel een keer verwennen. De taxi zette haar af bij de haven en ze liep opgewekt de metalen treeplank op naar het opleidingsschip *Bellerophon*. Het werd vloed en de zon scheen door de lindebomen boven haar op de oever, zodat de blaadjes bijna ondraaglijk groen en fris werden, en plotseling had ze het gevoel dat deze verandering in haar leven succesvol zou worden. Tot haar eigen verbazing gaf ze toe aan wat ze voelde: ze was gelukkig.

Toen zag ze haar vader op het voordek op zijn krukken leunen. Ze klom het trapje op en ging bij hem staan.

'Hoi, pap.'

'Ik vind het verschrikkelijk als je in je uniform thuiskomt, dat weet je toch.'

'Jammer dan.'

'Dat freakt me helemaal uit.'

'Hè, wat zonde nou.' Ze bleef staan en zette haar tas neer. 'Wat heb je?'

'Ik ben gevallen, mijn rug bezeerd. Al weer. Kon mijn krukken nergens vinden, dus toen heb ik Ernesto gebeld.'

'Je had mij moeten sms'en. Ik weet waar alles ligt; je had hem niet lastig hoeven vallen.'

Terwijl ze naar beneden gingen, merkte ze dat haar vader zonder veel moeite of gedoe de steile trap af liep. Hij liet zich in zijn fauteuil voor de tv zakken, zei dat hij kapot was, dat er waarschijnlijk een tussenwervelschijf uitpuilde; hij wierp zijn paardenstaart over zijn schouder en rommelde in het ladekastje naast de stoel waar hij zijn spulletjes opborg.

'Je mag geen skunk roken, pap,' waarschuwde Rita hem, terwijl ze via de kajuittrap naar haar kamer ging. 'Dan arresteer ik je.'

'Fascist!' riep hij haar na terwijl ze de deur dichtdeed.

Ze deed haar uniform uit en trok een spijkerbroek en T-shirt aan. Toen ze terugkwam, was ze blij dat haar vader geen joint zat te roken, hoewel hij een blik extra zwaar Speyhawk-bier in zijn hand had.

'Medicinaal,' zei hij.

'Geniet ervan.'

'Wat is er met jou aan de hand?' vroeg hij. 'Word je detective?'

'Dat weet je best.'

'Het zegt mij allemaal niks.'

'Ik heb het je allang verteld: ik stap over naar de MSU.'

'MSU, USM, RSI, USA, FAQ, AOL...'

'Marine Support Unit. Er is een afscheidsfeestje in The Duchess. Waarom ga je niet mee?'

'Naar een pub barstensvol politie? Geintje zeker?'

'Zoek het maar uit. Maar dan moet je niet klagen dat ik je niet heb uitgenodigd.'

Ze beklom de trap naar het bovendek.

'Ik wil niets weten over jouw leven bij de politie,' zei hij. 'Daar word ik depressief van. Wat doet die Marine Support Unit zoal?'

'We varen de rivier op en af,' zei ze. 'Ik toeter wel als we langskomen.' Ze moest lachen om zijn onvrede. 'Ik hou je wel in de gaten, pappie.'

Ze betrad het dek. De *Bellerophon* was een voormalige mijnenveger van de Royal Navy, Bangorklasse, uit de Tweede Wereldoorlog. In de jaren zestig was hij gerenoveerd en ontdaan van alle oorlogszuchtige accessoires – kanonnen, dieptebommen, mijnenveegapparatuur – zodat er een eenvoudig, stoer schip overbleef met voldoende leefruimte om als woonboot te fungeren, voor eeuwig verankerd aan de oever van de Theems bij Battersea aan de Nine Elms Pier.

Rita had op het voordek – waar ooit het Bofors-kanon had gestaan – een ruime tuin aangelegd, ze bevestigde de opgerolde tuinslang aan de kraan en bewaterde voorzichtig haar planten – palmen, hortensia's, loodkruid en oleander. Onder haar voeten voelde ze hoe de *Bellerophon* trok aan zijn trossen door het opkomende water dat de kiel uit de modder trok. Ze voelde hoe ze kalmeerde na de emoties vanwege haar vertrek en het eindeloze afscheid, ze keek om zich heen en genoot van de zilveren glans op de rivier in het late middaglicht. Stroomafwaarts zag ze groenglazen blokkendozen van het MI6-gebouw en de vleugelachtige daken van St. George's Wharf. Over haar linkerschouder waren de vier schoorstenen van het Battersea Power Station te zien, en toen ze stroomopwaarts keek zag ze een trein over Grosvenor Railway Bridge rijden, en daarachter de kabels van de Chelsea Bridge.

De Chelsea Bridge deed haar denken aan Battersea Park, aan Gary en aan de dag dat ze hem daar gezien had. Een oude dame was in het park van haar voeten gereden door een fietser, een jongen die tegen de regels in langs het Embankment had gefietst. Bij de botsing was de hond van de vrouw gewond geraakt, en iemand had de politie gewaarschuwd. Nadat Rita ervoor had gezorgd dat de gewonden per ambulance waren afgevoerd en ze de fietser op de bon had geslingerd, kreeg ze trek in een ijsje. Het was een warme meidag en de zon scheen fel, helder en krachtig. Ze stak het parkeerterrein over, op weg naar de tennisbanen waar 's middags altijd een ijscowagen stond, en toen ze tussen de bomen uit kwam, had ze Gary gezien, haar Gary, Gary Boland, agent Gary Boland, liggend in het gras met een ander meisje.

Ze lagen omgekeerd naast elkaar en het meisje – met kort blond haar – leunde tegen Gary's opgetrokken knieën. Rita ging achter een boom staan en keek toe terwijl ze met elkaar lagen te praten. Ze kende het meisje niet, herkende haar nergens van, maar uit de vertrouwde manier waarop ze met elkaar omgingen, bleek de aard van hun relatie en de ontegenzeglijke intimiteit ervan. Zelfs niet met de meest geloofwaardige, vindingrijke en overtuigende excuses zou Gary haar van de onschuld van die relatie hebben kunnen overtuigen. Maar wat haar het meeste dwars zat was de manier waarop Gary zijn hand liet rusten op haar knie. Ze zag hoe hij met zijn duim zacht en nadenkend een ritme tikte op de knieschijf van het meisje, het ritme van de muziek in zijn hoofd. Dat deed Gary altijd – op tafelbladen, tegen de zijkant van koffiebekers, op de leuning van een stoel – alsof hij de gefrustreerde drummer van een rockband was, een teken van zijn opgekropte, nerveuze energie, vermoedde ze. Gary deed dat ook altijd bij haar als ze 's ochtends in bed lagen, dan tikte hij zacht een bepaald ritme met zijn duim op haar blote knie of op haar schouder. Onbewust had ze het in haar hoofd gearchiveerd onder zijn naam – dit deed Gary altijd bij haar – en de banale intimiteit van die handeling was een van de factoren die hun relatie zo uniek en bijzonder maakten. Ze keek naar het meisje en archiveerde dat ook in haar hoofd: Gary Boland, altijd een ritme trommelend, op welke knie dan ook. En nu de exclusiviteit eraf was voor Rita, zag ze het plotseling als een irritante gewoonte, en haar hart werd koud en verloor zijn hartstocht. Ze zag dat hij ophield met trommelen, van positie veranderde en het meisje vol op de mond kuste.

Die avond had ze hem geconfronteerd met haar ontdekking en vijf minuten later hun relatie beëindigd, volwassen, berustend en verdrietig, vond ze zelf. Ze zouden elkaar voortdurend blijven zien, door het politiewerk kruisten ze onvermijdelijk elkaars pad, dus het had geen zin hysterisch te worden en beschuldigend te doen. Misschien verschafte dat haar wel het extra genoegen van haar overplaatsing naar de MSU: ze zou Gary niet meer zien en ze zou dus ook niet voortdurend hoeven te denken aan die middag in Battersea Park, zoals ze nu dus weer deed... Boos dwong ze zichzelf haar gedachtegang om te buigen, en ze probeerde zich voor te stellen hoe ze op een dag als deze in een krachtige Targa-motorsloep over de rivier zou scheuren, langs de aangemeerde *Bellerophon*. Wat zou dat vreemd zijn, maar ze genoot van het vooruitzicht de rivier van Londen te bewaken in plaats van de straten van Londen, en dat idee kwam haar op de een of andere manier wonderbaarlijk voor, gegeven het feit dat ze bijna haar hele leven op deze boot en op deze rivier had gewoond. Ze hoorde haar vader om haar roepen, en negeerde hem; ze wilde haar stemming niet laten bederven, ze voelde zich plotseling gezegend, niemand kon zoveel geluk hebben. Toen gingen haar gedachten naar het feestje in The Duchess, een paar honderd meter verderop. Zou Gary ook komen? Ze had hem wel een uitnodiging gestuurd – ze waren uiteindelijk volwassen – sans rancune en zo. Wat zou ze aantrekken? Iets om hem in te peperen wat hij...

'Rita! Verdomme, ik heb je nodig!'

Ze ging door met het begieten van haar planten.

8

'Honderdduizend pond beloning voor inlichtingen die kunnen leiden tot de aanhouding van Adam Kindred.' Adam bekeek de paginagrote advertentie in de krant met onomwonden verbazing en een onduidelijk gevoel van trots. Nog nooit had hij zijn naam zo groot gedrukt zien staan, en dan het feit dat je een beloning van honderdduizend pond waard bent... Wie had dat kunnen denken? Zijn foto stond er ook bij, alsmede gegevens over zijn lengte, gewicht en ras. Adam Kindred, 31, blanke man. Brits, donker haar. De kenmerken van zijn regenjas en diplomatenkoffer stonden er ook bij, alsof hij nooit iets anders droeg. Toen drong de ernst van de situatie tot hem door en hij voelde zich overweldigd door schaamte, stelde zich voor dat zijn familie dit las, stelde zich de mensen voor die hem kenden en speculeerden. Adam Kindred... een moordenaar?

Hij zat op zijn open plek in de scherpe punt van de driehoek bij de Chelsea Bridge. Het gras was inmiddels platgetrapt en de drie dichte struiken die hem beschermden tegen de blikken van voorbijgangers waren als de vertrouwde muren van zijn geheime kamer. Er waren vijf dagen verstreken sinds de korte ontmoeting met dr. Philip Wang in het Anne Boleyn House, vijf dagen waarin hij zijn baard had laten groeien, dicht en donker en, naar hij hoopte, een goede vermomming. Hij had nooit eerder zijn baard laten staan, maar hij was dankbaar voor de snelheid waarmee het haar groeide, hoewel het erg jeukte. Het belangrijkste was dat hij absoluut niet meer leek op de man van de krantenfoto.

Het jeuken rond zijn kaken, keel en lippen was niet het enige dat hem overdag last bezorgde. Sinds zijn voorbereidingen op het sollicitatiegesprek op het Imperial College was hij niet meer in de buurt van een bad of douche geweest. En er was nog een mengeling van trots en spijt: om in de krant te lezen dat besloten was hem de baan van universitair hoofdmedewerker aan te bieden, was een aangenaam bericht (hij was de volmaakte, hoogopgeleide kandidaat), maar dat aanbod was onmiddellijk weer ingetrokken – nadat bekend was geworden dat hij de hoofdverdachte in een moordzaak was – en dat was, hoe voorspelbaar ook, een klap in zijn gezicht. Hij schakelde zijn mobiele telefoon niet in, maar vroeg zich af of er iemand gebeld had: het Imperial College, die hem de baan aanboden en er daarna op terugkwamen? De politie, die hem ertoe wilde aanzetten zich aan te geven? Hij wilde zijn telefoon niet gebruiken in de driehoek, onzeker als hij was of hij daarmee zijn positie zou verraden, en bovendien wilde hij niet dat de batterij leeg raakte: er lichtte nog maar één streepje op. Maar de laatste achtenveertig uur was hij niet meer gebeld. Hij merkte dat het verlies van de baan hem minder deed dan hij had verwacht, zo rampzalig en gecompliceerd was zijn nieuwe leven ondergronds al geworden. Op dat moment zou hij liever een halfuur liggen weken in een heet bad dan universitair hoofdmedewerker te zijn op het Imperial College. Dat gevoel illustreerde in wat voor nachtmerrie zijn leven was veranderd.

Hij waste zich zo goed en zo vaak als het ging in openbare toiletten – verder dan handen, gezicht en nek kwam hij niet – maar zijn haar voelde al helemaal zwaar en dof van het vet (in zijn andere leven waste hij het iedere dag, wat een belachelijke luxe leek dat nu), en zijn kleren kregen dat korstige, verfrommelde uiterlijk van een dakloze en hingen los om zijn lijf als een stoffen omhulsel, een tweede huid. Hij sliep en leefde in hetzelfde overhemd en ondergoed en dezelfde broek, en hij was zich ervan bewust dat hij begon te stinken terwijl hij die onmiskenbare uitstraling kreeg van armoede en zelfverwaarlozing.

Terwijl hij 's nachts rondhing in zijn driehoek – en zonder moeite de toevallige junks en vrijende paartjes vermeed die even beschutting zochten in het donkere kreupelhout – had hij gemerkt dat er bij laagtij een lang, smal strand van zand en kiezels vrijkwam onder aan de steile kademuur. Er waren boven elkaar drie kettingen in een halfronde boog in de muur bevestigd, naar hij aannam bij wijze van noodvoorziening, iets om je aan vast te grijpen als je te water raakte en afhankelijk van het krachtige getijde stroomopwaarts of -afwaarts dreef. De kettingen maakten het hem ook mogelijk om gemakkelijk af te dalen naar zijn strandje, wat hij tot dusver tweemaal had gedaan, en de eerste keer – om twee uur 's nachts – voelde hij de overweldigende neiging zich uit te kleden, zich onder te dompelen in de rivier en zich helemaal schoon te wassen. Maar het tij nam nog steeds af, en hij voelde de enorme kracht van de stroming; hij kende de rivier nog niet goed genoeg, besefte hij. Misschien was het maar een paar minuten mogelijk om veilig in het water waden: als het tij keerde en de stroming even zwakker werd en stilstond. Terwijl hij via de kettingen weer omhoogklom naar zijn driehoek, bedacht hij met genoegen dat hij nu zijn eigen strand had, tweemaal per etmaal; de rivier maakte nu deel uit van zijn kleine, driehoekige wereld.

Overdag hield hij zich schuil, liggend op het grondzeil in de schaduw van de struik en luisterend naar het verkeer dat nog geen meter verderop langsscheurde over de vierbaans asfaltweg; hij dacht eindeloos aan wat hem overkomen was en maakte het ene plan na het andere voor allerlei mogelijke invullingen van zijn toekomst. Hij keek naar de wolken die hoog boven de Theems langs schoven, en nam onwillekeurig de wolkentypes en hun transformaties waar. Op een dag zag hij hoe de hemel betrokken raakte met een dunne laag *altostratus translucidus*, waarin de zon veranderde in een gesluierde, paarlemoerachtige schijf, en naarmate de wolkenlucht zich onvermijdelijk verdichtte tot *altostratus opacus*, voelde hij de luchtvochtigheid door een naderend warmtefront toenemen, en twee uur voordat de onvermijdelijke regen begon te vallen, maakte hij zijn slaapruimte onder de struik zo waterdicht mogelijk. Terwijl hij in zijn geïmproviseerde tent lag en de regendruppels hoorde vallen, voelde hij zich niet trots om zijn deskundigheid en voorkennis, maar verdrietig. Wolken waren zijn specialiteit; hij was een wolkenman die wolken produceerde in zijn reusachtige laboratorium en hen stimuleerde hun vocht af te staan in de vorm van regendruppels of hagelstenen... Dus wat deed hij hier dan, smerig en alleen, op dit driehoekje grond aan de oever van de Theems? Niet voor het eerst leek het leven dat hij onlangs nog had geleid een soort honende hersenschim – waarbij de tegenstellingen tussen zijn beide werelden, vóór en na, te schrijnend leken om waar te kunnen zijn – alsof de Adam Kindred die hij was geweest een fantasiefiguur was, de droom van een vagebond, het dierbare waandenkbeeld van een wanhopige verschoppeling.

Die buien gingen ook weer voorbij en als dat gebeurde, meestal 's avonds laat, als het donker was en eb, klom hij langs de kettingen naar beneden en jutte wat de rivier had achtergelaten: drie rubberbanden die hij op elkaar stapelde en gebruikte als kruk, een gebutste fruitkist waarin hij zijn kookspullen opborg, en een verkeerspylon, die volgens hem beter niet op het strand kon blijven liggen omdat die wellicht de aandacht trok. Als hij honger had, ging hij erop uit en kocht van zijn krimpende geldvoorraad sandwiches en hete dranken in goedkope cafetaria's en fastfoodtenten waar zijn sjofele, smoezelige verschijning niet opviel. Met behulp van zijn stratengids raakte hij bekend in zijn buurt in Zuidwest-Londen. Hij volgde de voortgang van het onderzoek in de moordzaak-Wang in weggegooide kranten en hij kreeg na een paar dagen al het gevoel dat het verhaal zijn langste tijd had gehad. Maar door de publicatie van de advertentie met de beloning was dat allemaal veranderd, zodat de belangstelling voor hem weer toenam en er wilde geruchten gingen over de geheimzinnige 'verdwijning' van de hoofdverdachte: had hij zelfmoord gepleegd, was hij naar het buitenland gevlucht, had hij onderdak gevonden bij een of andere slecht geïnformeerde vriend, kennis of familielid...?

Hij had gelezen over het emotionele tv-optreden van zijn vader, waarin die hem smeekte zich aan te geven bij de politie, en was blij dat hij het niet zelf had gezien. 'Geef je aan, jongen, je maakt het zo alleen maar erger voor jezelf. Wij weten dat je onschuldig bent. Laten we een einde maken aan dat afschuwelijke misverstand.' Hij las dat zijn ex-vrouw Alexa Maybury Kindred had geweigerd commentaar te geven, hoewel de details over zijn scheiding (inclusief het overspel) verrassend nauwkeurig waren. Terwijl Adam de kranten las en de dagen verstreken, stelde hij bezorgd vast dat er geen sprake was van een andere verdachte, of van een ander scenario voor de dood van Wang, en hij begon zich af te vragen of hij, door ondergronds te gaan, niet alleen de belangrijkste beslissing van zijn leven had genomen maar ook de grootste vergissing had begaan; een leven, mijmerde hij nu in depressieve toestand, dat gekenmerkt werd door een waslijst aan vergissingen en dat onverbiddelijk tot zijn huidige situatie had geleid. Hij was de enige, besefte hij, die wist van de man op het balkon; alleen hij kon getuigen dat Philip Wang een broodmes in zijn borst had toen Adam de slaapkamerdeur opendeed; alleen hij had oog in oog gestaan met de man met het pistool in de steeg achter Grafton Lodge...

Hij moest iets doen, dacht hij mistroostig, en keek op zijn horloge. Hij kroop op zijn hurken naar een goudenregen vlakbij en trok een rechthoekige graszode omhoog. Daar had hij zijn geldkist verborgen, een droge, veilige plek waarin hij zijn weinige bezittingen bewaarde: zijn portefeuille, creditcards, zijn stratengids, mobiele telefoon en het dossier dat hij terug had willen geven aan Wang. Hij was nu vooral geïnteresseerd in dat dossier, een belangstelling die zeer was toegenomen door het bekendmaken van de beloning. Hij had er al eerder een paar keer in gekeken en had niet kunnen ontdekken wat er zo belangrijk aan was. Wat was dat Calenture-Deutz voor een bedrijf en waarom was Philip Wang zo belangrijk voor hen? Waarom waren ze bereid zoveel geld neer te tellen om Adam Kindred op te sporen?

Adam ging zitten, bladerde door de paar pagina's van het dossier en probeerde er met een heuse forensische of analytische blik naar te kijken. Het waren lijsten met namen en leeftijden (allemaal jonge kinderen zo te zien) en achter iedere naam stond in een keurig handschrift – van Wang? – een opmerking in een soort steno die een dosis van het een of ander leek aan te duiden: '25ml i/v x 4 – 75ml b/m x 6'. Achter iedere naam stond de naam van een ziekenhuis: een in Aberdeen, een in Manchester, een in Southampton en een in Londen, het St. Botolph's in Rotherhithe. Wang had hem verteld dat hij 'immunoloog' was, dus misschien was er een aanwijzing te vinden in het St. Botolph's Hospital.

Adam sprong nu over het hek van de driehoek het Embankment op alsof het de gewoonste zaak van de wereld was. Met de nieuwe advertenties en de losprijs in het achterhoofd had hij besloten zijn regenjas niet aan te doen en zijn diplomatenkoffer achter te laten. Hij droeg echter wel zijn stropdas – in een poging er zo toonbaar mogelijk uit te zien – en hij had zijn portefeuille, creditcards en mobiele telefoon bij zich. Zijn dichte, woeste baard gaf hem een enigszins onguur uiterlijk, maar hij hoopte dat zijn pak en stropdas daar enig tegenwicht aan boden. Hij vertrouwde er vreemd genoeg op dat hij onzichtbaar was in de stad; hij leek al in geen velden of wegen meer op de man van die trouwfoto die overal verspreid was: niemand zou de nieuwe versie van Adam Kindred in verband brengen met die andere. Hij was zich er ook van bewust dat hij 18,78 pond op zak had, het enige geld dat hij nog had.

Hij had overwogen om met zijn creditcard wat geld te pinnen uit een van de vele geldautomaten die hij tegenkwam, maar hij voelde instinctief dat de enige manier om opsporing te voorkomen in een moderne, eenentwintigste-eeuwse stad was om geen gebruik te maken van de diensten die werden aangeboden: telefonie, financiële en maatschappelijke diensten, openbaar vervoer, sociale diensten en dergelijke. Als je niet opbelde, geen rekeningen betaalde, geen adres had, nooit stemde, overal heen liep, niet betaalde met een creditcard of pinautomaten gebruikte, nooit ziek werd of een uitkering aanvroeg, dan kwam je onder de radar van de moderne wereld te liggen. Je werd onzichtbaar of in ieder geval ten dele onzichtbaar, je anonimiteit was zo zeker dat je je door de stad kon begeven – ongemakkelijk, dat wel, behoedzaam en afgunstig, dat wel – als een stadsgeest. De stad was vol met mensen zoals hij, merkte Adam. Hij zag ze weggedoken in portieken of bewusteloos in parken, bedelend bij winkels, zwijgend en in elkaar gedoken op bankjes. Hij had ergens gelezen dat er in Groot-Brittannië ieder week ongeveer zeshonderd mensen als vermist werden opgegeven – bijna honderd per dag –, dat er in dit land een bevolking was van meer dan tweehonderdduizend vermisten, genoeg om een middelgrote provinciestad mee te vullen. Deze verloren, van de aardbodem verdwenen bevolking van Groot-Brittannië had er zojuist een nieuw lid bij gekregen. Niemand leek in staat om die vermiste mensen te vinden tenzij ze zelf gevonden wilden worden, zich ergens aanmeldden of weer naar huis gingen – ze leken gewoon te verdwijnen, verzwolgen te worden – en het leek Adam niet al te moeilijk zich bij hen te voegen, zolang hij maar geen domme fouten maakte. Hij probeerde er niet aan te denken hoe hij moest overleven als hij morgen of overmorgen door zijn geld heen was.

Hij nam de ondergrondse naar Rotherhithe en vroeg, toen hij het metrostation verliet, aan een moeder met twee jonge kinderen waar hij het St. Botolph's Hospital kon vinden.

'St. Bot's?' Ze wees. 'Gewoon hierlangs blijven lopen. Dan zie je het vanzelf.'

En hij vond het inderdaad gemakkelijk, het lag als een reusachtig, glanzend cruiseschip – als een aantal grote, glanzende cruiseschepen – aangemeerd aan de oever bij Bermondsey/Rotherhithe, tegenover Wapping. Midden in het samenraapsel van modernistische gebouwen stond het kleine, uit baksteen opgetrokken, negentiende-eeuwse ziekenhuis – 'St. Botolph's Hospital for Women and Children' – dat trots met blauwe en crèmekleurige tegels op de sierlijke voorgevel stond vermeld. Aan weerszijden lagen de uit vele verdiepingen van glas en staal bestaande gebouwen van het NHS Foundation Trust Hospital verspreid tussen de parkeerterreinen en nieuw aangelegde tuinen, en sommige gebouwen waren met elkaar verbonden door doorzichtige luchtbruggen die verlicht waren met rode of groene lampen – het leken wel slagaderen, dacht Adam – ongetwijfeld een voorbeeld van de 'esprit' waarvoor de architect zijn gouden medaille of ridderorde had gekregen.

Adam volgde de borden naar het atrium waar zich de receptie bevond en betrad een ruimte die hem eerder deed denken aan een reusachtig congrescentrum in Miami of de vertrekhal van een vliegveld. Er hingen reusachtige, abstracte, in primaire kleuren uitgevoerde banieren van het op vrijdragende balken rustende, bijna twintig meter hoge glazen plafond naar beneden, hier en daar stonden volwassen bomen – bamboe, treurvijg, palmbomen – op kleine ommuurde eilandjes. Hij hoorde kabbelend water (echt of uit de waterleiding? – dat wist hij niet).

Er liepen mensen af en aan door die enorme doorgangshal – op doorgang van gezondheid naar ziekte, veronderstelde Adam, of omgekeerd – sommigen, in ochtendjas, waren duidelijk patiënt; anderen, in overalls in diverse kleuren en met naamplaatjes op hun borst en foto's bungelend om hun hals, waren verpleegkundigen of administratief medewerkers. Er waren ook mensen zoals hij, in burger, en dat waren bezoekers of anders mogelijk patiënten die toegang wilden krijgen tot deze autonome gezondheidsstad. De sfeer was rustig en ontspannen, als het voorportaal naar de hemel, dacht Adam, terwijl hij verder het atrium in liep en zijn oren een kalmerende, jazzy muzak oppikten. Niemand vroeg hem wie hij was of wat hij kwam doen; hij stelde zich voor dat hij dagenlang onopgemerkt in dit gebouw zou kunnen doorbrengen, zolang hij de aandacht niet op zich vestigde. Zijn blik viel op de bewakingscamera's die overal hingen – klein en onopvallend, nauwelijks zichtbaar heen en weer bewegend – en dus bleek ook zoiets simpels niet meer mogelijk.

Hij liep naar een balie onder een sterk uitvergrote 'i' van blauw neon, waar een meisje in een abrikozenkleurige jasschort hem glimlachend verwelkomde. Het naamplaatje op haar borst vermeldde FATIMA.

'Ik ben op zoek naar dr. Philip Wang,' zei hij, en ze typte Wangs naam in op haar computer. Hij keek aandachtig toe om te zien of er iets van een schok of nieuwsgierigheid op haar gezicht verscheen, maar dat was niet het geval. Hij had net zo goed kunnen vragen naar dr. John Smith.

'Felicity De Vere-vleugel, zesde verdieping,' zei ze.

'Dank je wel, Fatima.'

Adam volgde Fatima's aanwijzingen en liep naar een constructie van glas en stalen pijlers waarin zich de panoramaliften naar de negen verdiepingen van het St. Botolph's bevonden. Terwijl Adam naar boven gleed voelde hij zich opgenomen in een soort menselijke bijenkorf, die gedomineerd werd door borden en acroniemen: overal hingen borden, begrijpelijk en onbegrijpelijke, sommige wekten een gastvrije en vaag geruststellende indruk, andere riepen acute, duistere angsten op – Spoedopvang, Radiologie, Pathologie, Cafetaria, GUM (wat was dat?), Neurotechnisch Centrum, Kliniek voor Tienerzwangerschap, Afd. Sigmoïdoscopie, Parkeerterrein 7, Kliniek voor Darmziekten, Dienst Medicijnmanagement, KNO en Audiologie – borden die hem verwezen naar afdelingen in gebouwen op deze campus waar, zo leek het, iedere denkbare klacht in ieder functionerend menselijk lichaamsdeel kon worden behandeld, van de wieg tot het graf.

Hij stapte uit op de zesde verdieping en keek over de balustrade naar het krioelende leven op de vloer van het atrium onder zich, en het duizelde hem. Hij voelde zich als een moderne Dante in een antiseptisch inferno – het enige wat nog ontbrak was een gids.

En die gids kwam tot hem in de vorm van een man in een pistachekleurige stofjas en bijpassende tulband die vroeg of hij kon helpen. Adam zei: 'De Felicity De Vere-vleugel,' en hij werd een brede gang in gestuurd naar een van de duizelingwekkende, groen verlichte luchtbruggen die hem verbond met een van de vele andere modules van het St. Botolph's. Terwijl Adam door de buis liep, zag hij door het besmeurde plexiglas hoe de rivier links van hem kalm om Wapping heen stroomde. De schemering begon te vallen en de eerste lichtjes gingen aan in de stad, maar Adam had het gevoel dat er in het St. Botolph's een fluorescerende werkdag van vierentwintig uur heerste, 365 dagen per jaar. Alles ging hier altijd door, licht en donker, de zonnewende 's zomers en 's winters, warmte en kou, de elkaar opvolgende seizoenen: het betekende allemaal niets. Mensen kwamen, ze werden ingeschreven, ze werden genezen en weer weggestuurd, of ze bleven en gingen dood.

Adam kwam in de Felicity De Vere-vleugel – er hing een groot bord met de naam boven dubbele deuren en een decoratieve plaquette met gordijntjes aan de muur – en hij liep naar een balie waar een verpleegster in een kek uniform zat, geen apparatsjik in een stofjas. Hij zag een arts met een stethoscoop om zijn hals, hij zag verplegers met een karretje – dit kwam hem vertrouwd voor. Er hing een gedempte sfeer, alsof er voortdurend 'ziekte' werd gefluisterd, en voor het eerst kreeg Adam het gevoel dat hij in een ziekenhuis was en op zijn hoede moest zijn. Het was niet het meest geschikte moment, meende hij, om de naam van de onlangs vermoorde dr. Wang te noemen.

'Hoi,' zei hij al improviserend tegen de verpleegster. 'Ik ben op zoek naar dr. Femi Olundemi.'

Ze fronste haar wenkbrauwen. 'Olundemi?'

'Ja, Olundemi. Femi Olundemi.'

'Er werkt hier geen dokter Olundemi in deze vleugel.'

Ze draaide zich om en vroeg het aan een andere verpleegster, en beiden kwamen hoofdschuddend terug.

'Dan ben ik verkeerd geïnformeerd,' zei Adam. 'Dit is toch immunologie?'

'Nee, nee,' zei de eerste verpleegster, en ze glimlachte omdat hij zich blijkbaar vergiste. Hij zag op haar naambordje dat ze Seorcha heette. 'Immunologie is op de derde verdieping, geloof ik. Dit is de vleugel voor kinderen met chronische astma. Alleen maar voor kinderen.'

'Dan heb ik me vergist,' zei Adam. 'Bedankt voor uw hulp.'

Adam wandelde het St. Botolph's uit en vroeg zich af of hij wijzer was geworden, of zijn uitstapje en het spenderen van een paar kostbare ponden de moeite waard waren geweest. Hij veronderstelde van wel: Wang stond in de hoofdcomputer maar zijn overlijden was nog niet doorgegeven, en de vleugel waarmee hij geassocieerd was, was gespecialiseerd in kinderen met chronische astma. Dat de dood van Wang tot dusver onopgemerkt was gebleven in deze reusachtige ziektefabriek leek erop te wijzen dat hij hier geen vertrouwd figuur was. Maar chronische astma...? Hoe heette dat bedrijf ook weer waar Wang voor werkte – waar ze zo graag hoge premies betaalden? Calenture-Deutz – ja. Adam herhaalde de naam terwijl hij de fel verlichte ziekenhuisgebouwen achter zich liet: Calenture-Deutz, kinderen met chronische astma... Hoe had Wang zichzelf ook weer omschreven? Als 'allergist'. Misschien was het een aanknopingspunt...

Adam was uit een andere lift gestapt en had het pand door een andere deur verlaten, en toen hij het terrein van het St. Botolph's af liep, bevond hij zich in een straat die hij niet herkende. Hij vroeg zich af waar metrostation Rotherhithe was. Voor een kebabzaak vroeg hij de weg aan een jonge gast die op een fiets met kleine wieltjes een kebab zat te eten.

'Wat?'

'Metrostation,' herhaalde Adam. 'Rotherhithe.'

'Ja, Canada Water, man. Vlakbij. Daarheen en dan de andere kant.'

'Wat? Rechtdoor en dan rechtsaf?'

De jongeman keek hem niet-begrijpend aan. 'Ja. Zoiets.'

Adam liep door en dacht diep na, dat hij misschien zichzelf nu wel overtuigd had, dat het misschien inderdaad tijd werd om zichzelf aan te geven. Hij was smerig en bijna blut, had een baard, sliep 's nachts onder een struik op een stukje onland, leefde op witte bonen in tomatensaus en goedkope sandwiches, waste en ontlastte zich in openbare toiletten. Maar in zijn achterhoofd klonk hardnekkig een stemmetje dat zei: nee, nee, zorg dat je in vrijheid blijft, kostte wat het kost. Zodra hij zich weer in de samenleving stortte, zouden al zijn vrijheden onmiddellijk aan banden worden gelegd. Wie was die man met het pistool in de steeg achter Grafton Lodge? En wie zei dat hij, Adam, veiliger zou zijn in de handen van de politie dan in z'n eentje ondergronds in Londen? Die man was gekomen om hem te vermoorden, en zolang hij niet ontdekt werd was hij veilig; zodra hij opgesloten was, zou iedereen hem kunnen vinden. Er stond iets belangrijks op het spel, iets waar hij bij toeval op gestuit was, iets waarvan hij tot dusver het belang en de omvang niet kon raden. Als Adam Kindred voor een rechtbank zou beweren dat hij onschuldig was, en een verklaring zou afleggen over een man op het balkon, een man met een pistool, wie weet wat voor andere ellende hij daarmee over zichzelf zou afroepen... En wat had het te maken met de Felicity De Vere-vleugel van het St. Botolph's Hospital en kinderen met chronische astma, áls het daar al iets mee te maken had? Het was allemaal afschuwelijk gecompliceerd en zorgwekkend; misschien maakte nog een paar dagen in zijn driehoek nu ook niets meer uit. Hij bleef staan...

Hij was verdwaald. Hij had niet opgelet.

Hij keek om zich heen. Lelijke, hoge flatgebouwen. Betonnen trappen, galerijen. Er brandden een paar lampen. Hij liep naar een bord dat ernstig ontsierd werd door graffiti: SHAFTESBURY ESTATE – BLOK 14-20. Hij keek om zich heen: sociale woningbouw uit de jaren vijftig – een paar bomen, een paar werkende straatlantaarns, een paar autowrakken, en vijftig meter verderop en groepje jongelui op een muurtje rond een speeltuintje met een omgekiepte glijbaan, een paar rubber banden aan kettingen en een draaimolentje. Hij keek omhoog en zag een paar mensen op de reling leunen van een zigzagtrap die aansloot op de hoger gelegen galerijflats.

Hij draaide zich om en liep terug zoals hij gekomen was, vastberaden maar niet paniekerig. Plotseling schenen zijn drie struiken bij de Chelsea Bridge hem een soort warm thuis toe; hij wilde daar zijn, zich neervlijen in zijn slaapzak onder de omgekeerde V van zijn grondzeil; en hij voelde tranen in zijn ogen komen toen hij besefte hoe sneu, hoe verachtelijk dat verlangen was. Nee, zijn toestand begon onmogelijk te worden: hij móést naar de politie, hij kon zo niet langer doorgaan, wat voor ellende hem ook te wachten stond, er was geen altern…

Het enige wat Adam voelde was een enorme stoot in zijn rug – alsof hij geraakt was door een moker of een stille auto – waardoor hij op zijn handen en knieën terechtkwam, onmiddellijk gevolgd door nog zo'n klap, deze keer op zijn hoofd, zodat hij een spiraalvormige supernova van licht zag. En toen werd alles zwart.

9

Hij was een vaste klant, die ene vent, ja, althans dat zei hij, herinnerde ze zich. Toen dacht ze, misschien ook niet: dik, blank, snorretje… Een van die gasten die gewoon afgetrokken wil worden maar zonder zakdoek of tissue gewoon niks maakt niet uit die troep. Mhouse mompelde in zichzelf en pijnigde haar hersens, terwijl ze van haar vaste ronde kwam en langs de rivier liep. Ze wist het niet meer precies: ze vervaagden allemaal tot één klant, tot één man. Hij was degene die steeds zei dat hij vaste klant was, bedacht ze steeds weer. Wat wou hij? Korting of zo? Kut.

Ze haalde diep adem en rook de vreemde lucht van de rivier. Ze vond het préttig om bij de rivier te werken, veel donkere hoekjes, weinig voorbijgangers 's avonds. Ze ging niet graag met iemand mee in de auto – zeker niet na de laatste keer, geen sprake van godverdomme – er waren genoeg rustige plekjes langs de rivier en dan was er altijd nog Margo's kamer – vijf pond voor Margo – geen probleem. Als je in een auto stapt kunnen ze de deuren op slot doen, net als de vorige keer. Godverdomme. Ze bleef staan, stak een sigaret op en keek naar Wapping aan de overkant van de rivier. Er kwam een boot langs en de lichtjes dansten op het uitdijende kielwater. Ze vond die lichtjes leuk, alsof iemand eraan trok met elastiekjes zodat ze steeds weer terug deinden... Ze ritste haar laars los en stopte het geld onder haar inlegzool, ritste de laars weer dicht en liep Southwark Park Road in, naar The Shaft.

Toen ze hem zag dacht ze eerst dat hij een junkie of een zatlap was, zoals hij daar onder de trap bij het parkeerterrein lag, half uitgekleed. Ze liep erheen, op haar hoede. Hij droeg een overhemd, een onderbroek en sokken, en er zat bloed op zijn voorhoofd. Hij kreunde en probeerde overeind te komen. Ze kwam dichterbij.

'Hé, gaat het een beetje?'

'Help. Help me...'

Zijn stem klonk anders, net als van de tv en niet uit The Shaft, toch? Ze haalde haar aansteker uit haar zak en klikte hem aan. Hij had een baard en er droop bloed uit een soort patroon op zijn voorhoofd. Net zulke grillstrepen als op een hamburger, dacht ze. Ze wist nu wat het was, de versterkte, genopte neus van een sportschoen: drie strepen en de vage afdruk van een logo. Hij was besprongen, die gast.

'Je bent besprongen,' zei ze. 'Kleren gejat?'

'Dat veronderstel ik.'

Mhouse begreep hem niet.

'Wat?'

En dus zei hij: 'Ja, dat klopt.'

'Waar woon je?' vroeg ze. 'Welk blok?'

'Ik woon hier niet. Ik woon in Chelsea.'

Chelsea, dacht Mhouse... Wat een mazzel, heb ik ook eens mazzel.

'Hier blijven,' zei ze, 'niet bewegen, ik breng je wel naar huis.' Ze gebaarde tegen de man dat hij moest blijven liggen, dat hij verder moest wegkruipen onder de trap, en zag hoe hij zich klein maakte in het donker en zijn armen om zijn blote witte knieën sloeg. Ze haastte zich over het verdorde gras van de grote open ruimte, die gevormd werd door de strakke rechthoek van de vele flatgebouwen van The Shaft, naar haar blok, en rende de trap op naar haar flat.

Ze keek bij Ly-on, maar die was nog in diepe slaap, helemaal weg, zocht in een kartonnen doos naar een broek die de gast die besprongen was zou passen. Lange vent.

Op de terugweg belde ze Mohammed op haar mobiel. Ik heb er een, Mo. Kom naar South Bermondsey Gate, vijf minuten. Ze begon harder te lopen en hoopte vurig dat hij niet verdwenen was. Hij lag nog in precies dezelfde houding, keek op toen ze floot. Ze gaf hem de afgeknipte katoenen broek en een paar teenslippers.

'Beste was ik heb,' zei ze. Ze bood hem een sigaret aan, maar die sloeg hij af. Ze stak hem zelf op en keek toe terwijl hij langzaam en kreunend van de pijn de broek aantrok. Hij deed zijn sokken uit, stopte die in de strakke zakken van de broek en trok de teenslippers aan.

'Kom maar mee, ik breng je naar Chelsea.'

Mhouse leidde de man langs de zijkant van The Shaft – er was niemand te zien – naar de South Bermondsey Gate, waar Mohammed zat te wachten in zijn Primera.

'Heb je geld?' vroeg ze de man.

'Ze hebben alles afgepakt: mijn mobiel, mijn schoenen, mijn creditcards, colbert, broek, zelfs mijn stropdas…'

'Geen probleem, komt wel goed.'

Ze opende het autoportier en hielp hem instappen – hij was stijf na zijn pak slaag, ze wist hoe het voelde – en ging voorin naast Mohammed zitten, die zijn uiterste best deed om niet te grijnzen, maar tevergeefs. Ze gaf hem een sigaret, die hij in zijn borstzak stopte.

'Waarheen?'

'Chelsea. Waar woon je in Chelsea?' vroeg ze de man.

'Zet me maar af op Chelsea Bridge Road, op de brug bij het Embankment. Dat is prima.'

'Ik breng jou Parliament Square,' zei Mohammed. 'Jij verder vertellen waarheen.'

Ze reden de donkere stad in en Mhouse keek zo nu en dan om om te zien hoe het met hem ging. Hij voelde steeds aan de ondiepe afdruk op zijn voorhoofd en keek dan naar het bloed aan zijn vingers.

'Wat is er gebeurd?' vroeg ze. 'Weet je dat nog?'

'Ik liep op straat, ik was verdwaald, ik was op zoek naar de metro, en toen voelde ik een enorme dreun in mijn rug. Ik hoorde niets.'

'Dreun?'

'Alsof ik van achteren door een auto werd geraakt. Ik viel op de grond en toen kwam ik met mijn hoofd ergens tegenaan. Ik weet het niet, misschien sloeg ik met mijn hoofd op de grond.'

'Nee. Ze geven je zeg maar een dropkick van achteren, weet je wel? Met twee voeten. Bam! Een ander trapt tegen je kop als je valt. Hoor je niks van.'

'Heel aardig van jullie om mij thuis te brengen,' zei de man. 'Ik ben jullie erg dankbaar.'

'Engels?'

'Ja, hoezo?'

'Ik dacht dat je misschien uit het buitenland kwam, asiel of zo.'

'Nee, ik ben Engels... ik ben geboren en getogen in Bristol.'

'Waar is dat? In Londen?'

'Nee, naar het westen, ongeveer honderdzestig kilometer hiervandaan.'

'O,' zei Mhouse met een lachje. 'Hoe heet je?'

'Adam. En jij?'

'Mhouse.'

Ze liet hem de binnenkant van haar rechterarm zien, waar onbeholpen, amateuristisch de woorden MHOUSE LY-ON waren getatoeëerd.

'Ik zal je eeuwig dankbaar zijn, Mhouse; mijn barmhartige samaritaan.'

'Samaritaan. Dat ken ik. Ik loop niet door. Ik doe het voor de Heer.' Mhouse staarde hem aan: Adam, jonge gast, best knap. Zoals hij praat, net als in een boek, net als bisschop Yemi. Die praat ook zo. Wat moet die Adam zo laat bij The Shaft? Vragen om moeilijkheden, en die kreeg hij ook. Ze draaide zich weer om en keek uit het raam naar het veranderende stadsbeeld dat langs schoot. Het was een poosje stil in de auto.

'Goed gereden, Mo,' zei ze.

'Ik rij goed, man,' zei Mohammed.

Toen ze op Parliament Square waren aangekomen wees Adam Mohammed de weg naar Lambeth Bridge en het Embankment. Mhouse keek uit het raam naar de rivier; ze kon zich nauwelijks voorstellen dat het dezelfde rivier was als die in Rotherhithe, waar ze werkte, hij zag er anders uit hier. Mhouse deed haar ogen dicht, ze was moe. Misschien liet ze Ly-on tot morgenvroeg slapen: ze kon zelf wat *chagga* roken, ja, Mister Quality, wat chagga roken en lekker slapen, en dan ontbijten met Ly-on.

'Hier is Chelsea Bridge,' zei Mohammed.

'Rij maar tot voorbij de stoplichten,' zei de Adam-man. 'Het is hier vlakbij.'

Mohammed stopte en zette zijn alarmlichten aan. Er scheurden een paar auto's voorbij, het was al laat en een stuk rustiger op straat. Mhouse keek uit het raam. Aan weerskanten alleen maar bomen en balustrades. Ze deed het portier open en stapte het trottoir op. De Adam-man volgde haar, stijf, onhandig. Mohammed bleef achter het stuur zitten, met draaiende motor.

'Ik vind het echt ontzettend aardig van jullie...' begon Adam.

'Waar woon je?' onderbrak ze hem, plotseling op haar hoede. 'Waar is je huis, je flat?'

Ze zag zijn bedroefde glimlach en was zich niet bewust van de ironie die in haar onschuldige vraag school. Hij wees achter zich naar het driehoekige stukje onland tussen de weg en de rivier.

'Ik woon eigenlijk gewoon hier,' zei hij, nog steeds wijzend. 'Ik heb momenteel niet echt een huis.'

'Je lult.'

'Nee, het is echt waar.'

De achterdocht nam weer in volle hevigheid bezit van haar.

'Jij slaapt hier?' zei ze. 'Ben je ondergronds?'

'Ik, eh... Ik zit een beetje in de problemen. Ik hou me hier schuil.'

Nu kwam de aap uit de mouw: hij loog. 'Dat geloof ik godverdomme niet,' zei ze. 'Ik snap er geen kloot van.'

'Eerlijk waar. Kijk, ik zal het je laten zien, als je wilt.'

Hij hielp haar over de balustrade heen en kwam achter haar aan. Mhouse liet hem voorgaan, tussen struiken en onder takken door, terwijl haar ogen gewend raakten aan de vreemde, elektrische duisternis door het kille schijnsel van de straatlantaarns op het Embankment. Ze kwamen bij een kleine open plek tussen drie grote struiken, en de man – Adam – liet haar zijn spullen zien: de slaapzak, het grondzeil, zijn regenjas, zijn diplomatenkoffer, zijn primus. Mhouse liep om hem heen terwijl hij vertelde, en de gedachte schoot door haar hoofd: ja, dat heb ik weer, wat een fucking mazzel weer vannacht.

Hij draaide zich naar haar om, spreidde zijn handen en zei: 'Luister, je moet me geloven, als ik geld had, zou ik je graag...'

Ze stompte hem hard – met twee vuisten – in zijn maag en gaf hem een knietje in zijn ballen. Hij zakte in elkaar met een zacht gepiep, als een meisje. Ze schopte hem.

'Je hebt me godverdomme verneukt, man. Je hebt fucking veel aan me te danken.'

Hij bleef kreunen, met zijn handen in zijn kruis, terwijl ze zijn bezittingen doorzocht: slaapzak, steelpan, primus, pioniersschop. Helemaal niks, de shit van een dakloze. Ze pakte de regenjas en de diplomatenkoffer en stond over hem heen gebogen met de schop in haar rechterhand.

'Als je mij verneukt, man, dan is dit je fucking verdiende loon.' Ze hief de schop op.

Adam hield op met kreunen en deinsde terug. Ze dacht erover hem een klap met de schop te geven, hem écht te verwonden, maar hij had haar zijn barmhartige samaritaan genoemd. En hij had iets – iets aardigs – waar ze gevoelig voor was. Hij was een dier en hij had hulp nodig.

'Je hebt hulp nodig.'

'Ja. Ja, dat klopt. Jij hebt me geholpen. Help me alsjeblieft.'

'Ik zal je nog één keer helpen. Ik ben jouw samaritaan, man, hoewel ik dat niet snap, na alles wat je me hebt aangedaan, ik snap geen fucking kloot van je.'

'Dank je wel, dank je.'

'Ga naar de Kerk van Johannes Christus in Southwark. Daar helpen ze je wel.'

De man zei: 'Je bedoelt zeker "Jezus" Christus.'

Ze sloeg hem met de schop op zijn been en hij schreeuwde het uit van de pijn.

'Johannes Christus, stomme lul! Johánnes Christus. Zeg maar dat Mhouse je gestuurd heeft.'

Ze gooide de schop naar zijn hoofd, maar hij kon nog net bukken en de schop ketste af op zijn schouder. Ze spuugde naar hem en baande zich een weg terug naar de straat, klom over de balustrade en stapte naast Mohammed in de Primera. Hij scheurde weg.

'Mooie Bumberry-jas voor jou, Mo. En een koffer van leer en goud voor mij.'

'Gaaf. Supergaaf, Mhouse,' zei Mohammed. 'Bedankt.'

'Ja, zie maar. Wat een lul, zeg. Hij had geeneens geld. Zo'n dakloze lul. Kom, we gaan terug naar The Shaft.'

10

Ook al reed hij in een taxi, een zwarte Londense taxi, het vervoermiddel van zijn keuze – alomtegenwoordig en onopvallend,
en het was niet bij wet verboden – bleef Jonjo toch het liefst uit
de buurt van andere taxichauffeurs, vooral op plaatsen waar ze in
groten getale bijeen waren. Hij had geen behoefte aan een spontaan vertoon van solidariteit, of aan lastige vragen. En dus parkeerde hij een eindje verwijderd van City Airport en de lange rij
taxi's die op klanten wachtten, en wandelde bijna een kilometer
naar het fraaie, kleine luchthavengebouw.

Eenmaal binnen keek hij goed om zich heen, op zoek naar alle
in- en uitgangen. Hij was een uur te vroeg voor zijn afspraak – hij
was altijd een uur te vroeg, voor het geval dat, je wist maar nooit
– en hij nam de roltrap naar de eerste verdieping. Hij zocht een
plaatsje in een hoek van de cafetaria met uitzicht op de roltrap en
de korte promenade, en maakte het zich gemakkelijk met zijn koffie, krantje en croissantje, hield zich een halfuur tevreden met de
puzzel en besloot toen dat het tijd werd om waakzaam te worden.

Een kwartier voor het afgesproken tijdstip – 10.00 uur – zag hij
zijn contactpersoon binnenkomen. Hij herkende ze altijd op een
kilometer afstand, collega-soldaten. Als hij een overvolle pub betrad, had hij binnen drie seconden door wie van de aanwezigen
Tags, Blades, Crap Hats, Toms, Jocks of Squaddies waren, of hoe
ze zichzelf ook noemden. Grappig eigenlijk, vond hij: het lijkt wel
een soort instinct, alsof we een bepaalde geur afscheiden. We zijn
net als joden en Schotten, katholieken en vrijmetselaars, ex-ge-
vangenen en homo's. Ze herkennen elkaar binnen een seconde, in
een fractie van een seconde. Gek is dat, alsof we een bordje om
hebben dat alleen onze soortgenoten kunnen zien.

Hij zag hoe een jonge vent – in de dertig, gezet, gemillimeterd
blond haar – binnen kwam, net als hij de aankomsthal inspecteer-
de en toen de roltrap nam naar de cafetaria. Hij liet zijn blik over
de tafeltjes gaan en Jonjo wist meteen dat hij hem gezien had. Hij
bleef over zijn puzzel gebogen zitten.

'Neem me niet kwalijk. Bent u Bernard Montgomery?'
Jonjo keek op. 'Nee.'

'Sorry.'

'Geeft niet, ik word vaak voor hem aangezien.'

De jonge gast ging zitten.

'Er is nieuws,' zei hij.

'Van onze vrienden bij de Metropolitan Police?'

'Ja.'

'Zal verdomme tijd worden ook.'

De jongeman maakte een gespannen indruk.

'De telefoon van Kindred is gebruikt,' zei hij. 'Een paar seconden.'

'Niet door Kindred zelf uiteraard,' zei Jonjo. 'Hij is niet gek.' Hij leunde achterover en legde zijn pen neer.

'Nee... Hij is maar één keer gebruikt, in Rotherhithe; door iemand in een nieuwbouwwijk: Shaftsbury Estate. Daarna heeft hij waarschijnlijk de simkaart verwisseld.'

'Die was dan niet al te slim.' Jonjo dacht even na. 'Dus zijn telefoon is gestolen of hij heeft hem verpatst. Ze weten zeker niet wie ermee gebeld heeft?'

'Nee.'

'Nou, geweldig. Ik ga er wel achteraan.' Jonjo glimlachte. 'O ja, ik krijg nog geld. Voor die laatste klus.'

De jonge gast duwde een dikke envelop over het tafelblad. Jonjo pakte hem op en stopte hem in de binnenzak van zijn leren jack. De jonge gast staarde hem aandachtig aan.

'Jij bent Jonjo Case, niet?'

Jonjo zuchtte. 'Je gaat tegen alle regels in, man.'

'Ik wist wel dat jij het was,' hield de jongeman vol. 'Jij was bevriend met Terry Eltherington.'

'Terrible Tel,' mijmerde Jonjo verbitterd. 'Doodzonde, godverdomme...'

'Ja... Mijn zwager. Ik ken jou van foto's van hem.'

'Die fucking bermbommen. Redt Jenny zich een beetje?'

'Die heeft zelfmoord gepleegd. Kon het niet verdragen. Drie dagen na de begrafenis.'

Jonjo liet het nieuws bezinken, verdrietig, weldoordacht: hij herinnerde zich Jenny Eltherington goed; blond, stevig, opgewekt. Hij knikte in stilte: soldatenvrouw, het ergste lot dat een mens kan treffen.

'Dan ben jij zeker Darren,' zei Jonjo en hij stak zijn hand uit.

'Blues and Royals.'

'Klopt.' Ze schudden elkaar de hand.

'Tel en ik zaten in het Regiment, we hebben samen op Hereford gezeten. Hartstikke gek, die Tel.'

'Ik weet het. Ja, hij had het vaak over jou: het was Jonjo voor en Jonjo na...'

Ze dachten allebei een paar seconden zwijgend aan Terry Eltherington en diens plotselinge gewelddadige dood in Irak, slachtoffer van een uitzonderlijk krachtige bermbom. Jonjo voelde dat zijn nek stijf werd, en hij bewoog zijn hoofd heen en weer.

'Wat is er met jou gebeurd?' vroeg Darren, en hij wees op het inmiddels stervormige, bloedrode litteken op Jonjo's voorhoofd.

'Had je die andere gast moeten zien,' grinnikte Jonjo, en hij vervolgde: 'Is er iets wat je me wilt vertellen, Darren? Vertrouwelijk? Off the record?'

Darrens blik verstrakte. 'Dit is zo *hot* als ik nooit eerder heb meegemaakt, Jonjo, geloof me. Gloeiend heet. Geen idee waarom, maar ze raken helemaal in paniek.'

'Geen druk verder?'

'Zoek Kindred, prioriteit "A". Kom langs wanneer je wilt, je kunt over alles beschikken: database van de Metropolitan Police, archieven, tools, Intel, Centurion-tank. Wat je maar nodig hebt.'

'Goed dat ik het weet,' zei Jonjo. Zijn maag draaide zich om en hij begon zich een beetje zorgen te maken, wat niet zijn gewoonte was.

'Wat gebeurt er als ik Kindred vind?'

'Ze willen weten wat hij weet, dat in de eerste plaats. Dan krijg je wel te horen wat je met hem moet doen.'

'Cool.'

'Ik moet weer eens gaan.' Darren maakte aanstalten om op te stappen, maar Jonjo gebaarde dat hij moest blijven zitten.

'Leuk kennis met je gemaakt te hebben, Darren. Wil je me een plezier doen?'

'Natuurlijk.'

'Hou me op de hoogte. Privé, jij en ik...' Hij zweeg even om volledig tot Darren te laten doordringen wat hij wilde vragen. 'Wat erg van Jenny... gecondoleerd.'

Darren knikte. 'Ik zal je mijn nummer geven. Zoals gezegd, wat je maar nodig hebt. Je kunt me dag en nacht bellen.'

'Schrijf maar op de krant. Ik denk niet dat ik je nodig zal hebben. Maar je weet nooit, hè?'

'Voor wat dan ook.' Darren schreef zijn nummer op.

'Jij hebt mijn nummer blijkbaar al. Bel me als je me nodig hebt. Terry Eltherington, een vent uit duizenden: als zijn neef in de zestiende graad zou bellen, dan kwam ik meteen. Of als een kameraad van een kameraad van de geadopteerde zoon van zijn stiefzuster zou bellen. Snap je?'

Darren knikte, zichtbaar geroerd. Het was altijd goed om iemand te kennen in de hiërarchie, dacht Jonjo, kon altijd van pas komen als het nodig was. Darren wist vast niets meer van die Wang-Kindred-zaak dan hij, maar een bondgenoot was een bondgenoot, en alle beetjes hielpen.

Jonjo stond op. 'Ik ga wel als eerste weg,' zei Jonjo. 'Wacht hier tien minuten.' Hij pakte zijn krant. 'Het was me een waar genoegen, Darren.'

'Insgelijks.'

Jonjo liep terug naar zijn taxi, zijn hoofd vol gedachten. Die freelanceklussen gingen meestal van een leien dakje: je kreeg de opdracht iemand om te leggen, dat deed je en je kreeg ervoor betaald. Verder wist je van niks. Hij haalde de envelop uit zijn binnenzak en wierp een blik op de tweehonderd kakelverse briefjes van vijftig pond. Tienduizend na afloop. Gelukkig werd hij niet gestraft omdat hij die zaak verkloot had, hoewel hij eigenlijk recht had op een voorschot van tienduizend voor die nieuwe Kindred-zaak. Maar goed, het volledige bedrag van twintigduizend zou des te lekkerder smaken als de klus helemaal achter de rug was. Wang was dood, hij had zijn geld gekregen, dus nu op naar de volgende. Het was een drukke, lucratieve maand.

Hij liep door, naar zijn taxi, en dacht even aan Wang, de laatste man die hij gedood had. Vreemd eigenlijk, dacht hij: hij had geen idee hoeveel mensen hij precies tijdens zijn leven had omgebracht: vijfendertig à veertig misschien? Het begon allemaal in 1982 met de Falklandoorlog, toen hij een bunker had opgeblazen op Mount Longdon. Als paratroeper van achttien had hij een Milan draadgeleide raket afgevuurd op de uit zandzakken opgebouwde versterking op de heuvel. Toen hij na de slag ging kijken, lagen alle doden keurig op een rij, als bij een appèl; hij ging op zoek naar verbrande en verminkte lijken, en telde er vijf.

Daarna had hij een Provo gedood in een auto aan de rand van Londonderry, maar drie andere Para's hadden die avond ook het vuur geopend, dus die vangst moesten ze met z'n vieren delen. Pas toen hij bij de SAS kwam en Hereford doorlopen had, begon de score op te lopen. Eerste Golfoorlog, na het vuurgevecht bij Victor Two toen de gevangenen probeerden te ontkomen: drie omgelegd. Toen in 2001 in Afghanistan – zijn laatste operatie – bij dat fort, Qala-I-Jangi. Bij Qala was hij de tel kwijtgeraakt, met al die muitende Taliban-gevangenen beneden en onze jongens op de tinnen. Terry Eltherington was er ook bij geweest. Schieten op vissen in een ton, had Terry gezegd. Jonjo zag nog zijn grote, domme, grijnzende gezicht voor zich, terwijl hij hem van munitie voorzag. Gevangenen die rondrenden op die grote overgroeide binnenplaats, en iedereen stond er op de tinnen op los te schieten: SAS, SBS, de yanks, de Afghanen. Ongelooflijk. De hele binnenplaats leeg gevaagd, schoongeveegd. Hij moet er toen zeker twaalf gescoord hebben, hij had ze voor het uitkiezen.

Hij opende het portier van zijn taxi en nam, nog steeds hoofdrekenend, plaats achter het stuur. Jezus, dan waren er verder nog al die andere klussen die hij had gedaan sinds hij uit het leger was en zich had aangemeld bij de Risk Averse Group, een van de grootste particuliere beveiligingsbedrijven. Joost mocht weten hoeveel boeven hij had omgelegd toen hij bewaker was op de route Jordanië-Baghdad. Zes? Tien? Dan vijf freelanceklussen – hij was weer gaan tellen, nauwkeurig deze keer – en bovendien kon hij aan de hand van het geld op zijn rekening het juiste aantal nagaan. Hij had geen idee wie hem had ontdekt, geen idee wie hem betaalde, geen idee wie de slachtoffers waren en geen idee waarom het slachtoffers waren. Betrouwbaar, professioneel, efficiënt, discreet: hij was godverdomme retegoed. Wang was nummer zes, en het zou perfect verlopen zijn als die klootzak van een Kindred niet was komen binnen zetten met zijn diplomatenkoffer… In een reflex voelde hij aan de korst op zijn nieuwe, stervormige litteken. Weg was de 'L van Loser': hij was dronken geworden, had de wond ontsmet met wodka, en de punt van een heet mes had de rest gedaan. Kindred had zijn routineklus verkloot, en nu ging hij op zoek naar Kindred, hij zou hem overdragen voor ondervraging en ervoor zorgen dat zijn laatste minuten op de planeet aarde gedenkwaardig zouden zijn.

Zijn mobiele telefoon ging.

'Hallo?'

'Jonjo, met Candy.'

Candy was de buurvrouw. Een lange vrouw, gescheiden, filiaal-houdster van een winkel in bouwpakketten in Newham. Aardig, vriendelijk. Ze zorgde voor De Hond als hij aan het werk was.

'Ja, Candy, wat is er? Ik ben aan het werk, schat.'

'Volgens mij gaat het niet zo goed met De Hond. Hij heeft je hele tapijt ondergekotst.'

Jonjo voelde dat hij diep inademde.

'Volgens mij moeten we met hem naar de dierenarts... Jonjo? Hallo?'

'Ik ben er over twintig minuten,' zei Jonjo, met droge mond. Hij startte de motor.

11

Adam vloog boven een dicht wolkenveld van supergekoelde cu-mulus, hoog boven Arizona, en de dichte, grijze wolken strekten zich uit tot aan de horizon. Een wolkenwoestijn. Op de een of an-dere manier was hij zowel de piloot van het vliegtuig als degene achterin die toezag op het uitstrooien van droogijs. Onder de vleu-gels van het toestel waren op regelmatige afstanden plastic buisjes met kleine tuitjes bevestigd. Het vliegtuig helde naar een kant over en daalde tot vlak boven het bobbelige oppervlak van het wolken-veld en scheerde op nauwelijks een meter hoogte over de langzaam bewegende massa heen. Hoe laat was het? Achter in het vliegtuig zette Adam de schakelaar van de hogedrukpomp om, en minus-cule deeltjes bevroren zilverjodide stroomden uit de tuitjes op de wolken. Het vliegtuig vloog in een langgerekte ovaal van zestien kilometer lang en drie kilometer breed, als een reusachtige ren-baan, en de baan van het toestel en het uitgestoten zilverjodide werd onmiddellijk zichtbaar door een brede, diepe trog die verscheen in de oppervlakte van de wolken, terwijl de ijskristallen zich samenvoegden tot waterdruppels. Ver onder de wolken stond Adam in de woestijn van Arizona in de droge bedding van een beek. Hij hief zijn gezicht omhoog terwijl de eerste dikke regendruppels, die hij zelf had gemaakt, op zijn voorhoofd en wangen vielen.

Adam werd wakker. Hij had het koud, hoewel de zon scheen, en hij was ontzettend misselijk. Hij kwam uit zijn slaapzak, kroop een meter verderop en gaf over. Hersenschudding, dacht hij, en hij veegde zijn mond af en spuugde: ik moet me rustig houden en veel water drinken.

Hij kroop terug in zijn slaapzak en lag daar te rillen, terwijl hij overal in zijn lichaam pijn voelde. Vreemd genoeg niet in zijn hoofd, maar zijn ballen deden pijn en zijn rug ook, en het allerergst was het kloppende gevoel in zijn linkerdij en linkerschouder. Hij herinnerde zich de droom tot in het kleinste detail, het was een van de dromen die regelmatig terugkwamen, maar deze had hij in maanden niet gehad. Waarom droomde hij toch over zijn oude leven, terwijl zijn nieuwe zo onherroepelijk en smartelijk aanwezig was? Hij kwam weer uit zijn slaapzak en bekeek zijn lichaam. Hij had een lange schaafplek op zijn dij – spookachtig paarsblauw – waar de huid licht beschadigd was, en op zijn linkerschouder trof hij een diepe wond aan. Zijn smerige, vettige overhemd was gescheurd op de schouder en de scheur was omrand met opgedroogd bloed. Hij herinnerde het zich weer: beide verwondingen waren veroorzaakt door dat mens Mhouse dat met zijn pioniersschop op hem in had staan hakken. Hij raakte voorzichtig zijn voorhoofd aan en betastte het roostervormige litteken, dat korstig aanvoelde onder zijn vingertoppen. Hij vroeg zich af hoe hij eruitzag: als een gewonde na een terroristische aanslag? Of als een berooide dakloze, het slachtoffer van een brute beroving…?

Hij kroop terug onder zijn struik en herleefde zijn droom. Hij had in werkelijkheid nooit wolken bestrooid vanuit een vliegtuig; daarom hadden ze de wolkenkamer gebouwd. Vliegtuigproeven waren te onnauwkeurig en te makkelijk aanvechtbaar, en daarom had Marshall McVay zelf de bouw van de Yuma Wolkenkamer gefinancierd. Ze maakten hun eigen wolken, koelden die tot de vereiste temperatuur, bestrooiden ze met droogijs of bevroren zilverjodide, zout of waterdruppels, en maten de neerslag beneden. Allemaal heel rechtdoorzee en gecontroleerd.

Hij dwong zichzelf aan iets anders te denken – hij moest niet meer denken aan zijn verleden, daar werd hij alleen maar depressiever van – en zich in plaats daarvan concentreren op de gebeurtenissen van afgelopen nacht. Hij herinnerde zich dat die Mhouse kleren voor hem had gehaald. Hij droeg nog steeds haar beige-grijze, halflange camouflagebroek, en een paar meter verderop zag hij de teenslippers liggen waar hij ze had uitgeschopt. De herinnering aan de rit van de Shaftesbury Estate naar Chelsea was fragmentarisch, als een vage, onrustige droom: langsschietende gebouwen, felle koplampen en achterlichten van auto's, praten met Mhouse, haar smalle, katachtige gezicht dat naar hem keek, omgekeerd vanaf de stoel voorin... Wie reed er? Hij herinnerde zich dat ze hem haar naam had laten zien, getatoeëerd op de binnenkant van haar rechter onderarm: MHOUSE LY-ON. Wat was dat voor een naam? 'Mhouse' sprak je natuurlijk uit als 'Mouse'. Hij had haar over de balustrade naar de driehoek helpen klimmen, een mager scharminkeltje met een knap gezichtje, smalle ogen en een wipneus. Ja... En toen was ze hem aangevlogen.

Waarom was ze hem plotseling met zo veel agressie aangevlogen? Ze had hem gestompt en een knietje in zijn ballen gegeven – hij trok een grimas toen hij terugdacht aan de pijn – waarna ze hem te lijf was gegaan met de pioniersschop. Maar waarom in christus' naam? Christus, Johannes Christus, ja natuurlijk, en het onwaarschijnlijke antwoord schoot hem te binnen. Ga naar de Kerk van Johannes Christus in Southwark, had ze tegen hem gezegd, zijn duivelse samaritaan, daar zullen ze je wel helpen.

Hij moest er nog om lachen ook – het klonk hees en onwezenlijk in zijn oren – en voor de derde keer die ochtend kroop hij uit zijn slaapzak om te zien wat hij nog over had aan bezittingen op zijn kampeerplaats. Het onderzoek was snel gedaan: ze had zijn regenjas gestolen en zijn diplomatenkoffer. De overvallers hadden de rest meegenomen, zodat zijn wereldse bezittingen waren teruggebracht tot drie blikjes witte bonen in tomatensaus, een primus, een steelpan, een bestekset, een pioniersschop en een halve fles mineraalwater, zonder bubbels. Hij begon medelijden met zichzelf te krijgen en kreeg warme tranen in zijn ogen. Ja, hij had met zichzelf te doen; dat was toch niet zo vreemd, onder de omstandigheden? Hij had een smerig, gescheurd overhemd aan, ondergoed, een paar sokken, een strakke, afgeknipte camouflagebroek en een paar teenslippers. Schrale bezittingen. Hij dacht aan zijn nieuwe huis met drie slaapkamers in Phoenix, Arizona (dat nu natuurlijk eigendom was van zijn ex-vrouw), hij zag de besproeide gazons voor zich, de keurig geknipte laurierhaag, de dubbele garage... Het leek op een parallel universum, of op iets wat eeuwen geleden had bestaan. Bovendien had hij geld op allerlei bankrekeningen in Londen en Arizona staan – vele duizenden dollars en ponden – en toch zat hij hier ineengedoken, verscholen, mishandeld, stinkend, een voortvluchtige die zich schuilhield tussen de struiken en bomen op een stukje onland aan de rivier.

Denkend aan Arizona en zijn leven aldaar herinnerde hij zich de wolkenkamer weer. Slechts enkele dagen geleden had hij de sollicitatiecommissie van het Imperial College een samenvatting voorgelegd van de monografie waaraan hij werkte: *Onderdrukking van hagel in veelcellige onweersbuien*. Een van de commissieleden (de vrouw) was aanwezig geweest op het congres over ijsvorming in Austin, Texas, en was aanwezig geweest toen hij zijn paper voorlas over 'Het strooien van zilverjodide en de productie van biogene secundaire ijskernen'. Hij had hun een beschrijving gegeven van zijn meest recente experiment in de Yuma Wolkenkamer (voordat hij ontslag nam), wat een uiterst succesvolle reductie was geweest van hagelneerslag uit een prachtig gevormde cumulonimbuswolk, waarvan de punt precies tot aan het plexiglazen dak kwam, negen verdiepingen hoog. Hij had op de observatiegalerij staan kijken hoe het ijzige stof van de kristallen zich verspreidde en hoe er op vrijwel magische wijze een opwaarts kolkende warmeluchtstroom ontstond. Er was nauwelijks hagel terechtgekomen in de reusachtige opvangbakken beneden. Zijn collega's waren spontaan in applaus uitgebarsten.

Adam proefde de bittere frustratie en teleurstelling in zijn mond, terwijl hij zijn primus aanstak om een blikje witte bonen in tomatensaus op te warmen. De geur van het gas en de koude bonen in de pan deden hem kokhalzen, maar hij wist dat hij iets móést eten.

'Ophouden!' zei hij tegen zichzelf, terwijl hij een golf van woede door zich heen voelde gaan. Die tijd was voorbij, de wolkenkamer bestond niet meer. Dat was nu allemaal geschiedenis. Adam Kindred – wolkenbestuiver, hagelonderdrukker, regenmaker – was zo echt als de superheld uit een stripverhaal. Hij ging op zijn hurken zitten en concentreerde zich op het hier en nu, lepelde warme bonen in tomatensaus naar binnen en probeerde niet te denken aan het leven dat hij ooit geleid had.

Twee dagen later vroeg Adam zich af of hij echt aan het verhongeren was: hij voelde zich licht in het hoofd, was duizelig en stond onvast op zijn benen als hij overeindkwam. Vierentwintig uur geleden had hij zijn laatste blikje witte bonen verorberd, en hij vulde nu zijn plastic fles met water uit de Theems zelf, bruinachtig water met bezinksel, maar de smaak was redelijk en hij moest toch iets in zijn lege maag hebben. Hij was nogal bang na die aanval op hem – nadat hij besprongen was – bang om zich buiten zijn veilige driehoek te wagen, zijn kleine, vertrouwde gebied, in de grenzeloze, meedogenloze wereld van de stad. Om te beginnen had hij geen geld, geen rooie cent, warrig haar en een baard, en zijn kleren – het gescheurde overhemd, die stomme broek en teenslippers – zouden alleen maar de aandacht op hem vestigen, daarvan was hij overtuigd, en het laatste waar hij behoefte aan had was dat iedereen hem zou nakijken. Hij voelde zich veilig in zijn driehoek: de vrijwel constante verkeersstroom stelde hem gerust; het getij in de rivier rees en daalde; boten en schuiten voeren langs. Er kwam niemand in de driehoek en 's nachts hadden de slingers met brandende lampjes op de Chelsea Bridge iets feestelijks, bijna kerstmisachtigs, waardoor hij weer vrolijk werd.

De volgende ochtend klom hij bij het krieken van de dag naar het strandje om zijn waterfles te vullen. Er lag nog een rubberband half begraven in de modder, talloze kapotte plastic flessen, wat drijfhout en een kluwen blauw nylontouw. Hij nam het touw mee – met de vage gedachte dat dit het soort nuttige strandvondst was dat een paria kon gebruiken – en schatte de lengte op minstens zes meter. Wat zonde, en wat voor onverantwoordelijke schipper of opvarende smeet zoiets nou overboord? Zeevogels konden erin verstrikt raken, of scheepsschroeven. Hij keek om zich heen; het licht was schitterend, perzikgrijs, en de lucht heerlijk koel. Er vlogen en doken al riviervogels rond: meeuwen, kraaien, eenden, aalscholvers. Hij zag een reiger onelegant langsvliegen in de richting van Battersea Park met zijn hoge bomen. Er waren ook Canadese ganzen in de rivier, en plotseling schoot hem de uitdrukking 'een vette gans bedruipt zichzelf te binnen. Hij keek naar het strandje – het tij was aan het keren – hij had misschien nog een halfuur voordat het zo licht werd dat iemand hem zou kunnen zien. Hij klom via de kettingen omhoog naar de driehoek.

Hij was zo klaar; het leegschrapen van de blikjes leverde een halve hand koude bonen op. Hij greep het houten kistje en was binnen enkele seconden terug op het strandje. De val die hij construeerde was uiterst rudimentair, maar hij vertrouwde erop dat hij zou werken: het ene einde van het kistje steunde op een stukje drijfhout waaraan hij zijn nieuwe aanwinst, het blauwe nylontouw had bevestigd. Van de koude witte bonen kneedde hij een kegeltje op een platte kiezelsteen en legde dat onder de schuin omhoog staande kist. Toen klom hij via de kettingen weer omhoog, hield het uiteinde van het touw tussen zijn tanden en nam uit het zicht plaats achter een struik. Hij verwachtte niet echt dat een gans in zijn val zou belanden, maar hij hoopte op een eend – een kleine, vette eend zou prima zijn – hoewel hij ook genoegen zou nemen met een schurftige Londense duif. Hij wachtte, dwong zichzelf geduld te hebben en de kalmte van de jager op te brengen, als hij kon. Hij wachtte en wachtte. Aalscholvers dreven met het lage tij de rivier af en doken onder water. Een paar kraaien streken klapwiekend neer op het strandje, pikten tussen de kiezels aan de rand van het water, maar toonden geen belangstelling voor de bonen. Toen hoorde hij boven zich een droog gefladder van vleugels, als van een engel, en een grote, witgrijze zeemeeuw scheerde over zijn hoofd, dook naar beneden, hield stil en landde onberispelijk en uiterst behoedzaam. De kraaien negeerden hem, keerden systematisch alle kiezels om en pikten naar flarden wier. De meeuw ging recht op de witte bonen af en boog zich onder de rand van het kistje... Adam trok aan het touw, het stokje viel om en het kistje viel neer.

'Gemakkelijker gezegd dan gedaan,' dacht Adam hardop terwijl hij naar het kistje keek, dat druk heen en weer bewoog op het zand doordat de meeuw in paniek rondfladderde en met zijn vleugels klapperde. Makkelijker bedacht dan uitgevoerd. Maar hij had honger; hij had zijn prooi gevangen, hij had brandstof en een mes, en hij verlangde naar geroosterd vlees. Er zat niets anders op: hij deed een snelle greep onder het kistje en pakte de meeuw bij een poot. De harde gele snavel pikte gemeen en tot bloedens toe in zijn onderarm, totdat Adam de vogel had doodgeslagen met een aangespoeld eind hout. Hij spoelde zijn onderarm af in de rivier – een paar wonden meer of minder, wat maakte het uit? – en raapte de vogel op, waarvan de brede witte vleugels slap hingen. Terwijl hij dat deed verscheen er een grote volgeladen vrachtschuit onder de Chelsea Bridge die stroomopwaarts voer. Er stond een man op de voorsteven. Adam hield de meeuw achter zijn rug en zwaaide terloops. De man zwaaide niet terug.

Adam plukte de meeuw en slaagde er op de een of andere manier in met het mes uit zijn bestekset het dier te ontdoen van zijn ingewanden, die hij in de rivier smeet. Toen sneed hij repen vettig vlees van het verrassend magere lijf, prikte die aan zijn vork en hield ze net zolang in de gasvlam tot ze zwartgeblakerd waren. Het hete vlees smaakte naar wild maar was niet smerig, hoewel het pezig was en hij er lang op moest kauwen en het moest wegspoelen met slokken riverwater. Hij at zoveel als hij kon en gooide het karkas in de rivier. Het tij bewoog zich krachtig stroomopwaarts. Toen ging hij op zijn drie rubberbanden zitten en begon te huilen.

Later hield hij zichzelf voor dat het goed was geweest om eens flink te huilen, het was een heilzame uiting van emoties geweest, broodnodig na alles wat hij had meegemaakt: de overval, het trauma van de verrassingsaanval, de opluchting geholpen te worden, en dan het trauma van de tweede aanval. Op het donkerste tijdstip van de nacht verliet hij voor het eerst in dagen de driehoek en ging Chelsea in om op strooptocht te gaan. Hij voelde zich beter, rustiger en vastberadener terwijl hij vuilnisbakken doorzocht en behoedzaam door lege straten rende en in keldergaten tuurde. Het was verbazingwekkend wat mensen allemaal weggooiden. Toen het licht begon te worden had hij een vrijwel nieuw, wit spijkerjack gescoord (waarvan een borstzak een zwarte inktvlek had, als van een lekkende ballpoint) en een paar golfschoenen dat op een trap was blijven staan, een beetje krap maar veel beter schoeisel dan die teenslippers. Hij had ook gegeten uit de vuilcontainers van fastfoodtenten: koude patat, een halve kebab, restjes cola en andere frisdrank uit blikjes. Hij keerde terug naar zijn driehoek – boerend, volgegeten en met nieuwe kleren –, hij zag er bijna normaal uit, vond hij. Maar wat hem vooral opbeurde was het besef dat hij nu kon overleven. Het leek alsof het geroosterde meeuwenvlees hem op de een of andere manier had gesterkt, nieuwe moed en vastberadenheid had gegeven.

Hij had zelf iets van het krijsende lef en de arrogantie van een grote witte zeemeeuw. Als de wond op zijn voorhoofd eenmaal was genezen en verdwenen, zou hij met nog meer zelfvertrouwen tevoorschijn durven te komen en zijn areaal kunnen uitbreiden. Misschien, dacht hij, en dat was een voorbeeld van zijn nieuwe mentaliteit, zou hij zelfs het advies van Mhouse opvolgen en naar Southwark gaan om te zien wat voor de hulp de Kerk van Johannes Christus hem kon bieden.

12

Ivo, lord Redcastle stond in de deuropening van zijn huis met een T-shirt aan waarop de tekst stond: GEDIPLOMEERD SEKSLERAAR – EERSTE LES GRATIS. Ingram zweeg en deed alsof er niets aan de hand was.

'Ingram, schatje,' zei Ivo, 'je hebt het gered.'

'Is Meredith hier?'

'Ze is inderdaad hier; *mi casa, su casa.*' Ivo bewoog zich niet, hij bleef stokstijf in de deuropening staan en verwachtte duidelijk, dacht Ingram, dat ik iets zeg over dat stomme T-shirt van hem. Dan kon hij lang wachten.

'Moet ik je opzijduwen? Is dat de bedoeling?' vroeg Ingram. 'Je omverduwen? Op de grond gooien?'

'Wat koddig. Kom binnen, ouwe rukker.'

Ingram betrad de brede hal van Ivo's woning in Notting Hill: houten vloer, in de hoek een reusachtige opgezette grizzlybeer met een platte hoed op, tegen de wand een aantal erotische viltstifttekeningen van Ivo's nieuwe vrouw Smika. Ingram wierp er een blik op en zag borsten, vulva's en diverse soorten penissen, zowel slap als opgericht. Ingram ging de trap op naar de salon en passeerde een serie zwart-witfoto's – de gebruikelijke types, stelde Ingram vast: Bill Brandt, Cartier-Bresson, Mapplethorpe, Avedon – wonderbaarlijk hoe ze erin waren geslaagd om in het hoofd van types als Ivo het idee overeind te houden dat deze geslaagde maar inmiddels volstrekt overbekende afbeeldingen nog steeds 'revolutionair' zouden zijn. Zijn humeur werd nog slechter toen hij het luide gekwaak hoorde dat uit de doorgetrokken kamers op de eerste verdieping kwam. Zes was het ideale aantal voor een etentje – hooguit acht – maar meer gasten betekende voor alle aanwezigen een tragische tijdsverspilling. Bij de deur stond een jongeman in een kort Nehru-jasje die een dienblad met drankjes van diverse kleuren aanbood.

'Wat denk je, behoort een glas witte wijn tot de mogelijkheden?' vroeg Ingram.

'Nee,' zei Ivo. 'Je mag kiezen: rood, geel, blauw, groen of paars.'

'Wat zit erin? Ik ben allergisch.'

'Dat is voor jouw allergie een vraag en voor mij een weet.'

Ingram koos een paars drankje en volgde Ivo naar de lawaaiige kamer, waar hij, eenmaal binnengekomen, zijn vrouw Meredith zag zitten en onmiddellijk haar kant op ging. Om de een of andere absurde reden was hij ongewoon en belachelijk blij haar te zien – hij had nu al een gruwelijke en intense hekel aan dit feestje – hoewel hij, naarmate hij dichterbij kwam, de roze gloed op haar wangen zag, die iets verried over haar alcoholconsumptie.

'Hallo, liefje,' zei hij terwijl hij haar kuste. 'We kunnen niet lang blijven, weet je nog?'

'Doe niet zo raar, Ivo is jarig.' Ze kneep hem knipogend in zijn achterste, en Ingram dacht, godzijdank is er PRO-Vyril, een van de meest succesvolle geneesmiddelen van Calenture-Deutz. Het bestreed erectiestoornissen met als slogan: 'ongeëvenaarde prestatieduur', niet zo beroemd als Cialis, Viagra of Foldynon, maar evengoed een leuk melkkoetje voor het bedrijf. Hij had er ook baat bij, moest Ingram toegeven, er ontstond een soort metabolische samenwerking met de chemicaliën, vermoedde hij. Na een paar PRO-Vyrils kon hij alles en iedereen een paar uur lang de baas. Hij en Meredith hadden nog regelmatig seks voor een ouder stel met volwassen kinderen, mijmerde hij, hoewel het initiatief altijd van haar uitging. Hij had nooit kunnen ontdekken wat haar geil maakte – er zat geen duidelijk patroon in, maar ze waarschuwde hem altijd een paar uur van tevoren als ze in de stemming was. Zoiets als de schijngestalten van de maan, dacht hij: ergens was er iets dat haar triggerde. Ze sliepen in afzonderlijke slaapkamers, die van elkaar gescheiden waren door hun garderobes en badkamers, maar wel met elkaar verbonden waren. Ingram genoot oprecht van hun samenzijn, hoewel het dankzij de PRO-Vyril eerder een kwestie was van techniek dan van hartstocht, en in niets leek op zijn ontmoetingen met Phyllis.

Hij hield een paar seconden lang de hand van Meredith vast en voelde zich gerustgesteld. Ze was een klein, mager vrouwtje met goed geknipt, witblond haar en een hoofd dat iets te groot was voor haar lichaam. Daardoor, en door haar wipneus en ver uit elkaar staande ogen, had ze iets popperigs, en als resultaat van die uitstraling nam ze in gezelschap vaak de uitgelaten houding aan van iemand die niets kan gebeuren en die nergens bang voor is. Maar Ingram wist dat ze veel taaier en sluwer was dan het beeld dat ze van zichzelf opriep. Op dit soort momenten – te midden van Ivo's rumoerige verjaardagsfeest – was hij blij dat hij met haar getrouwd was.

'Het was een lange, vermoeiende dag, lieve schat,' zei hij zacht. 'Dus hoe eerder we weggaan, hoe beter...'

'Bericht ontvangen, over en uit,' zei ze met een warme glimlach.

'Lady Meredith Fryzer!' schreeuwde een man met een zwart T-shirt (en daarop dezelfde idiote tekst als bij Ivo) haar in het oor, waarna hij haar in zijn armen nam. Ingram wendde zich af, zette het paarse drankje dat hij niet had aangeraakt op een tafel, liep naar de jonge ober bij de deur en herhaalde zijn verzoek om een glas witte wijn, als dat zou kunnen, heel graag, ja.

Hij liet zijn blik door het vertrek gaan – niemand was geïnteresseerd in hem, een grijze man van bijna negenenvijftig met een donker pak en een stropdas – en vroeg zich af wie al die vrienden van Ivo waren. Sommige mannen waren zichtbaar ouder dan hij (grijzend, kaal, met pluizige baardjes) maar gingen gekleed als pubers in gebleekte en gescheurde T-shirts, laaghangende broeken en gympen zonder veters – het zou hem niet verbaasd hebben als ze met een skateboard onder de arm hadden gelopen – maar terwijl hij rondkeek, merkte hij dat er ook een aantal knappe, slanke vrouwen aanwezig waren, maar allemaal met lange, chagrijnige gezichten, alsof ze verwachtten dat er harde grappen over hen zouden worden gemaakt of dat ze op een andere manier zouden worden bespot.

Hij kreeg zijn witte wijn en hij nipte er dankbaar aan, leunend tegen de muur naast de deur, terwijl hij de vermoeidheid enigszins uit hem weg voelde vloeien. In de krioelende menigte meende hij een acteur te herkennen en iemand anders van de tv, en er liep ook een modeontwerper rond. Ja? Nee? Hij had geen idee. Tegenwoordig keek hij nauwelijks tv en hij las ook geen tijdschriften. Hij pakte nonchalant een bronzen beeldje van een tafel en meende dat het een Henry Moore was – hij was tevreden dat de naam hem te binnen schoot – en vroeg zich opnieuw af hoe Ivo er een dergelijke leefstijl op na kon houden, voor iemand zonder zichtbare bron van inkomsten behalve de tachtigduizend pond die Ingram hem jaarlijks betaalde als niet-leidinggevend lid van de directie van Calenture-Deutz. De vader van Ivo en Meredith, de graaf – de graaf van Concannon – had geen cent meer en woonde in een grote moderne bungalow buiten Dublin. Het familiekasteel, Cloonlaghan Castle, was een bouwval, en het zou miljoenen kosten om het weer bewoonbaar te maken. Hij vermoedde dat Meredith Ivo geld gaf, stiekem, in de veronderstelling dat hij het niet merkte. Om de een of andere reden was ze dol op haar jongere broer, en ze vergaf hem iedere belediging en scheve schaats. Smika, Ivo's derde vrouw, had ook geen geld (tenzij er iets te verdienen viel met erotische tekeningen). Wat was er gebeurd met Ludovine, de tweede, Franse echtgenote? Ze was klein van stuk, uitbundig, en had oranjegeel piekhaar. Ja, Ingram mocht Ludovine graag (hij herinnerde zich plotseling dat hij had betaald voor de kostbare Franse echtscheiding). Aha, Ivo kwam op hem af gelopen.

Ivo stond voor hem en Ingram was opnieuw onder de indruk van de verpletterende schoonheid van zijn zwager. Hij had een beetje gel in zijn blauwzwarte haar gesmeerd, en zijn T-shirt zat zo strak dat zijn slanke, veertigjarige torso voordelig uitkwam.

'Vermaak je je een beetje?' vroeg Ivo. 'Best wel cool, hè?'

'Geweldig,' zei Ingram. 'Is er wat te eten, dacht je? Ik sterf van de honger.'

'Wat vind je van mijn T-shirt?'

'Ik vind het ontzettend geestig. Je zou het eigenlijk altijd moeten dragen. De mensen komen niet meer bij van het lachen.'

'Je snapt het niet, ouwe lul.'

'Het is net zo oud als ik, idioot. Ik heb er al zo één gezien tijdens het festival op het eiland Wight in 1968. Het is ontzettend oubollig.'

'Dat lieg je.'

'Waarom heb je het eigenlijk aan?' vroeg Ingram. 'Ben je eigenlijk niet veel te oud voor dat soort dingen?'

'Ik heb er honderdduizend laten bedrukken. We gaan ze deze zomer verkopen bij iedere club aan de Middellandse Zee. Van Lissabon tot Tel Aviv. Voor tien euro per stuk.'

'Droom maar lekker door, Ivo.'

Ivo wierp hem een blik vol pure haat toe, maar barstte toen in een holle, gemaakte lach uit, sloeg hem op zijn schouder en liep weg. Ingram ontdekte wat harde, glanzende crackers in een schaaltje en kauwde er een poosje op, totdat een kok in vol ornaat aankondigde dat het diner geserveerd werd.

Er zaten vierentwintig mensen op de begane grond rond de grote eettafel voor in het huis. Ze zaten erg dicht op elkaar, vond Ingram, maar dat maakte hem niets meer uit, omdat hij inmiddels zijn vierde glas witte wijn achter de kiezen had, terwijl ze eindeloos zaten te wachten op het hoofdgerecht. Deze afschuwelijke avond was eindig, hield hij zichzelf voor, er zou een eind aan komen, hij zou weggaan en de rest van zijn leven nooit meer een uitnodiging aannemen om bij Ivo te komen eten. Die gedachte gaf hem troost en steun, terwijl hij samen met de andere gasten wachtte op het eten. Hij merkte dat hij zo ver mogelijk van Ivo af zat (Meredith zat rechts van Ivo), tussen een vrouw die nauwelijks een woord Engels sprak en een van die knappe, chagrijnige vrouwen. Nadat ze aan tafel waren gegaan, had ze al drie sigaretten gerookt, en het enige wat er tot dusver geserveerd was, was een onvoldoende gekoelde gazpacho met te veel knoflook. Ingram keek op zijn horloge – het was tien over elf – er heerste vast en zeker crisis in de keuken. Hij merkte op dat hij de enige man aan tafel was die een das droeg. Toen zag hij tot zijn verbazing dat Ivo naast zijn pakje sigaretten zijn mobiele telefoon op tafel had liggen. En nog wel in zijn eigen huis, dacht Ingram, dat is pas echt sneu. Tragisch. Hij wendde zich tot de knappe, chagrijnige vrouw, die haar vierde sigaret had opgestoken.

'Ben jij een vriendin van Smika?' vroeg hij.

'Nee.'

'Aha, een vriendin van Ivo dus.'

'Ivo en ik hebben een tijdje iets gehad...'

Ingram merkte dat ze geïrriteerd was omdat hij haar niet herkende.

'Ivo en ik hebben bij jou en Meredith gelogeerd in jullie huis in Deya.'

'O ja? Juist... ja...'

'Ik ben Gill John.'

'O ja. Gill John, ja, natuurlijk...'

'We hebben elkaar... ruim tien keer ontmoet, denk ik.'

Ingram overstelpte haar met verontschuldigingen, weet zijn vergeetachtigheid aan zijn leeftijd, naderende Alzheimer, oververmoeidheid, afschuwelijke werkdruk. Hij herinnerde zich haar vaag: Gill John, natuurlijk, een van Ivo's ex-vriendinnen, tussen Ludovine en Smika in. Hij ging uitsluitend om met mooie vrouwen, Ivo, en Ingram besefte dat dat een van de automatische voordelen was als je een belachelijk knappe man was. En Gill John was inderdaad mooi, hoewel haar gelaatsuitdrukking, houding en manier van doen op de een of andere manier verbittering uitstraalden, alsof het leven haar steeds weer had teleurgesteld en ze de hoop op verbetering had opgegeven.

'O ja, die goeie ouwe Ivo,' zei Ingram, die geen idee had wat hij tegen deze vrouw moest zeggen, die leek te zwelgen in haar woede en verbittering. 'Fantastische vent, prima kerel, Ivo.'

'Ivo is een lul,' zei ze. 'Helemaal geen "fantastische vent" of "prima kerel". Dat weet jij net zo goed als ik.'

Ingram wilde zeggen: waarom kom je dan naar zijn verjaardagsfeestje? Maar hij beperkte zich tot de opmerking: 'Nou, geen eersterangs lul, toch? Hooguit een derderangs lul, misschien. Maar als zijn zwager ben ik misschien een beetje vooringenomen.'

'Dat is dus precies wat ik bedoel,' zei ze.

'Ik volg je even niet.'

'Wat alle mannen gemeen hebben.' Ze lachte in zichzelf, cynisch en veelbetekenend.

'Ik zou een paar gemeenschappelijke factoren kunnen bedenken,' zei Ingram, en hij vroeg zich af hoe het gesprek plotseling deze wending had kunnen nemen. 'Maar naar ik aanneem andere dan jij in gedachten hebt.'

'Internetporno.'

'Pardon?'

'Wat alle mannen gemeen hebben is internetporno.'

Ingram liet zich door een passerende ober nog een witte wijn inschenken.

'Ik denk dat de gemiddelde bosjesman uit de Kalahari het niet met je eens is,' zei hij.

'Goed. Alle westerse mannen met computers.'

'Maar als je geen computer hebt? Dat "wat alle mannen gemeen hebben" van jou heeft al aan universele zeggingskracht ingeboet. Je kunt net zo goed beweren...' Hij dacht even na. 'Wat hebben alle mannen gemeen die golfclubs hebben? Liefde voor golf? Dat dacht ik niet. Sommige mannen met golfclubs vinden golf ronduit saai.'

Gill John stak haar vijfde sigaret op. 'Doe even normaal,' zei ze.

'Of,' vervolgde Ingram nogal zelfgenoegzaam zijn analogie, 'je zou ook kunnen zeggen: wat alle mannen gemeen hebben die een paraplu hebben, angst voor regen?'

'Ach, sodemieter toch op,' zei Gill John.

'Porno is in feite ook saai; dat is het fundamentele probleem van porno. Daar zouden vrouwen eigenlijk troost uit moeten putten.'

Gill John gaf hem een klap – niet hard – gewoon een venijnig tikje met haar vingers op zijn kin en onderlip. Ze draaide zich om en Ingram bleef verbouwereerd zitten, met een tintelende lip. Tot zijn verbazing leek niemand iets te hebben gemerkt. Ivo was van tafel gegaan om te zien wat er aan de hand was in de keuken, en alle hongerige blikken waren op hem gericht. Ingram wendde zich tot zijn andere tafeldame, die hem een stralende glimlach schonk. Wat kon hier nog misgaan, vroeg Ingram zich af.

'*O Rio de Janeiro me encanta*,' zei hij zonder veel overtuigingskracht. Op dat moment begon Ivo's mobiel te rinkelen, met een irritante beltoon die bestond uit een of andere heavy metal gitaarriff, en hij kwam terug uit de keuken.

'Sorry jongens,' zei hij tegen het hele gezelschap, 'maar de tajine is gebarsten. Nog een minuut of tien geduld graag.' Hij pakte zijn telefoon. 'Ivo Redcastle...' Hij luisterde. 'Ja, goed.' Hij keek Ingram geïrriteerd aan. 'Voor jou.'

Ingram stond op, liep om de tafel heen en dacht: wie belt mij godverdomme op Ivo's telefoon? Meredith wierp hem een wazige, aangeschoten blik toe. Alle anderen waren in gesprek verwikkeld en besteedden er geen aandacht aan.

Ivo gaf hem zijn telefoon. 'Wil je hier geen gewoonte van maken, Ingram?'

Ingram bracht het toestel naar zijn oor. 'Met Ingram Fryzer.'

'Ingram. Met Alfredo Rilke.'

Ingram kreeg het plotseling koud. Hij verliet snel de eetkamer en liep de gang op.

'Alfredo. Hoe kom je aan dit nummer?'

'Ik heb je gebeld op je mobiel. Degene die opnam zei dat je bij je zwager was.'

'Natuurlijk.' Ingram had zijn telefoon in zijn diplomatenkoffer buiten in de auto, bij Luigi.

'Ik kom naar Londen,' zei Rilke.

'Uitstekend. Goed. We...'

'Nee, dat is helemaal niet goed. Wij hebben een serieus probleem, Ingram.'

'Ik weet het. De dood van Philip Wang heeft ons allemaal...'

'Heb je die Adam Kindred al gevonden?'

'Nee. Nog niet. De politie heeft nog geen...'

'We móéten hem vinden. Ik bel wel zodra ik er ben.'

Ze namen afscheid en Ingram klikte Ivo's telefoon dicht. Hij voelde zich plotseling klein en nietig, en net zo ongerust als toen hij nog een kind was, toen de gebeurtenissen te groot en te volwassen waren om te bevatten. Het feit dat Alfredo Rilke hem belde op Ivo's feestje betekende inderdaad dat er serieuze problemen waren. Dat Alfredo Rilke naar Londen kwam benadrukte hoe ernstig die problemen waren. Hij pijnigde zijn hersenen maar kon geen verklaring bedenken, alleen maar meer zorgen, die samenklonterden. Voor het eerst had hij het gevoel dat hij niet langer de volledige controle over zijn leven had; het leek alsof de gebeurtenissen werden aangestuurd door een kracht van buiten die hij niet in de hand had. Onzin, stel je niet aan, hield hij zichzelf voor. Het leven is een aaneenschakeling van crises – dat is normaal – dit is er gewoon ook een. Hij keek door de open deur de keuken in en, als om zijn analyse te onderstrepen, beschouwde hij Ivo's huidige crisis terwijl de kok de stoofpot uit de gebarsten tajine in een oranje ovenschotel schepte. Hij betrad met ferme pas de eetkamer en gaf de telefoon terug aan Ivo.

'Tot je dienst, mate,' zei Ivo op lompe toon.

'Meredith, we moeten weg,' zei Ingram zacht, en Meredith stond direct op.

'Ach, de spelbrekers,' zei Ivo met een slecht Amerikaans accent.

'Hou je kop, Ivo,' zei Ingram, en hij kneep zijn zwager hard in zijn schouder. 'Geniet jij maar lekker van je fijne feestje.'

13

De 'Nieuwe Dependance' van de Marine Support Unit in Wapping, zoals het complex nogal gewichtig genoemd werd, bestond uit vier grote portakabins op een stukje onland bij Phoenix Stairs aan Wapping High Street, waar onlangs een pier van glimmend staal was aangelegd. De pier bij Phoenix Stairs lag ongeveer honderd meter stroomafwaarts vanaf het MSU-politiebureau bij Wapping New Stairs, bijna even ver van de beide pubs in Wapping High Street, de Captain Kidd en de Prospect of Whitby. De MSU had onlangs vier nieuwe motorsloepen van het type Targa 50 aangeschaft, iets kleiner, iets sneller dan de huidige vloot van oudere Targa's, maar met hetzelfde ruime aangepaste stuurhuis. Vandaar deze uitbreiding met een nieuw complex en een nieuwe pier, en vandaar, vermoedde Rita, haar snelle promotie bij deze divisie. Het had geen enkele zin een ruimer budget te hebben en je vloot uit te breiden, als je geen personeel had om de boten te bemannen.

Ze voelde zich nog steeds als het nieuwe meisje op school – de MSU was een kleine, hechte eenheid, er was nauwelijks verloop van personeel (als je eenmaal bij de MSU zat, bleef je er meestal tot aan je pensionering) – en er waren maar erg weinig vrouwelijke agenten. Tot dusver had Rita in Wapping nog maar twee andere vrouwelijke collega's ontmoet.

Ze bleef stilstaan aan het einde van de nieuwe pier, en voordat ze terugliep door de gang naar Phoenix Stairs, wierp ze nog een blik stroomafwaarts naar de torens van Canary Wharf, zag een vliegtuig opstijgen vanaf City Airport en keek toen naar de overkant – het was hoogwater – naar de reusachtige moderne gebouwen van St. Botolph's Hospital. Het leek wel een kleine, zelfstandige stad, dacht ze, met alles wat een mens nodig had – verwarming, eten, transport, riolering, hart-longmachines, mortuarium, rouwkamer – je hoefde er nooit meer weg...

Wat een morbide gedachten, mijmerde Rita, weg ermee. Ze was niet in een opperbeste stemming, dat wist ze. Haar vader had die ochtend tijdens het ontbijt iets agressiefs gezegd en zij had hem afgesnauwd. Daarna beschuldigde hij haar ervan dat ze zat te mokken... Ze maakten de laatste tijd ruzie als een oud echtpaar, vond ze, en ze besefte dat ze niet gelukkig was alleen; ze had altijd vriendjes en minnaars gehad, en het leven als single beviel haar niet. Ze had absoluut niet genoten van haar feestje, en haar humeur werd er niet beter op toen ze – terwijl ze op het damestoilet haar make-up stond bij te werken – twee mannen op de gang had gehoord die het over haar hadden. Ze had Gary's stem herkend maar kon de andere niet thuisbrengen; de muziek vanuit de bar klonk steeds luider en maakte het gesprek vrijwel onverstaanbaar.

Ze hoorde Gary zeggen: '… Nee, nee. We zijn uit elkaar, zeg maar.'

De ander zei: 'Jammer, ja… (iets onverstaanbaars) schat van een meid, die Rita. Echt mijn type.'

'O ja? En wat voor type is jouw type?' vroeg Gary.

Rita stond nu bij de deur en drukte haar oor ertegenaan.

'Grote borsten, tenger postuur,' zei de man. 'Daar gaat niks boven. Je bent niet goed bij je hoofd, Boland.'

Ze lachten en Rita hoorde hen weglopen. Ze liep het damestoilet uit, betrad de bar en zag dat Gary alleen was. Ze keek om zich heen: het was erg druk. Was het Duke geweest? Ze wist het niet zeker. Maar ze voelde zich gekrenkt en het wierp een smet op haar afscheid. Elke man die ze begroette, met wie ze praatte, die een drankje voor haar bestelde en van wie ze afscheid nam, die plechtig beloofde dat hij contact met haar zou houden en haar op de wang zoende, had Gary's gesprekspartner kunnen zijn. Ze voelde zich niet op haar gemak met het strakke T-shirt dat ze had aangetrokken. Ze had te veel gedronken zonder dat het hielp, en was wakker geworden met een enorme kater waar ze de hele dag last van had.

Stel je niet aan, zei ze tegen zichzelf, en ze walgde van haar zelfmedelijden, het is het einde van de wereld niet, meid. Verdorie, gewoon een paar kerels die stonden te praten, wat was daar zo bijzonder aan? Bovendien hoorde je geen gesprekken af te luisteren die over jezelf gingen. Het was maar goed dat ze hun gezichten niet had gezien of eventuele gebaren die ze hadden gemaakt…

Als vanzelfsprekend controleerde ze de meertrossen van haar boot, een spiksplinternieuwe Targa 50, trok er een strak, keerde de rivier haar rug toe en liep met stevige pas de pier af en de gang door, stak de smalle klinkerweg van Wapping High Street over en betrad de portakabin van de sectie Operaties. Joey Raymouth was er al. Hij zat nog steeds ijverig aantekeningen te maken over de briefing van die ochtend. Ze begroetten elkaar, plichtmatig maar hartelijk; ze mocht Joey graag. Hij was bij haar ingedeeld als haar begeleider en mentor tijdens haar eerste maand op de rivier. Zijn vader was visser in Fowey in Cornwall, en hij had een West Country-accent.

'Gaat het een beetje, Rita? Je ziet er niet al te florissant uit.'

Ze perste er een brede grijns uit. 'Ja hoor, niks aan de hand.'

Hij kwam overeind en samen gingen ze voor nadere instructies naar brigadier Denton Rollins – die bij de Royal Navy had gediend, zoals hij zijn pupillen herhaaldelijk liet weten, waarmee hij suggereerde dat hij maar niet kon begrijpen hoe hij zo laag had kunnen zinken in de wereld.

Hun taken voor de dienst van vandaag waren duidelijk: het controleren van ligplaatsvergunningen bij Westminster en Battersea, het onderzoeken van een brandje op een boot bij Chiswick en de diefstal van een paar plezierjachtjes uit de jachthaven van Chelsea.

Raymouth maakte nog meer aantekeningen terwijl Rollins de details voorlas. Rita keek om toen er nog meer collega's binnenkwamen en het praten en lachen steeds luider werd.

'O ja,' zei Rollins. 'Hier is een opdracht voor jou, Nashe. Er is een bericht binnengekomen over een man die gistermorgen een zwaan heeft gedood bij de Chelsea Bridge. Dat is jouw straatje.'

'Een zwaan?'

'Dat is verboden. Niet zo opgewonden, graag.'

'Ik doe het voor de spanning, brigadier.'

Zij en Joey liepen naar buiten naar hun boot en gordden hun zwemvesten om. Joey liep de checklist door en startte de motoren, terwijl Rita de trossen losgooide, afduwde en aan boord stapte, voordat de Targa vanaf de pier naar het midden van de rivier voer.

Omdat het hoogwater was zag de Theems eruit als een echte stadsrivier – zoals de Seine of de Donau –, breed en krachtig, mooi passend tussen de kademuren en de gebouwen aan weerszijden en de bruggen die hem overspanden. Bij laagwater veranderde alles: de rivier werd een stroompje van vier tot zes meter breed, de muren kwamen bloot te liggen, evenals de met wier omhangen pijlers van de bruggen, er verschenen strandjes en slikken, de rivier leek plotseling op de Zambezi of de Limpopo in tijden van grote droogte, en de stad leed er esthetisch onder. Maar deze ochtend was de rivier op zijn hoogste peil en Rita voelde hoe haar slechte humeur verdween en haar hart sneller ging kloppen van plezier. Dit was de reden dat ze zich had laten overplaatsen naar de msu, besefte ze, terwijl ze de dikke rubberen stootwillen aan boord trok, Joey gas gaf en de twee grote Volvo-motoren luid en diep brulden. Ze voeren stroomopwaarts, met Bermondsey aan bakboord en de Tower Bridge recht vooruit, terwijl het heldere ochtendlicht fel weerkaatste in de ramen van de kantoren in de City, en de wind door haar haren blies. Ze passeerden *H.M. Belfast*, daarna de London Bridge, het Tate Modern, het Globe Theatre. Wat een baan, dacht ze, en ze zette haar benen verder uit elkaar op het dek en greep de reling met beide handen vast, terwijl Joey meer gas gaf, het schuim van de boeggolf bijna aanstootgevend wit kleurde en druppels rivierwater op haar opgerichte gezicht spatten. Zo bleef ze een paar seconden lang staan; ze ademde diep in en haar hoofd tolde. Toen daalde ze af naar de kombuis voorin om twee mokken sterke thee te zetten.

De brand in Chiswick bleek fascinerend. Op het dek van een Bayline-motorjacht was een barbecue onbeheerd achtergebleven. Vonken hadden brandjes veroorzaakt op boten die eromheen aangemeerd lagen. Er dreigden schadeclaims. Joey en Rita ondervroegen boze booteigenaren en maakten aantekeningen, maar van de onzorgvuldige kok geen spoor. Zijn Bayliner was half uitgebrand, en gezonken tot aan de dolboorden door het gewicht van het bluswater. Uit de verschillende getuigenverklaringen kwam naar voren dat hij de barbecue had aangestoken, een knallende ruzie had gekregen met zijn vriendin, die daarna was weggelopen. Hij ging achter haar aan en vergat zijn zondagse lunch. Joey wist vrijwel zeker dat het verboden was om een barbecue aan boord van een aangemeerde boot te hebben: open vuur was ten strengste verboden. Hoe dan ook, ze hadden de persoonsgegevens van de betreffende man, de politie van Chiswick zou hem opsporen en hem sommeren zijn uitgebrande boot binnen zeven dagen te laten wegslepen op straffe van verdere sancties.

Verder stroomopwaarts richting Chiswick passeerden ze de *Bellerophon*, en ze gaf een stoot op de claxon, maar er was geen teken van leven aan dek. Sterker nog, de tien of twaalf keer dat ze langs haar huis was komen varen sinds ze in dienst was bij de msu, had ze geen glimp van haar vader opgevangen. Ze wist dat hij benedendeks zat te mokken: om de een of andere reden was hij meer geïrriteerd door haar nieuwe baan bij de waterpolitie dan toen ze nog haar route had in Chelsea en elders. Het liet haar koud – ze was gelukkig, ze genoot enorm van haar nieuwe baan – en op een goede dag zou hij wel weer bijtrekken, of anders maar niet. Dat was zijn probleem.

Terwijl ze onder de Albert Bridge door voeren, en zich min of meer lieten voortdrijven met de ebstroom, herinnerde Rita zich wat Rollins haar had gezegd over een man die een zwaan had gedood. Ze meldde het aan Joey, en hij koerste naar de trap bij Grosvenor College aan de Chelsea-oever.

'Ga jij maar even kijken, Rita,' zei Joey. 'Ik maak even aantekeningen over de Grote Brand van Chiswick.'

Ze liep langs het Embankment, terug op vertrouwd terrein, langs het Royal Hospital (waar de feesttenten voor de Flower Show bijna allemaal afgebroken waren) en bleef staan bij het hek langs een smalle driehoek onland aan de westelijke kant van de Chelsea Bridge. Hoe vaak was ze hier niet langsgekomen, dacht ze, zonder deze plek goed in zich op te nemen? De man die de klacht had gemeld was onder de Chelsea Bridge door komen varen en had een man gezien met een zwaan, dus het betreffende strandje moest aan deze kant zijn. Het hek was afgesloten, dus Rita klom over de balustrade en ging een trap af die naar de rivier leidde. Onder aan de brug trof ze de gebruikelijke graffiti aan, alsmede een zootje condooms, naalden, bierblikjes en flessen. Ze keek over de rand van het Embankment en zag een smal strandje dat was vrijgekomen door het zich terugtrekkende water. Ze keek stroomafwaarts; als ze naar het strandje beneden ging, zou ze van daar af bijna de *Bellerophon* kunnen zien liggen. Waarom zou iemand een zwaan doodmaken? Een doorgedraaide junkie? Een dronkenlap die stoer wilde doen tegenover zijn kameraden? Ze draaide zich om en begaf zich tussen struiken en laaghangende takken door naar de punt van de driehoek. Het viel haar op hoe dicht het struikgewas was, een smal strookje weelderig onland midden in het rustige Chelsea. Ze kroop onder de takken van een plataan door, ging voorzichtig langs een hulststruik, wrong zich tussen twee rododendrons door, en bleef abrupt staan.

Een kleine open plek. Platgetrapt gras. Drie rubberbanden die, op elkaar gestapeld, een zitplaats vormden. Ze haalde een smerige slaapzak en een grondzeil onder een struik vandaan, en onder een andere struik ontdekte ze een oranje kistje met daarin een primus en een steelpan. Ze legde alles terug waar ze het gevonden had. Ze knielde en zag veren en schroeiplekken in het langere gras. Ze zag dat het veren van een meeuw waren, niet van een zwaan: voor sommige mensen leken alle grote witte vogels blijkbaar op elkaar. Ze ging staan; iemand had hier de afgelopen dagen een zeemeeuw gedood, geplukt en ongetwijfeld opgegeten. Ze keek om zich heen: ze was hier volstrekt onzichtbaar vanaf het Embankment en ook voor het verkeer op de Chelsea Bridge. Tussen twee struiken had je uitzicht op de rivier, maar vanaf een passerende boot zou je hier niemand kunnen zien. Ze zocht verder maar vond niets, behalve wat door de wind verwaaide troep; er kwam blijkbaar nooit iemand in dit deel van de driehoek. Wie hier ook gelogeerd had, was in ieder geval veilig geweest en onzichtbaar voor spiedende ogen.

Ze liep terug naar de weg en dacht: gelogeerd hád? Misschien logeerde hij hier nog steeds. Het leek er niet op dat hier iemand een paar nachten had liggen pitten, dit leek meer op een schuilplaats. Iemand hield zich schuil op dit driehoekje naast de Chelsea Bridge, iemand die zo wanhopig was dat hij op een dag bij het ochtendgloren een zeemeeuw ving en opat. Misschien was het de moeite waard om hier op een avond terug te komen en de hele plek grondig te doorzoeken, om te zien wie of wat ze hier aantroffen. Ze zou het er eens over hebben met brigadier Rollins. Uiteindelijk was het hun zaak, het doden van een 'zwaan' bij de rivier was een kwestie voor de MSU.

14

Het licht boven het westelijke deel van de Shaftesbury Estate kleurde melkblauw, en de vroege ochtendzon verlichtte het metselwerk van de bovenste verdieping – de zesde –, kroop langzaam over de andere vijf gevels naar beneden en wierp zodoende scherpe geo-

metrische schaduwen, zodat de flatgebouwen er grimmig bij stonden maar tegelijkertijd een streng, plastisch uiterlijk kregen, het-
geen precies was wat de architect, Gerald Golupin (1898-1969), voor
ogen stond toen hij in de jaren vijftig zijn visionaire plan presen-
teerde voor een complex van sociale woningbouw, tot iemand anders – tot zijn eeuwigdurende ergernis – het Shaftesbury Estate
doopte. Golupin had een naam voorgesteld die meer à la Bauhaus
was: MODULAR 9, verwijzend naar de negen flatgebouwen en drie
weidse binnenpleinen, maar vergeefs. Bij een bepaalde lichtval kon
The Shaft er nog steeds indrukwekkend uitzien: onverbiddelijk,
scherp, volumetrisch overweldigend, een triomfantelijke samen-
smelting van vorm en functie, zolang je maar niet te dichtbij kwam.

Mhouse dacht natuurlijk aan geen van die dingen toen ze de trap
op sjokte naar haar flat: flat L, woonlaag 3, blok 14. Ze was moe;
ze had de afgelopen zes uur een heleboel alcohol gedronken en lijn-
tjes coke gesnoven, en bovendien tal van seksuele handelingen verricht met twee mannen, hoe heetten ze ook weer? In ieder geval
had ze tweehonderd pond onder de binnenzool van haar ene laars
van wit pvc gestopt. Het was een van Margo's speciale contacten
geweest. Zij en Margo meldden zich om middernacht in een hotel in Baker Street, waar twee mannen hen opwachtten in een twee-
persoonsslaapkamer (met een mooie badkamer en suite) – Ramzan
en Suleiman, ja, zo heetten ze – en zo was de lange nacht begonnen. Ramzan en Suleiman, ja, dat waren ze, ouwe kerels, maar
schoon; maar wie was nou wie?

Gelukkig had Margo rond het middaguur al gebeld, en dus kon
ze Ly-on stallen bij haar buurvrouw, mevrouw Darling. Die vond
het altijd leuk om op Ly-on te passen (Mhouse gaf haar vijf pond),
maar het kon nooit spontaan, ze had altijd minstens een paar uur
nodig om zich voor te bereiden.

Mhouse belde aan, en na een paar minuten deed mevrouw Darling de deur open. Ze was in de zestig en had een misvormd, ge-
zwollen lichaam en een smal hoofd. Haar haar was kastanjebruin
geverfd en haar voortanden ontbraken.

'O, hallo, Mhousy, lieverd,' zei ze. 'Je bent wel bekaf, zeker?'

'Die late dienst is vreselijk, mevrouw D.'

'Je moet toch eens een klacht indienen, zoals die fabriek met zijn
personeel omgaat. Waarom kunnen ze groenten niet op een chris-
telijk tijdstip inpakken?'

'Komt door de vroege markten, hè?'

'Nou ja, je verdient er tenminste je brood mee, in deze moeilijke tijden. Hier is dat ventje van je.'

Mhouse ging op haar hurken zitten en kuste haar zoontje op zijn gezichtje, dat nog uitdrukkingsloos was van vermoeidheid omdat hij uit zijn slaap was gehaald.

'Hallo, lieverd,' zei Mhouse. 'Ben je lief geweest?'

'Geen kik heeft hij gegeven. Hij sliep als een roos, het schaap.'

Mhouse gaf mevrouw Darling haar briefje van vijf.

'Ik doe het graag hoor, lieverd,' zei mevrouw Darling, 'het is zo'n rustig, braaf jongetje.' Ze zweeg, ging met haar hand door Ly-ons haar en wierp Mhouse toen een betekenisvolle blik toe. 'Ik heb je al een poosje niet meer in de kerk gezien.'

'Ik weet het, ik weet het, ik moet er weer eens heen. Misschien morgen.'

'God houdt van je, Mhousy, vergeet dat niet. Hij houdt niet van iedereen, maar van jou en mij wel.'

Mhouse liep met Ly-on aan haar hand over de galerij naar haar flat en deed de voordeur open. Eenmaal binnen zette ze de waterkoker aan om een kop thee te zetten, maar klikte hem weer uit. Ze voelde de neiging om te gaan slapen als een golf over zich heen spoelen, een vermoeidheid zo overweldigend dat ze nauwelijks op haar benen kon staan.

Ly-on had de tv aangezet en zapte langs de kanalen op zoek naar een tekenfilm.

'Wil je wat happy-flakes, schatje?' vroeg ze, en dacht bij zichzelf: zeg alsjeblieft ja.

'Ja, mam.'

'Ja, mam, wat?'

'Ja, mam, alsjeblieft.'

Mhouse vulde een kom met gesuikerde cornflakes, deed er melk en een paar scheutjes rum bij. Toen drukte ze met het lemmet van een mes een Diazepam van tien milligram fijn en strooide het poeder over de vlokken. Ze gaf de kom aan Ly-on, die inmiddels in een nest van kussens op de grond voor de tv zat. Ze ging naast hem zitten en keek toe terwijl hij zijn happy-flakes at. Toe hij de kom leeg had, zette ze die met de rest van de afwas in de gootsteen. Ze stopte haar tweehonderd pond onder de plankenvloer in de badkamer, en toen ze weer in de zitkamer kwam, sliep Ly-on als een roos. Ze zette de tv zacht, legde hem nog comfortabeler op de kussens en ging naar haar eigen kamer. Ze nam twee slaappillen en rookte een joint; ze wilde minstens twaalf uur lang buiten westen zijn.

Toen ze wakker werd was het vier uur 's middags. Ly-on sliep nog, maar hij had wel in zijn broek geplast

Die avond klopte Mister Quality om ongeveer acht uur op de voordeur.

'Wie is daar?' zei Mhouse door de brievenbus.

'Quality,' was het antwoord.

'Hé, Mister Q, kom binnen,' zei ze, en ze deed de deur van het slot. Mister Quality was om allerlei redenen misschien wel de belangrijkste man in The Shaft, en niet vanwege zijn gewelddadigheid. Niemand die iets met Mister Quality te maken had wilde dat hij boos op hem was, en dus hoefde hij vrijwel nooit grof geweld te gebruiken. Hij was erg lang en mager en Mhouse wist dat zijn echte naam Abdul-latif was. Hij kwam de kamer binnen en leek wel twee keer zo lang te zijn als Mhouse. Je zou denken dat hij op het punt stond om te gaan hardlopen, aangezien hij gekleed was in een bruin trainingspak en splinternieuwe gympen, zo uit de doos. Alleen het feit dat hij aan alle acht vingers en beide duimen zilveren ringen droeg maakten die veronderstelling minder waarschijnlijk.

Mister Quality hing lui tegen de keukenmuur en keek als een eigenaar om zich heen; uiteindelijk was het zijn flat. Mister Q. hing altijd lui rond, vond Mhouse, alsof hij daardoor een stuk minder arrogant zou overkomen.

'Hé, Ly-on, man. Hoe gaat-ie?'

Ly-on keek op van de tv. 'Goed,' zei hij. 'Retegoed.'

Mister Quality grinnikte. 'Goed zo. Lekker chillen, man.'

Mhouse wenkte hem. 'Hoe sta ik ervoor?' vroeg ze.

'Kabeltelevisie, huur, gas, water, elektrisch…' dacht hij hardop. '285 pond, denk ik.' Hij glimlachte naar haar, zodat zijn kleine, volmaakt witte tanden in het bruinroze gevlekte tandvlees zichtbaar werden. 'Heb je problemen?'

'Nee, nee,' zei Mhouse, en ze dankte God op haar blote knieën voor Ramzan en Suleiman. 'Alles oké. Soms valt het licht uit, maar dat komt niet door jou.'

'Elektrisch is altijd moeilijk. We hebben veel problemen. Gas is makkelijk, water is makkelijk, maar elektrisch...' Hij trok een grimas. 'Wij krijgen problemen. Ze zitten achter ons aan, oh-oh.'

'Ja. De klootzakken.'

Ze ging naar de badkamer, haalde het geld op, deed alsof ze rommelde in de kartonnen doos naast haar bed, deed de deuren van de kast open en dicht en kwam terug met 285 pond. Ze had nu nog dertig pond over en Margo kreeg ook nog geld van haar... Ze moest vanavond dus weer aan de slag. Maar het goede van Mister Quality was dat hij alles – werkelijk alles – kon leveren, zolang je hem betaalde. In de flat van Mhouse waren maanden geleden gas, water en elektriciteit afgesloten, maar Mister Quality had haar binnen een paar uur weer aangesloten. Zo nu en dan betaalde Mister Quality haar voor seks, dat wil zeggen dat hij dan geld aanbood dat ze altijd afsloeg.

Ze gaf hem de 285 pond en Mister Quality liep de flat door en controleerde alles, alsof hij een potentiële koper was. Mhouse hield haar flat zo schoon mogelijk; ze had weinig meubilair maar wel een veger, en ze hield de vloeren proper.

'Je hebt een kamer over hier,' zei Mister Quality, en hij deed de deur naar de logeerkamer open. Er lag een matras op de grond en er stonden een paar dozen met kleren en oud speelgoed. 'Ik kan een huurder voor je regelen; twintig pond per week. Geen problemen, aardig persoon, en schoon. Asiel, spreekt geen Engels.'

'Nee, dank je. Ik red me zo wel. Lekker hard werken, genoeg te doen,' zei ze, en ze probeerde zo nonchalant mogelijk te klinken. 'Het gaat goed met mij hoor. Prima.'

'Laat me weten als er iets is.'

'Ja natuurlijk. Bedankt, Mister Q.'

Nadat Mister Quality weer vertrokken was, gaf ze Ly-on zijn avondeten – geprakte banaan en gecondenseerde melk met een scheut rum. Ze deed er een fijngestampte slaaptablet door en prakte alles goed door elkaar.

'Mama moet vanavond werken,' zei ze en ze gaf hem zijn kom.

'Mama werkt te hard,' zei hij, terwijl hij het bananenhapje naar binnen werkte.

'En naar de wc als je piepie moet doen,' zei ze. 'Niet meer in je broek plassen.'

'Niet zeggen, mama.' Zijn blik was op de beeldbuis gericht.

Ze kuste hem op zijn voorhoofd en ging zich omkleden in haar werkplunje. Het had geen zin om langer te wachten, dacht ze, ze kon net zo goed meteen geld gaan verdienen. Ze trok een T-shirt aan met een rood hart op haar borst, wurmde zich in haar korte rokje, trok haar lange witte ritslaarzen aan, pakte haar paraplu, keek in haar tas of ze nog condooms had en klikte de sleutels aan de lange ketting om haar middel. Ze deed de deur dicht en liet de slapende Ly-on achter. Over een paar uur of zo zou ze weer terug zijn, dacht ze. Daar hoefde ze mevrouw Darling niet voor in te schakelen, en ze liep over de galerij naar het trappenhuis.

Terwijl ze The Shaft verliet en zich in de richting van de rivieroever bij Rotherhithe begaf waar ze haar vaste ronde had, zag ze een taxi stoppen die geen licht op had. Zeker een minuutlang wachtte hij naast het trottoir zonder dat er iemand uitstapte. Wie bestelt er nu een taxi in The Shaft? vroeg ze zich af, terwijl ze de auto naderde. Die is gek.

De chauffeur stapte uit terwijl ze voorbijliep: een lange vent met een lelijk gezicht en een slappe kin met een kuiltje. Ze keek om, om te zien waar hij heen ging en zag dat hij zijn taxi afsloot en naar het complex liep.

15

De dierenarts had – wat was het goede woord – minachtend, ja bijna minachtend gereageerd toen Jonjo vertelde waaruit het dieet van De Hond doorgaans bestond. Het was een jonge vent met een vierkant plukje haar onder zijn onderlip en één bungelende oorring, iets wat Jonjo niet verwacht had bij een dierenarts in Newham.

'Hij eet min of meer wat ik ook eet,' had Jonjo op redelijke toon gezegd. 'Ik kook meestal voor twee personen: roerei met spek, curry, saucijzenbroodjes, *pork pies* – hij is dol op pork pie – koekjes, chips, en zo nu en dan een reep chocolade.'

'Dit is een raszuivere basset,' zei de dierenarts. 'Het lijkt wel of u hem langzaam wilt vermoorden.'

Jonjo bleef rustig terwijl de dierenarts hem hekelde voor het verwaarlozen van De Hond en schreef vervolgens een lijstje met verantwoord voedsel op en gaf dat aan hem. Arrogante klootzak, dacht Jonjo.

Hij raakte zijn borstzak aan en voelde het opgevouwen lijstje van de dierenarts. De achterbank van de taxi lag vol met blikjes speciaal hondenvoer en papieren zakken met hondenkoekjes en vezelhoudende brokken; er waren gewone pillen en zetpillen en andere medicijnen voor het geval er zich bepaalde symptomen of complicaties voordeden. Hartstikke duur ook nog, verdomme. Hij zou de hele handel morgen aan Candy geven. Hij vroeg zich af of hij De Hond niet beter kon teruggeven aan zijn zus...

Hij stapte uit de taxi, deed hem op slot en wierp een blik op de hoge flats van het Shaftesbury Estate. Hij controleerde zijn uitrusting: de kleine Beretta Tomcat tussen zijn schouderbladen, keurig in een foedraal dat hij zelf had ontworpen; de grotere .45 Colt M1911 in een holster laag op zijn rug, doorgeladen en vergrendeld; mes vastgebonden boven zijn linkerenkel. Hij droeg een ruimzittend leren jack dat de verdikkingen van zijn wapens keurig verbloemde. Hij had een ruime, lichtblauwe stonewashed spijkerbroek aan en gele werkschoenen met stalen neuzen. Hij ontspande zijn schouders, draaide een paar keer met zijn hoofd heen en weer en moest denken aan de laatste keer dat hij de adrenaline door zijn aderen had voelen stromen: toen hij had aangeklopt bij dr. Philip Wang in het Anne Boleyn House.

Hij naderde The Shaft zonder een greintje angst, hij was kalm en klaar voor de dingen die komen gingen.

Jonjo hoorde de stem van sergeant Snell nog in zijn hoofd: 'De drie O's, klootzakken! Overbewapening. Overreactie. Overkill. Nummer een: je kunt nooit genoeg wapens bij je dragen. Nummer twee: als iemand je uitscheldt, sla je hem tegen de grond en schop je hem bewusteloos. Nummer drie: je verwondt iemand niet, je maakt hem voor altijd invalide. Als iemand je probeert te slaan, vermoord je hem. Als iemand je probeert te vermoorden, vernietig je zijn gezin, zijn huis, zijn dorp.' Snell zorgde er altijd voor dat je precies wist wat hij bedoelde. Goed, zijn instructies waren toegesneden op gewelddadige oorlogsgebieden, maar Jonjo had ze altijd beschouwd als een goede leidraad voor het leven in het algemeen; het was hem altijd goed bevallen om te zich te houden aan de drie

O's, en slechts bij een klein aantal overreacties was hij in aanraking gekomen met de politie, maar die hadden, gezien zijn achtergrond, altijd begrip voor zijn handelen.

Jonjo liep over de droge, gebarsten modder van een grasloos centraal binnenplein, en keek om zich heen. Hij bevond zich in een grote rechthoek van een kleine hectare, omgeven door vier van de flatgebouwen van The Shaft. Hij zag afgebroken boompjes, een leeggehaalde wasmachine met open deurtje, muren en deuren besmeurd met graffiti. Een paar mensen keken op hem neer vanaf de hoger gelegen galerijen, rokend en met de ellebogen op de balustrade leunend.

Dit soort gebouwen zou met de grond gelijk moeten worden gemaakt, dacht Jonjo, zodat je er huizen kon bouwen voor fatsoenlijke mensen. En al dat tuig dat hier nu woont: afmaken met schietmaskers, net als vee, hun lichamen verbranden en met hun as terreinen bouwrijp maken. De misdaad zou ter plaatse dalen met negenennegentig procent, gezinnen konden weer opgelucht ademhalen, kinderen konden weer rustig spelen op straat, en er zouden weer bloemen bloeien in de voortuintjes.

Er zaten drie jonge meisjes op een bankje samen één sigaret te roken. Terwijl Jonjo hen naderde, zag hij dat ze niet meer zo jong waren, alleen maar klein. Hij bekeek ze aandachtig: elf? Of achttien?'

'Hallo, dames,' zei hij met een glimlach. 'Zouden jullie me kunnen helpen?'

'Kanker op, pedefiel.'

'Hoe heet de belangrijkste groep hier? Wie is hier de baas, weten jullie dat? De grote gangsters? Ik geef jullie vijf pond als je het me vertelt.'

Een meisje met een gezicht vol acne zei: 'Voor tien pond trek ik je af.'

Een ander, dik meisje zei: 'Voor tien pond pijp ik je zoals je nog nooit gepijpt bent.'

Daar moesten ze allemaal om lachen, ze giechelden dom en stootten elkaar aan. Jonjo reageerde niet.

'Wie is de grote jongen hier in The Shaft, hè? Ik heb een klusje voor hem. Ik denk dat hij heel boos wordt als hij hoort dat jullie niks willen zeggen.'

De meiden fluisterden tegen elkaar, waarna Acne zei: 'Dat weten wij niet.'

Jonjo haalde een briefje van twintig pond uit zijn zak en liet dat op de grond vallen. Hij draaide zich om en zette zijn hak erop.

'We spreken dit af,' zei hij. 'Ik heb jullie dit niet gegeven, jullie hebben het gevonden. Ik wil alleen een naam horen en een flat, dan loop ik door en ik heb geen idee wie het me verteld heeft. Niemand krijgt het te horen. Zeg het maar gewoon, en geen geliег, oké? Want dan kom ik terug en pak ik jullie.'

Hij sloeg zijn armen over elkaar en wachtte. Na ongeveer twintig seconden zei een van de meiden: 'Bozzy, flat B1, blok 17.'

Jonjo liep weg zonder om te kijken.

Jonjo volgde de bordjes naar blok 17 en vond flat B1: het was een uitgeleefd krot op de begane grond, met dichtgetimmerde ramen. Een seconde lang vroeg hij zich af of die kleine teven hem belazerd hadden, maar toen zag hij dat er geen hangslot op de deur zat, en toen hij door een kier aan de rand van een van de dichtgetimmerde ramen tuurde, zag hij dat er binnen licht brandde.

Hij haalde zijn 1911 uit de holster onder op zijn rug en hield die losjes in zijn hand, met de kolf naar voren. Toen klopte hij op de deur.

'Bozzy?' zei hij met angstige stem. 'Ik moet Bozzy spreken. Ik heb geld voor hem.' Hij klopte opnieuw. 'Ik heb geld voor Bozzy.'

Een ogenblik later hoorde hij dat er grendels werden weggeschoven, en de deur ging vijftien centimeter open. Een wazig, stoned gezicht keek door de kier naar buiten.

'Hier dat geld. Ik geef het aan Bozzy.'

Jonjo ramde zijn pistool met kracht in het gezicht van die vent, die met een kort gejank naar de grond ging. Jonjo was in een seconde binnen, hij hield het pistool met beide handen vast en zette een zware werkschoen op de keel van die gast. Zijn neus was gebroken en stond scheef, en hij spuugde zwakjes bloed uit.

'Rustig. Ik ben niet van de politie,' zei Jonjo op neutrale toon, 'zoals je misschien wel geraden hebt. Ik wil Bozzy spreken.'

De kamer stond blauw van de rook, en de vreemde geur van verbrand touw vulde Jonjo's neus. Hij zag een paar smerige, doorgezakte fauteuils, drie vuile matrassen, een paar lege flessen, een enorme troep aan dozen en zakken van afhaaleten, en tot zijn verbazing ook doormidden gesneden en uitgeperste citroenen. Drie andere, even wazige jongelui kwamen langzaam overeind.

'Op de grond,' zei Jonjo, en hij wees naar hen met zijn pistool. 'Gezicht naar beneden. Handen op je achterhoofd. Ik wil Bozzy spreken, dan smeer ik hem weer.' Hij glimlachte terwijl de jongelui op de grond gingen liggen. Hij haalde zijn schoen van de keel van de snotteraar en spoorde hem met een paar stoten van zijn schoenneus aan zich ook om te draaien. 'Zo... En wie van jullie is Bozzy?' vroeg Jonjo.

'Dat ben ik,' zei een stevig gebouwde vent met een rood aangelopen gezicht.

'Ik hoop dat jij inderdaad Bozzy bent, mate,' zei Jonjo. 'Anders zit je diep in de shit.'

'Ik ben Bozzy. En jij bent fokking dood, man. Ik ken je gezicht nu. Jij bent dood.'

Razendsnel trapte Jonjo de op de grond liggende mannen keihard in de ribben met de stalen neuzen van zijn werkschoenen, en hij voelde de ribben buigen, knappen, versplinteren. De mannen begonnen te krijsen en kronkelen van de pijn. Telkens als ze de komende drie maanden hoesten of niezen, zullen ze terugdenken aan dit samenzijn, telkens als ze uit bed kruipen of iets willen oprapen, zullen ze aan mij denken, stelde Jonjo met tevredenheid vast.

'Wegwezen,' zei Jonjo. 'Nu.'

Ze vertrokken langzaam, voorovergebogen, behoedzaam, met hun handen in hun zij als oude mannen, terwijl Jonjo hen onder schot hield. Toen schoof hij achter hun rug de grendels dicht en wendde zich tot Bozzy. Uit zijn broekzak haalde hij twee plastic handboeien, bond eerst Bozzy's enkels aan elkaar en daarna Bozzy's linkerpols aan zijn enkels en trok hem op in een zittende positie.

'Het is heel simpel, Boz, ouwe rukker,' zei Jonjo, en hij haalde het mes uit de schede aan zijn enkel. Hij pakte Bozzy's vrije hand en sneed razendsnel het vlies door tussen Bozzy's middel- en ringvinger; een klein sneetje, van een centimeter diep.

'Kut!' Bozzy schreeuwde het uit.

Jonjo liet zijn mes los en greep de twee vingers aan weerszijden van de snee stevig met beide vuisten vast. Het bloed welde op in de wond en droop op de grond.

'We deden dit vaak in Afghanistan,' zei Jonjo. 'Die lui van Al-Qaida beweren dat ze nooit praten, maar uiteindelijk praten ze toch.' Hij zag de lege blik in Bozzy's ogen. 'Ooit van Al-Qaida gehoord?'

'Nee. Wie is dat?'

'Oké. Dat zijn keiharde klootzakken. Duizend keer harder dan jij. Dit hebben wij met hen gedaan om ze aan het praten te krijgen: tussen hun vingers snijden, hun handen in tweeën scheuren, tot aan de pols.' Hij trok, Bozzy gilde. 'Het is net of je een lap of een laken doormidden scheurt. Verder dan het polsgewricht kan niet, maar dan heb je gaan hand meer over, je hebt een flipperpoot. En het kan nooit meer gemaakt worden, geen dokter die dat kan. Als jij mij niet vertelt wat ik wil weten, dan scheur ik die poot van je in tweeën. En als je dan nog niks zegt, dan scheur ik die andere poot ook in tweeën. Dan moet je de rest van je leven bier door een rietje drinken, en dan moet je altijd geholpen worden met pissen.'

'Wat wil je weten?'

Jonjo glimlachte. 'Ik durf te wedden dat jij hier vorige week een vent besprongen hebt. Hij heet Adam Kindred. Je hebt zijn telefoon gejat en iemand heeft die gebruikt.'

'Ik heb vorige week tien telefoons gejat, mate.'

'Deze was anders. Je herinnert je hem vast nog wel.'

'Wij overvallen zoveel losers. Ik weet het verschil niet tussen al die losers.'

'Deze herinner je je wel. Geen gewone loser. Wat is er gebeurd?' Jonjo trok zachtjes aan Bozzy's vingers.

'Ja – au! – ja… We hebben hem besprongen. Helemaal verrot geschopt. Alles meegenomen. Onder de trap laten liggen. Ik dacht dat hij dood was. Maar toen we een halfuur later terugkwamen, was hij weg.'

'Weg? Gewoon weggelopen?'

'We hebben hem voor dood achtergelaten.'

'Iemand moet hem geholpen hebben.'

'Dat denk ik ook, ja.'

'Waar is die telefoon?'

'Verkocht.'

'Zorg dat je hem terugkrijgt. Wie kan hem geholpen hebben?'

'Moet iemand in The Shaft zijn geweest. Het was laat, zeg maar. Er waren alleen nog maar mensen uit The Shaft in de buurt. Daarom weet ik deze loser nog. Hij was verdwaald.'

'Zoek uit wie hem geholpen heeft,' zei Jonjo. Hij liet Bozzy's hand los, pakte zijn mes en sneed de plastic boeien los van zijn pols en enkels. 'Bel me.' Jonjo gaf hem een stukje papier waar zijn mobiele nummer op stond. 'Bel me over een week. Ik geef je een rug als je degene vindt die hem geholpen heeft. Een rug, duizend pond.' Hij smeet een paar briefjes van twintig pond op de grond. 'Als je me niet belt, kom ik terug en dan ben je er geweest. Dan snij ik je kop eraf en stuur dat naar die crackhoer van een moeder van je. Begrepen?'

'Cool, *bruv*. Cool.'

Jonjo schoof de grendels terug en wandelde weg, de duistere nacht in.

16

Adam liep van Chelsea naar Southwark; over de Chelsea Bridge naar Battersea, om de elektriciteitscentrale heen en verder langs de rivier. Hij had zijn stratengidsje bij zich, maar hield niettemin regelmatig mensen aan – arme mensen zoals hij – om de weg te vragen. Hij werd langs Lambeth Palace, het National Theatre en Bankside gestuurd en onder de London Bridge door naar Southwark. Iets leidde hem daarheen, een onbewuste impuls; hij wist niet zeker of het verstandig was, maar op de een of andere manier voelde hij zich verplicht om het te doen. Misschien kwam het omdat Mhouse – zijn redster en kwelgeest – het had voorgesteld. Hij had het gevoel dat ze de naam van dit laatste toevluchtsoord eruit had geflapt omdat ze, zelfs toen ze hem had aangevallen, had ingezien hoe wanhopig en behoeftig hij was. De korst op zijn voorhoofd had eindelijk losgelaten, zodat er slechts een lichtroze afdruk van de schoen op zijn voorhoofd was achtergebleven. Het was het juiste moment, hij wist dat hij dit moest doen.

In Southwark Street vroeg hij een paar mensen of ze ooit hadden gehoord van de Kerk van Johannes Christus. Hij werd een aantal keren gecorrigeerd – 'U bedoelt zeker Jezus Christus' – en werd twee keer naar de kathedraal van Southwark verwezen. Uiteindelijk vertelde iemand hem dat er een vreemd soort kerk was in een zijstraat van Tooley Street, vlak bij Unicorn aan de rivier. Hij ging die kant op en besefte dat hij Southwark verliet en Bermondsey betrad.

In Tooley Street hingen bordjes met pijlen aan regenpijpen en verkeersborden – DE KERK VAN JOHANNES CHRISTUS, RECHTDOOR – en hij liep verder in oostelijke richting, door Jamaica Road, sloeg linksaf en daarna rechtsaf, volgde de bordjes en de pijlen en bereikte ten slotte zijn bestemming, aan de oever van de rivier.

Het zag eruit als een negentiende-eeuws bakstenen pakhuis met grote houten schuifdeuren en een blinde voorgevel. Achter het gebouw zag hij de bruine rivier stromen. Boven de deur stond in felblauwe plastic letters op een witte achtergrond: KERK VAN JOHANNES CHRISTUS, GESTICHT 1998. En daar weer onder: AARTSBISSCHOP DE EERWAARDE YEMI THOMPSON-GHEBO. VOORGANGER EN STICHTER, gevolgd door de veelbelovende woorden: GEEN ENKELE ZONDE HOUDT STAND en ALLE ZONDEN ZULLEN WORDEN VERGEVEN.

In een van de grote schuifdeuren bevond zich een kleinere deur. Adam klopte aan, wachtte even, klopte opnieuw, wachtte weer even, en wilde net weglopen toen een vrouwenstem hem nariep: 'Was jij dat, lieverd?'

Adam draaide zich om. In de deuropening stond een oudere vrouw met oranjebruin haar en zonder voortanden naar hem te lachen; ze had een mok hete thee in haar hand.

'Iemand zei dat ik hier geholpen zou worden,' zei Adam.

'God zorgt voor je, schat. De dienst begint om zes uur, tot straks.' Ze deed de deur weer dicht en Adam liep terug naar Tooley Street en vroeg iemand hoe laat het was; het was half vijf. Hij kon net zo goed hier ergens wachten, bedacht hij. Hij had honger, zijn voeten deden pijn door de te kleine golfschoenen, en nadat hij het hele eind gelopen had, besloot hij af te wachten wat er te halen viel. Hij ontdekte een dichtgetimmerde deur naast een krantenkiosk, ging ervoor op het stoepje zitten en wachtte tot de kerk openging. Hij sloot zijn ogen in de hoop dat hij even kon dutten, en hij was blij dat hij zijn hoop gesteld had in Johannes Christus, wie dat ook mocht zijn.

Maar van dutten kwam niets: aan de overkant van de straat was een makelaarskantoor en hij zag hoe een mollig meisje in een lichtgrijs mantelpak en schoenen met heel hoge hakken naar buiten kwam om een sigaret te roken. Ze blies de rook de lucht in over haar schouder, alsof ze die uit de buurt wilde houden van een onzichtbaar iemand, een onzichtbare niet-roker, veronderstelde Adam. Net als Fairfield Springer, realiseerde hij zich met een schok, zo rookte Fairfield ook. En hij voelde hoe een kil schuldgevoel zich van hem meester maakte, en nog een ander gevoel dat hij besloot wroeging te noemen in plaats van zelfmedelijden. Hij zag Fairfield in gedachten voor zich: haar dikke, stroblonde haar, haar krachtige bril met zwart montuur. Ze had een knap gezicht, maar op de een of andere manier had je dat door die massa haar en die bril niet meteen in de gaten.

Tijdens hun twee intieme ontmoetingen – eenmaal seks en een etentje drie dagen later – had ze een sigaret gerookt op precies dezelfde manier als dat meisje op het trottoir voor dat makelaarskantoor in Bermondsey, en de rook over haar rechterschouder naar achteren geblazen als uiting van voorkomendheid voor de niet-roker in haar gezelschap…

Terwijl hij aan Fairfield dacht gingen zijn herinneringen onherroepelijk terug naar die avond in de wolkenkamer. Eigenlijk was het laat in de middag en vroeg in de avond, maar ze deden een nachtelijke simulatie wolkenstrooien, dus het had net zo goed nacht kunnen zijn. Het licht in de wolkenkamer was gedimd en er scheen een zacht, kunstmatig maanlicht. Fairfield was een van zijn promovendi, een intelligent, veelbelovend meisje, een beetje mollig, bijziend (vandaar die bril), serieus en oplettend. Ze had gevraagd of ze hem mocht vergezellen naar het allerhoogste gedeelte van de wolkenkamer, negen verdiepingen hoger; hij had ingestemd – ja, natuurlijk – en gevraagd of er nog mensen mee naar boven wilden. Maar geen van de andere promovendi wilde mee, omdat ze meer geïnteresseerd waren in de regen die zou vallen. Met bittere wijsheid achteraf stelde hij nu vast dat ze waarschijnlijk alles zo gepland had. Adam en Fairfield stonden daar op de inspectiebrug uit te zien over de grijze, uitdijende wolkenmassa die een oppervlakte besloeg van twee tennisbanen en baadde in het blauwwitte schijnsel van de denkbeeldige maan. Ze leunden met de schouders tegen elkaar aan, met de ellebogen op de balustrade gesteund, en keken naar de wolken die langzaam op en neer deinden onder het acrylglazen dak van de wolkenkamer. Adam drukte op de knop die de reusachtige strooiarmen in werking stelde, die tegen de klok in boven de wolken begonnen te draaien en minuscule deeltjes bevroren zilverjodide uitstrooiden.

'Godverdomme, wat is dit mooi,' fluisterde Fairfield. 'Het lijkt wel of je voor God speelt, Adam.'

Hij keek haar aan en wilde haar corrigeren – dit was een wetenschappelijk klimatologisch experiment, niet een of andere oersacrale egotrip – en vrijwel onmiddellijk daarna kusten ze elkaar, waarbij haar bril hard op zijn wangen en voorhoofd drukte.

'Ik hou van je, Adam,' zei ze, zwaar ademend, en ze maakte zich van hem los om haar kleren uit te trekken. 'Vanaf de eerste dag dat ik je zag was ik al verliefd op je.'

Ze vrijden op de inspectiebrug boven in de wolkenkamer – boven de wolken – met een snelheid en wanhopige haast die zijn orgasme niet in het minst belemmerde. Adam kwam klaar met een verbaasde kreun om de weergaloze, dierlijke sensatie van zijn ejaculatie (de volgende dag merkte hij dat zijn knieën en ellebogen geschaafd waren). Na afloop trokken ze de kledingstukken die ze hadden uitgedaan weer aan en zaten zwijgend naast elkaar op de vloer van de inspectiebrug op adem te komen en hun gedachten te ordenen. Fairfield stak een sigaret op en negeerde zo opgewekt de bordjes NIET ROKEN. Ze blies de rook attent over haar rechterschouder de andere kant op.

Idioot, zei Adam inmiddels verbitterd tegen zichzelf, hij had een enorm risico genomen: stel dat een van de andere studenten besloten had alsnog de lift naar de inspectiebrug boven te nemen en hen verrast had… Was dat ogenblik met Fairfield de katalysator die hem uiteindelijk hierheen had geleid, naar dit portiek in Bermondsey? De worp van de teerling van het lot waardoor hij nu met zijn kont op de stoep van een gesloten winkelpand zat, verdacht van moord, berooid, smerig, hongerig, met een baard en afgedankte kleren aan? Welnee, redeneerde hij, doe even normaal, Adam; als je wilde zou je op die manier de causaliteit terug kunnen redeneren tot op de dag dat je geboren werd. Maar dat zou slechts leiden tot waanzin. Maar waarom had hij er dan, als redelijk gelukkig getrouwde man met een zekere en gerespecteerde baan en een groeiende academische reputatie, voor gekozen seks te hebben met Fairfield Springer, een van zijn promovendi? Wat had hem bezield? Waarom had hij niet simpelweg gezegd: 'Nee, Fairfield, alsjeblieft, dit kan echt niet,' en haar vriendelijk van zich af geduwd? Hun liefdesspel – als dat de correcte uitdrukking was voor iets dat zo instinctief en weinig subtiel was – duurde niet langer dan een paar minuten, voordat hij klaarkwam en hijgend van haar af rolde. Ze hadden hun kleding gefatsoeneerd en waren een poosje zwijgend naast elkaar blijven zitten. Toen had Fairfield hem gekust, met haar naar tabak smakende tong diep in zijn mond, waarna ze met de lift naar het laboratorium beneden was gegaan om zich bij haar medestudenten te voegen. En dat was het dan: de vrijpartij was nooit meer herhaald.

De schade beperken, had Adam de volgende dag tijdens het ontbijt gedacht, terwijl hij tegenover zijn knappe, intelligente vrouw zat en ze zich allebei voorbereidden om naar hun respectieve werkkring te gaan. Ja, de schade beperken, dat moest hij nu doen: een ontmoeting met Fairfield, oprechte verontschuldigingen, een moment van onbezonnenheid, helemaal zijn schuld, genegenheid tonen, quasi-zielige opmerking over zijn ongepaste schending van de verhouding professor-student. Het zou nooit, echt nooit meer gebeuren. Maar inmiddels begon de eerste stroom sms'jes – openhartig, niet obsceen; hartstochtelijk, niet verward – binnen te komen op zijn mobiele telefoon.

'Godverdomme,' zei Adam in zichzelf. Hij deed zijn ogen open en zag een man die op nog geen meter afstand naar hem stond te staren. Een lange, gezette kerel met de bouw van een rugbyspeler, in de vijftig, met een vierkant, doorleefd gezicht, kalend, halflang haar, met een blauwe blazer en grijze pantalon en een leren tasje over zijn schouder.

'Gaat het een beetje?' vroeg de man.

'Ja hoor, bedankt,' zei Adam met een vage glimlach. De man glimlachte terug en ging de krantenkiosk binnen. Hij kwam een paar minuten later terug met een armvol kranten en tijdschriften. Hij boog voorover naar Adam met iets in zijn hand.

'Het beste, mate,' zei hij.

Hij gaf Adam een munt van een pond.

Adam keek hem na. Hij dacht: wat is hier aan de hand? Hij keek met verbazing naar de kleine, zware munt in de palm van zijn hand, en ervoer een moment van openbaring. Hij had nu geld, en dat had iemand aan hem gegeven. Hij besefte dat hij niet meer hoefde te stelen. Hij kon gewoon gaan bedelen.

Toen de Kerk van Johannes Christus om zes uur zijn deuren opende, was Adam de enige kerkganger die stond te wachten. De kleine deur stond op een kier, dus hij stapte naar binnen en kwam in een halletje waar de tandeloze vrouw achter een bureau zat.

'Hallo, schat,' zei ze. 'Welkom in de rest van je leven.'

Hij zag dat ze een plastic plaatje op haar kraag droeg waarop JOHANNES 17 stond. Met een brede viltstift schreef ze iets op een kaartje en gaf dat aan Adam. Het was een kartonnen naamplaatje met een veiligheidsspeld aan de achterkant. Op de voorkant had ze geschreven: JOHANNES 1603.

'De volgende keer dat je hier komt krijg je een echte, van plastic,' zei ze. Adam bevestigde het kaartje aan zijn witte spijkerjack. 'Ga maar helemaal vooraan zitten, Johannes,' zei ze, en ze wees naar een deur achter zich.

Adam deed de deur open en betrad een ruime zaal met bakstenen muren en een dak van stalen balken met dakvensters. Er stonden rijen eenvoudige houten zitbanken klaar met knielkussens ervoor, en voorin was een verhoging met in het midden een lessenaar. Boven de lessenaar was een microfoon waarvandaan draden liepen naar twee aan weerszijden opgestelde luidsprekers. Aan de achterwand hing een rijkelijk versierd, met gouddraad geborduurd vaandel waarop een gestileerde zon stond afgebeeld die lange lichtbundels uitstraalde. Er waren nergens kruisen te zien. Zoals hem was opgedragen nam Adam plaats op de eerste rij, en wachtte geduldig, met de handen op zijn knieën en een ontspannen geest.

De minuten daarna kwamen er nog ruim tien personen binnen – hoofdzakelijk dakloze mannen, voor zover Adam kon zien – die rustig naar hun stoel schuifelden. Ze droegen allemaal een naamplaatje met JOHANNES erop. Het viel Adam op dat de weinige aanwezige vrouwen, eveneens voorzien van zo'n plaatje, achterin zaten. Hij voelde en hoorde zijn maag rommelen, zijn honger keerde terug. Het was gelukkig een opvallend anonieme bedoening hier: er werden geen vragen gesteld, geen namen genoteerd, geen achtergrondverhaal, niets. Gewoon lid worden van de Kerk van Johannes Christus en...

Er kwam een man naast hem zitten. Adam zag dat op zijn kartonnen kaartje JOHANNES 1604 stond. Hij had dun kroeshaar; hij was klein van stuk, in de veertig, had een groot hoofd en leed aan een aandoening die Adam herkende en die onder andere bekendstond onder de naam acropachydermie. De gezichtshuid was on-natuurlijk ruw en dik, zodat er zware, overdreven diepe plooien ontstonden, zoals bij olifanten, vandaar de naam olifantshuid. Het was ook bekend als het syndroom van Audry, het syndroom van Roy, of wel als het exotische syndroom van Touraine-Solente-Golé. Adam wist er alles van, omdat zijn schoonvader – zijn ex-schoonvader –, Brookman Maybury, ook leed aan acropachyder-mie. Er bestond geen medicijn tegen, maar het was niet dodelijk, alleen maar afstotelijk om te zien. De beroemdste lijder aan de kwaal was de dichter W.H. Auden. De man die naast Adam was komen zitten, Johannes 1604, had het niet zo erg als Auden, maar zou op een dag dicht in de buurt komen. De spleten tussen neus en lippen waren ruim twee centimeter diep; er liepen vier groeven, die zo diep waren dat het tribale littekens leken, dwars over zijn voorhoofd, zelfs als zijn gezicht in rust was; vreemde plooien, die geen enkel verband leken te hebben met welke gelaatsuitdrukking dan ook, liepen verticaal naar beneden vanaf de zware wallen on-der zijn ogen, en zijn gehavende kin zag eruit alsof hij verminkt was geraakt door een ongeval in zijn vroege jeugd. Hij draaide zich om en glimlachte, zodat zijn lange bruine tanden met ertussen gro-te gelijkmatige gaten zichtbaar werden. Hij stak zijn hand uit.

'Hallo, joh. Turpin. Vincent Turpin.'

'Adam.' Ze schudden elkaar de hand.

'Ze zeggen dat je hier behoorlijk te eten krijgt, Adam.'

'Mooi zo.'

'Je moet gewoon de dienst uitzitten, meer niet.'

Adam wilde zeggen dat hij dat geen al te hoge prijs vond, maar werd onderbroken door keiharde rockmuziek die uit beide luid-sprekers knalde, rockmuziek met luide, schelle trompetten en an-der koper en allerlei soorten percussie die samen een snerpend, aan-stekelijk dansritme uitbraakten. Een man gehuld in een mantel van purper en goud kwam door het gangpad tussen de stoelen door naar voren gedanst, en een paar Johannessen begonnen mee te klappen op het ritme. De man bleef voor de verhoging staan en danste nog een poosje verder met gesloten ogen en wiebelend hoofd. Hij dans-te goed, vond Adam: het was een knappe man met een dikke nek en sterke gelaatstrekken en de gebroken neus van een bokser. Dit was natuurlijk aartsbisschop Yemi Thompson-Gbeho, stichter en beschermheer.

Met een handgebaar bracht bisschop Yemi de muziek tot zwijgen, en hij nam plaats achter de lessenaar. 'Laat ons bidden,' zei hij met een diepe basstem, en iedereen knielde op de kussens voor zich.

Het gebed duurde volgens Adam ruwweg een halfuur. Na een paar zinnen raakte hij de draad al kwijt, hij liet zijn gedachten de vrije loop, keerde zo nu en dan terug naar het gebed, en werd zich steeds meer bewust van de moeizame ademhaling van Turpin naast zich, een soort piepen en fluiten alsof zijn neusholtes vol zaten met dicht kreupelhout, met braamstruiken en helmgras. Wat Adam opving van de preek varieerde van mondiale geopolitieke gebeurtenissen – verspreid over vrijwel alle continenten – waarbij hij vurig hoopte op een gelukkige uitkomst van de diverse wereldwijde crises. Tegen de tijd dat bisschop Yemi zei: 'In de naam van onze Heer, Johannes Christus, amen,' vroeg Adam zich af of het gerommel en geborrel in zijn maag niet tot achter in de zaal te horen was.

Uiteindelijk verzocht bisschop Yemi hun te gaan zitten.

'Welkom, broeders,' zei hij, 'in de Kerk van Johannes Christus.' Hij liet zijn blik over zijn kleine gemeente gaan. 'Wie van u heeft gezondigd?'

Adam keek om en zag dat iedereen zijn handen had opgestoken. Hij en Turpin deden, ietwat schaapachtig, hetzelfde.

'In de naam van Johannes Christus zijn al jullie zonden vergeven,' zei bisschop Yemi, hij opende een boek dat op een bijbel leek en vervolgde: 'Onze les van vanavond komt uit het Grote Boek van Johannes, *Openbaring*, hoofdstuk 13, vers 17.' Hij zweeg even, waarna zijn stem diep en theatraal klonk: 'En dat niemand mag kopen of verkopen, dan die dat merkteken heeft, of den naam van het beest, of het getal zijns naams.'

Na de lezing gebruikte bisschop Yemi de tekst als uitgangspunt voor een geïmproviseerde preek waarin hij vrij associeerde. Adam voelde zich steeds uitgeputter worden en het kostte hem de grootste moeite om wakker te blijven. Terwijl hij zich steeds korter kon concentreren bleven hem niettemin bepaalde uitdrukkingen en stijlfiguren bij.

'Zoudt gij uw vader stenigen?' brulde bisschop Yemi tegen zijn gehoor. 'U zegt: nee. Ik zeg: ja, stenig uw vader...' Toen Adam er minuten later weer met zijn gedachten bij was, hoorde hij: 'Voelt u wanhoop? Voelt u dat uw leven waardeloos is? Schreeuw het dan uit! Schrééuw het uit! Johannes, Johannes Christus, Johannes, de ware Christus. Sta mij bij. En hij zal komen, broeders...' En even later: 'Johannes Christus zou zijn zegen uitspreken over de Europese Unie, maar hij zou zijn zegen onthouden aan de G8-top...' Weer later: 'U eet kip bij uw avondeten, heerlijke gebraden kip, u poetst uw tanden. De volgende ochtend ontdekt u een draadje kippenvlees tussen twee kiezen, en met uw tong of met een tandenstoker peutert u het los. Spuugt u het uit? Nee: het is dezelfde kip die u de vorige avond gekauwd en doorgeslikt hebt. Waarom zou u het uitspugen? Nee. U slikt het door. Dit zijn de kleine zegeningen die ons, de broeders van Johannes Christus, verleend worden, als draadjes vlees tussen onze tanden, kleine stukjes voeding, geestelijke voeding...' Daarna werd het steeds vager: 'Mao Tsetung... Grace Kelly... Shango, God van de Bliksem... Oliver Cromwell...' De woorden veranderden in geluiden, ontdaan van iedere betekenis.

De preek duurde twee uur. Het begon donker te worden, en langzaam maar zeker raakten de dakramen verduisterd. Adam zat recht overeind, zijn ogen halfopen, in een toestand van half bewustzijn en half uitgeteld; hij hoorde het geluid van bisschop Yemi's sonore bariton, maar begreep er helemaal niets meer van, tot plotseling tot hem doordrong dat het afgelopen was. Het was stil: zijn hersenen maakten weer contact met de wereld om hem heen. Bisschop Yemi staarde naar hem en Turpin.

'Wilt u opstaan, Johannes 1603 en Johannes 1604?'

Adam en Turpin kwamen overeind, bisschop Yemi stapte van het podium af en liep op hen toe. Hij legde zijn handen op hun voorhoofd.

'Jullie horen nu bij ons, wij zullen jullie nooit meer afwijzen. Welkom in de Kerk van Johannes Christus.'

Hier en daar klonk applaus in de kerk, maar toen knalde de rockmuziek weer uit de luidsprekers, en bisschop Yemi verliet enthousiast dansend de kapel.

Johannes 17, de vrouw zonder voortanden, nam Adam mee naar een vertrek dat vol lag met stapels kleren, schoon maar ongestreken, en nodigde hem uit een keuze te maken. Hij koos een korenbloemblauw overhemd en een marineblauw krijtstreeppak dat niet helemaal bij elkaar paste: de krijtstreep van de broek was breder dan die van het colbert. Hij vroeg of hij zijn golfschoenen mocht ruilen voor andere schoenen, maar Johannes 17 zei: 'Helaas, schoenen doen we niet, schat.' Maar hij was blij dat hij zijn smerige witte overhemd – waar de bloedvlekken van Philip Wang en hemzelf nog op zaten – kon inruilen, evenals het witte spijkerjack en de beige, afgeknipte camouflagebroek van Mhouse. Johannes 17 draaide zich om terwijl hij zich omkleedde; de nieuwe kleren pasten hem prima.

'Je zult wel trek hebben,' zei Johannes 17, terwijl Adam het kaartje met JOHANNES 1603 op zijn revers bevestigde.

'Nogal, ja,' gaf Adam toe, en hij werd door een gang geleid naar de kleine gemeenschappelijke eetzaal, waar hij een bord pakte en in de rij ging staan bij de andere leden van de gemeente. Ze kregen rijst met runderstoofpot geserveerd uit pannen die op gaspitten stonden te pruttelen. Adam laadde zijn bord vol met rijst en hield het op zodat de stoofpot erop kon worden geschept. Hij keek op om de serveerster te bedanken en zag dat het Mhouse was, die een plastic plaatje droeg met daarop JOHANNES 627.

'Hallo,' zei Adam.

'Ja?'

'Jij bent Mhouse.'

'Ja.'

'We hebben elkaar eerder ontmoet. Ik ben Adam. Ik was overvallen en toen heb jij me teruggebracht naar Chelsea...' Hij wilde eraan toevoegen: *en toen sloeg je me in elkaar met een pioniersschop,* maar bedacht zich.

'Weet je het zeker?'

'Je hebt me wat kleren geleend. Je vond me in de Shaftesbury Estate. Weet je nog? Jij zei toen dat ik hierheen moest komen.'

'Echt waar? Dit is mijn kerk...' Ze keek hem aan, hoofd schuin, alsof ze probeerde zich hem te herinneren. 'O, ja... nu weet ik het weer. Heb je die kleren niet meer nodig?'

'Johannes 17 heeft de broek, maar ik heb de teenslippers nog.'

'Geen probleem. Die teenslippers wil ik wel graag terug.'

'Ik breng ze wel een keer mee.'

'Cool.'

Hij glimlachte naar haar, nam een paar sneden witbrood en ging op zoek naar een zitplaats. In het vertrek stonden een stuk of zes tafels met formicablad en vier stoelen eromheen, zoals in een klein wegrestaurant. Turpin zat aan een tafel met twee andere mannen. De stoel naast hem was vrij, dus het leek Adam logisch dat hij plaatsnam naast zijn medebekeerling.

'Hé hé, de gentleman uit de city,' zei Turpin en hij bewonderde Adams nieuwe kleren terwijl die plaatsnam op de stoel naast hem. Toen zei Turpin tegen de twee andere mannen: 'Dit is Adam.'

'Hallo. Ik Vladimir,' stelde de eerste man zich voor. Hij had een gladgeschoren hoofd – een glimmende, ingevette schedel – en een keurig sikje. Hij had dikke wallen onder zijn ogen en wekte een dodelijk vermoeide indruk. Hij stak zijn hand uit en Adam schudde die.

'Gavin Thrale,' zei de andere man met een deftig accent, en hij stak zijn hand op, zonder die van de anderen te schudden. Het was een oudere man, in de vijftig misschien, ook met een baard, maar een zware, een volle grijze warboel, en over zijn voorhoofd hing een even grijze haarlok die hij als een schooljongen achter zijn oor duwde. Hij had 'Gavin Thrale' gezegd met een subtiele ondertoon die impliceerde dat de naam Adam misschien bekend kon voorkomen, hoewel hij liever incognito bleef.

De vier mannen aten zwijgend en geconcentreerd van hun stoofpot. Turpin als een varken aan de trog: slurpend, kauwend met open mond en zacht knorrend van genoegen. Als Adam niet zo hongerig was geweest, zou hij het weerzinwekkend hebben gevonden, maar hij sloot zich af voor het geluid, concentreerde zich en vulde zijn maag met zijn eerste behoorlijke maaltijd in twee weken.

Turpin was als eerste klaar, schoof zijn bord terzijde en boerde zacht.

'Wat doe jij hier, Adam?' vroeg hij, terwijl hij met een vingernagel tussen zijn wijduitstaande tanden pulkte.

Adam was voorbereid op een dergelijke vraag. 'Ik heb een aantal zenuwinzinkingen gehad,' zei hij emotieloos. 'Mijn leven is ingestort, zeg maar. Ik probeer het nu langzaam maar zeker weer op te bouwen.'

'Mijn vrouw heeft me op straat gezet,' begon Turpin. 'Die in Birmingham. Ze werd bloedlink. Ik hou me een poosje gedeisd. Een erg boze en erg ongelukkige vrouw. Helaas, ze wil bloed zien.'

'Zelfs in de hel is geen woede als die van een gekwetste vrouw,' citeerde Gavin Thrale.

'Sorry?' zei Turpin.

'Wat jij haar aangedaan?' vroeg Vladimir.

'Niet zo zeer háár,' zei Turpin onverstoord. 'Het was meer een "familiekwestie" – heel gevoelig allemaal –, er waren ook andere familieleden bij betrokken.' Nadere details bleven uit.

'Ik kom naar Engeland, naar Londen, voor hartoperatie,' begon Vladimir spontaan. 'In mijn dorp mensen collecteren een jaar geld, sturen mij naar Londen voor mijn hart.' Hij glimlachte innemend. 'Ik nooit eerder in grote stad geweest. Te veel verleidings.'

'Verleidingen,' verbeterde Thrale hem.

'Wat gebeurde er toen?' vroeg Turpin.

'Ik kom hier. Ik ga naar ziekenhuis. Plotseling ik voel oké, weet je? Dus ik check uit.' Vladimir haalde zijn schouders op. 'Ik heb probleem met hartklep; gaat vanzelf over, denk ik.'

'En jij, Gavin?' vroeg Turpin.

'Gaat je niks aan,' zei Thrale. Hij stond op en liep weg.

Het werd duidelijk dat de gemeente van de Kerk van Johannes Christus na het nuttigen van de maaltijd geacht werd op te krassen. Mhouse en Johannes 17 zetten de stoelen op de tafels, en een andere Johannes begon de linoleum vloer te dweilen.

Toen Adam, Turpin en Vladimir de kerk verlieten, stond bisschop Yemi zelf bij de deur om afscheid te nemen. Hij gaf hun een hand en een knuffel.

'Tot morgen, jongens,' zei hij. 'Zeg het tegen je vrienden: zes uur, zeven dagen per week.'

Vladimir nam Adam ter zijde. 'Hou je van *monkey*?'

'Monkey? Wat is dat?'

'Crack. Misschien jij noemt het "beak"? Wij noemen het monkey.'

'Nooit geprobeerd.'

'Ga mee, dan gaan we monkey roken. Heb jij geld?'

'Nee.'

Vladimir haalde glimlachend zijn schouders op, duidelijk teleurgesteld. Hij maakte een volmaakt onschuldige indruk.

'Ik hou te veel van monkey,' zei hij en wandelde weg, Adam en Turpin achterlatend.

'Waar ga jij heen, Adam?'

'Chelsea.'

'Mooi. Ik ga naar Wandsworth. Daar heb ik ook een vrouw, die ik twee jaar niet heb gezien. Misschien mag ik daar een nachtje slapen.'

Turpin had wat geld en bood Adam aan zijn buskaartje naar Chelsea voor te schieten. 'We zijn nu broeders in Johannes Christus, niet dan?' Adam nam het aanbod aan en beloofde hem zo snel mogelijk terug te betalen.

In de bus zat Turpin nog steeds zachte, naar rundvlees geurende boeren te laten, en zo nu en dan klopte hij op zijn borstbeen alsof daar iets vast zat. Hij zei: 'Wat vind jij van dat gedoe over Johannes Christus?'

'Klinkklare onzin,' zei Adam. 'Het is allemaal abracadabra, deze god of die god. Volmaakte flauwekul.'

'Nee, nee. Wacht even,' zei Turpin fronsend, en de diepe groeven op zijn voorhoofd vouwden zich tot een onnatuurlijke golf. 'Je moet toegeven dat...'

Hij zweeg omdat op dat moment een dikke, zwoegende vrouw de bus in stapte met een mollig, zwijgend kind dat een ballon bij zich had en van een chocoladereep at. Turpin stootte Adam aan.

'Hallo, zeg. Dat is een lekker kippetje,' zei Turpin bewonderend. 'Heerlijk, zeg. Ben jij getrouwd, Adam?'

'Niet meer. Ik ben gescheiden.'

'Kinderen?'

'Nee.'

'Ik ben dol op kinderen,' zei Turpin. 'Je weet wel: het zijn net engeltjes... Ik heb zelf veel kinderen, wel negen of tien. Of elf. Ik ben dol op jongens, van die kleine ventjes, maar eigenlijk hou ik het meest van meisjes. Die kleine schatjes. En jij, Adam? Waar hou jij het meest van: jongens of meisjes?'

'Daar heb ik nooit zo over nagedacht.'

'Doe mij maar meisjes, altijd goed. Maar na hun tiende verandert alles,' zei Turpin meewarig, bijna verbitterd. 'Dan verandert het snel, dan zijn ze niet zo leuk meer. Nee.'

Adam keek naar buiten terwijl de bus stopte voor een rood licht. Een politieagent keek hem recht aan. Adam glimlachte vaag, zelfverzekerd, anoniem.

'Zeg, moet je horen: die Johannes Christus,' zei Turpin, terugkerend naar zijn oorspronkelijke onderwerp. 'Stel dat bisschop Yemi gelijk heeft en dat Johannes, de apostel Johannes, de echte

Christus is en Jezus zeg maar de zondebok, het slachtoffer. Dat het allemaal één groot complot is...'

'Dat heb ik niet helemaal meegekregen.'

'Waar het om gaat is dat de Romeinen denken dat ze de echte hebben – Jezus – maar Johannes, de echte Christus, komt er zonder kleerscheuren af. Hij smeert hem naar Patmos, wordt daar honderd en schrijft de Openbaringen. Op zijn Griekse privé-eiland.'

'Het is allemaal onzin, dat zei ik toch al, allemaal flauwekul.'

'Wacht even, wacht even. Het waren een soort vrijheidsstrijders, een cel. De vent die ze gekruisigd hebben – Jezus – is niet de echte leider. Dat is Johannes.'

'Waarom offeren ze geen geit aan de zonnegod Ra?'

'Wat? Nee, ik bedoel... volgens mij heeft bisschop Yemi daar wel een punt. Het klopt ergens wel, wat hij zegt.'

Turpin weidde verder uit over de mogelijkheden van die slimme mystificatie terwijl ze samen op Sloane Square uit de bus stapten en naar de rivier liepen. Ze hielden stil bij de Chelsea Bridge, leunden op de borstwering en keken uit over de laagstaande rivier, het zwarte water dat verlicht werd door de honderden gloeilampen aan de bovenbouw en de kabels van de brug.

'Heb je iets te roken?' vroeg Turpin.

'Nee, sorry.'

'Ik probeer wel ergens wat te bietsen. Ga maar lekker slapen, Adam. Tot morgen, mate.'

Adam wenste hem welterusten en liep weg. Hij wilde niet dat Turpin zag waar zijn verblijfplaats was, dus hij stak over naar de andere kant van het Embankment, tegenover de driehoek, slenterde langs de balustrades van het Royal Hospital, en keek om of Turpin inderdaad voorbijgangers aansprak. Toen hij ten slotte bij iemand een sigaret wist te bietsen, die opstak en de brug overstak naar de oever van Battersea, stak Adam de weg over en klom over het hek in de wetenschap dat Turpin hem niet had gezien.

Op zijn kleine open plek hing Adam zijn nieuwe colbert en pantalon zorgvuldig over een tak, trok zijn schone, ongestreken overhemd uit en kroop in zijn slaapzak. Daar lag hij, behaaglijk onder zijn struik, en hij voelde een vreemd soort zelfvertrouwen. Een dergelijk gevoel van onopvallend maar oprecht welbehagen en genot had hij na de moord niet meer gehad. Hij had geen honger meer, besefte hij, en dat veranderde de zaak. Hij had nu ook een plek waar hij heen kon voor een stevige, versterkende maaltijd, waar niemand nieuwsgierig was of vragen stelde. Alles zou veranderen, daarvan was hij overtuigd: hij had de weg vooruit ontdekt. Zijn leven als bedelaar stond op het punt te beginnen.

17

Het bad was lekker heet en zo vol dat het schuim tot aan zijn kin kwam. Ingram zwolg van genot, ging met zijn handen langs zijn naakte lijf en voelde zich ontspannen en ook vol verwachting. Vandaag was hij jarig – hij werd negenenvijftig – en hij stond op het punt te gaan genieten van het verjaarscadeau dat hij zichzelf had geschonken: de aangenaamste manier om aan zijn zestigste levensjaar te beginnen.

'Waar ga jij heen?' had Meredith vol afschuw gevraagd toen ze hem op zaterdagochtend in pak en stropdas beneden zag komen. 'Ik dacht dat we samen gingen lunchen...'

'Er is crisis, lieve,' had hij gezegd. 'Crisisvergadering. Weer zo'n ellendige dag. Ik ben tegen zessen thuis, dat beloof ik. O ja, en ik moet ook nog langs pa.'

'Niet te laat thuis, hoor,' had ze gezegd, 'Om zeven uur is iedereen hier.'

Ingram pakte een drijvende spons en kneep het warme water uit boven zijn hoofd. Dit was precies wat hij nodig had na die naargeestige uitvaart van Philip Wang van de afgelopen week. Zelfs op een zomerdag vormde Putney Vale Crematorium de volmaakte illustratie van het woord 'vreugdeloos', meende Ingram. Philips moeder – een kleine, frêle vrouw die huilde en sprakeloos was van onbegrip – was samen met zijn zus komen overvliegen uit Hongkong. Er was een enorme opkomst van collega's van het Calenture-lab in Oxford. De delegatie van het hoofdkantoor was teleurstellend geweest, maar Philip was daar niet zo bekend, alleen maar een naam en een reputatie. Ingram had de grafrede zelf geschreven en uitgesproken, waarbij hij zich als vanzelfsprekend geconcentreerd had op zijn eigen verstandhouding met Philip. Over hoe Philip, toen Calenture-Deutz nog moest groeien, vrijwel alleen het anti-hooikoortsmedicijn Bynogol in pilvorm en als inhaler had ontwikkeld: de eerste melkkoe voor Calenture-Deutz. En de baanbrekende ontdekkingen gedaan tijdens dat Bynogol-proces (Ingram was niet zo goed thuis op chemisch terrein) die Philip rechtstreeks hadden gebracht tot de ontwikkeling van Zembla-1, en de daaropvolgende derivaten, tot wat uiteindelijk het eerste effectieve medicijn tegen astma zou blijken te zijn. Hoe had hij het verwoord tijdens de uitvaart? 'De dood van Philip was bruut en zinloos, maar alles in het leven van Philip was precies het tegenovergestelde. Wij hebben Philip verloren, maar het profijt voor de wereld zal onnoemelijk blijken.' Mooi gezegd, vond hij zelf, bijna aforistisch uitgebalanceerd: dood en leven, verlies en winst.

Ingram leunde voorover en liet nog wat warm water in het bad stromen. Hij dacht terug aan de dag dat Philip in zijn kantoor was verschenen nadat hij vanuit Oxford had gebeld omdat hij meteen wilde praten, zei hij, over astma. Hij was zichtbaar opgewonden, en Ingram moest hem steeds vragen langzamer te praten en uit te leggen wat hij bedoelde. Hij had antigenen getest, zei hij, kleine sporen die de allergische reactie veroorzaken die wij kennen als hooikoorts, met het oog op verbetering van Bynogol. Bij een van die proeven had hij het stuifmeel gebruikt van een bepaalde soort magnolia, pollen die hij had verzameld tijdens zijn meest recente reis naar zijn moeder in Hongkong. Tot zijn stomme verbazing had dit antigen, dat een aanval van hooikoorts moest veroorzaken – zwellingen, slijm, irritatie en dergelijke – juist het tegengestelde effect gehad. In plaats van giftige Th_2-cellen, die gepaard gaan met een klassieke allergische aanval, werden er goedaardige Th_1-cellen afgescheiden. Op dat punt aanbeland begon hij heel snel te praten over histamine, leukotriënen en IgE-afweerstoffen, en Ingram legde hem het zwijgen op.

'Woorden van één lettergreep, graag, Philip,' zei hij. 'Ik ben geen exacte wetenschapper. Wat heeft dit allemaal te maken met astma?'

Philip haalde diep adem en begon het uit te leggen. 'Niemand weet precies waarom er een wereldwijde astma-epidemie bestaat,' zei hij. In de Verenigde Staten alleen al lijden twintig miljoen mensen aan astma, in Groot-Brittannië vijf miljoen, in de hele ontwikkelde wereld zijn er tientallen miljoenen patiënten (Ingram was onder de indruk van die aantallen). Er bestond een theorie dat astma, een ontsteking die wordt veroorzaakt door een allergie, een soort defect in ons prehistorische immuunsysteem is. Het immuunsysteem van de eerste mensen werd geactiveerd door oeroude organismen die tegenwoordig niet meer bestaan – organismen die gedijen in de oermodder – maar wordt tegenwoordig geactiveerd door pollen, mijten, kattenstof, airco's, fel zonlicht, krantenpapier, spuitbussen, sigarettenrook, parfum, enzovoorts. Astmalijders waren, met andere woorden, het slachtoffer van ons defecte prehistorische immuunsysteem.

'Wat zo intrigerend is,' vervolgde Philip, en zijn stem schoot de hoogte in, 'is dat die angiosperma...'

'Angiosperma?'

'Die bloeiende plant. De plant die ik gebruikt heb, de Zemblabloem...'

'Zembla-bloem?'

'Die magnolia uit Hongkong. Hij is plaatselijk ook bekend als de Zemblabloem. Hoe dan ook, sporen van het stuifmeel van die magnolia zijn aangetroffen in fossielen uit de Krijtperiode.' Hij spreidde zijn handen: het was zo duidelijk.

'Ja, en?' Ingram stelde zijn derde vraag.

'En dat betekent dat die magnolia een van de allereerste angiospermae was. Dat de plant zogezegd een "geheugen" in ons immuunsysteem lijkt te stimuleren, het immuunsysteem "herinnert zich" dat startsignaal uit het Krijt, zodat het adequaat gaat reageren. Mooie Th1-cellen, en geen nare Th2-cellen.' Hij zweeg even, en toen hij weer het woord nam, was het met trillende stem. 'Ik denk dat we heel misschien een manier hebben ontdekt om bronchiale astma onder controle te krijgen.'

'En wat wil je nu?' vroeg Ingram behoedzaam.

'Geld,' zei Philip, met een verontschuldigende ondertoon, 'om uit te zoeken of het mogelijk is de effecten van die Zemblabloem uit Hongkong te dupliceren. Proefopstellingen te maken, te testen op dieren. Met andere woorden: fase één te starten.'

Ingram dacht: al die miljoenen en nog eens miljoenen astmalijders... Als Calenture-Deutz een geneesmiddel zou kunnen produceren waar zij baat bij hebben... Alles wat Calenture-Deutz zou kunnen doen om hun lijden te verlichten was de moeite van het onderzoeken waard. En dus had hij Philip de noodzakelijke fondsen verschaft, en zo was het Zembla-project serieus van start gegaan. Ze dienden bij de Voedsel en Waren Autoriteit het verzoek in om een licentie voor het ontwikkelen van een nieuw medicijn, en die werd verleend. Tot zijn stomme verbazing kreeg Ingram ongeveer drie maanden later een telefoontje van Alfredo Rilke met het aanbod om twintig procent van de aandelen Calenture-Deutz te kopen en serieus te investeren in de ontwikkeling van Zembla. Ingram had Alfredo nooit gevraagd hoe hij van het bestaan van Zembla wist, maar het leek een verstandig en lucratief aanbod. En zo waren Calenture-Deutz en Rilke Pharmaceutical partners geworden.

Er klonk een bescheiden klopje op de badkamerdeur, en Phyllis kwam binnen. Ze droeg een citroengeel vest en een chocoladebruine broek.

'Hoe gaat het met je, Jack?' vroeg ze. Het was een kleine, mollige vrouw met grote borsten en een grote kuif roodblond haar die als een golf om haar knappe gezichtje viel. 'Kom, eruit, straks verander je nog in een kwal.' Ze had een zware stem – waarschijnlijk had ze ooit stevig gerookt, dacht Ingram –, een stem die haar Cockney-accent op de een of andere manier nog rauwer en aangenaam wellustig deed klinken.

Hij stapte gedwee uit bad, ze kwam op hem af met een handdoek en begon hem af te drogen.

'We beginnen een buikje te krijgen, Jacky m'n ventje,' zei ze, terwijl ze op zijn maag klopte. 'Hallo zeg, en wat hebben we hier?'

Ingram telde discreet vier briefjes van vijftig pond uit op Phyllis' ladekast. Het was ongelooflijk goedkoop voor het halfuurtje van intens seksueel genot dat hij bij haar had beleefd. Hij keek in de spiegel hoe zijn haar zat – hij zag er nog steeds een beetje opgewonden uit – en trok zijn stropdas recht.

'Het was weer geweldig, Phyllis,' zei hij, en hij legde er nog een briefje van vijftig bij. 'Echt voortreffelijk.'

'Je mag me iedere dag wel komen neuken, Jack, liefje,' zei ze, terwijl ze zich naakt uit bed liet glijden. Ze gaf hem een kus en kneep hem in zijn ballen, zodat hij ineenkromp en toen begon te lachen. 'Bedankt, schat,' zei ze, en pakte het geld. 'Trek je de deur achter je dicht, Jack? Dank je, schat.' Ze stopte het geld in een grote portefeuille. 'Bel maar wanneer je wilt, maar vergeet niet: vierentwintig uur van tevoren.'

In de metro terug naar Victoria dacht Ingram met heimwee en genot terug aan de diverse sekshandelingen die hij die ochtend met Phyllis had verricht, en verbaasde zich opnieuw, zoals altijd als hij bij haar vandaan kwam, over de manier waarop hij haar had leren kennen. Vijf jaar vóór Phyllis had hij genoten van de professionele diensten van Nerys, een vrouw uit Wales met een sterk, zangerig Welsh accent, die een paar kamers had in Soho. Toen ze hem meedeelde dat ze terugging naar Swansea om voor haar kleinkinderen te zorgen, had Ingram het gevoel dat hem een essentieel onderdeel van zijn leven dreigde te worden afgepakt. 'Maak je geen zorgen, lieverd,' had ze gezegd. 'Ik weet wel een goede vervangster,' waarna Nerys hem had voorgesteld aan Phyllis. Kwestie van netwerken, dacht hij, iedereen deed het... Hij hield de naam aan die hij voor Nerys had gehad – 'Jack' – en zijn verstandhouding met haar groeide en bloeide, en werd misschien nog wel beter dan die met Nerys.

Hoe kwam dat, vroeg hij zich af? Hij wilde niet te diep ingaan op de redenen waarom hij types als Nerys en Phyllis seksueel zo aantrekkelijk vond. Hij was niet gek: hij wist heel goed dat het op een bepaalde manier te maken had met het klassenverschil. Het feit dat zij uit de werkende klasse kwamen – dat ze 'ordinair' waren – wond hem in hoge mate op: het afschuwelijke interieur van hun kamers, hun rare namen, hun cultuur, hun accent, hun grammatica, hun taalgebruik. Hij vermoedde ook dat het iets te maken had met zijn schooltijd, zijn kostschool, het begin van zijn puberteit en dergelijke; hij wilde psychologisch ook niet al te diep graven. Had iemand niet ooit beweerd dat wat je als dertienjarige seksueel aantrok, je je hele verdere leven zou blijven fascineren? De moeder van een vriend, een tante, de oppas van een jonger broertje of zusje, een au pair, een onderdirectrice, een meisje in de schoolkeuken... Wat zorgde ervoor dat die tijdbommen bleven tikken in je seksuele psyche? Hoe kon je ooit weten hoe en wanneer ze tot ontploffing zouden komen?

Hij stapte uit de trein en betrad het perron van Shoreditch – hij nam de grootste veiligheidsmaatregelen op zijn tocht naar en van Phyllis – waar hij doorgaans nauwelijks kwam. Luigi stond geparkeerd op een plein vlak bij het station. Ingram zei altijd dat hij een vergadering had die een paar uur kon duren en dat hij niet gestoord wilde worden. Hij liep altijd met een omweg naar het metrostation en zorgde dat hij de auto altijd vanuit een andere richting benaderde.

Hij stond even stil in de stationshal, sloot zijn ogen en dacht terug aan Phyllis' weelderige, zachte lijf, aan haar spottende grapjes. Met haar was seks leuk, geinig, gezond en ongecompliceerd; bij haar had hij geen behoefte aan de stiekeme, chemische hulp van PRO-Vyril. Hij liep het station uit en vroeg zich af of zij ook ooit aan hem dacht nadat hij weer vertrokken was – aan haar 'Jack' – en of ze zich ooit afvroeg wie hij in werkelijkheid was (hij had nooit identiteitspapieren bij zich, nog zo'n voorzorgsmaatregel, alleen maar contant geld – het enige wat ze wilde was haar tweehonderd pond, omdat er na hem nog een 'Jack' kwam. Gelukkig was hij niet zo ijdel, niet zo naïef, godzijdank! Maar toch vroeg hij zich wel eens af...

Haar man, Wesley, – hij kende zijn naam – was vervoerscoördinator voor een vrachtbedrijf en was ongeveer twaalf uur per dag van huis. Phyllis had besloten in hun huis in Shoreditch wat extra geld te verdienen terwijl hij aan het werk was. Hij had één keer een andere cliënt ontmoet, die het huis betrad terwijl hij vertrok – een man van zijn leeftijd, met grijs haar, in de vijftig, wiens hele uiterlijk *upper middle class* uitstraalde: donker kostuum en gestreepte das, onopvallende jas, diplomatenkoffer. Topadvocaat? Hoge ambtenaar? Politicus? Bankier? Arts uit Harley Street? Ze hadden elkaar grondig genegeerd, alsof ze allebei onzichtbaar waren; geesten. Maar het was wel een schok: een tastbare herinnering aan het feit dat Phyllis haar tijd en haar lichaam verkocht aan anderen. Hoe vonden wij onze Phyllis, zo vroeg hij zich af. Wat leidde ons naar deze gedienstige professionals?

Luigi wachtte met de auto op Eccleston Square.

'Er is één keer gebeld, signore,' zei hij, en hij gaf Ingram diens gsm. 'Signore Rilke.'

Ingram belde terug. 'Alfredo, je bent er al, geweldig. Ik verwachtte je pas maandag.'

'Waar was je?'

'Ik had een afspraak,' improviseerde Ingram snel. 'Ik moest naar de dokter. Voor mijn zoon,' voegde hij eraan toe, de aandacht van zichzelf afleidend.

'Is dat die homoseksuele zoon?'

'Ja, dat klopt. Allemaal heel moeilijk en complex.' Ingram wilde dat hij niet aan die leugen begonnen was.

'Heeft hij aids?'

'Nee hoor, ben je gek. Hoe dan ook, zullen we...'

'Ik ben in het Firststopotel op Cromwell Road.'

'Ik ben over een halfuur bij je.'

Alfredo Rilke logeerde uitsluitend in hotels behorend bij een keten – Marriott, Hilton, Schooner Inns, Novotel – maar dan huurde hij wel altijd een hele verdieping af, ongeacht het aantal kamers dat zich daar bevond. Toen Ingram arriveerde werd hij naar de vierde verdieping gestuurd, en een van Alfredo's jonge assistenten – een jongeman met een spijkerbroek en een oortje in en een dun staafmicrofoontje voor zijn mond – ging hem in een kale gang voor naar een van de kamers en liet hem daar achter met een glimlach en een lichte buiging.

Alfredo Rilke deed zelf de deur open voordat Ingram de kans kreeg om aan te kloppen. Ze omhelsden elkaar timide, het was eerder het vastgrijpen van de bovenarm en naar elkaar toe buigen – hun gezichten raakten elkaar niet – en Rilke klopte hem geruststellend op een schouderblad en ging hem voor de verduisterde hotelkamer in.

Rilke was een lange, zwaargebouwde man van begin zestig, glimlachend, met bril, vaderlijk, kaal met een keurige krans onnatuurlijk donker haar die achterlangs van het ene oor naar het andere liep. Hij bewoog zich langzaam en doelbewust voort, alsof hij ieder moment kon flauwvallen. Maar dat was een illusie: Ingram had hem zien tennissen op de Kaaimaneilanden en de Maagdeneilanden, waarbij hij de bal met enorme kracht retourneerde. Maar buiten de tennisbaan wendde hij deze quasi-ouderdomszwakte voor: een manier om zijn collega's, rivalen en concurrenten gerust te stellen en te ontwapenen, vermoedde Ingram. Alfredo Rilke zag eruit als een snel ouder wordende man, en dat was precies wat hij wilde dat anderen van hem dachten.

'Ga zitten, Ingram, ga zitten.'

Ingram ging zitten, en het viel hem op dat de slaapkamer enigszins halfslachtig was omgebouwd tot zitkamer: het bed was tegen de zijwand geschoven en er waren een paar stoelen en een salontafel bij geplaatst.

'Neem iets te drinken, Ingram,' zei Rilke, en hij trok de minibar open. 'Ik moet nog even bellen. Over twee minuten ben ik bij je.'

Rilke liep de naastgelegen kamer in, Ingram schonk een tonic in, en ging zitten wachten. Hij wist het een en ander over Rilke, maar had het gevoel dat hij maar de helft wist van wat hij eigenlijk moest weten. Hij probeerde meer te weten te komen, liet anderen namens hem onderzoek doen, maar het verhaal bleef tot zijn frustratie in grote trekken gelijk en zat nog steeds vol hiaten en onbeantwoorde vragen. In de loop van de jaren werden er bitter weinig details toegevoegd aan de biografie van Rilke.

Alfredo's vader, Günther Rilke, was in 1946 in Uruguay aangekomen (naar horen zeggen vanuit Zwitserland, maar dat was ook nogal vaag). Hij trouwde vrijwel onmiddellijk met een Uruguyaanse, Asuncion Salgueiro, de enige dochter van de eigenaar van een klein bedrijf dat fungiciden en meststoffen produceerde en leverde aan de Latijns-Amerikaanse koffie-industrie. Alfredo werd in 1947 geboren en zijn broer Cesario in 1950. Alfredo Rilke nam het bedrijf van zijn schoonvader over in 1970 (Cesario was in 1969 omgekomen bij een vliegtuigongeluk), en veranderde de naam in Rilke Farmacéutico S.A.

In de tien jaar die volgden maakte hij fortuin met een goedkope anticonceptiepil en een sterk kalmeringsmiddel, waarbij hij een aantal processen vanwege overtreding van de octrooiwetten overleefde, die tegen hem werden aangespannen door Roche, Searle, Syntex en andere bedrijven.

Rilke zelf verliet Uruguay in 1982 en was sindsdien permanent zonder vaste woon- of verblijfplaats. Hij woonde voortaan op een aantal grote, regelmatig wisselende jachten die voortdurend de Caribische Zee en de Golf van Mexico doorkruisten, en zich altijd op maximaal twee uur afstand bevonden van ruim tien luchthavens en het vliegtuig van de zaak. Rilke Pharmaceutical ontstond en successievelijk werd een hele reeks kleinere farmaceutische bedrijven in de VS, Frankrijk en Italië overgenomen. Eind jaren negentig stond Rilke Pharma te boek als een van de tien grootste farmaceutische bedrijven ter wereld.

En dat was eigenlijk het enige wat hij en anderen wisten, bedacht Ingram teleurgesteld. Misschien was dat wat er gebeurde als je een kwart eeuw lang 'nergens' woonde: het werd steeds moeilijker om je vast te pinnen, in alle betekenissen van het woord. Afgezien dan van wat de hele farmaceutische wereld wist: dat de patenten op de belangrijkste medicijnen van Rilke Pharma, de kassuccessen, die zorgden voor de niet aflatende geldstromen waarmee voortdurend bedrijven konden worden aangekocht – het orale voorbehoedmiddel, de ACE-remmer, een retroviraal middel en een nieuwe reeks uiterst populaire kalmeringsmiddelen – op het punt van aflopen stonden. Rilke Pharma had behoefte aan een nieuwe megaseller, en op dat moment werd Calenture-Deutz benaderd en bood Rilke aan fors te investeren in het klinische onderzoek en de testfase van Zembla-4...

Ingram keek op toen Rilke terugkwam; hij verontschuldigde zich uitgebreid, sloeg een map open en spreidde allerlei documenten uit op de salontafel. Het waren reclamefolders, glossy en in vierkleurendruk. Op iedere bladzijde stond in hoofdletters de kreet: HET EINDE VAN ASTMA? Ingram las ze vluchtig door, het was het gebruikelijke reclamegeleuter: 'Wereldberoemde wetenschappers in onze onderzoekslaboratoria'; 'De strijd om de wereld te verlossen van deze slopende ziekte' – en foto's van ernstig kijkende mannen in witte jassen die door microscopen turen, reageerbuisjes omhooghouden, gezonde mensen die genieten van een benijdenswaardige leefstijl op een buitenverblijf of aan zee. De folders besloten met de oprechte verzekering dat de strijd tegen deze chronische ziekte, die een goed, menswaardig leven bedreigde, onverschrokken zou worden voortgezet (waarbij geld geen rol speelde). Het was begeleidende tekst. Hier en daar kwam de naam 'Zembla-4' voor. Er werd niets met stelligheid beweerd, maar er werd vaag een belofte gesuggereerd: geef ons de tijd, wij en onze knappe wetenschappers in hun witte jassen doen ons uiterste best.

'Indrukwekkend,' zei Ingram, 'maar een beetje voorbarig, niet?' Het was hem niet ontgaan dat op iedere bladzijde het bekende logo voorkwam: de rode cirkel met daarin de slordige 'R' van Rilke Pharmaceutical. Wat Ingram betreft was Calenture-Deutz nog steeds eigenaar van Zembla en alle derivaten, van nummer 1 tot en met 4. Hij besloot er het zwijgen toe te doen.

'Misschien heb je gelijk,' zei Rilke op zijn gebruikelijke, niet-confronterende manier. 'Alleen hoorde ik van Burton dat Zembla-4 bijna klaar was. Derde fase van de klinische tests afgerond. Documentatie klaar om te worden verstuurd naar de VWA in Rockville...

We hebben in het verleden geleerd dat een vroege en vage, erg vage, advertentiecampagne, onder het gebruikelijke voorbehoud natuurlijk,' hij wees op de centimeters lange voetnoten onder aan iedere pagina, 'een groot verschil kan maken. Alles gaat dan veel sneller, hebben wij ervaren.'

'Dus Burton heeft je dat verteld?' zei Ingram een beetje stijfjes. 'Nu we het er toch over hebben, ik zou graag met je willen praten over Keegan en De Freitas; ik wil graag dat ze uit de directie gaan.'

'Dat is helaas onmogelijk, Ingram,' zei Rilke met een ontwapenend, verontschuldigend lachje.

Op dat soort momenten hielp het Ingram als hij zich realiseerde dat Alfredo Rilke de familie Fryzer had verrijkt met zo'n honderd miljoen pond, waardoor het een stuk gemakkelijker werd om bittere pillen te slikken. Hij veranderde op slag van toon.

'Ik vind gewoon dat Keegan en De Freitas zich verantwoordelijkheden aanmeten die niemand hun heeft gegeven. Het behoort niet tot hun taak...'

Rilke stak zijn hand op, alsof hij wilde zeggen; neem me niet kwalijk, maar hou even je mond. 'Ik ben degene die hun heeft gevraagd die verantwoordelijkheden op zich te nemen na de dood van Philip Wang. Weet je, Burton Keegan heeft de supervisie gehad bij vier, nee vijf, succesvolle nieuwe medicijnintroducties van Rilke Pharma. Hij is de beste die er is: hij weet precies wat hij doet. Er staat hier te veel op het spel, Ingram.'

'Ja, dat is iets anders. Als ik had geweten...'

'Hoe staat het met het onderzoek, trouwens? Is Kindred al gevonden?'

'Nee, helaas. Nog niet. Hij lijkt verdwenen te zijn. De politie zit op een dood spoor. Verbijsterend.'

'We zijn natuurlijk niet uitsluitend afhankelijk van de politie, godzijdank,' zei Rilke. Wat bedoelde hij daarmee, vroeg Ingram zich af?

Ingram zuchtte. 'We hebben twee weken lang die advertentie met de beloning gepubliceerd. De politie gaat ervan uit dat Kindred zelfmoord heeft gepleegd.'

'Wat denk jij?'

'Ik, eh, ik heb daar niet echt een mening over.'

'Dat is een gevaarlijke instelling, Ingram. Als je geen mening hebt, kun je niet functioneren.' Rilke glimlachte.

Ingram glimlachte terug: het was soms beter om niets te zeggen.

'Dit is het plan van aanpak,' zei Rilke. Hij ging staan en hees zijn broekband over zijn pens. 'We dragen Zembla-4 voor aan de autoriteiten in de VS en Groot-Brittannië voor de vereiste vergunning. Dan komen de lovende artikelen, eerst in geleerde medische tijdschriften, daarna in een geselecteerd aantal vooraanstaande kranten en tijdschriften wereldwijd: *New Yorker, Time, Economist, El Pais, Wall Street Journal, Le Figaro,* en dergelijke. Wie heeft iets te klagen als een farmaceutisch bedrijf bekendmaakt dat het astma probeert uit te bannen? Wie heeft er bezwaar tegen een *mission statement?* Vervolgens biedt Rilke Pharmaceutical op een door mij geschikt geacht moment aan om Calenture-Deutz over te nemen. Maar dit alles gebeurt pas nadat, ik herhaal, nadat Adam Kindred is aangehouden en berecht.'

'Jaaahhh,' zei Ingram langzaam, en hij trok het woord uit alsof het een stuk kauwgom was, terwijl zijn geest gonsde als een kapotte opwindauto. 'Aan wat voor, eh, tijdpad dacht je? Wanneer gaat dit alles plaatsvinden?'

'Misschien volgende maand al, als alles meezit,' zei Rilke. 'Je wordt nog rijker dan je al bent, Ingram. En de wereld zal eindelijk beschikken over het eerste volwaardig functionerende medicijn tegen astma. Het is een win-winsituatie.'

Ingram kreeg te horen dat kolonel Fryzer te vinden was in de rozentuin, en dus begaf hij zich in de goed onderhouden tuinen van Trelawny Gables, op zoek naar zijn vader. Hij wandelde over de slingerende paden van dit dure privé-rusthuis, passeerde geüniformeerde verpleegkundigen en assistentes in witte jasschorten die karretjes voortduwden volgeladen met maaltijden, wasgoed, bloemenvazen, en hij vroeg zich af of hij zelf zijn laatste jaren ook in zo'n oord zou slijten; een vijfsterrenwachtkamer voor de vergetelheid met haute cuisine-maaltijden. Hij liep ook rond met twijfels over zijn ontmoeting met Alfredo Rilke en vroeg zich af wat het belang, de ernst ervan was. Keegan en De Freitas bleven, zoveel was duidelijk, maar het kwam hem voor dat er sprake was van een bijna ongepaste haast om licentie te krijgen voor Zembla-4. Philip Wang was altijd voorstander geweest van de langzame en gestage methode, en daardoor was de licentie voor Bygonol ook zo gemakkelijk verkregen... Ingram bleef staan en rook aan een bloem: hij was er vrijwel van overtuigd dat er dingen gebeurden achter zijn rug om, dat hij niet langer de volledige leiding had van Calenture-Deutz, en dat vermoeden was zowel glashelder als uiterst verontrustend.

Zijn vader had een stille maar intense hekel aan Trelawny Gables, wist Ingram, maar hij onderging de gewoonten en rituelen van het huis pragmatisch en geamuseerd. Hij nam het zijn zoon niet kwalijk dat hij hier terecht was gekomen, althans, Ingram hoopte van niet, terwijl hij op een afstandje zag hoe zijn vader insecticide spoot op een rozenstruik in een prieel bij de buitenmuur. Hij was een lange, slanke verschijning met grijs haar en hij droeg een olijfgroene, mouwloze fleecetrui, een overhemd met stropdas en een keurig geperste spijkerbroek. Ingram had op veertigjarige leeftijd de spijkerbroek afgezworen – een man van middelbare of hogere leeftijd hoorde daar nog niet dood in te worden aangetroffen, meende hij – maar hij moest toegeven dat een spijkerbroek zijn vader, die inmiddels zevenentachtig was, best goed stond. Misschien moest je na je tachtigste wel weer spijkerbroeken gaan dragen...

'Hallo, pa,' zei hij, en hij kuste hem op beide wangen. 'Je ziet er goed uit.'

Kolonel Gregor Fryzer bekeek zijn zoon aandachtig. Hij onderzoekt me, dacht Ingram, alsof ik op appèl sta. Ingram glimlachte om die gewoonte van zijn ouwe heer, maar vroeg zich toen ongerust af – belachelijk natuurlijk – of de geur van Phyllis niet aan hem te ruiken was, de lucht van seks die alleen tachtigjarigen kunnen ruiken.

'Je maakt een nerveuze indruk, Ingram. Een beetje gespannen.'

'Helemaal niet.'

'Ik vond altijd al dat er iets *fourbe* aan je was.'

'Wat betekent dat: "fourbe"?'

'Zoek dat maar op als je weer thuis bent.'

Ze liepen terug naar zijn kleine flat op de begane grond, die bestond uit een slaapkamer, een zitkamer, badkamer en keukentje. De wanden hingen vol met de aquarellen van zijn vader, overwegend stillevens. De hobby's van zijn vader waren vliegen binden om te vissen – die hij verkocht – en schilderen.

De kolonel liep de keuken in en kwam terug met twee gin-tonics met een ijsklontje maar zonder citroen. Hij gaf er een aan Ingram, ging zitten, stopte een sigaret in een pijpje en stak die aan.

'Wat kan ik voor je doen, Ingram?'

'Ik kom alleen maar even langs voor de gezelligheid, kijken hoe het met je gaat. Je weet toch dat ik altijd langskom op zaterdag.'

'Je bent al twee maanden niet geweest. Gelukkig is Forty er nog.'

'Is Forty langs geweest?'

'Hij komt twee keer per week. Hij heeft een soort contract voor de tuinen.'

'O ja, natuurlijk.' Dit was nieuw voor Ingram. Forty was zijn jongste zoon. 'We hebben het erg druk,' zei hij, van onderwerp veranderend. 'Kom je vanavond eten? De hele familie is er. Het leek me...'

'Nee, dank je.'

'Ik laat je wel halen en brengen.'

'Nee, bedankt; er is een documentaire op Channel 4 die ik graag wil zien.'

Ingram knikte. Hij had het in ieder geval aangeboden. Meredith zou een rolberoerte krijgen als de kolonel plotseling voor de deur stond. Hij voelde weer de gebruikelijke mengelmoes van emoties als hij bij zijn vader was: bewondering, ergernis, genegenheid, frustratie, trots, afkeer. Het verbaasde hem in toenemende mate dat deze moeilijke, oude houwdegen hem verwekt had. Het enige wat hij soms van zijn vader wilde was een teken van genegenheid, een hand op zijn schouder, een gemeende glimlach. Ze zaten daar te nippen van hun lauwe gin-tonic als twee vreemden in een wachtkamer, slechts met elkaar verbonden door hun bloedband. Hij dacht aan zijn lang geleden overleden moeder: de tijd had haar – een bedeesde, neurotische vrouw – veranderd in een mythische verschijning, een huisheilige. Hij miste haar verschrikkelijk.

'Ik wilde je eigenlijk om je opzet vragen,' begon Ingram voorzichtig.

'Mijn opzet?'

'Sorry, om je raad.'

'O ja?' De kolonel klonk verrast.

'Ja. Ik denk dat...' Ingram zweeg even; nu hij plotseling zijn vermoeden onder woorden moest brengen, leek dat des te realistischer te worden. 'Ik denk dat ik het slachtoffer dreig te worden van een putsch in de directiekamer. Volgens mij zal het lijken alsof ik nog steeds de baas ben, maar ben ik het niet meer.'

'Ik begrijp dat smerige wereldje van jou niet, Ingram, financiën, het bankwezen, farmacie. Wat zijn dat voor mensen die tegen je samenzweren? Zet ze op straat. Snij de kanker eruit.'

'Dat kan helaas niet.'

'Zorg dan dat je slimmer bent dan zij: bekritiseer ze achteraf, wees ze te slim af, frustreer ze.' De kolonel haalde de opgerookte sigaret uit zijn pijpje en stak er nog een op. 'Zorg dat je iets over hen te weten komt, Ingram. Zoek een manier om hen terug te pakken. Ga op zoek naar munitie.'

Geen slecht idee, dacht Ingram, en hij vroeg zich af of het mogelijk was, of hij nog genoeg tijd had... Misschien kon hij inderdaad nog iets doen...

'Bedankt, pa. Ik moest er maar weer eens vandoor.'

'Drink je gin op voordat je weggaat.'

Ingram deed wat hem werd opgedragen. Soms had hij een hekel aan gin, het leek wel of hij er depressief van werd.

Toen Ingram thuiskwam, liep hij naar de bibliotheek en zocht in het Franse woordenboek 'fourbe' op. Bedrieglijk, gluiperig, arglistig waren de synoniemen die gegeven werden. Ingram voelde zich even licht gekwetst; waarvan dacht zijn vader dat Trelawny Gables betaald werd? Van zijn legerpensioen? Toen besloot hij dat het waarschijnlijk de nawerking van zijn ontmoeting met Rilke was waardoor hij zo afwezig en in gedachten verzonken was. Goed, hij had nogal lopen piekeren, de woorden van genegenheid tegen zijn vader waren onoprecht en niet gemeend geweest. Wat hij aan slinksheid en arglist bezat zou hij in de strijd werpen, zoals reservetroepen die worden opgeroepen, wat ten koste ging van zijn gebruikelijke gecultiveerde aandacht en hoffelijkheid. Het was typerend voor de kolonel dat hij dat in de gaten had.

In de kleedkamer schonk hij zichzelf een dubbele whisky in en dronk die leeg voordat hij naar zijn verjaardagsfeestje beneden ging. Zijn drie kinderen waren er al – Guy, Araminta en Fortunatus – en een vreemde, merkte hij op, die snel werd voorgesteld als Rodinaldo, Forty's vriendje.

'Heb jij hem eerder gezien?' fluisterde hij discreet tegen Meredith.

'Een paar keer.'

'Hij lijkt ongelooflijk jong.'

'Hij is net zo oud als Forty. Ze werken samen.'

Maria-Rosa serveerde zijn favoriete avondmaal: kaassoufflé, lamsschenkel met gegratineerde aardappelen, en een sorbet van aardbeien met champagne. De conversatie aan tafel was afgezaagd, luchtig, te verwaarlozen. Ingram bekeek zijn kinderen aandachtig, ongeveer zoals zijn vader hem had bekeken: Guy, dertig jaar, knap, talentloos; Araminta, broodmager en in zijn ogen bijna zichtbaar trillend van de zenuwen. Misschien had de meedogenloze objectiviteit van zijn vader een aanstekelijke uitwerking op hem, maar hij realiseerde zich opnieuw – zonder een gevoel van schaamte of schuld – dat hij niet bepaald dol was op Guy en Minty. Hij gaf wel om hen, maar hij vond hen eerlijk gezegd niet aardig, en hij was ook niet echt in hen geïnteresseerd. Alleen Fortunatus interesseerde hem, de gezette, gespierde Forty, net twintig en nu al bijna kaal. Homo, onwaarschijnlijk genoeg, en de enige van zijn kinderen die nooit iets van hem vroeg, de enige van wie hij hield en de enige die dat gevoel niet beantwoordde.

'Ik heb opa nog gezien vandaag,' zei Ingram tegen hem. 'Hij zei dat jij bij Trelawny Gables werkt. Wat toevallig.'

'Hij heeft ons dat werk bezorgd,' zei Forty.

'Echt waar…?' Hier moest hij even over nadenken. 'En, Forty, hoe gaan de zaken?'

'Pap, alsjeblieft, ik heet Nate.'

'Ik kan een kind van mij toch geen "Nate" noemen, sorry hoor.'

'Dan had je me maar niet Fortunatus moeten noemen.'

'Fortunatus Fryzer,' zei Meredith, 'is een prachtige naam.'

'Het klinkt eerder als een middeleeuwse alchemist,' zei Forty/ Nate.

'Je weet heel goed waarom we je zo genoemd hebben, schat,' vervolgde Meredith op kalme toon.

'Ja. Waarom is?' vroeg Rodinaldo; zijn eerste woorden van de avond, besefte Ingram.

'Hij ging bijna dood toen hij geboren werd,' zei Ingram, en de herinnering kneep bijna zijn keel dicht. 'We dachten dat we hem zouden verliezen.'

'En ik ging óók bijna dood,' bracht Meredith hem met enige felheid in herinnering. 'We hadden allebéí erg veel geluk.'

Na het eten werd Ingram terzijde genomen door Guy, die hem

vroeg vijftigduizend pond te investeren in een bedrijf in klassieke auto's dat hij aan het opstarten was.

'Hoe bedoel je, "klassieke auto's"?'

'We kopen ze in, repareren ze en verkopen ze weer met winst. Je weet wel, Citroën DS, Triumph Stag, Ford Mustang, Jensen Interceptor; moderne klassiekers, tijdloos.'

'En wat weet jij van klassieke auto's?'

'Een beetje, nou ja, niet veel. Alisdair is de kenner. Er is een enorme markt voor dat soort wagens, enorm.'

'Moet je dan geen garage hebben, en een magazijn?'

'Daar is Alisdair mee bezig. We hebben gewoon een beginkapitaal nodig, om de zaak op te starten.'

'Ben je al bij de bank geweest? Die lenen geld uit, weet je.'

'Die waren niet echt behulpzaam, heel negatief zelfs.'

Ingram zei dat hij erover moest nadenken, excuseerde zich en ging naar de kleedkamer om nog wat whisky te drinken. Het liefst wilde hij vanavond dronken worden, om de een of andere reden de controle over zichzelf min of meer verliezen. Op de terugweg werd hij op de overloop opgewacht door Minty. Ze zei dat ze nog die avond tweeduizend pond nodig had.

'Nee schat, dat kan niet.'

'Dan ga ik naar King's Cross Station en dan verkoop ik mijn lichaam aan iemand.'

'Doe niet zo raar en dramatisch, daar hou ik niet van en dat weet je.'

Ze begon te huilen. 'Ik ben iemand geld schuldig. Ik moet hem vanavond terugbetalen.'

Ingram ging weer naar boven, naar zijn slaapkamer, opende de kluis en kwam terug met achthonderd pond en bijna tweeduizend dollar. Minty reageerde meteen een stuk rustiger.

'Dank je wel, pap,' zei ze. 'Ik moet nu weg. Fijne verjaardag nog.' Ze gaf hem een vluchtig kusje op zijn wang. 'Niets tegen mammie zeggen, hoor.'

'Betaal me maar terug zodra je kunt,' zei hij terwijl ze de trap af trippelde, met meer verbittering in zijn stem dan hij bedoeld had.

Hij volgde haar langzaam de gang in, waar Forty en Rodinaldo hun jacks aantrokken en hun rugzakken omgorden omdat ze blijkbaar ook niet konden blijven.

'Fijne verjaardag nog, pap,' zei Forty, terwijl hij hem omhelsde.

Een ogenblik lang hield Ingram zijn armen om zijn zoon heen geslagen, en liet hem toen los.

'Gaat alles goed met het tuinieren?' vroeg Ingram.

'Ja hoor, prima.'

'Ik wil graag investeren, hoor. Je weet wel, om te helpen groeien. Haha.' Ingram merkte dat hij aangeschoten was, door al die whisky en de wijn.

'Het gaat goed zo. Klein is beter.'

Rodinaldo knikte. 'Nate en ik. Wij kunnen alles wat we willen.'

'Bofkonten,' zei Ingram. 'Vergeet niet, het aanbod blijft staan, hoor. Nieuwe schoppen, een nieuw busje, nieuwe…' Om de een of andere reden kon hij verder niets verzinnen wat een tuinman nodig zou kunnen hebben. 'Hoe dan ook, ik ben er voor je.' Hij voelde tranen van dronkenschap opwellen in zijn ogen, terwijl hij toekeek hoe zijn jongste zoon een soort camouflagejack aantrok. Hij wilde hem opnieuw in zijn armen nemen en hem kussen, maar in plaats daarvan deed hij een stap naar achteren, stak nonchalant een hand op bij wijze van groet. Meredith sloeg een arm om zijn middel en kneep zachtjes. Aha, dacht Ingram, net op tijd voor een PRO-Vyril.

Terwijl ze de trap op liepen naar de slaapkamer, ging de telefoon.

'Ik neem hem wel,' zei Ingram.

Het was Burton Keegan.

'Het is al erg laat, Burton,' zei Ingram met lage, kalme stem.

'We hebben een ingelaste vergadering, morgen.'

'Morgen is het zondag.'

'De wereld draait door, Ingram.'

18

Bozzy leverde de mobiele telefoon van Adam Kindred en zijn portefeuille met creditcards in.

Jonjo spreidde ze uit. 'Allemaal Amerikaans, op één na.'

'Ja. We zijn nog teruggeweest, voor de pincodes. Zaz had hem te hard geschopt, dus we waren een beetje… emotioneel, weet je. Daarom hebben we hem laten liggen. Toen we terugkwamen, was hij weg.'

'Sta eens even stil, zeg. Ik krijg de zenuwen van je.'

'Sorry, bruv. Cool.' Bozzy probeerde stil te staan.

'En noem me geen "bruv". Ik ben je broer niet, althans niet zoals ik dat opvat.'

'Cool. Check, *boss*.'

Jonjo stopte de creditcards en de telefoon in zijn zak en gaf Bozzy nog een paar briefjes van twintig pond. Uit een andere zak haalde hij een stapeltje kopieën van de advertentie waarin Kindred gezocht werd, en gaf die ook aan hem.

'Ga de buurt langs. Laat dit zien en vraag of mensen hem die avond gezien hebben.'

Bozzy bekeek de foto van Kindred.

'Is dat de gast die we toen overvallen hebben?'

'Ja. Hij wordt verdacht van moord. Op een dokter.'

'Wat een lúl.'

'Vraag maar,' zei Jonjo, en hij keek onder een van zijn schoenen; hij had in iets plakkerigs getrapt en veegde het af aan een van de matrassen.

'De zaak moet in de hens hier,' zei hij. 'Ik kom hier niet meer, oké?'

'Gesnapt, boss.'

'Vind die gast,' zei Jonjo. 'Iemand hier in de buurt weet waar Kindred is.'

19

Als je niets hebt, dacht Adam, wordt alles, zelfs het minste en geringste, een probleem. Om zijn leven als bedelaar te beginnen, was hij gedwongen geweest te stelen, een viltstift uit een kantoorboekhandel. Bij een slijter had hij een rechthoekig stuk karton van een lege wijndoos gescheurd, en daarop schreef hij: DAKLOOS EN HONGERIG. EEN BIJDRAGE ALSTUBLIEFT. ALLEEN KOPERGELD GRAAG.

Op zijn eerste dag had hij zich bij een supermarkt aan King's Road opgesteld. Hij zat in kleermakerszit naast de hoofdingang en zette het bordje tegen zijn knieën. Vrijwel onmiddellijk begonnen mensen hem kopergeld te geven, alsof ze blij waren van die vervelende, zware, vrijwel waardeloze muntjes af te komen. Adam stelde met genoegen vast dat zijn logische redenering juist bleek: niets is zo irritant als zware zakken en portemonnees vol met de zinloze ballast van muntgeld. *'Buddy, can you spare me a dime?'* was zijn inspiratiebron geweest. Hij trok zijn colbert uit en spreidde dat voor zich uit, zodat potentiële donors hun geld op het textiel konden werpen zonder in aanraking te komen met zijn vieze hand met rouwranden. Binnen vijf minuten had hij 3,27 pond binnen. Hij stopte de munten van één en twee pence in zijn zak – zo nu en dan zat er ook een munt van vijf pence bij – en iemand had hem zelfs een pond gegeven, waarschijnlijk onder de indruk van het bescheidene en beleefde van zijn verzoek.

Toen hij twintig minuten later de grens van vijf pond had overschreden, kwam er een man naast hem zitten. Hij was jong, erg mager, met net zo'n woeste baard als Adam, en even vies.

'Msjkin n gsadnka,' zei hij, of woorden van die strekking.

'Dat versta ik niet,' zei Adam. 'Ik spreek alleen Engels.'

'Oprotten,' zei de man, en hij liet hem een stanleymes in zijn handpalm zien. 'Ik hier. Van mij. Ik steek jou.'

Adam verdween meteen en liep naar Victoria Station, waar hij neerstreek op het trottoir tussen een geldautomaat en een souvenirwinkel. Nadat hij ongeveer een pond had verdiend, kwam de eigenaar van de souvenirwinkel naar buiten en bespoot hem met insectenspray.

'Kanker op, smerige asielzoeker,' zei de man. En Adam liep door, met brandende ogen.

Hij had op zijn eerste dag 6,13 pond verdiend, en op zijn tweede haalde hij 6,90 pond binnen. En nu, halverwege de middag op zijn derde dag als bedelaar – gezeten tussen een krantenwinkel en een kleine vierentwintiguurssupermarkt genaamd PROXI-MATE – had hij nog eens vijf pond vergaard. In dit tempo, berekende hij, van zeg maar vijf pond per dag, kon hij vijfendertig pond per week verdienen, bijna tweeduizend pond per jaar. Het luchtte hem op maar maakte hem ook gedeprimeerd. Het betekende dat hij niet van de honger zou omkomen, hij kon zich veroorloven om goedkoop, ongezond eten te kopen, en hij kon zo nu en dan naar de Kerk van Johannes Christus gaan voor een voedzame maaltijd, en natuurlijk slapen in de driehoek bij de Chelsea Bridge. Maar het was pas het begin van de zomer; hoe zou het zijn in december of februari? Hij voelde zich een gevangene, nu al, in een val van armoede. Hij zag zichzelf in een nauwelijks draaglijke cirkel van de hel – ondergronds, dat wel, onontdekt, dat ook – maar er móést iets veranderen. Hoe kon hij zijn oude leven, zijn oude status terugkrijgen? Ooit had hij een vrouw gehad, een mooi, ruim modern huis met airco, een auto, een baan, een titel, een toekomst. Het bestaan dat hij nu leidde was zo marginaal dat het nauwelijks menselijk kon worden genoemd. Hij was als een van de Londense duiven om hem heen die hun maaltje bij elkaar pikten in de goot. Zelfs de vossen waren beter af, met hun warme holen en gezinnen.

Hij ging naar banken en wisselkantoren om zijn handenvol koperen munten te wisselen voor pondmunten. De kassiers waren niet blij met hem, hoewel ze hem onwillig van dienst waren. Hij liep steeds verder en probeerde zo weinig mogelijk banken en wisselkantoren opnieuw te bezoeken, om anderen geen last te bezorgen en daardoor herkend te worden.

Hij betaalde voor een douche in de luxe suite van Victoria Station, en waste voor het eerst in bijna een maand zijn haar. Hij keek naar de vermagerde, bebaarde vreemdeling die hem aanstaarde in de spiegel, terwijl hij zijn haar achteroverkamde, en hij werd overvallen door tegengestelde gevoelens: enorme trots om zijn veerkracht en behendigheid, en bitter zelfmedelijden omdat het zover met hem gekomen was. Ja, ik ben vrij, dacht hij, maar wat is er van me geworden?

Schoon, in zijn niet passende krijtstreeppak en met pas gekoch-
te, behoorlijk glimmende, zwarte veterschoenen (één pond in een
uitdragerij) liep hij terug naar zijn driehoek en haalde daar de teenslippers van Mhouse. Hij had behoefte aan normaal, fatsoenlijk
contact met een ander mens (liefst een vrouw). De afgelopen dagen hadden honderden mensen hem kleine geldbedragen geschonken, sommigen hadden zelfs vriendelijke woorden met hem
gewisseld, maar hij werd Mhouse steeds dankbaarder voor haar tip
om naar de Kerk van Johannes Christus te gaan – die kerk was let-
terlijk zijn redding geweest – zelfs in haar woede had ze om hem
gegeven, bedacht hij. Hij wilde haar bedanken en zich aan zijn belofte houden en haar slippers terugbrengen. Ze zou verbaasd opkijken, veronderstelde hij – misschien zelfs ontroerd – omdat hij
zijn belofte nakwam.

Hij nam de bus naar Rotherhithe – weer een klein treetje hoger
op de ladder van de menselijke beschaving – en stapte uit bij The
Shaft. Hij wandelde over de drie binnenpleinen van het complex,
voordat hij het deel herkende waar hij overvallen was (de graffiti
vormden een geheugensteuntje). Hij zag de vernielde speeltuin en
de trap waaronder hij bewusteloos had gelegen. Een oude vrouw,
die een boodschappenkar met een hobbelend wieltje achter zich
aan sleepte, kwam langzaam op hem af gelopen, en toen ze vlak bij
hem was, vroeg hij of ze iemand kende die Mhouse heette.

'Welk blok?'

'Dat weet ik niet.'

'Dan kan ik je niet helpen, schat,' zei ze, en ze liep schuifelend
verder.

Hij ging dieper het wooncomplex in. Hij voelde zich volmaakt
onopvallend: een sjofel, ongewassen, bebaard figuur in tweedehands
kleren, zoals de meeste mannelijke bewoners van The Shaft. Nog
twee keer vragen en hij wist waar Mhouse woonde: flat L, niveau
3, blok 14. Hij ging de trap op naar haar galerij en voelde zich een
beetje gespannen en ongerust, bijna alsof hij een afspraakje had.

Hij klopte aan en na een poosje hoorde hij haar stem: 'Ja? Wie
is daar?'

'Johannes 1603,' zei hij, en toen deed ze als vanzelfsprekend open.

Hij bood haar de teenslippers aan.

'Die kom ik terugbrengen,' zei hij.

In de flat van Mhouse waren twee slaapkamers, een badkamer, een eetkamer met keukenhoek en een zitkamer. Er waren geen vloerkleden of gordijnen en er stonden maar weinig meubels: twee verschillende leunstoelen, wat kussens en een tv in de zitkamer, twee matrassen op de vloer in de slaapkamer die ze deelde met Ly-on. In de keuken stond een fornuis maar geen koelkast. De andere slaapkamer stond vol dozen met kleren en allerlei andere spullen. Het vreemdste, vond Adam, waren de rubberslangen en elektriciteitskabels die door een ontbrekend ruitje in het keukenvenster naar binnen kwamen. Die zorgde voor stromend water in de keuken maar niet in de badkamer. In alle kamers was echter elektriciteit, doordat er vanuit een vierkant kastje op de keukenvloer overal draden naartoe liepen. Mhouse gaf Adam een kop erg zoete thee; ze had niet gevraagd of hij er wel suiker in wilde.

'Ly-on, ga maar op de grond zitten,' zei ze tegen het jongetje dat tv zat te kijken. Hij kwam gehoorzaam uit zijn stoel en nam plaats op een opblaaskussen voor de tv. Hij bewoog zich langzaam, lethargisch, alsof hij net wakker was geworden. Adam ging in de stoel zitten, tegenover Mhouse.

'Dat is mijn zoon,' zei ze. 'Ly-on.'

'Leon?'

'Nee, Ly-on. Net als in het oerwoud, met leeuwen en tijgers en zo.'

'O ja.' Adam herinnerde zich haar tatoeage: MHOUSE en LY-ON aan de binnenkant van haar onderarm. 'Mooie naam voor een jongen.'

Ly-on was klein van stuk, erg klein, met een groot hoofd vol krullen en grote bruine ogen.

'Zeg eens hallo tegen Johannes.'

'Hallo, Johannes. Kom jij mammie meenemen?'

'Morgen gaan we wandelen, lieverd.'

Het viel Adam op dat Ly-on, hoewel hij erg klein was zonder een grammetje vet, wel een dikke buik had, als van een bierdrinker.

'Zit jij nog in Chelsea?' vroeg Mhouse.

'Soms, maar ook wel ergens anders,' zei Adam, die op zijn hoede was. Mhouse was de enige die hem had bezocht in zijn driehoek, voor zover hij wist.

'Hoe vind je de kerk?'

'Ik vind het... geweldig,' zei Adam gemeend. 'Ik ga er bijna iedere avond heen, maar de laatste tijd zie ik jou niet meer zo vaak..'

'Ja. Ik probeer wel te gaan, maar weet je, soms is het moeilijk, met Ly-on en zo.' Ze krabde onwillekeurig aan haar rechterborst. Ze droeg een wit T-shirt zonder mouwen met op de voorkant de tekst SUPERMOM!, en een afgeknipte lichtblauwe spijkerbroek. Ze nestelde zich behaaglijk in de leunstoel en trok haar voeten onder zich. Ze was te klein, stelde Adam vast, een soort kindvrouwtje; misschien was Ly-on daarom ook wel zo klein.

Hij keek naar het joch, dat zich op de grond had uitgestrekt alsof hij ieder moment in slaap kon vallen.

'Ga maar naar je bedje, liefje,' zei Mhouse, en het ventje stond langzaam op en waggelde naar de slaapkamer. 'Hij heeft net gegeten,' zei ze. 'Hij is moe. En ik moet van mijn luie reet af en aan het werk. Nee, nee, blijf maar zitten en drink je thee op. Ik ga me even omkleden.'

Adam nipte van zijn te zoete thee en ging zitten zappen. Ze leek ontelbaar veel zenders op haar tv te hebben. Toen ze weer tevoorschijn kwam, had ze glanzende ritslaarzen van wit plastic aan, een minirok en een strakke bustier van roodzwart satijn die haar borstjes als kleine ballen boven de kanten zoom uit duwden. Ze had zich zwaar opgemaakt: rode lippen en zwarte ogen.

'Ik ga naar een feestje,' zei ze. 'Op een boot op de rivier.'

'Hartstikke fijn,' zei Adam. 'Je ziet er fantastisch uit.'

Ze keek hem schuin aan, vragend. 'Hou je me voor de gek?'

'Nee, echt. Je ziet er fantastisch uit.'

'Dank u wel, aardige meneer,' zei ze, terwijl ze in haar handtas naar sleutels zocht. Adam keek naar haar strakke decolleté, rook de prikkelende chemicaliën van haar parfum, en vond haar plotseling seksueel uiterst aantrekkelijk; hij herkende de simpele doelmatigheid van haar kleding en de signalen die ze ermee uitzond naar mensen, naar mannen. Ze had iets van een schalks duveltje over zich – als je je tenminste een seksueel aanlokkelijk duveltje kon voorstellen, dacht Adam – en haar smalle, half geloken ogen droegen bij aan dat bovennatuurlijke effect.

Ze bleef staan bij de deur. 'Sta je al ingeschreven?'

'Nee, nog niet,' zei Adam. 'Ik verdien tegenwoordig een beetje geld.'

'Op de baan?'

'Wat?'

'Met tippelen? Voor mannen?'

'Nee, met bedelen.'

Ze fronste haar wenkbrauwen en dacht na. 'Ik heb hier een kamer over. Als je wilt. Twintig pond per week. Omdat we bij dezelfde kerk zijn, zeg maar.'

'Bedankt, maar ik red me wel op het moment. Bovendien is het ook een beetje boven mijn budget.'

'Je kunt wel rood staan bij mij, hoor.'

'Liever niet. Maar evengoed bedankt.'

'Zoals je wilt.' Ze deed de deur voor hen allebei open. 'Bedankt voor het terugbrengen van de slippers. Dat is aardig van je, en lief.'

'Het was ook aardig en lief van jou om ze mij te lenen. En om me op de kerk te wijzen. Ik weet niet wat ik anders had moeten beginnen.'

'Ja, nou ja... Je bent een samaritaan of je bent het niet, hè?' Ze betraden de galerij en ze deed de deur achter zich op slot.

'Kun je Ly-on zomaar alleen laten?' vroeg Adam op een hopelijk niet al te bezorgde toon.

'Ja hoor, hij slaapt tot het middaguur morgen, als ik hem niet wakker maak.'

Ze liepen door The Shaft in de richting van metrostation Canada Water. 'Tot ziens, Johannes, het beste,' zei ze toen ze afscheid namen en zij op weg ging naar haar perron. Adam zag hoe mannen zich omdraaiden als ze langsliep, hoe hun blikken haar volgden en hun neusgaten zich opensperden. Hij besloot naar de Kerk van Johannes Christus te gaan; hij begon trek te krijgen.

'Ik krijg gauw paspoort,' zei Vladimir. 'Als ik paspoort heb, ik krijg werk, als ik heb werk, ik krijg flat. Ik krijg bankrekening. Ik krijg creditcard. Ik mag rood staan. Geen problemen meer voor mij.'

Adam luisterde naar Vladimir alsof hij een reiziger was die zojuist was teruggekeerd uit een ver sprookjesland. Als een soort derderangs Marco Polo met verhalen over onvoorstelbare wonderen. Fantastische leefstijlen en ongekende mogelijkheden die voor altijd buiten zijn bereik zouden blijven. Dat hij zelf ooit huiseigenaar was geweest leek nu een bespottelijk gegeven; dat hij een portefeuille vol creditcards en diverse goedgevulde bankrekeningen had gehad een dwaze droom. Hij boog het hoofd, stopte een lepel chili con carne in zijn mond, kauwde bedachtzaam en dacht terug. Hij zat aan zijn gebruikelijke tafel. Gavin Thrale was er ook, maar Turpin ontbrak

'En waar "krijg" je dat paspoort dan?' vroeg Thrale terloops.

Vladimir begon toen een ingewikkeld verhaal over drugsverslaafden en drugsholen in landen van de Europese Gemeenschap – Spanje, Italië, Duitsland, Nederland – waar een verslaafde die op sterven na dood was en op zijn of haar laatste benen liep, door 'gangstervolk' werd aangemoedigd om een paspoort aan te vragen. Als de verslaafde kwam te overlijden, werd het paspoort verkocht aan iemand uit dezelfde leeftijdsgroep die een vage gelijkenis vertoonde met de junkie. Er hoefde niets te worden vervalst, dat was het grote voordeel, dat was het fantastische van het hele bedrog: het was onmogelijk om door de autoriteiten gepakt te worden.

Thrale keek uiterst sceptisch. 'En wat kost zo'n paspoort wel niet?'

'Duizend euro,' zei Vladimir.

Adam herinnerde zich dat hij ooit een paspoort had gehad, maar dat had hij achtergelaten in Grafton Lodge toen hij naar het sollicitatiegesprek ging. Het was ongetwijfeld in beslag genomen samen met de rest van zijn eigendommen.

'Dus dan heb je zo'n paspoort,' vervolgde Thrale, die blijkbaar geïnteresseerd was geraakt, 'maar dan moet je je uitgeven voor… voor een Deen, een Spanjaard, een Tsjech…'

'Maakt niet uit, Gavin,' zei Vladimir vasthoudend. 'Belangrijkste is jij hebt paspoort van Europese Gemeenschap: wij nu allemaal hetzelfde. Maakt niet uit welk land.'

'Wanneer krijg je het?' vroeg Adam.

'Morgen, of overmorgen.'

'Dus dan zien we je hier niet meer terug.'

'Absoluut niet!' lachte Vladimir. 'Ik krijg paspoort, ik krijg werk, ik klaar met kerk. Ik opgeleid als *kiné*, weet je.'

'Fysiotherapeut,' voegde Adam er voor Thrale aan toe.

'Natuurlijk. Dat was toen jouw dorp in Oekraïne al dat geld inzamelde voor je bypass.'

'Niet Oekraïne, Gavin. Niet bypass, nieuwe hartklep.'

Adam nam zijn laatste hap chili con carne; de porties bij de Kerk van Johannes Christus waren ruim bemeten. De preek van bisschop Yemi had die avond tweeënhalf uur geduurd, en hij had verder uitgeweid over zijn idee van Johannes Christus als de leider van een kleine cel van vrijheidsstrijders die vocht om hun volk te bevrijden van de onderdrukking door het Romeinse Rijk. Jezus – als trouwe plaatsvervanger – had zichzelf opgeofferd voor Johannes, opdat de leider een veilig heenkomen kon zoeken en de strijd kon doorgaan. Het stond allemaal in de *Openbaring*, als je het wist te ontcijferen. Toen was hij ingedommeld; alleen de meest hongerigen konden de preken in volle concentratie uitzitten.

'Iemand Turpin gezien?' vroeg Vladimir.

'Waarschijnlijk hangt hij rond bij de speelplaats van een kleuterschool,' zei Thrale.

Op dat moment verscheen bisschop Yemi, die een blik wierp op zijn Johannesen.

'Hoe gaat-ie, jongens?' vroeg hij met een brede grijns, kennelijk niet geïnteresseerd in hun antwoord.

'Prima, dank u,' zei Adam. Hij voelde een vreemd soort warmte voor bisschop Yemi: die man en zijn organisatie hadden hem tenslotte gevoed en gekleed.

Bisschop Yemi spreidde zijn handen. 'Moge de liefde van Johannes Christus met jullie zijn, broeders,' zei hij, en hij liep naar de volgende tafel. Het was die avond een kleine gemeente geweest. Nauwelijks meer dan tien mensen.

'Waarom dringt het woord "fake" zich plotseling op?' zei Thrale.

'Nee, hij goede man, bisschop Yemi,' zei Vladimir terwijl hij opstond. Hij keek naar Adam en maakte een rookgebaar. 'Ga je mee, Adam? Ik heb monkey.'

'Nee bedankt, vanavond niet,' zei Adam. Vladimir vroeg na de maaltijd altijd of hij meeging om monkey te roken – hij mag me waarschijnlijk graag, dacht Adam – en Adam sloeg zijn aanbod altijd af.

Later stonden Adam en Thrale bij de uitgang nog even te praten. Beiden keken omhoog naar de avondlucht. Er waren een paar kleine wolkjes te zien, die een licht abrikozenkleurige gloed hadden.

'*Cirrus fibratus*,' zei Adam zonder na te denken. 'Er is ander weer op komst.'

Thrale keek hem nieuwsgierig aan. 'Hoe weet jij dat in godsnaam?' vroeg hij gefascineerd.

'O, gewoon een hobby,' zei Adam snel, maar hij voelde dat hij bloosde. Idioot, dacht hij. 'Ooit eens een boek over gelezen...'

'Hoe komt het toch dat mensen als jij en ik hier terechtkomen?' zei Thrale, 'en ons verbergen achter een baard en lang haar?'

'Ik zei al, ik heb een paar zenuwinzinkingen...'

'Ja hoor. Hou toch op, man. Wij zijn allebei hoogopgeleid. Intellectueel. Telkens als we onze mond opentrekken is dat overduidelijk. Wij konden net zo goed het woord BREIN op ons voorhoofd laten tatoeëren.'

'Dat kan wel zo zijn,' hield Adam vol, 'maar ik ben ingestort. Alles viel uit elkaar. Ik heb mijn vrouw verloren, en mijn baan. Ik heb maanden in het ziekenhuis gelegen...' Hij zweeg. Hij geloofde het inmiddels zelf ook bijna. 'Ik probeer mij oude leven weer terug te krijgen, stukje bij beetje, langzaam maar zeker.'

'Tja,' zei Thrale. 'Dat proberen we allemaal.'

'En jij dan?' vroeg Adam, die graag van onderwerp veranderde.

'Ik ben romanschrijver,' zei Thrale.

'Echt waar?'

'Ik heb heel wat romans geschreven – wel twaalf – maar er is er maar één uitgegeven.'

'En dat was...?'

'*Het huis met de hortensia.*'

'Ik geloof niet dat ik...'

'Dat kan ook niet. Het is uitgebracht door een kleine uitgeverij: Idomeneo Editore. Op Capri.'

'Capri? In Italië?'

'Vorige week nog wel, ja.'

'Juist,' zei Adam. 'Er is tenminste iets van je uitgegeven. Dat is geen geringe prestatie. Om een boek dat je zelf hebt geschreven in je hand te kunnen houden, met je naam op het omslag: *Het huis met de hortensia*, door Gavin Thrale. Geweldig gevoel, lijkt me dat.'

'Alleen heb ik het onder pseudoniem geschreven,' zei Thrale. 'Irena Primavera. Dat is toch net even iets anders.'

'Was het in het Engels?'

'De titel was niet *La Casa dell'Ortensia*.'

'Gesnapt. Ben je met iets nieuws bezig?'

Ze hadden de kerk achter zich gelaten en wandelden Jamaica Road in.

'Dat ben ik inderdaad. Het heet *De masturbeerder*. Om de een of andere reden betwijfel ik of ik er een uitgever voor zal vinden.'

'Is dat al niet beschreven in *Portnoy's...*'

'In vergelijking met mijn roman leest *Portnoy's Complaint* als *Winnie the Pooh*,' zei Thrale met een harde ondertoon in zijn stem.

'Maar,' zei Adam, 'als je romanschrijver bent die al gepubliceerd heeft, wat doe je dan in de Kerk van Johannes Christus?'

'Hetzelfde als jij,' zei Thrale veelbetekenend. 'Ik hou me gedeisd.'

Beide mannen zwegen een poosje. Adam bleef even staan om een plakkerig stuk kauwgom van zijn schoenzool te verwijderen. Thrale wachtte op hem.

'Ik heb jarenlang redelijk verdiend,' zei Thrale mijmerend, 'door het stelen van zeldzame boeken uit bibliotheken. Kaarten, illustraties, dat soort zaken. Ik werkte in heel Europa; ik deed me voor als wetenschapper. Sommige waren uiterst zeldzaam. Maar ik werd gesnapt en toen moest ik mijn schuld aan de samenleving inlossen.'

'Aha.' Adam kwam overeind.

'Mijn grote fout toen ik weer vrijkwam was dat ik meende de dames en heren van de uitkeringsinstanties te kunnen belazeren. Ik liet me inschrijven voor een uitkering maar deed tegelijkertijd allerlei ongeschoold werk. Iemand heeft me genaaid, ik werd in de gaten gehouden – het is een keihard wereldje, Adam – en mijn uitkering werd stopgezet. Ze zijn op zoek naar me, ik word beschuldigd van oplichterij. Maar ik heb geen zin om weer de gevangenis in te gaan.'

'En dus...'

'En dus ben ik zo enthousiast over bisschop Yemi's complottheorie.'

Ze waren bij Adams bushalte gekomen.

'Tot morgen,' zei Adam.

'Hoe hou jij je staande?'

'Door te bedelen.'

'O jee. Wat een wanhoop.'

'En jij?'

'Ik heb mijn oude stiel weer opgepakt. Ik steel boeken, op bestelling, voor studenten.' Hij fronste zijn wenkbrauwen. 'Ik moet zorgen dat ik niet weer word gepakt.' Zijn frons ging over in een gemaakte grijns. 'Ik ga deze kant op. Ik woon in een kraakpand in Shoreditch, samen met een interessante mengelmoes aan jonge mensen.'

Adam keek hem na terwijl hij wegslenterde, en keek daarna hoeveel geld hij nog had. Het was een heerlijke avond, hij kon net zo goed naar Chelsea lopen, en een paar pence besparen.

20

De Burberry-trenchcoat lag op het gebarsten beton van de tweede ondergrondse parkeergarage van The Shaft. Mohammed wierp er een bezorgde blik op.

'Niet vuil maken,' zei Mohammed.

Bozzy raapte de jas op en legde hem op een glimmende olievlek, stampte erop en wreef hem met de hakken van zijn schoenen in de troep. Toen probeerde hij er met zijn aansteker de brand in te steken.

'Oké, oké,' zei Jonjo. 'Rustig aan.'

Kleine gele vlammetjes likten langs de bekende geruite voering van de trenchcoat.

'Ik vermoord je, godverdomme!' schreeuwde Mohammed tegen Bozzy.

'Jij bent al fucking dood!' schreeuwde Bozzy terug. 'Hoe wou je me vermoorden? Hè? Zelfmoordaanval?'

'Bek dicht, godverdomme!' brulde Jonjo, en iedereen hield zijn mond.

Jonjo liep op Mohammed af, die terugdeinsde.

'Ik zal je geen pijn doen,' zei Jonjo. 'Nog niet... Hoe kom je aan die jas?'

'Dat zei ik al tegen Boz,' zei Mohammed. 'Drie, vier weken geleden, ik heb taxibusje, oké? Ik taxichauffeur, ja? Het was laat. Ik wilde net naar de clubs, weet je. Dan zie ik die vent, ik dacht dat hij dood was, maar dan zie ik bloed op zijn hoofd, ja?' Mohammed vertelde de rest van zijn verhaal: dat die vent in Chelsea bleek te wonen en terug wilde, en hoe Mohammed, die zich verheugde op een lange rit en een flinke ritprijs, zei dat die vent moest instappen. Maar toen ze in Chelsea kwamen, zei die vent dat hij geen geld had, en dus bood hij zijn regenjas aan bij wijze van betaalmiddel. Mohammed nam het aanbod maar al te graag aan.

'We reden naar Chelsea, zeg maar. Hij zegt dat hij zijn regenjas gaat halen, maar ik vertrouw het niet helemaal – omdat hij naar die woestenij liep – dacht dat hij me verneukte, dat hij weg zou rennen. Maar hij komt terug met de jas en ik zag meteen, zeg maar, dat het een Blueberry was. Klasse, man, zonder dollen. Honderd pond, makkelijk.'

Bozzy deed een stap naar voren en wees met een vinger naar het plekje tussen Mohammeds harige wenkbrauwen.

'Je liegt, klootzak.' Hij wendde zich tot Jonjo. 'We hebben die loser gestript. Hij had alleen nog maar een hemd en een onderbroek aan.'

'Hij had kleren aan, man. Ik wil geen naakte kerels in mijn taxi.'

'Je liegt, klootzak!'

Jonjo stompte Bozzy keihard op zijn schouder. Bozzy stiet een scherpe kreet uit. Hij deed een stap terug, zijn arm slap bungelend langs zijn lichaam.

'Dus je hebt hem afgezet in Chelsea,' zei Jonjo tegen Mohammed. 'Bij een huis?'

'Nee. Bij een brug, het was zo'n dakloze.'

Nu greep Jonjo Mohammed bij de keel en tilde hem op, zodat hij met zijn tenen nauwelijks het beton raakte. Mohammed greep Jonjo's ijzeren vuist vast, wanhopig tastend naar een steunpunt.

'Niet liegen, Mo.'

'Ik zweer het, baas,' fluisterde hij met uitpuilende ogen.

'Martel hem,' zei Bozzy.

Jonjo liet Mohammed los. Hij hoestte, schraapte zijn keel en spuugde.

'Ik zet hem af. Hij verdwijnt in een stuk woestenij, zeg maar. Hij komt terug met de regenjas en geeft die aan mij.'

Jonjo voelde een warme golf door zich heen gaan. Een stukje onland langs de Theems bij een brug in Chelsea: de Battersea Bridge, de Albert Bridge of de Chelsea Bridge, een van die drie moest het zijn. Dus Kindred sliep in de openlucht en hield zich daar schuil: geen wonder dat hij zo moeilijk te vinden was. Hij keek Mohammed aan, die nog steeds stond te hoesten en te spugen, alsof hij een visgraat in zijn keel had.

'Dus hij sliep in de openlucht bij een brug, hè...?' zei Jonjo, met een welwillendheid die zijn stem een beetje hees maakte. Hij zou Mohammed geen pijn meer doen. Dat hoefde niet. 'Nou, vertel me nu maar eens precies over welke brug we het hebben.'

Jonjo parkeerde zijn taxi op een klein pleintje en liep de achthonderd meter terug naar de Chelsea Bridge. Hij bleef een poosje staan bij de balustrade rond de smalle driehoek ruig begroeide woestenij om te zien of hij enige beweging kon waarnemen, een teken dat iemand zich er schuilhield. Toen hij zeker wist was dat er niemand was, wachtte hij tot het verkeer langs het Embankment even rustiger werd, en sprong over de ijzeren balustrade. Hij struinde snel door de driehoek; het terrein was groter dan je vanaf de straat zou zeggen, en vlak bij de brug stond uitgerekend een reusachtige, oude vijgenboom. Naarmate Jonjo de punt van de driehoek naderde en zich steeds verder van de brug af begaf, merkte hij dat het struikgewas steeds dichter werd. Hij bukte zich onder een paar lage takken door, wrong zich door dichte struiken en kreupelhout, en kwam op een kleine open plek. Er lagen drie autobanden opgestapeld die samen een primitieve zitplaats vormden; onder een struik vond hij een oranje kistje met daarin een primus, een steelpan, een stuk zeep en drie lege blikjes bonen in tomatensaus.

Jonjo zocht nog even verder. Prima schuilplaats, onzichtbaar vanaf de straat en voor het verkeer op de brug. Het gras was platgetrapt; iemand woonde hier al een hele tijd. Hij vond een pioniersschop: nergens afval te zien, uitwerpselen waren waarschijnlijk begraven, indrukwekkend allemaal. Hij keek omhoog, het was bijna donker, de lichtjes van de Chelsea Bridge straalden helder tegen de blauwpaarse avondlucht.

Hij controleerde de magazijnen van zijn beide pistolen en ontdekte een behaaglijke schuilplaats, een paar meter verwijderd van Kindreds open plek. Kindred zou over een uurtje of zo, of wanneer dan ook, wel terugkomen. Het kon hem niets schelen hoe lang hij moest wachten: in het regiment had hij wel eens twee weken moeten wachten om iemand om te leggen. Kindred kon zo lang op zich laten wachten als hij wilde: nu hij zijn geheime schuilplaats had ontdekt stond Jonjo Case op het punt het hoofdstuk 'Kindred' af te sluiten: op niet mis te verstane wijze.

21

Adam besefte dat hij telkens weer verbaasd was – overdonderd zelfs – door de enorme omvang van Londen, ook al had hij de afgelopen weken eindeloos door de straten gezworven. De wandeling vanaf de Kerk van Johannes Christus in Rotherhithe naar de Chelsea Bridge duurde bijna anderhalf uur, maar op de kaart had hij nauwelijks een afstand afgelegd in de reusachtige, zich aldoor uitbreidende massa van de stad: een piepklein, kronkelig wandelingetje door vijf stadsdelen: Bermondsey, Southwark, Lambeth, Pimlico en Chelsea. Goed, hij had onderweg gepauzeerd voor een kop koffie en een flesje water en een appel voor zijn ontbijt, maar zijn voeten deden pijn toen hij de Battersea-kant van de Chelsea Bridge bereikte. Hij was blij om de slingers met brandende lampjes te zien, en het viel hem op dat het laagwater begon te worden en zijn strandje zichtbaar werd. Misschien nam hij wel een nachtelijk bad: hemd uit, wat koud water over zijn bovenlijf, misschien verwarmde hij zelfs wat water in zijn steelpan om zijn haar te wassen.

Hij stak de brug over, sloeg linksaf en zag nog net op tijd hoe vier politieagenten, gehuld in kogelvrije vesten, het hek naar de driehoek ontsloten en naar binnen gingen. Hij stak rennend het Embankment over en wachtte af, half verscholen achter het oorlogsmonument op de hoek van Chelsea Bridge Road. Hij keek en wachtte, doodnerveus, en plotseling ongerust, heel erg ongerust. Er leek niets te gebeuren. Hij keek op een niet bestaand horloge om zijn pols en liep wat heen en weer, alsof hij de tijd stond te doden – voor het geval er iemand geïnteresseerd mocht zijn in zijn aanwezigheid – omdat hij misschien wachtte tot er iemand uit het Lister Hospital aan de overkant van de straat zou komen, en zonder enige reden strikte hij opnieuw zijn schoenveters. Ongeveer tien minuten nadat de politieagenten de driehoek in waren gegaan, zag hij hen weer tevoorschijn komen met een vijfde man, een beer van een vent, met handboeien om.

Hij zag hoe een van de politiemensen assistentie inriep via zijn mobilofoon, en ongeveer twee minuten later stopten er twee patrouillewagens – met loeiende sirenes en blauwe zwaailichten –

naast de driehoek, en de vijfde man werd in een van de wagens geduwd. Toevallig stond de politieauto onder een straatlantaarn op nog geen vijftien meter van Adam, zodat hem geen detail ontging. Vlak voordat de lange kerel achterwaarts op de achterbank van de politieauto werd geduwd, bleef hij even staan en leek iets te zeggen tegen een van de politieagenten.

Met een schok van verbazing herkende Adam hem. Hij voelde de schok door zijn hele lichaam trillen toen hij hem herkende. De slappe kin met het kuiltje, het kortgeknipte haar, de harde trekken: dit was de man die hij bewusteloos had geslagen met zijn diplomatenkoffer op de avond van de moord op Philip Wang.

De politiewagen schoot weg, een van de politieagenten stapte in de andere auto en volgde de eerste met hoge snelheid. De drie achtergebleven agenten gaven elkaar high fives en schouderklopjes, en liepen naar het Embankment. Adam keek hen na, volgde hen op een bescheiden afstandje en zag hoe ze verdwenen door een hek op de kademuur en via een trap afdaalden naar de rivier. Minuten later voer er een patrouilleboot met hoge snelheid stroomafwaarts.

De vragen buitelden over elkaar heen in Adams hoofd. Wat moest die grote kerel in de driehoek? Zat hij daar te wachten op zijn terugkomst? Jezus Christus... Hoe wist hij van die driehoek? En wat moest de politie daar? Waarom had de politie hem gearresteerd? Was er misschien een nieuwe aanwijzing in de zaak-Wang? Zou deze arrestatie hem eindelijk vrij kunnen pleiten? De ene vraag tuimelde over de andere en er ontstond een kleine lawine aan vragen. Hij voelde zich plotseling behoorlijk zwak, en hij besefte dat hij niet meer in de driehoek kon blijven – de tijd van de driehoek was voorbij. Hij moest een andere schuilplaats zien te vinden.

Adam klopte aan bij Mhouse. Het was erg laat, ongeveer drie uur 's nachts, en dit was de zevende of achtste keer dat hij voor de deur stond om te zien of ze al terug was van haar feest op de rivier. Hij hield zich schuil in het duister en vermeed de weinige mensen die nog op waren: The Shaft bij nacht was, zoals hij uit ervaring wist, niet bepaald een gastvrije plek. Er ging een lamp aan achter de deur.

'Wie de fuck is daar?'

'Mhouse? Ik ben het: Johannes 1603. Ik ben van gedachten veranderd. Ik wil toch graag in je logeerkamer.'

22

De Targa legde aan bij de nieuwe stalen steiger van Phoenix Stairs, Rita sprong aan wal en sloeg de tros in twee achtlussen om de grote bolder op de rand van de steiger. Joey wierp haar de achterlijn toe, die ze vastlegde. Het was een rustige dag op de rivier geweest. Ze waren met een duiker van het Onderwaterteam naar een aanlegsteiger in Deptford geweest om de geruchten over een mogelijk lijk onder water te onderzoeken, maar het bleken drie verzwaarde zakken met afval te zijn. Daarna hadden ze een aak aangehouden die vanaf Twickenham stroomafwaarts kwam varen en waarvan de papieren niet in orde waren; de gegevens hadden ze doorgestuurd naar het kantoor van de Theems Havenmeester. Ten slotte hadden ze aangemeerd bij de Royal National Lifeboat Institution bij de Lifeboat Pier aan het Victoria Embankment, de loopplank opgehaald die ze hadden geleend, en een kop thee gedronken. Bijna een plezierreisje, dacht ze: zonnige dag, lekker op het water, wat wilde je nog meer? Ze vroeg Joey of hij naar de dagelijkse debriefing wilde gaan, omdat ze even wilde spreken met sergeant Rollins.

'Nog nieuws, sergeant?' vroeg ze, toen ze hem aantrof in zijn kleine kantoortje in portakabin 3, naast de zoemende koeling van het mortuarium in portakabin 4. Je hoorde het zoemen door de muur heen, zelf zou ze niet graag een kantoor naast een mortuarium hebben, dat was een feit. Ze probeerde te doen alsof ze slechts oppervlakkig geïnteresseerd was, en niet al te gretig te klinken.

'Ja, ze hebben hem vrijgelaten.'

'Wát?'

Rollins haalde zijn schouders op. 'Dat is alles wat ik weet. Ze hebben hem een nacht in de cel gehouden. 's Morgens mocht hij weer naar huis.'

'Hebben ze hem zonder aanklacht laten gaan?' Rita voelde een vreemde schok, een leegte in haar maag: dit was het laatste wat ze had verwacht.

'Dan moet je naar Chelsea, Nashe. Zoek daar maar uit wat er gebeurd is. Je bent ontheven van je aanhoudingsplicht. De zaak is geseponeerd.'

'Maar hij was gewapend, verdorie. Twee vuurwapens en een mes van vijftien centimeter. Geen identificatie. Wat is hier aan de hand?'

'Een uitgemaakte zaak, zou ik denken, maar zulke dingen gebeuren nu eenmaal. Er is vast wel een reden voor.' Hij lachte haar vriendelijk toe. 'Ga maar lekker iemand anders arresteren, liefje.'

'Wilt u me alstublieft geen "liefje" noemen, sergeant?'

Toen Rita's dienst afliep ging ze met de ondergrondse naar het politiebureau in Chelsea om te zien of ze antwoorden op haar vragen kon krijgen. Sergeant Duke had die avond geen dienst, maar ze zag Gary een gang in lopen en liep achter hem aan.

'Hé, Rita,' zei hij, terwijl hij haar van top tot teen bekeek. 'Alles goed? Je ziet er prima uit. Leuk feestje trouwens.'

'Wat doe jij hier?'

'Even overgekomen vanuit Belgravia. Iets administratiefs.'

Ze keek om zich heen, of er niemand was die hun gesprek kon horen. 'Wij waren hier gisteravond. Vent gearresteerd bij de Chelsea Bridge, twee vuurwapens bij zich, geen ID, wilde niets zeggen, geen stom woord. Ik was er zelf bij, we hebben het IRB-formulier ingevuld en hem overgedragen aan de recherche. Zaak afgehandeld. En nu hoor ik net dat ze hem hebben laten gaan. Wat is hier godverdomme aan de hand? Enig idee?'

Gary keek naar links en naar rechts. 'Ja, ik heb gehoord… dat er is opgebeld, je weet wel.'

'Nee, ik heb geen idee.'

Met zachte stem vervolgde hij: 'Iemand heel hoog bij de politie belt op en zegt: "Laat die gast onmiddellijk vrij, op mijn verantwoordelijkheid." Dat soort gein.'

'Wat heeft dat te betekenen?'

'Jullie zijn blijkbaar op een of andere geheime onderzoeksmissie gestuit. MI5. Antiterrorisme-eenheid. Weet ik veel. Hij heeft blijkbaar de goede connecties, die vent van de Chelsea Bridge.'

'Ik laat het er niet bij zitten.'

'Oké. Zie je die muur daar? Ram daar maar twee uur lang met je hoofd tegenaan. Dan snap je wel wat ik bedoel. Laat toch zitten, Rita. Het speelt zich allemaal ver boven jouw salarisschaal af.'

Ze ijsbeerde door de gang en dacht na.

'Ik mis je, Rita.'

'Jammer dan.'

'Ik ben stom geweest. Een stomme lul. Ik geef het meteen toe.'
'Te laat, Gary.'
'Kunnen we dan niet ergens iets gaan drinken?'

Ze gingen naar een tent vlak bij het bureau, een quasi-Spaanse tapasbar, maar dan met leuke muziek. Gary bleef maar smeken om vergeving en ze luisterde maar met een half oor, omdat ze zich zorgen maakte om wat er gebeurd was, en ze dacht half boos terug aan de gebeurtenissen van de vorige avond op dat stukje onland bij de brug.

Ze was meteen naar de open plek gegaan en was daar gaan zoeken. Joey en de andere twee schenen hier en daar met hun zaklantaarns, toen er plotseling een man achter een struik vandaan kwam en zijn handen opstak. Ze schrok zich dood. 'Jullie hebben me gevonden,' was alles wat hij zei. Ze fouilleerde hem, vond de vuurwapens, arresteerde hem en gaf hem een officiële berisping, sloeg hem in de boeien en belde de jongens in Chelsea om een paar wagens. De man zei verder geen stom woord, had geen identificatie bij zich, weigerde zijn naam te geven en bleef ijzig kalm. Toen ze hem achter in de wagen wilde duwen, had hij zich plotseling tot haar gewend alsof hij iets wilde zeggen, maar zich kennelijk bedacht. Hun gezichten waren vlak bij elkaar. Een grote, lelijke kerel, met een slappe kaaklijn en een kuiltje in zijn kin. Gary was nog steeds aan het woord.

'Sorry, ik was heel ergens anders met mijn gedachten,' zei ze. 'Verder nog nieuws? Nog moorden in Chelsea?'
'Niet na dat laatste geval.'
'Hoe staat het ermee?'
'De zaak wordt binnenkort gesloten, denk ik: niks, *nada*, noppes. Er is nog een team in Belgravia. Een paar agenten, een dossier en een telefoonnummer. Alleen maar voor de vorm. Weet je.'
'Geen spoor van Kindred?'
Hij haalde zijn schouders op. 'Ofwel Kindred is dood, ofwel hij wordt beschermd door familie en vrienden.'
'Ik dacht dat hij geen familie of vrienden in dit land had.'
'Volgens mij heeft hij zelfmoord gepleegd.' Gary haalde zijn sigaretten uit zijn zak, maar stopte ze weer terug toen hem te binnen schoot dat je in pubs niet meer mocht roken.
'Als je een beloning uitlooft,' zei hij, 'en dan zo'n grote van hon-

derdduizend pond, dan krijg je wel duizend telefoontjes, allemaal idioten. Daarna hield het op, hij is vast dood.'

'Of in het buitenland,' zei ze. 'Dat hij het land uit gevlucht is.'

Ze merkte dat hij niet geïnteresseerd was. Hij pakte haar hand. 'Ik wil weer contact met je, Rita. Ik mis je.'

Rita liep de loopplank van de *Bellerophon* op, expres hard stampend, en zag het gloeiende puntje van de joint van haar vader met een boogje van het achterschip in het water belanden. Hij had een blikje Speyhawk in zijn hand.

'Hoi, pap. Alles kits hier?'

'Het is ooit kitser geweest, maar mij hoor je niet klagen. Ernesto is hier. Je bent laat.'

Ze aten samen – pizza, salade, appeltaart –, een maandelijkse afspraak waar Rita erg aan hechtte en waar ze zich doorgaans aan hielden. Een keer per maand, vond ze, moesten ze als familie bij elkaar komen en samen eten, wijn en voedsel delen. Zij en Ernesto spraken nooit over hun moeder, Jayne – de ex-vrouw van Jeff – die nu, voor zover zij wisten, in Saskatchewan in Canada woonde en hertrouwd was met een onbekende man. Maar Rita bedacht dat het feit dat de rest van de familie Nashe zo bijeen kwam, betekende dat zij er in gedachten ook bij was, en omdat haar naam nadrukkelijk nooit viel, was ze op de een of andere manier des te tastbaarder aanwezig. Rita schreef haar zo nu en dan een brief en ze kreeg nooit antwoord, maar ze wist dat Ernesto altijd een kaart kreeg op zijn verjaardag en soms een telefoontje. Maar geen teken van leven aan Rita, omdat Rita gekozen had voor Jeff. Ernesto was te jong geweest, dus hem werd alles vergeven. Het was een kwestie van uitsluitend misverstanden en rancune, en het deprimeerde haar als ze er te lang aan dacht. Maar in ieder geval zaten ze hier nu met z'n drieën gezellig te eten.

'Druk, Ernesto?' vroeg Jeff Nashe aan zijn zoon.

'Ik zou wel veertien dagen per week kunnen werken,' zei Ernesto. Hij was een kleine, gezette jongeman, twee jaar jonger dan Rita. Hij lijkt op Jayne, dacht Rita. Hij verborg zijn enorme verlegenheid achter een slecht geveinsde houding van zorgeloosheid en evenwichtigheid.

'Hoe staan de zaken in de kranenwereld?' vroeg Jeff. 'Torenhoog? Een slag in de rondte?'

'Zolang er gebouwd wordt, hebben ze kranen nodig. Als er niet meer gebouwd wordt, hebben wij een probleem.'

Rita zag dat haar vader zijn best deed belangstelling voor te wenden. Ernesto was kraanmachinist, en verdiende drie keer zoveel als zij.

'Ik heb gisteravond een man gearresteerd,' zei ze, blij dat ze van onderwerp kon veranderen. 'Bij de Chelsea Bridge. Hij had twee automatische pistolen bij zich en een mes.'

Jeff Nashe richtte zijn half benevelde blik op haar en sperde zijn ogen open. 'Ben jij tegenwoordig gewapend?' vroeg hij op beschuldigende toon. 'Zodra jij hier met een wapen aan boord komt, trap ik je eigenhandig van de *Bellerophon* af.'

Ze negeerde zijn loze bedreiging. 'Hij gaf zich over,' vervolgde ze. 'Aan mij en mijn collega's.'

'Wees maar voorzichtig,' zei Ernesto. 'Verdorie, waar moet dat allemaal heen, zeg? Jezus.'

'Londen is altijd een gewelddadige stad geweest,' zei Jeff. 'Je zou verbaasd opkijken als dat ineens veranderde.'

Daar zit wat in, dacht Rita, maar als wij tegenwoordig een man arresteren die zonder vergunning twee vuurwapens en een mes bij zich heeft, dan horen we hem niet vierentwintig uur later op vrije voeten te stellen. Ze vond dat ze het er niet zomaar bij moest laten zitten; ze moest echt proberen er iets aan te doen.

23

Darren kwam aanlopen met hun bier en zette de glazen op tafel. Ze bevonden zich in een ruime, luidruchtige kroeg in de buurt van Leicester Square. Het zat er stampvol buitenlanders die allemaal zaten te kletsen in hun onbegrijpelijke talen, stelde Jonjo vast terwijl hij om zich heen keek. Zelfs het barpersoneel was buitenlands. Hij, Darren en die andere gast die was voorgesteld als 'Bob' leken de enige echte Engelsen in de hele tent te zijn. Die Bob was ook militair, dat had Jonjo onmiddellijk gezien, maar wel een hoge – een officier, een 'Rupert' – maar een Rupert die in smerige zaakjes betrokken was geweest, want aan zijn linkerhand ontbraken twee vingers, en hij had een tamelijk recent halfrond litteken op zijn kaak.

'Proost, jongens,' zei Jonjo, en hij nam drie grote slokken van het schuimende bier. Hij zou ongelofelijk op zijn zak krijgen, of erger nog, dus hij kon net zo goed genieten van zijn gratis drankje.

'Je hebt het goed verkloot, Jonjo,' zei Bob op kalme toon terwijl hij zijn glas neerzette. 'En niet zo'n beetje ook. Weet je wat we allemaal hebben moeten doen om je vrij te krijgen? Enig idee wie we moesten bellen? Enig idee van de bijzondere gunsten die we moesten vragen van heel belangrijke mensen? Wat we hun nu weer allemaal schuldig zijn?'

Het liet Jonjo ijskoud. Darren had hem verteld dat alle middelen tot zijn beschikking stonden, dus nadat hij gearresteerd was, belde hij dat ene nummer. Wat had hij anders moeten doen? Hij glimlachte nietszeggend naar 'Bob' en gaf tussen duim en wijsvinger twee centimeter lucht aan. 'Zo dichtbij was ik,' zei hij. 'Ik had Kindred gevonden. Ik had hem te pakken. Totdat die politiekut plotseling voor mijn neus stond.'

'Pech,' zei Bob. 'Het enige waar je je niet op kunt voorbereiden.'

'Ja, zal wel.'

Darren zei niets en concentreerde zich op zijn bier; de boodschappenjongen.

'Probleem is,' vervolgde Bob, 'dat we nu de politie niet kunnen vertellen dat je hem bijna te pakken had. Dan zouden wij betrokken raken bij die Wang-shit, en dus krijgen we het nu van alle kanten te verduren.'

Jonjo negeerde hem. Het ergste was achter de rug. 'Ik weet wat Kindred uitspookt,' zei hij kalm, en hij leunde achterover. 'Ik heb erover nagedacht terwijl ik op hem wachtte. Hij heeft daar bij die brug gewoond, wekenlang... Hij heeft zich gedeisd gehouden. Hij is niet gek: hij doet niets en dus is er geen enkel spoor. Geen cheques, geen rekeningen, geen aanwijzingen, geen mobiele telefoontjes – alleen maar telefooncellen – geen creditcards, alleen maar cash – helemaal niks. Zo kun je van de aardbodem verdwijnen in de eenentwintigste eeuw: je weigert gewoon eraan deel te nemen. Je leeft als een middeleeuwse boer: je schooit, je bietst, je slaapt onder de brug. Daarom heeft niemand hem kunnen vinden, zelfs de hele fucking moordbrigade van de Metropolitan Police niet. Hij is iedere dag misschien wel op driehonderd bewakingscamera's geweest, maar dat weten we niet. We weten niet eens meer hoe hij eruitziet, we weten niet waar hij heen gaat of wat hij doet. Hij is gewoon een voorbijganger op straat. Geweldig. Zo vrij als een vogel.'

Jonjo zweeg, ietwat beduusd door zijn eigen breedsprakigheid. Hij besloot dat een hardnekkig stilzwijgen zijn beste verdediging was.

'Maar,' zei hij, 'ik heb hem wél gevonden. Ik, Jonjo Case. Ík heb hem opgespoord. En niet de politie. Niet die beloning van honderdduizend pond. Ik had hem, maar toen had ik die fucking pech. Dus hou even op met die bullshit over bijzondere gunsten.' Opnieuw hield hij duim en wijsvinger op twee centimeter afstand van elkaar. 'Niemand is zo dicht bij hem gekomen, bij lange na niet.'

'Misschien heb je gelijk,' zei Bob. 'Maar één ding staat vast: nu zijn we hem echt kwijt.'

'Ik vind hem, maak je geen zorgen,' zei Jonjo met meer zelfvertrouwen dan hij voelde. 'Ik heb aanwijzingen, het enige wat ik nodig heb is wat tijd.'

'En dat is nou net het enige artikel dat we niet ruim in voorraad hebben, meneer Case,' zei Rupert-Bob, en zijn stem droop van het cynisme. Jonjo zag hem als een bijdehante sergeant met een vlotte babbel, die bevorderd was. Het maakte hem wat meer ontspannen: hij wist wat voor vlees hij in de kuip had, hij wist waar hun diepe onzekerheden lagen. Hij durfde te wedden dat zijn accent ook aangeleerd was: hij hoorde iets van Liverpool, iets noordelijks, de Wirral, Cheshire...

'Dat is mijn probleem niet, mate,' zei Jonjo, en hij keek hem uitdrukkingsloos aan.

'Dat is het godverdomme wel. We hebben weinig tijd. Dat geldt ook voor jou. Duidelijk?' Hij stond op. 'Kom, Darren.'

Darren dronk zijn bier op en knipoogde naar Jonjo langs de zijkant van het glas. Wat heeft dat nou weer te betekenen? vroeg Jonjo zich af. Hij zag dat Bob, eenmaal op straat, onmiddellijk naar zijn mobiel greep; waarschijnlijk deed hij verslag van zijn ontmoeting met Jonjo Case. Wie zou hij bellen, vroeg Jonjo zich af, wie was in dit geval de hogere instantie...?

Hij wandelde naar de bar en voelde zich ontstemd, onderge-
waardeerd, misbruikt. Hij bestelde nog een pint bij een meisje dat
Carmencita heette. Waar maken ze zich zo druk over? peinsde hij,
en hij nam een slok bier. Ze wisten nu dat Kindred nog in leven was
en ergens in Londen woonde. Uiteindelijk was het, zoals hij al had
uitgelegd, gewoon een kwestie van tijd. De tijd was de vijand van
Kindred. De tijd was de vriend van Jonjo, de tijd was op zijn hand.

24

'De zon is in de lucht.'
'De zon is in de lucht.'
Adam legde de grote letters anders neer en spelde ze uit voor
Ly-on.
'De lucht is blauw.'
'De lucht is blauw.'
'Nu jij, doe nog maar een keer "De zon is in de lucht".'
Ly-on schoof de letters door elkaar en begon de nieuwe woor-
den te spellen. Mhouse keek vanuit haar stoel naar de twee, die
voor de tv op de grond zaten. De tv was uit, besefte ze, dat was zo
raar: geen tv. Ze genoot ervan dat Johannes 1603 Ly-on leerde le-
zen; dat was belangrijk, lezen en schrijven, en ze wilde dat ze zelf
beter kon lezen – schrijven was niet zo nodig – maar ze had geen
minuut tijd over.
'Ik ga boodschappen doen,' zei ze. Johannes keek op en glimlachte.
'Wat voor cadeautje Ly-on brengen?' vroeg Ly-on.
'Blijf jij nou maar lekker met je…' ze kon niet op het woord komen. 'Doe maar gewoon wat Johannes zegt.'
Ze liep haar slaapkamer in, haalde haar leren jack uit de klerenkast en trok het aan. Ze vond het fijn om een man in huis te hebben, ook al was het dan maar een huurder. Dat leverde ook wat extra geld op: in drie weken tijd al zestig pond. Het was prettig om

thuis te komen terwijl Johannes en Ly-on bezig waren met… studeren, dat was het woord. Ze studeerden hard, en Ly-on kon al bijna lezen. En nog beter was dat Ly-on hem graag mocht. Aardige man, Johannes 1603.

Ze liep door The Shaft naar de hoofdstraat en groette onderweg een paar mensen die ze kende. Ze was inderdaad in een goede bui, besefte ze, en ze lachte in zichzelf. En de zon scheen ook nog vandaag. 'De zon is in de lucht,' zo moeilijk was dat toch niet. Dat kon ze wel lezen. 'De lucht is blauw vandaag,' zei ze hardop, en ze zag de letters voor zich, min of meer; ze zou het bijna kunnen schrijven. Met de hulp van Johannes zou ze…

'Hé, Mhouse!'

Ze keek om. Mohammed zat in zijn Primera, die langs het trottoir stond geparkeerd. Het portier naast de passagiersstoel stond open. Hij wenkte haar en ze stapte in.

'Tijd niet gezien, Mo. Weg geweest?'

'In het noorden, bij mijn neven.'

'Leuk. Alles kits?'

'Nee. Helemaal niet fucking kits. *No way*. Ik probeer me gedeisd te houden.' Mohammed vertelde haar over zijn ontmoeting met Bozzy en die andere gast op het parkeerterrein, een tientonner, zei hij, een enge vent.

'Jezus,' zei ze. 'Wat is er gebeurd?'

'Ze stelden allemaal vragen over die nacht dat jij en ik die loser naar Chelsea hebben gebracht.'

Mhouse voelde haar nekhaartjes overeind komen.

'Wie was die zware vent dan? Een vriend van Bozzy?'

'Nee. Hij gaf Bozzy een klap. Ik weet het niet, ik had hem nog nooit gezien. Maar ik heb jou erbuiten gehouden, Mhouse. Ik heb je naam niet genoemd.'

'Dank je, Mo. Dat was aardig van je. Ik sta bij je in het krijt.'

'Precies, Mhouse. Namelijk een regenjas. Die fucking Bozzy gooit hem in de olie, trapt erop en steekt hem in de fik.' Op Mohammeds gezicht viel het enorme verlies af te lezen. 'Mijn Blueberry-regenjas, in de fik gestoken.'

Mhouse rommelde in haar handtas en gaf hem een briefje van tien pond.

'Hij is wel honderd pond waard, Mhouse, makkelijk. En ik heb jou erbuiten gelaten.'

'Ik heb geen honderd pond, Mo.'

'Ik ben blut, Mhouse. Ik kon geen werk vinden in het noorden. Ik heb honderd pond nodig. En een beetje vlug ook.'

'Die kan ik je deze week niet geven. Kan volgende maand ook? Ik moet morgen Mister Q. betalen.'

'Wat moet ik dan, Mhouse? Ik ben platzak. Ik en mijn zakken hebben honger. Misschien kan Bozzy me...'

'Volgende week kan wel.'

'Maandag.'

'Maandag. Geen probleem.'

Ze stapte uit de auto, licht rillend, en besefte hoeveel mazzel ze had gehad. Mohammed loog niet, want anders waren Bozzy en zijn jongens al wel bij haar langs geweest. Ze kon Mo maar beter te vriend houden en hem zijn honderd pond betalen. Johannes 1603 droeg wel wat bij, maar met zijn huur zou het vijf weken duren voordat ze Mohammed had terugbetaald, en ze moest Mister Quality nog betalen en Margo kreeg ook nog geld van haar; bijna alles wat ze verdiende bij de rivier ging naar hen...

Ze liep peinzend Jamaica Road in. Bozzy en zijn junkievriendjes kon ze wel aan – daar wist Mister Q. wel raad mee – maar wie was die nieuwe vent, die 'tientonner'? Wat had die ermee te maken? Ze waren vast op zoek naar Johannes 1603, dus misschien moest ze hem wel buiten de deur zetten. Toen dacht ze: hij is al bijna drie weken bij me, ze weten blijkbaar niet waar hij is of hoe hij eruitziet. Dus waarom zou ze hem dan buiten zetten? Hij bracht geld binnen, hij kocht eten en drinken, hij leerde Ly-on lezen, en Ly-on vond hem aardig. Wat de fuck: gewoon Mo zijn honderd pond betalen, hoe dan ook, en dan was de kous af.

Bij de kassa in de PROXI-MATE stond mevrouw Darling voor haar in de rij.

'Hallo, lieverd,' zei mevrouw Darling. 'Wat eet jij veel bananen, zeg. Je bent toch niet zwanger, hè?'

'Nee. Nee, dat is voor Ly-on. Hij wil niks anders. Geprakte banaan, hè toe mam. 's Morgens en 's avonds...'

'De kleine boef. Ik zie hem niet zo vaak meer de laatste tijd. Heb je geen oppas meer nodig?'

'Ik heb tegenwoordig een huurder. Van de kerk. Johannes 1603.'

'Johannes 1603...?'

'Hij leert Ly-on lezen.' Mhouse legde haar boodschappen op de rubber transportband: rum, bananen, witbrood, melk, koekjes, chips, chocolade, twee pakjes Mayfair Thins.

'Is dat die man met de baard?' vroeg mevrouw Darling. 'Die heb ik wel gezien, ja.'

'Dat is hem. Ik noem hem "Zwartbaard".'

'Ja. Ik heb hem ook wel in de kerk gezien. Wat leuk voor Ly-on.'

'Ja. Ze kunnen het samen prima vinden.'

'Hij zit bijna iedere avond in de kerk.'

'Wie? Johannes?'

'Bisschop Yemi is iets met hem van plan. Hij is erg vroom.'

'Wat?'

'Hij gelóóft. Het is een echte gelovige, en volgens bisschop Yemi is hij ook best slim.'

'O ja, hij is erg slim. Een echte slimmerik.'

Mhouse rekende af, stopte haar boodschappen in een tas en was weer verbaasd hoe duur alles was. Ze had geen rooie cent meer en Johannes had haar al een week vooruit betaald. Waar moest ze ooit die honderd pond voor Mohammed vandaan halen, terwijl het geld haar portemonnee uit vloog?

Die avond klopte Mhouse bij Johannes aan – het was laat, na middernacht al –, ze tikte zacht met haar nagels op de deur. Ly-on sliep, ze had hem bij het avondeten een extra halve Somnola gegeven. Ze hoorde Johannes 'binnen' zeggen en deed de deur open.

'Ik ben het maar, hoor,' zei ze ten overvloede en ze knipte het licht aan. De matras lag midden in de kamer en was omgeven door haar kartonnen dozen. Johannes had een lampje gekocht om te kunnen lezen in bed.

'Wat is er?' zei hij op slaperige toon. 'Alles in orde?'

'Ik voelde me een beetje eenzaam,' zei ze, en ze trok haar lange T-shirt uit. 'Mag ik even naast je kruipen?'

Ze wachtte niet op zijn reactie, sloeg de deken opzij en kwam naast hem liggen. Hij was naakt, mooi zo. Ze sloeg haar armen om hem heen en kroop tegen hem aan. 'Lekker warm,' zei ze. 'Je lijkt wel een kacheltje.' Ze kuste zijn borst. 'Ik voelde me een beetje alleen.'

'Mhouse,' zei hij. 'Alsjeblieft. Dit lijkt me geen goed idee. Denk aan Ly-on.'

'Die slaapt als een roos,' zei ze. Ze ging met haar hand naar beneden en voelde dat hij razendsnel hard werd. 'Nou, volgens mij vind je het best wel een goed idee.'

Ze zocht zijn mond, hun tongen raakten elkaar aan, en ze voelde zijn handen op haar borsten. Hij beefde.

'Eén ding nog, Johannes,' zei ze. 'Voordat we verder gaan. Normaal gesproken kost het veertig pond. Maar voor jou is het twintig. En je hoeft geen condoom om.'

'Goed,' zei hij met hese stem. 'Ja, mij best.'

'Afgesproken?'

'Afgesproken.'

25

Er zat een donker vlekje op zijn witte, doorgaans kraakheldere kussensloop. Nee, het waren twee vlekjes. Twee donkerrode vlekjes, niet veel groter dan speldenknoppen. Ingram hield het kussen bij het licht. Bloed. Twee piepkleine bloedvlekjes. Waarschijnlijk had hij zich gisteravond voor het diner gesneden bij het scheren, dacht hij, terwijl hij met zijn vingertoppen langs zijn kaak voelde. Op de een of andere manier had hij er vannacht de korstjes afgekrabd. Hoe dan ook, het maakte niets uit, hield hij zichzelf voor, en hij stapte uit bed, trok zijn pyjama uit en begaf zich naar zijn powerdouche.

Na het douchen, gehuld in zijn ochtendjas, bekeek hij zijn gezicht aandachtig in zijn scheerspiegel, maar nergens in zijn gezicht zag hij korstjes of scheerwondjes. Konden er bloeddruppeltjes uit je ogen komen, vroeg hij zich af? Of uit je mond, of je tanden? Misschien had hij die nacht op zijn tong gebeten. Volgens Meredith lag hij te knarsetanden als hij sliep – een niet te controleren verwijt – en het geluid dat hij al knarsetandend maakte was de reden dat ze hadden besloten tot gescheiden slaapvertrekken. Misschien had hij die nacht te hard geknarst en had er een beetje bloed gevloeid… Hoe dan ook, erg vreemd allemaal.

Hij schoor zich en trok de la in zijn kleedkamer open waarin zijn gestreken en keurig opgevouwen ondergoed lag. Was dit een dag om geen onderbroek te dragen? Hij had om tien uur een afspraak met Pippa Deere, en hij genoot altijd van het wrijven met zijn pik als hij bij haar was. Haar neus glom, haar lippen glommen, ze droeg altijd te veel sieraden: die brutale, glimmende Pippa Deere. Maar het leek hem toch beter ervan af te zien: de crisissfeer die in het bedrijf hing vereiste dat hij volledig gekleed ging, en hij trok een rood geruite boxershort aan. Die kon hij later altijd nog uittrekken, redeneerde hij, als de geest van ongekleedheid over hem kwam.

Aangekomen bij Calenture-Deutz, wandelde hij met een lichte, verende tred het kantoor van zijn secretaresse in. Mevrouw Prendergast sprong overeind, haar gezicht was gespannen en ze maakte vreemde gebaren voor haar borst.

'De heer Keegan en de heer De Freitas wachten op u, meneer,' zei ze snel, blijkbaar even ongelukkig met de situatie als hij. Wat moesten die lui om half tien 's ochtends godverdomme al in zijn kantoor?

'Doe mij maar een zwarte koffie, mevrouw P.,' zei hij, zichzelf beheersend. 'Eén klontje vandaag en een paar van die heerlijke koekjes.'

Hij deed de deur naar zijn kantoor open: Keegan en De Freitas zaten op zijn leren bank. 'Heren,' zei hij, terwijl hij naar zijn bureau liep. 'Wat een verrassing. Maar laat het alstublieft niet weer gebeuren.'

'Sorry, Ingram,' zei Keegan op respectvolle toon, 'maar jij bent de eerste die het moet weten. Het perscommuniqué gaat over een uur de deur uit. We wilden niet dat jij het via anderen zou horen.'

'Hebben jullie de moordenaar van Philip Wang gevonden? Pinfold, Wilfred? Hoe heet hij ook weer?'

'Nee. Het gaat over Zembla-4.'

'O? Waarom kunnen wij die man niet vinden?'

'Ingram,' drong Keegan aan op schoolmeesterachtige toon, 'Zembla-4 komt vanochtend voor de vwa en de Modern Humanities Research Association. We kondigen het aan. We zijn er officieel klaar voor.'

Ingram zweeg. Hij meende dat hij zijn gezicht goed in de plooi wist te houden.

'Sinds wanneer ben jij CEO van Calenture-Deutz, Burton? Dat is een beslissing die genomen wordt door mij en de directie.'

'De omstandigheden zijn veranderd,' bemoeide De Freitas zich er op iets vriendelijker toon mee. 'We moesten snel handelen.'

'Nou, handel dan nog sneller en trek het besluit weer in,' zei Ingram. 'Dit gaat niet gebeuren. Philip Wang is een paar weken geleden overleden, zijn levenswerk staat op het spel. We zijn er nog niet klaar voor. Philip draait zich om in zijn graf.'

Keegan stak zijn handen op. 'Costas Zaphonopolous heeft alle testfasen en alle gegevens nauwgezet gecontroleerd. Alle documentatie van de andere testinstanties in Italië en Mexico is klaar, er valt niets op aan te merken. Hij heeft ons ondubbelzinnig groen licht gegeven.'

'Ik dacht dat er gegevens verdwenen waren uit Philips flat, dat zei je zelf.'

'Dat waren geen gegevens die de lancering van Zembla-4 belemmeren.'

'Het maakt me niet uit wat Costas zegt, sorry. Ik neem hier de beslissingen. Ik wil de feiten zien, de rapporten. Dan beslist de directie...'

'Ingram,' onderbrak Keegan hem. 'Denk eens aan je aandelen Calenture-Deutz: die verdrievoudigen, nee, verviervoudigen in waarde.'

Ingram zei niets. Hij ijsbeerde door zijn kantoor, handen in de zak en hoofd gebogen, en wekte zo de indruk, hoopte hij, van een man die in gepeins verzonken is. Er was iets aan de nasale bijklank van Keegans accent wat hem die ochtend mateloos irriteerde.

'Sorry, Burton,' zei hij ten slotte. 'Dit is míjn bedrijf, niet het jouwe. Ik neem hier de beslissingen, niet jij. Nee, ik herhaal: nee.'

'Het is al te laat,' zei Keegan op vlakke, bijna arrogante toon, alle beleefdheid was verdwenen. Zowel hij als De Freitas bleef zitten. Ingram liep naar zijn bureau en ging erachter zitten, alsof dat zijn autoriteit enigszins zou herstellen.

Keegan stond op en greep in zijn diplomatenkoffertje. Hij spreidde drie tijdschriften uit op Ingrams bureau. Niet zomaar tijdschriften, maar voorname, wetenschappelijke tijdschriften, zag Ingram: *The American Journal of Immunology, The Lancet, Zeitschrift für Pharmakologie.*

'Drie artikelen van de hand van onafhankelijke deskundigen op hun gebied, die laaiend enthousiast zijn over Zembla-4,' zei Keegan.

'En hoe kan dat? Waar halen ze hun informatie vandaan?'

'Wij hebben hun de gegevens verstrekt, en natuurlijk erg goed betaald,' zei Keegan glimlachend. 'Het is een kans voor open doel, Ingram. En wacht maar tot volgende maand de advertorials verschijnen. We gaan voor een volledige licentie binnen een jaar tijd. Zes tot negen maanden.' Hij spreidde zijn dunne vingers om de schreeuwende krantenkoppen uit te beelden: 'Eindelijk: een geneesmiddel voor astma.'

'Ik heb ze al gezien,' zei hij, blij dat hij ook een puntje kon scoren. 'Alfredo heeft ze me laten zien.' Hij glimlachte. 'Nou, ik ga toch wat roet in jullie eten strooien, Burton,' vervolgde hij. 'Het spijt me heel erg, maar het antwoord is een luid en onwrikbaar "nee". Het is allemaal belachelijk overhaast en riskant. Philip Wang heeft mij een week voordat hij overleed zelf gezegd dat hij minstens nog een jaar lang derdegraads klinische proeven wilde doen – hij wilde meer vergelijkingen met placebo's – alvorens met vol vertrouwen de licentie aan te aanvragen. Nee, nee, nee,' hij lachte zijn kille lachje. 'Bel de hele zaak maar af.'

'Ik vrees van niet, Ingram. Je kunt maar beter niet die kant op gaan.'

Ingram voelde zijn maag knorren. Hij drukte de knop op zijn intercom in. 'Wordt het nog wat met mijn paraplu, mevrouw P.?'

'Paraplu, meneer?'

'Ik bedoel mijn koffie.'

Keegan en De Freitas waren voor zijn bureau komen staan.

'Trouwens, jullie zijn allebei ontslagen, en wel per direct. Jullie hebben twintig minuten om het gebouw te verlaten. De beveiliging loopt wel met jullie mee naar je kantoor. Jullie mogen alleen maar persoonlijke bezittingen...'

'Nee, Ingram,' zei Keegan vermoeid. 'Wij zijn helemaal niet ontslagen. Ik stel voor dat je Alfredo Rilke even belt.'

'Alfredo krijgt jullie hoofden op zilveren schalen opgediend.'

'Dit was Alfredo's idee, Ingram. Hij zit hierachter, wij niet. Wij voeren alleen maar zijn orders uit.'

Mevrouw Prendergast kwam binnen met Ingrams koffie en koekjes. Ingram lachte innemend tegen haar. 'Dank u wel, mevrouw P.' Ze wierp hem een nerveuze en doodsbange blik toe en haastte zich het kantoor uit zonder ook maar één keer naar Keegan of De Freitas te kijken.

'Je kunt Alfredo nu bellen,' zei Keegan.

Ingram keek op zijn horloge. 'Het is vijf uur 's ochtends in de Caraïben.'

'Alfredo is in Auckland, Nieuw-Zeeland. Hij is telefonisch bereikbaar, het gewone nummer.'

'Wilt u zo vriendelijk zijn het vertrek te verlaten, heren?'

Nadat ze vertrokken waren bleef Ingram even zitten. Hij liet alles nog eens de revue passeren en probeerde de stortvloed aan implicaties van dat laatste gesprek te overzien. Het was alsof honderden onzichtbare vleermuizen, of duiven, als gekken door het kantoor vlogen, en zijn oren tuitten door het gefladder van hun vlerken dat iets naars, iets onheilspellends aankondigde. Hij voelde zich als de democratisch gekozen president van een kleine republiek die zojuist het slachtoffer was geworden van een militaire staatsgreep. Hij had zijn kantoor, zijn fraaie huis, de limousine met de geüniformeerde chauffeur... maar dat was dan ook alles.

'Alfredo? ... Met Ingram.'

'Ingram. Ik hoopte al dat je zou bellen. Wat spannend allemaal, niet?'

'Het is erg onverwacht, dat is zeker.'

'Zo gaat het nu eenmaal, Ingram. Geloof me. Ik denk dat ik kan stellen — als je me toestaat — dat ik iets meer ervaring op dit gebied heb dan jij.'

'Ongetwijfeld.' Op dit soort momenten wilde Ingram dat hij nooit de projectontwikkeling had verruild voor de verbijsterende wereld van de farmaceutische industrie. Wat was het allemaal simpel toen: je leende geld, kocht een gebouw en verkocht het met winst. Maar Rilke was aan het woord.

'... verrassing is ons sterkste wapen. Je bouwt momentum op, niet te stuiten momentum. Zo'n kans krijg je maar één keer. Zembla-4 is zo'n kans. We moeten nú toeslaan. Nu, nu, nu. Toeslaan, toeslaan, toeslaan.'

'Ik heb alleen het gevoel...'

'We schatten vijf tot acht miljard in het eerste jaar van de volledige licentie. Daarna is tien tot twaalf miljard per jaar haalbaar en realistisch. Het is een tweede Lipitor, een Seroquel, een Viagra, een Xenak-2. We hebben ons wereldwijde kassucces, Ingram. Met een patent voor twintig jaar. Wereldwijd. Wij zullen overlijden als ongelooflijk, onvoorstelbaar, walgelijk rijke mannen.'

'Jawel, goed... maar...' Ingram wist niet hoe hij hierop moest reageren. Hij voelde zich geïntimideerd; hij voelde zich weer het kleine jongetje dat er niets van begreep, dat machteloos toekeek. 'Voorwaarts en niet versagen,' wist hij uiteindelijk uit te brengen.

'God zij met ons,' zei Alfredo Rilke, wiens stem kraakte door de ether. 'En gefeliciteerd.'

'Welterusten,' zei Ingram, terwijl hij een van de koekjes van mevrouw P. pakte.

'Nog één ding, Ingram,' zei Rilke, 'voordat ik ophang.'

'Ja?'

'We moeten die Adam Kindred zien te vinden.'

26

Stelen van een blinde was zo ongeveer het laagste wat je kon doen. Een blinde bestelen van zijn witte stok maakte je tot een verdoemde die thuishoorde in de diepste en pijnlijkste streken van de hel, ervan uitgaande dat de hel bestond, hield Adam zichzelf voor, wat natuurlijk niet het geval was. Maar deze keiharde wereldlijke redenering deed niets af aan zijn schuldgevoel telkens als hij op pad ging met de blindenstok. Maar nood breekt wet, nood zoekt list en zo, hield hij zichzelf voor: er was geen enkele twijfel dat het verkrijgen van de stok − zijn aha-erlebnis − en het toepassen van de truc-met-de-stok zijn leven als bedelaar, en zijn levenslot drastisch hadden veranderd. Op twee dagen had hij ruim honderd pond verdiend, meestal bedelde hij met gemak zestig tot zeventig pond bij elkaar. Al ver voor het einde van de maand zou hij de magische grens van duizend pond hebben bereikt.

Hij had de blinde − de visueel gehandicapte − man gezien in een koffiebar, en had de bijna zichtbare bezorgdheid die vanuit de mensen om hem heen naar hem toestroomde gadegeslagen. Het was alsof hij een soort zorgmagneet was: stoelen werden discreet opzijge-schoven, echtparen gingen uiteen om hem door te laten, een hand werd op zijn elleboog gelegd om hem naar het begin van de lange rij te leiden. Adam zag hoe hij cappuccino en een muffin bestelde (een personeelslid kwam achter de toonbank vandaan en zette zijn consumptie op een tafeltje vlakbij), en de blinde liep er aarzelend heen en nam plaats. Gesprekken vielen eerbiedig stil als hij langs-liep. Hij vouwde zijn stok op (er zat een plastic bolletje aan het uit-einde) en stopte die in de linnen tas die hij altijd bij zich had en naast zijn stoel op de grond had gezet. Hij at zijn muffin op en dronk van zijn koffie, en terwijl hij dat deed kreeg Adam zijn openbaring – zijn bedelopenbaring – en hij zag zijn toekomst als bedelaar voor zich.

Hij redde zich prima met zijn verzoek om 'alleen koperen mun-ten' – hij ving vijf tot zes pond per dag –, wat een slim idee was, maar wel een beperkt slim idee. Hij wilde het bedelen naar een ho-ger niveau tillen, wat hij nodig had, was een doorbraak in zijn be-delactiviteiten, en in die blinde met zijn witte stok zag hij welke weg hij daarvoor moest gaan.

En dus stal Adam de witte blindenstok. Hij liep langs het ta-feltje van de blinde, liet zijn krant vallen, bukte zich om hem op te rapen, griste de stok uit de linnen tas, schoof hem in zijn mouw en wandelde de koffiebar uit.

De volgende dag ging Adam naar Paddington Station, gekleed in zijn krijtstreeppak, overhemd en stropdas en een goedkope zon-nebril die hij gekocht had in een kringloopwinkel bij The Shaft. Met de uitgeklapte blindenstok zigzaggende bewegingen makend over de stenen vloer van de stationshal, naderde hij het grote, ho-ge bord met vertrektijden. Hij koos een oudere vrouw uit en sprak haar aan.

'Pardon,' zei hij met zijn beleefdste middle class stem. 'Ben ik hier in Waterloo Station?'

'O nee. Nee hoor. U bent in Paddington.'

'Paddington? Mijn god, nee toch. Dank u, dank u zeer. Mijn god. Sorry dat ik u lastigval. Dank u wel.' Hij draaide zich om.

'Kan ik u soms helpen? Is er iets niet in orde?'

'Ze hebben me bij het verkeerde station afgezet. Nu is al mijn geld op.'

De vrouw gaf hem tien pond en ze betaalde ook nog zijn kaart-je voor de ondergrondse terug naar Waterloo.

Op Waterloo Station vroeg Adam aan een jong stel of hij in Liverpool Street Station was. Ze gaven hem vijf pond voor een kaartje. Adam wachtte een halfuur en benaderde een man van middelbare leeftijd, eveneens gekleed in een krijtstreeppak, en vroeg hem of de treinen naar Schotland hier vertrokken.

'Kanker op,' zei de man en draaide zich om.

Maar dat kwam zelden voor. Adam ervoer dat hij voor elke 'kanker op', elke afwijzing of lege, kille blik vier keer een aanbod voor financiële steun kreeg. Mensen bedolven hem onder het geld, sommigen waren belachelijk vrijgevig, boden aan hem te begeleiden, eten voor hem te kopen, zeiden dat hij 'voorzichtig moest zijn', en drukten hem nog meer geld in de hand.

Op zijn eerste dag als blinde bedelaar scoorde hij drieënvijftig pond. Op zijn tweede dag negenenzeventig pond.

Al snel ontstond er een zekere routine: een dagelijkse tocht langs de Londense spoorwegstations en grotere metrostations: King's Cross, Paddington, Waterloo, Victoria, London Bridge. Piccadilly, Liverpool Street, Earls Court, Angel, Notting Hill Gate, Bank, Oxford Circus. Hij ging ook naar Oxford Street en naar winkelcentra, boerenmarkten en musea, overal waar veel mensen kwamen en hij niet zou opvallen. Waar hij kwam, vroeg hij simpelweg of hij ergens anders was. De mensen waren aardig en voorkomend, en zijn geloof in de van nature goede inborst van zijn medemensen werd enorm versterkt. Hij bedelde nooit vaker dan één keer per dag op dezelfde plaats, en langzaam maar zeker groeide de stapel bankbiljetten in zijn zak. Hij betaalde de huur aan Mhouse een week van tevoren, hij ging naar de supermarkt en kwam thuis met plastic draagtassen vol eten en wijn voor zichzelf en Mhouse en verrassingen voor Ly-on. Hij kocht een luxe-uitvoering van een leescursus en begon Ly-on lezen en schrijven te leren (en zo verminderde hij zijn schuldgevoel een beetje). In de tweede week van zijn bestaan als bedelende blinde kocht hij in de uitverkoop een nieuw donker pak, drie witte overhemden, een namaakclubdas en een paar zwarte loafers.

Dus toen Mhouse die avond met haar nagels op zijn deur krabde en hem huurderskorting aanbood voor een robbertje seks met de hospita, was hij zowel blij als bereidwillig, en geld speelde geen rol. Ze kroop vijf dagen achter elkaar bij hem in bed. De derde nacht vroeg hij of ze wilde blijven, hij verlangde ernaar in elkaars armen te liggen slapen, maar ze zei dat een hele nacht honderd pond kostte, en dus aarzelde hij. Na vijf nachten bleef ze plotseling weg. Hij miste haar, haar lenige, kwikzilverachtige lichaam en haar omhoogwijzende borstjes met de donkere tepels. Hij had geen seks meer gehad na die noodlottige avond met Fairfield op de inspectiebrug in de wolkenkamer. En daarvoor was er de steeds vager wordende herinnering aan de seks met Alexa: haar gebruinde lichaam, haar witte bikinilijn, haar schitterende blonde haar en volmaakte gebit. Als hij Mhouse in zijn armen had, als hij op haar lag, in haar was gedrongen, een orgasme kreeg, was hij gelukkiger dan hij de laatste tijd geweest was. Voor het eerst na de moord op Philip Wang had hij weer een gevoel van ontspanning, van een normaal leven, het begin van menselijke genegenheid, van behoefte.

Na een paar dagen onthouding zei hij tegen haar: 'Ik wil je wel honderd pond geven, voor een hele nacht.'

'Dat dacht ik niet, Johannes. Het is niet zoals het hoort, weet je. Straks merkt Ly-on er nog iets van.'

'En waarom "hoorde" het die andere vijf nachten wel?'

'Nou, dat waren meer vluggertjes, weet je, voor het geld. Volgens mij heeft hij al iets in de gaten.'

Dat was waar. Na de vierde nacht was Adam achter Mhouse komen staan bij het aanrecht, had zijn armen om haar heen geslagen, haar in haar nek gekust en in haar borsten geknepen. Ze draaide zich om en sloeg hem in het gezicht, en hard ook. Adam deinsde terug en terwijl hij zich afwendde, zag hij de geschrokken en bezorgde blik op Ly-ons gezicht, die opkeek uit zijn boek.

'Flik me dat godverdomme nooit meer,' beet Mhouse hem toe. 'Het is gewoon werk, niet meer en niet minder.'

Maar was dat zo? vroeg Adam zich af. Die eerste nacht toen ze bij hem was gekomen, had ze gezegd dat ze 'eenzaam' was. Hij was ook eenzaam, soms dacht hij dat hij de eenzaamste man op aarde was. En hij vond het prettig om haar kleine, ranke lijf in zijn armen te houden, haar warme adem te voelen in zijn hals en op zijn wang, en hoe ze zich tegen hem aan schurkte. De dagen verstreken en er gebeurde verder niets, en Adam – die steeds rijker werd – begon het leven in de flat steeds ondraaglijker en frustrerender te vinden. Hij hervatte zijn bezoekjes aan de Kerk van Johannes Christus, at daar 's avonds in het gezelschap van Vladimir, Turpin en

Gavin Thrale, en onderging met genoegen de eindeloze preken van bisschop Yemi. Maar hij kwam altijd weer terug naar The Shaft, ging op de matras in zijn kamer liggen en hoorde door de muur hoe Ly-on inmiddels in staat was eenvoudige verhaaltjes voor te lezen aan zijn moeder. Als het stil werd lag hij in het donker vurig te hopen dat Mhouse uit haar bed zou glippen en op zijn deur kwam kloppen, maar dat gebeurde niet meer.

Adam overwoog halfhartig om weg te gaan: waarom zou hij zichzelf op deze manier kwellen? Maar iets hield hem daar. De flat in The Shaft was tenslotte een soort thuis voor hem, en eindelijk voelde hij zich ergens veilig. En Ly-on was dol op hem – die vreemde, futloze Ly-on bleek een snelle leerling te zijn – en als hij wegging, zou hij Mhouse nooit meer zien, zou hij nooit meer samen met haar tv kunnen kijken, slechte maaltijden kunnen eten, lachen en praten. Hij vroeg zich af of hij op een ongezonde manier geobsedeerd door haar begon te raken...

Adam zat in zijn kamer, telde vijfhonderd pond aan papiergeld uit en deed een elastiek om de dikke stapel bankbiljetten. Hij hield nog een bedrag van driehonderd pond over, en het gaf hem een onbehaaglijk gevoel om met zoveel geld op zak rond te lopen. Gelukkig had hij een veilige plek bedacht om het op te bergen.

Toen hij The Shaft uit liep, hoorde hij iemand roepen.

'Hé, Zestien-nul-drie.'

Hij keek om en zag Mister Quality met uitgestoken hand op hem af komen lopen. Ze hadden elkaar een paar keer eerder ontmoet als hij op bezoek kwam in de flat om een pakje te bezorgen voor Mhouse: pillen voor haar problemen, had Mhouse gezegd. Ze sloegen hun handen tegen elkaar en grepen elkaars duim vast.

'Ben je hier nog steeds, man?' vroeg Mister Quality.

'Ja, van alles te doen.'

'Je mag Mhouse wel, hè?'

'We kunnen het prima vinden. En die kleine Ly-on is een leuk ventje.'

'Als je blijft, moet je mij huur betalen. Honderd pond per maand.'

'Ik betaal al huur aan Mhouse.'

'Het is haar flat niet, man. Het is mijn flat.'

'Ik betaal je morgen,' zei Adam. 'Oké?' De stapel papiergeld voelde als een baksteen in zijn zak.

'Daar word ik blij van, Zestien-nul-drie.'

Adam begon aan de lange busrit naar Chelsea, blij om even rustig te kunnen nadenken. Hij dacht aan Mhouse en Ly-on en aan het vreemde nieuwe leven dat hij met hen leidde. Hij stond versteld van zijn vermogen zich aan te passen, bijna te gedijen in deze keiharde, vijandige wereld. Hij vroeg zich af wat Alexa zou denken van deze nieuwe Adam, en hij vroeg zich af wat zijn vader en zijn zus zouden denken. Als het even kon, probeerde hij bewust niet aan zijn familie te denken, het was beter om hen voorlopig aan de rand van zijn bewustzijn te houden. Hij wist zeker dat zíj altijd aan hem dachten; wat zou er volgens hen van hem geworden zijn? Zoon en broer, voorgoed verloren. Hij kon daar rustig aan denken omdat hij naar zijn idee op een raadselachtige manier veranderd was: de oude Adam werd verdreven en overgenomen door de nieuwe, die sluwer en wereldser was en in staat te overleven. Het was als de homo sapiens die de Neanderthalers verdreef... Dat idee bracht hem aan het twijfelen; misschien was hij uiteindelijk toch niet zo blij om afscheid te nemen van de oude Adam.

Hij had nooit aan Alexa moeten denken, besefte hij, terwijl de ene na de andere herinnering aan haar ongevraagd zijn hoofd binnendreef, en hij haar hese stem weer hoorde. In feite was het haar stem geweest die hem als eerste had aangetrokken – een stem alsof ze pas keelontsteking had gehad – en het was het eerste wat hem aan haar opviel toen hij haar kantoor had gebeld om te informeren naar een koopflat in de buurt van de universiteit van Phoenix. Toen hij de flat uiteindelijk kocht, was zij de makelaar geweest. Alexa's fysieke verschijning – het dikke blonde haar, de gebronsde huid, de frisheid, de tanden, de glimmende lippen – waren bijna in tegenspraak met wat haar stembanden over leken te brengen. Hij had bijna een gezette, zwaar rokende nachtclubzangeres verwacht, en in plaats daarvan stond hij oog in oog met dit stralende prototype van Amerikaanse schoonheid. Maar de tegenstelling tussen stem en persoon vormde een geheel eigen aantrekkingskracht. Er waren problemen gerezen bij de verkoop die nadere bijeenkomsten noodzakelijk maakten, ze wisselden de nummers van hun mobiele telefoons uit, en toen de koop alsnog beklonken werd, waren ze samen iets gaan drinken in een café om het te vieren. Ze hadden een fles champagne gedeeld, en toen Adam haar naar haar auto bracht, hadden ze gezoend. Dat was het begin, gevolgd door een korte verlovingstijd, een societyhuwelijk, een nieuw huis geschonken door haar vader de weduwnaar, hét gesprek van de familie.

Het einde kwam twee jaar later even plotseling en onverwacht, toen Fairfield twee dagen na het seksavontuurtje in de wolkenkamer Alexa belde en haar snikkend haar eeuwige liefde voor Adam bezwoer en Alexa smeekte haar echtgenoot los te laten. Alexa had stiekem de niet gewiste sms'jes op Adams telefoon gelezen en uitgeprint. Brookman Maybury stond in eigen persoon naast de advocaat toen de echtscheidingsprocedure in gang werd gezet, en Adam te horen kreeg hoe de noodlottige gebeurtenissen zich hadden voltrokken. Alexa was zelf niet aanwezig, haar vader trad op als kille, strenge gevolmachtigde voor zijn ontredderde, zieke, onder doktershanden verkerende dochter, terwijl hij Adam dreigend aankeek van onder zijn dichte gefronste wenkbrauwen. Adam probeerde zijn gedachten stop te zetten, maar de herinnering aan zijn laatste maaltijd met Fairfield drong zich meedogenloos aan hem op.

Drie dagen na het incident in de wolkenkamer kwamen ze elkaar tegen op de campus en besloten ze te gaan eten in een groot, anoniem, niet te duur restaurant in het centrum van Phoenix. Het restaurant had een open binnenplaats en was daarom populair onder rokers. Ze serveerden een uitgebreide *surf and turf*, zoveel garnalen als je op kunt of een hele kip met gratis frietjes, en na de maaltijd (Adam had geen trek en raakte zijn eten nauwelijks aan) had hij geprobeerd stap één van zijn Plan Schadebeperking te effectueren. 'Je moet mij niet meer van die sms'jes sturen, Fairfield,' zei hij. 'Ik wis ze steeds, maar jij blijft ze maar sturen.'

'Waarom zou ik daarmee ophouden? Ik hou van je, Adam. Ik wil je voortdurend, op ieder moment van de dag mijn liefde verklaren.' Ze stak een sigaret op en blies de rook heel attent over haar rechterschouder naar achteren.

'Waarom? Omdat... Omdat ze kunnen worden achterhaald... Omdat, omdat ze, nou ja, tegen me kunnen worden gebruikt door Alexa.'

'Maar ik heb al gesproken met Alexa.'

Op dat moment besefte Adam dat het allemaal voorbij was, en hij voelde in zijn binnenste iets kleiner worden, het krimpen van de geest. Eén domme fout – één uitglijer, één keer half onbewust toegeven aan een atavistisch seksueel instinct – was voldoende om een definitief einde te maken aan een volmaakt zeker, een redelijk gelukkig en welvarend leven. Ik heb het verkloot, dacht hij verbitterd en vol zelfverwijt. Hij wist zeker dat de wraakgodinnen om de hoek op hem zouden staan wachten, dat was slechts een kwestie van tijd. En dus probeerde hij nergens aan te denken terwijl Fairfield ijs bestelde en hij toekeek hoe ze haar toetje opat, hoe ze uitdagend haar lepel aflikte en glimlachend praatte over hun volgende afspraak – een motel? De hele nacht? –, hun toekomst. Totdat enige beroering bij de ingang van het restaurant hem deed omkijken en hij Brookman Maybury in gezelschap van een politieagent de binnenplaats zag oversteken en recht op zijn tafel zag af stormen. Adam kreeg een bezoekverbod uitgereikt, en hem werd te verstaan gegeven dat hij zijn vrouw nooit meer zou zien: Alexa vroeg per direct echtscheiding aan.

Hij stapte op Sloane Square uit de bus en liep kalm Chelsea Bridge Road af naar de rivier, zijn hoofd vol sombere gedachten. De scheiding en het dreigende schandaal hadden hem gedwongen zijn professoraat te beëindigen (Brookman Maybury was hoofdsponsor van de MMU, de studiebeurs voor de atletiekopleiding was naar zijn overleden vrouw genoemd). Brookman was glashelder geweest: neem ontslag, of je zult nooit meer kunnen werken in welke onderwijskundige instelling dan ook, laat staat een Amerikaanse universiteit, waar je opnieuw op rooftocht kunt onder jonge studentes. En dus had Adam zijn professoraat opgegeven en gedacht: ga terug naar Engeland, begin een nieuw leven, en hij had gesolliciteerd op de baan aan het Imperial College. En zie eens waar hij nu terecht was gekomen, dacht hij met opnieuw oplaaiende verbittering…

Het was een bewolkte, winderige dag, de rivier stond laag en het water begon zich weer stroomopwaarts te bewegen. Vanaf het midden van de brug had Adam een goed uitzicht op de driehoek; het lange smalle strandje was drooggevallen en hij zag de vijgenboom en alle vertrouwde onderdelen van wat ooit zijn driehoekige wereldje was geweest. Hij controleerde of niemand de plek in de gaten hield, wachtte een paar minuten, liep terug naar het Embankment, klom snel over de balustrade en baande zich een weg tussen de takken door naar de open plek. Iemand had de banden in het rond gegooid en zijn slaapzak en grondzeil waren verdwenen. Misschien had de politie ze meegenomen?

Hij verkende de omgeving en vond de juiste plek, trok de zoden op – het gras was weer aan het wortelen – zodat zijn begraven geldkist tevoorschijn kwam. Daarin bevonden zich het dossier van Philip Wang, de aanwijzingen die hij had ontvangen om de sollicitatieruimte in Imperial College te kunnen vinden, een taxibonnetje, zijn stratengids van Londen, een notitieblokje van Grafton Lodge met een paar telefoonnummers, een lijst met koopflats van een makelaar die hij bezocht had: het enige dat was overgebleven van de oude Adam, besefte hij, de schamele restanten van zijn vorige leven die hij op die fatale avond in de zakken van zijn jas en colbertje had gehad... Hij deponeerde zijn vijfhonderd pond in het kistje, sloot het af en trapte de zoden weer plat. Zo was ooit het hele bankwezen begonnen, vermoedde hij, een simpele bewaarplaats voor geld dat over was. En kijk eens hoever we gekomen zijn...

De preek van bisschop Yemi had die avond toevallig als uitgangspunt een citaat uit de *Openbaring van Johannes*, hoofdstuk 14, vers 15 – 'Zend uwe sikkel uit en maai, want de oogst der aarde is geheel rijp geworden' – dat hij gebruikte als metafoor om langdurig enkele voordelen van de globalisering te bespreken.

Mevrouw Darling diende die avond het eten op – een verrassend goede *Lancashire hotpot* – en ze begroette hem bijzonder hartelijk.

'Wat fijn om je weer te zien, Johannes,' zei ze. 'Bisschop Yemi wil graag even met je praten na het eten.'

Wat had dat te betekenen? vroeg Adam zich achterdochtig af, terwijl hij met zijn bord naar de tafel liep en zich bij Vladimir, Thrale en Turpin voegde. Turpin was ruim een week afwezig geweest en antwoordde vaag op vragen. Hij was 'naar het westen' geweest om een vrouw van hem te bezoeken in Bristol. Het was niet bepaald een opbeurende ervaring geweest – een van zijn dochters was aan lager wal geraakt – en hij was dan ook chagrijnig en zwijgzaam.

Vladimir daarentegen was zeer vrolijk en opgewonden, omdat hij eindelijk zijn paspoort had, dat omzichtig werd doorgegeven aan tafel. Turpin toonde geen belangstelling. Het was Italiaans, zag Adam, en hij las dat Vladimirs nieuwe naam nu 'Primo Belem' luidde. De overbelichte en ietwat wazige foto vertoonde een opvallende gelijkenis met Vladimir: de oorspronkelijke Primo Belem – wijlen Primo Belem – had ook een kaalgeschoren hoofd en een sik, waardoor ze veel op elkaar leken. Alle mannen met kale koppen en sikken lijken vaag familie van elkaar, broers zelfs, besefte Adam.

Thrale toonde echter opvallend veel belangstelling, en hij vroeg of dat soort paspoorten te koop waren voor onder de duizend pond – Adam zag dat hij een plannetje uitbroedde – en Vladimir beloofde dat hij het aan zijn contactpersoon zou vragen. Er heerste een verwarrend soort afscheidsstemming tijdens die laatste maaltijd. Vladimir/Primo stond op het punt de echte wereld te betreden als legitiem lid van de samenleving. Hij had een klein eenkamerflatje gevonden in Stepney; hij had gesolliciteerd als bode in een ziekenhuis, hij had een bankrekening geopend en een creditcard aangevraagd. Toen hij vertrok gaf hij iedereen een hand, accepteerde hun lege gelukswensen en reageerde met de even lege belofte dat hij contact zou blijven houden.

Maar voordat hij vertrok, nam hij Adam apart en gaf hem een stukje papier waarop zijn mobiele telefoonnummer stond. Adam vond dat deprimerend: hij vroeg zich af of zijn persoonlijke omstandigheden ooit nog zo zouden veranderen dat hij weer een mobiele telefoon had. Het was een pijnlijke herinnering aan hoe basaal en beperkt zijn leven was geworden.

'Bel me, Adam,' drong Vladimir aan. 'Jij komt mijn flat en wij roken monkey, ja?'

'Dat zou fantastisch zijn,' zei Adam. 'Pas goed op jezelf.'

Hun afscheid werd onderbroken door mevrouw Darling, die Adam voorging een trap op achter in de zaal, die leidde naar het kantoor van bisschop Yemi. De bisschop droeg een donker driedelig pak met een das van feloranje zijde en een korenbloemblauw overhemd met contrasterende witte kraag. Het effect was verwarrend: hij zag eruit als een welvarende, ietwat patserige zakenman. In zijn knoopsgat zag Adam een kleine gouden speld waarop JOHANNES 2 stond: de priester had zijn insigne opgehouden.

'Johannes 1603,' zei bisschop Yemi, en hij nam Adams hand in zijn beide handen. 'Ga zitten, broeder.' Adam ging zitten, en zag

dat je vanuit het raam uitzicht op de rivier had, hij zag het tij opkomen en aan de overkant van het bruine water het panorama van
de dure appartementen in Wapping High Street.

'Ik heb jou gekozen, Johannes,' zei bisschop Yemi. 'Jij bent mijn
uitverkorene.'

'Ik?' zei Adam. 'Waarvoor?'

Bisschop Yemi verklaarde zich nader. De Kerk van Johannes
Christus had onlangs de officiële status van goed doel bereikt –
ze stonden nu als zodanig geregistreerd, met alle belastingvoor-
delen die daarmee samenhingen. Bovendien hadden ze een enorme toelage gekregen van het gemeentelijke programma voor
dienstverlening aan kinderen, gesteund door de burgemeester van
Londen zelf. De Kerk van Johannes Christus opende een crèche,
een peuterschool, een kantoor dat gratis medische en juridische
hulp verschafte, een agentschap voor pleegzorg aan kansarme jon-
geren en als kers op de taart een weeshuis voor kinderen van onder de twaalf.

'Gefeliciteerd,' zei Adam, 'maar wat heeft dat met mij te maken?'

'Ik zoek een directeur, een rechterhand, iemand die de kerk kent,
die op de hoogte is van de dogmatische kant van de instelling.' Bisschop Yemi glimlachte bescheiden.

'Geen kruisbeelden,' zei Adam.

'Precies. Onze Heer is niet gestorven aan een houten kruis. De
stralende zon van Patmos is ons nieuwe logo.'

'Ik vrees dat ik...'

'Ik kan mijn pastorale taken hier niet helemaal verzaken.' Bisschop Yemi negeerde hem. 'Ik zoek iemand die de kerk vertegen-
woordigt – mijn gevolmachtigde – voor al die nieuwe administra-
tieve instellingen. En mijn keus valt op jou, Johannes 1603.'

Adam herhaalde dat het hem heel erg speet – dat hij zich ge-
vleid, ja zelfs vereerd voelde – maar dat het antwoord helaas nee
moest zijn. Hij weet zijn beslissing aan zijn labiele geestelijke gezondheid, aan de recente zenuwinzinkingen, enzovoort. Het was
onmogelijk, hij moest de kerk helaas teleurstellen.

'Nooit overhaaste beslissingen nemen, Johannes,' zei bisschop
Yemi. 'Ik weiger "nee" als antwoord, dat is het leidmotief in mijn
leven. Denk erover na, neem de tijd, broeder. Wij twee zouden een
geweldig team vormen, en de beloning – zowel geestelijk als fi-

nancieel – zal aanzienlijk zijn.' Bij de deur omhelsde hij Adam allerhartelijkst.

'Ik zoek intelligentie, Johannes, en die heb jij in hoge mate. Ik heb gezocht onder de andere broeders en ik weet zeker dat jij de juiste bent. Het beginsalaris is vijfentwintigduizend pond per jaar. Plus onkosten en een auto van de zaak, natuurlijk.' Hij glimlachte. 'Zend uwe sikkel, Johannes.'

'Pardon?'

'Zend uwe sikkel uit en maai, want de oogst der aarde is geheel rijp geworden.'

Toen hij die avond terugkeerde in de flat, stond Mhouse hem op te wachten. Ze kuste hem op zijn mond, een klein zoentje maar. Ze had hem niet meer gekust na de eerste keer dat ze bij hem in bed was gekropen.

'Wat is er?' zei hij.

'Heb je zin in een hele nacht?'

Nadat ze hadden gevreeën hadden ze allebei trek; Mhouse vond een zakje chips met garnalensmaak en Adam trok een van zijn flessen wijn open, een Cabernet Sauvignon uit Californië. Mhouse zat in kleermakerszit tegenover hem op de matras, ze kauwde op de chips en dronk uit de fles. Het leek wel een *midnight feast*, dacht Adam, maar even later besloot hij dat de vergelijking met zo'n schoolfeest niet opging. Op schoolfeesten kwamen jonge vrouwen niet naakt en in kleermakerszit tegenover je zitten.

Hij legde zijn vinger op haar MHOUSE LY-ON-tatoeage.

'Wanneer heb je die laten zetten?' vroeg hij.

Ze had nog meer, conventionelere tatoeages: een rafelige dubbele bliksemschicht op haar stuitbeen, een veelbladige bloem op haar linkerschouder, een sterrenbeeld (Orion) op de wreef van haar rechtervoet, allemaal gezet in professionele tatoeagesalons; MHOUSE LY-ON was haar eigen werk.

'Toen Ly-on geboren was. Om te laten zien dat we één zijn, weet je... Hij heeft ook een kleine, op zijn been, toen hij nog een baby was. Man, wat huilde hij. Maar,' zei ze breed lachend, vol vertrouwen, 'niemand kan ons scheiden. Nooit niet.'

'Waarom heet je Mhouse?'

'Mijn echte naam is Suri,' zei ze, en ze spelde het langzaam uit.

'Maar ik vond het nooit leuk om Suri te zijn; zoveel nare dingen gebeurd met Suri. Dus ik heb mijn naam veranderd.'

'In Mhouse.'

'Suri betekent "muis" in het Frans, heeft iemand me ooit verteld.'

'Natuurlijk. Maar waarom schrijf je het zo?'

'Ik kan een beetje schrijven. Ik kan "*house*" schrijven, ja? Heb ik geleerd. Dus,' zei ze glimlachend. 'House – Mhouse. Makkelijk zat.'

Adam raakte haar borsten aan, kuste ze, ging met zijn knokkels langs haar tepels, voelde met zijn vingers over haar platte buik.

'Ik heb vandaag een baan aangeboden gekregen,' zei hij, 'vijfentwintigduizend pond per jaar, auto van de zaak.'

Mhouse begon hard te lachen, het klonk gemeend.

'Jij bent een mooie, Johannes,' zei ze. 'Jij brengt me echt aan het lachen.' Ze zette de wijnfles neer, duwde hem zacht achterover en ging schrijlings op hem zitten. Ze leunde voorover, bewoog haar lichaam zo dat haar borsten zijn lippen en kin aanraakten – eerst de ene tepel, daarna de andere – kuste hem, nam zijn onderlip tussen haar tanden en beet er zachtjes in.

'Dit kusje is gratis,' zei ze.

'Dank je,' zei Adam.

Adam liet zijn handen over haar rug glijden en greep haar strakke billen vast. Honderd pond voor Mhouse, dacht hij, en honderd voor Mister Quality, het was iedere gebedelde penny waard.

27

Luigi legde zelf de dikke envelop op zijn bureau

'Dank je, Luigi,' zei Ingram. 'Tot zes uur, zoals gebruikelijk.'

Hij wilde de envelop openmaken, toen hij weer zo'n heftige jeukaanval kreeg, deze keer op zijn linker voetzool. Hij schopte zijn schoen uit, verwijderde de sok en begon krachtig te krabben. 'Jeuk' was een te zwak woord voor die hevige irritaties: het leek wel of iemand een roodgloeiende acupunctuurnaald in hem stak en die onderhuids krachtig heen en weer bewoog. Bovendien kwamen ze op allerlei plaatsen van zijn lichaam voor – in een oksel, in zijn hals, op een vingerkootje of een bil – en toch was er nergens een spoor van een beet of een beginnende uitslag. Waarschijnlijk iets met een zenuwuiteinde of zo, veronderstelde hij. Maar hij begon zich af te vragen of het iets te maken kon hebben met die bloedvlekjes in de nacht: om de twee of drie ochtenden zaten er piepkleine bloedvlekjes op zijn hoofdkussen die ergens uit zijn hoofd of gezicht moesten komen. De jeukaanvallen waren een week of twee na de eerste bloedvlekjes begonnen. Misschien was er helemaal geen verband (misschien was het een natuurlijk gevolg van het ouder worden – tenslotte was hij geen piepkuiken meer, realiseerde hij zich – en bovendien verdween de jeuk onmiddellijk als hij krabde), maar als er weer zo'n jeukaanval kwam, viel die niet te negeren.

Hij trok zijn sok en schoen weer aan en richtte zijn aandacht weer op Luigi's pakket. Het bevatte de afsprakenagenda van Philip Wang. Afgaand op een voorgevoel – en op de behoefte om Keegan en De Freitas een loer te draaien – had hij Luigi naar het laboratorium van Calenture-Deutz in Oxford gestuurd om Wangs agenda te halen bij diens assistent. Hij sloeg hem open, begon te lezen aan het begin van het jaar en ging chronologisch verder. Niets dramatisch, de gebruikelijke activiteiten van de drukke leider van een medicijnontwikkelingsprogramma, de ene saaie vergadering na de andere, waarvan er maar weinig direct verband hadden met Zembla-4. Naarmate hij dichter bij Wangs laatste dag op aarde kwam, begon het patroon te veranderen: een plotselinge verhoging van het aantal reisjes ('niet op kantoor') in de laatste week of tien dagen naar alle vier De Vere-vleugels waar de klinische tests werden gehouden: in Aberdeen, Manchester, Southampton en ten slotte, op de dag voordat hij vermoord werd, St. Botolph's in Londen. Ingram sloeg de bladzijde van Wangs laatste levensdag op en zag dat er maar één afspraak stond vermeld: 'Burton Keegan, C-D, 15.00 uur.'

Ingram sloeg de agenda dicht en dacht diep na.

Er was niets ongewoons aan – dat was ook precies de reden dat de politie er geen aandacht aan had besteed, vermoedde hij – een onderzoeksimmunoloog gaat op zijn geheel eigen wijze gewoon zijn gang. Tenzij je er vanuit een andere hoek tegenaan keek, bijvoorbeeld de hoek van Ingram Fryzer.

Hij vroeg mevrouw Prendergast hem door te verbinden met Burton Keegan.

'Burton, met Ingram. Heb je een ogenblikje?'

Dat had Burton.

'Ik ben zojuist gebeld door de politie over Philip Wang. Ze proberen zijn bewegingen van de laatste twee dagen vast te leggen. Ze verkeren blijkbaar in de veronderstelling dat hij, op de dag dat hij vermoord werd, hier nog op kantoor is geweest. Ik heb ze verteld dat dat uitgesloten was, want ik heb hem die hele dag niet in het gebouw gezien, jij wel?'

'Nee...' Keegan hield zijn stem uitdrukkingsloos.

'Precies. Philip kwam altijd even bij me langs als hij in het gebouw was... Dus jij hebt hem die dag ook niet gezien.'

'Eh, nee. Nee, ik heb hem niet gezien.'

'Dat moet dan op een misverstand berusten. Ik zal het ze meedelen. Bedankt, Burton.'

Hij hing op, liep naar de lift, daalde af naar de hal en probeerde zo terloops en ongehaast mogelijk te doen. Hij vroeg de beveiligingsbeambte van dienst hem het gastenboek van de vorige maand te geven en bladerde naar de dag in kwestie. Daar stond het: uit de vage doordruk bleek duidelijk dat Philip Wang om 14.45 uur had ingetekend en om 15.53 uur weer had uitgetekend. Een paar uur later werd hij op beestachtige wijze vermoord.

Ingram nam de lift terug naar zijn kantoor, in gepeins verzonken. Waarom had Keegan gelogen? Het kon natuurlijk dat Wang naar kantoor was gekomen en zijn afspraak met Keegan had afgezegd, maar dan zou Keegan dat toch wel gezegd hebben? Nee, alles wees ondubbelzinnig op een afspraak met Keegan om drie uur op de dag dat Wang vermoord werd. Waar ging het over? Wat was er gezegd? Waarom was Philip Wang niet bij hem langsgekomen?

'Wat heb ik daar verdomme mee te maken?' vroeg kolonel Fryzer op ongeduldige toon terwijl hij – zeer subtiel – de vaas met pioenrozen herschikte, het onderwerp van zijn laatste aquarel.

'Niets, pa,' zei Ingram, zijn eigen ongeduld onderdrukkend, 'ik gebruik jou gewoon als klankbord...' Hij besloot op de vleiende toer te gaan. 'Ik wil graag leren van jouw enorme wereldwijsheid.'

'Vleien heeft geen zin, Ingram, dat zou je zo langzamerhand toch moeten weten. Daar heb ik enorm de pest aan.'

'Sorry.'

'Die nummer twee van jou, hoe heet-ie ook weer...?'

'Keegan.'

'Keegan heeft dus tegen je gelogen. Ergo: die heeft iets te verbergen. Wat kan die dr. Wang van jou die middag tegen hem gezegd hebben? Wat kan Keegan de stuipen op het lijf hebben gejaagd?'

'Dat weet ik nog niet.'

'Waar was die Wang mee bezig?'

'Hij had de vier voorafgaande dagen de diverse ziekenhuizen bezocht waar de tests voor een medicijn dat wij ontwikkelen worden gehouden. Daar was niets bijzonders aan. De licentieaanvraag voor dat medicijn gaat binnenkort de deur uit, hier en in de Verenigde Staten.'

'Is die Keegan betrokken bij die licentieaanvraag?'

'Reken maar. Heel erg betrokken zelfs.'

De kolonel wierp Ingram een onheilspellende blik toe en spreidde toen zijn handen. 'Dit is jouw smerige wereldje, Ingram, niet het mijne. Denk eens goed na. Wat kan die Wang gezegd hebben tegen Keegan om hem overstuur te maken? Dat is het antwoord op je vraag.'

'Ik heb geen flauw idee.'

'Je bent in ieder geval eerlijk.'

Er werd op de deur geklopt en Fortunatus kwam binnen. Ingram schrok er bijna van hem te zien.

'Pap, wat doe jij hier?'

'Ik kom opa om raad vragen. En jij?'

Ingram kuste zijn zoon, die zijn gebruikelijke infanterist-op-verlof-uitrusting aanhad. Hij had ook zijn dunne haar laten millimeteren.

'Ik ga lunchen met opa.'

'Twee tellen,' zei de kolonel, en hij verdween in zijn slaapkamer.

De onuitgesproken uitnodiging hing in de lucht, als een berisping, vond Ingram, en hij vroeg zich af of hij botweg zou voorstellen om met hen mee te gaan. Er ging een vreemd gevoel door hem heen: drie generaties Fryzer in één kleine kamer, maar hij realiseerde zich dat zijn vader noch zijn zoon prijs stelde op zijn gezelschap. Hij voelde weer een jeukaanval opkomen, dit keer boven op zijn hoofd. Hij drukte er hard op met een wijsvinger.

'Ik zou dolgraag met jullie meegaan,' zei hij met een meewarige glimlach. 'Maar ik heb een tentoonstelling.'

'Ga je naar een tentoonstelling?'

'Nee. Ik bedoel, ik heb een vergadering.'

'O, juist ja.'

De kolonel verscheen weer. 'Ben je er nog, Ingram?'

28

Brigadier Duke bleef bij de deur staan.

'Ik wou dat je dit soort dingen niet deed, Rita. Geloof me...'

'Ik heb geen andere keus, brigadier. Niemand wil iets zeggen. Ik kan toch niet zomaar weglopen.'

'Dat is dus precies wat je wél moet doen. Er gebeuren hier dingen waar je niets van begrijpt.'

'En begrijp jíj er wel iets van?' vroeg ze confronterend. Ze plantte haar handen in haar zij en keek hem recht aan, wat hem enigszins uit het veld leek te slaan.

'Wat zou jij doen als je in mijn schoenen stond?' vroeg ze vasthoudend, niet van plan haar prooi los te laten.

'Dat is mijn probleem niet. Ik hoef niet alles te begrijpen.'

Hij duwde de deur naar de vergaderruimte open, en Rita had het gevoel dat ze een kleine overwinning had behaald. Ze ging naar binnen en Duke deed de deur achter haar dicht. Ze zuchtte en dacht: hoofdinspecteur Lockridge wilde me niet spreken in zijn kantoor. Goed. Hij laat me naar de kleinste vergaderruimte van het hele politiebureau van Chelsea komen. Waarom eigenlijk?

Het vertrek zou in een typologisch woordenboek bijna de paradigmatische status van 'kamer' verdienen: een tafel, twee stoelen, gedeukte luxaflex, felle tl-verlichting aan het plafond, kale muren. Ze ging zitten en wachtte af.

Lockridge kwam binnengestormd met een ordner onder de arm waarvan ze wist dat die niets met haar klacht te maken had, maar slechts diende om aan te geven dat hij nog meer te doen had behalve formeel haar klacht te moeten aanhoren. Ze schudden elkaar de hand.

'Goed je weer te zien,' zei hij. Hij ging zitten zonder haar bij haar naam te noemen en stak een hand op alsof ze op het punt stond hem in de rede te vallen (waar geen sprake van was). 'Dit is trouwens onofficieel. Ik doe dit alleen maar vanwege jouw goede staat van dienst bij ons.'

'Ik vraag niet om een gunst, meneer,' zei Rita dapper. 'Ik wil gewoon een paar antwoorden.'

'Ga je gang,' zei Lockridge met zijn scheve lach. Zijn gezicht zag eruit alsof hij als kind een trap had gehad van een paard of een stier, zijn kaak stond naar rechts, zodat hij uit de zijkant van zijn mond praatte. Hij stond bekend als de 'scheve kusser'. Rita probeerde niet aan die bijnaam te denken terwijl ze in detail vertelde over haar arrestatie van de onbekende bij de Chelsea Bridge, en ze lichtte de reden toe van haar verzoek om dit gesprek.

Lockridge zuchtte: 'Het was een kwestie van openbare veiligheid, is ons verzekerd. Je bent toevallig op iets gestuit, iets waarvan zelfs ik het fijne niet weet. Er is mij opgedragen die man vrij te laten. Die dingen gebeuren. Vooral in het huidige klimaat van terrorisme, politieke onrust en dergelijke.'

'We staan allemaal aan dezelfde kant,' zei Rita. 'We zijn betrokken in dezelfde strijd. Waarom kunnen we dan geen informatie met elkaar delen, zelfs niet de meest elementaire? Als die man mij zijn identiteitspapieren had laten zien, hadden we hem misschien kunnen helpen. Zelfs als hij me met zoveel woorden had verteld waar hij mee bezig was, wat hij aan het doen was, dan zouden u en ik nu niet in deze kamer zitten, meneer.'

Lockridge begon te lachen, neerbuigend, vond Rita. 'Er zijn operaties die zo geheim zijn dat...' zei hij, haalde zijn schouders op en besloot zijn zin niet af te maken.

'Is dat uw antwoord, meneer?'

'Hoe bedoel je?'

'Dat het een ultrageheime veiligheidsoperatie was. Dat de man die ik gearresteerd heb een soort geheim agent was.'

'Zoiets ja, als het ware.'

Rita zuchtte diep, boorde haar diepste voorraad zelfvertrouwen aan, probeerde haar zenuwen de baas te blijven en haar stem niet te laten trillen. 'Want ik zal dit moeten rapporteren aan de hoofdcommissaris van het stadsdeel,' zei ze, naar ze hoopte op niet-agressieve toon. 'En als hij me niet kan helpen dan moet ik maar naar P&O. Ik heb een man gearresteerd die twee handvuurwapens droeg. Hij is binnen twaalf uur vrijgelaten, en voor zover ik weet zonder proces verbaal, zonder vingerafdrukken, zonder DNA-test. P&O zal willen weten wat uw standpunt is.'

Het scheve gezicht van Lockridge vertrok nog meer. Van woede, vermoedde ze.

'Deze bijeenkomst is volledig onofficieel,' zei hij.

'Maar ik vrees dat u toch zult moeten spreken met P&O, officieel. Nadat ik mijn klacht heb ingediend.'

Lockridge stond op en pakte zijn excuusordner. Het Drukke Baasje dat zijn woede in bedwang probeerde te houden.

'Dat lijkt mij uiterst onverstandig, agent.' Zijn stem trilde terwijl hij haar op haar rang wees.

'Wat is er met die wapens gebeurd, meneer?' Ze wist niet waarom ze dat vroeg. Het was voor het eerst dat ze aan de wapens dacht.

Lockridge keek haar aan, hij was zichtbaar niet op zijn gemak.

'Waar heb je het over?'

'Zijn die op het gerechtelijk lab terechtgekomen? Misschien kunnen zij ons helpen.'

'We hebben geen behoefte aan hulp. Dat schijn jij maar niet te begrijpen.'

Hij had haar vraag niet beantwoord. Ze wist dat haar actie hem ongelooflijk kwaad begon te maken.

'Zijn ze naar Amelia Street gegaan, meneer? Die twee automatische wapens van hem? Of hebben we hem zijn pistolen weer meegegeven toen we hem vrijlieten?' Ze wist dat dit de nekslag was. 'We hebben ze hem toch niet gewoon teruggegeven, meneer...?'

'Waar zit je nu, agent Nashe? Sinds je ons verlaten hebt?'

'Bij de MSU, meneer.'

'Dat lijkt me gunstig voor je. Ik weet zeker dat ze het met me eens zijn: nooit in andermans vaarwater zitten. Prima advies, daar zou ik me maar aan houden.'

Hij verliet de kamer met de dezelfde haast als waarmee hij gekomen was.

Rita stond tegenover het driehoekige stukje onland ten westen van de Chelsea Bridge en vroeg zich af wat voor antwoorden dit kleine, vergeten stukje Londen zou kunnen geven op haar vele vragen. Tweehonderd vierkante meter overgroeide rivieroever, mijmerde ze, maar toch was ze hier in een week tijd twee keer geweest. Dat was toch heel bijzonder? En wat kon in godsnaam de relatie zijn tussen een man die bij zonsopgang een zeemeeuw doodt en opeet, en die lelijke, grote gluiperd met zijn twee pistolen die zich schuilhield in de bosjes? Of ging ze te ver? Was het gewoon een bizar toeval? Maakte ze het zichzelf alleen maar moeilijk, zoals brigadier Duke ook al gesuggereerd had? Wat was er met die wapens gebeurd? Maar ze wist het antwoord op die vraag al door de ontwijkende reactie van Lockridge: ze hadden ze gewoon aan hem teruggegeven, normale persoonlijke bezittingen, als een horloge of een portefeuille. Dat was toch onvergeeflijk? Ze had verder geen aanwijzingen om na te trekken, geen enkel ander aanknopingspunt dan haar eigen vage intuïtie...

Ze liep langzaam over de Chelsea Bridge naar de oever van Battersea en vroeg zich af wat haar te doen stond. Ze kon proberen een intern onderzoek te starten naar de wapens... En wat zou er in het arrestantendossier staan over de vrijlating van de gevangene? Ze moest lachen om haar eigen naïveteit: droom maar lekker, meid. Ze wist wanneer ze met haar hoofd tegen een muur liep, en deze muur werd met het uur hoger en dikker. Ze dacht diep na over wat ze moest doen, of ze wel iets kón doen. Misschien was het allemaal zinloos, misschien was het inderdaad iets veel groters, iets wat met het landsbelang te maken had... Ze klapte haar mobiel open en belde haar vader.

'Ja?'

'Hallo, pap, met mij. Wat wil je eten vanavond?'

29

De Hond scheet veel en moeiteloos, deed zijn grappige horlepiep door met zijn poten over het trottoir te krabben en liep door. Hij keek op naar Jonjo – hijgend, tong uit de bek –, zijn blik vroeg om goedkeuring.

'Braaf, hoor,' zei Jonjo, en hij klopte hem op zijn rug. 'Brave hond. Knap, hoor. Is-ie dan toch zo knap?' Hij stelde met genoegen vast dat de samenstelling van de ochtendhoop mooi stevig was. Het nieuwe dieet werkte blijkbaar als een tovermiddel. Prachtig.

'Walgelijk.'

Jonjo keek om en zag een vrouw die hem met een blik vol woede en afkeer aanstaarde.

'Is er wat, dame?' zei hij, en hij rekte zich uit tot zijn volle lengte.

'Ja. Ik vind dat walgelijk,' zei ze. 'Je hoort het op te ruimen en mee te nemen. Absoluut walgelijk.'

'Doe het lekker zelf, meid,' zei hij. 'Ga je gang.'

Ze keek hem woedend aan, zei nog een keer 'walgelijk' en beende weg.

Jonjo trok aan de riem en De Hond en hij liepen verder. Hij bleef nog liever dood dan dat hij achter zijn hond aan sjokte met een plastic zakje om stront te ruimen. Maak het nou, hield Jonjo zichzelf voor, homo sapiens was niet uit een prehistorisch moeras gekropen en gedurende vele millennia geëvolueerd tot een redelijk wezen om achter zijn hond aan te lopen en zijn uitwerpselen op te rapen. Dat was anti-Darwiniaans, en bovendien ging het wat hem en De Hond betrof om iets medisch: hij had een schoon stuk trottoir nodig om te kunnen beoordelen wat voor uitwerking het nieuwe voedsel had. Wie het niet leuk vond had natuurlijk het recht zijn mening te uiten. Hij was bereid zijn kant van de kwestie te beargumenteren. Hij zou geen enkel gesprek uit de weg gaan.

Hij wandelde met De Hond naar de rivier, liep onder de hooggelegen Dockland Light Railway door en betrad de keurige gazons van het Thames Barrier Park. Het gras was pas gemaaid, de jonge boompjes waren aangeslagen en stonden in blad, er zaten een paar mensen op het terras van een theehuis, er waren jonge moeders met wandelwagens en de gebruikelijke joggers sjokten hijgend langs. Er stonden nog een paar hondenbezitters, ze knikten naar elkaar en zeiden beleefd 'goedemorgen'. Een ogenblik lang kreeg Jonjo het gevoel dat hij deel uitmaakte van een soort gemeenschap, nette mensen die zich verenigd voelden in hun zorg en genegenheid voor een stompzinnig huisdier. Jonjo moest toegeven dat die gedachte hem een warm gevoel vanbinnen gaf, terwijl hij uitkeek over de brede rivier en de weerkaatsing van de zon zag op de reusachtige zilverkleurige bulten van de Theems Stormvloedkering. Als dikke, glimmende haaienvinnen vormden ze het symbolische einde van de rivier, dacht hij, voorbij de vloedkering verbreedde de rivier tot een estuarium en nog verderop was de zee. Hij had het altijd prettig gevonden om dicht bij de rivier te wonen, maar nu riep de Theems onaangename associaties op met Adam Kindred, zijn eigen arrestatie en vernedering. Nu hij erover nadacht had Kindred de rivier voorgoed voor hem bedorven – nóg een reden voor een gewelddadige wraakactie – en hij draaide de Theems de rug toe en ging naar huis, terwijl zijn goedmoedige stemming snel verdween.

Het was allemaal irritant, frustrerend en zorgelijk stil geworden. Geen teken, geen spoor van Kindred, alsof hij in rook opgegaan en van de aardbodem verdwenen was. En er waren nog meer zorgelijke ontwikkelingen. Na twee weken stilte had Jonjo contact opgenomen met de Risk Averse Group, niet omdat hij krap bij kas zat – hij had geld genoeg – maar omdat hij er niets aan vond om thuis een beetje op zijn luie reet te zitten. Hij vroeg een onderhoud aan met de hoogste man, majoor Tim Delaporte zelf. Hij kende majoor Tim, hij was korte tijd adjudant van 3 Para geweest voordat hij het leger verliet en de RAG opzette. Een prima vent, majoor Tim, hard maar eerlijk.

De afspraak was bevestigd en Jonjo was naar de City gereisd, naar het nieuwe kantoor van de RAG in een glimmend spiegelpaleis vlak bij Lower Thames Street en met uitzicht op de Tower. Jonjo had een pak aangetrokken, zijn schoenen glimmend gepoetst en zijn haar laten knippen. Hij voelde zich thuis en toch een buitenstaander in het kantoor van de RAG: het wemelde er van de militairen – mannen met wie hij gewerkt of gevochten had – maar er liepen ook heel wat middle class wijven rond; leidinggevenden en secretaresses met een bekakt accent, waardoor hij zich onbeholpen en niet op zijn gemak voelde.

Hij ging zitten in de hal, recht overeind op de rand van een harde stoel om zijn colbert niet te laten kreuken. Er stonden overal planten – miniatuurbomen, struiken en palmen – en er hingen abstracte schilderijen aan de muren. Meisjes met lang haar en hoge hakken staken zo nu en dan de hal over om espresso of cappuccino te halen uit de koffieautomaat en er klonk muziek – licht klassiek – uit onzichtbare luidsprekers. De tijdschriften die beschikbaar waren voor wachtenden hadden allemaal luxe vakantieoorden en buitenlands vastgoed als onderwerp en stonden vol advertenties voor horloges en speedboten. Jonjo kreeg er een slecht gevoel bij: de meeste mannen in dit deel van het gebouw waren beroepsmilitairen die samen verantwoordelijk waren voor honderden, en waarschijnlijk duizenden, gewelddadige moorden. Hij vond dat het gebouw dit op de een of andere manier moest uitstralen – dat het eerlijk moest zijn over de ware aard van de transacties die hier werden gesloten – en er niet hoorde uit te zien als het kantoor van een reisbureau, een patserige effectenmakelaar of een societytandarts.

En ze lieten hem ook nog bijna een uur wachten. De jonge vrouw van de receptie wist ook niet wie hij was. Toen kreeg hij te horen dat majoor Tim plotseling weggeroepen was en dat hij te woord zou worden gestaan door iemand die Emma Enright-Gunn heette. Terwijl hij naar haar kantoor werd gebracht, werd zijn humeur met iedere stap slechter: zijn boord knelde plotseling om zijn hals, hij kreeg het warm, zijn overhemd plakte aan zijn rug en zijn oksels klotsten van het zweet.

Dat mens Enright-Gunn was kortaf en zakelijk; ze zag eruit als de directrice van een chique school of als zo'n politica. Haar accent klonk Jonjo kil en vreemd in de oren en hij werd plotseling erg nerveus, hij kreeg een droge mond en hij kon nauwelijks nog uit zijn woorden komen.

'Ja… nee… het is, eh, meer een kwestie van wat er, eh, hoe heet het' – hij kon verdomme niet op het woord komen! – 'eh, voor handen is, zeg maar.' Vacant, herinnerde hij zich ineens. 'Wat er vacant is,' voegde hij er veel bescheidener aan toe dan hij bedoelde.

'Het aanbod is op dit moment nogal hoog, meneer Case. Te veel militairen die het leger verlaten. Iedereen wil de particuliere beveiliging in.'

'Kan wel zijn, maar er kan geen sprake van zijn dat ik terugga naar fucking Irak. Sorry, neemt u me niet kwalijk.'

Ze glimlachte. Koeltjes, meende Jonjo.

'Er is een vacature in Bogota, Colombia: bodyguard voor een politiecommissaris.'

'Nee, bedankt. Niet in Zuid-Amerika.'

Ze bladerde door de map die voor haar op het bureau lag. 'Training voor handvuurwapens in Abu Dhabi, privébeveiliging van een sjeik.'

'Ik geef geen trainingen, juffrouw...'

'Mevrouw...'

'Mevrouw Enright-Gunn. Majoor Tim kan u alles vertellen over wat ik...'

'Ik heb hier alle informatie over u, meneer Case, alles.'

Hij vertrok met lege handen, behalve de toezegging dat hij boven aan de lijst stond voor als er zich iets 'spannends' voordeed. In de hal dronk hij snel na elkaar drie bekertjes water. Terwijl hij het bekertje in de prullenbak gooide, zag hij majoor Tim zelf de gang uit komen lopen, zonder colbert, met felgroene bretels en wat papieren in zijn hand. In een reflex sprong Jonjo in de houding, ging weer op de plaats rust en dacht: wat is hier godverdomme aan de hand?

'Jonjo. Hoe gaat-ie?'

'In blakende vorm, dank u, *sir*.'

Tim Delaporte was lang en slank, langer dan Jonjo. Hij had Scandinavisch blond haar dat met vet achterover was gekamd, als een strakke blonde pet boven het waakzame gezicht met de scherpe trekken en lichtgrijze ogen. Als hij praatte, bewogen zijn lippen nauwelijks.

'Sorry, dat ik je niet persoonlijk te woord kon staan. Emma doet tegenwoordig de sollicitaties.'

'Geen probleem, sir.'

'Druk?'

'Hete kolen, sir. Ik ben op zoek naar iets spannends. Daarom ben ik hier.'

'Als je je maar gedraagt, Jonjo.' Majoor Tim bewoog zijn vinger heen en weer voor Jonjo's neus en kuierde verder.

'Komt voor elkaar, sir,' zei Jonjo tegen zijn rug.

Van die hele bespreking deugde niets, dacht Jonjo terwijl hij met De Hond vanaf het Barrier Park terug naar huis wandelde. Alles wat hij tussen de regels had gehoord, baarde hem zorgen. Allereerst afgescheept door dat kakwijf; ten tweede die zeikbaantjes die hem werden aangeboden: veertien jaar bij de SAS, wie dachten ze wel dat ze voor zich hadden? En ten derde die ontmoeting met majoor Tim, terwijl die zogenaamd niet in het gebouw was. En wat had dat gelul van 'gedraag je' te betekenen…? Niet voor de eerste keer vroeg hij zich af in hoeverre de Risk Averse Group op de hoogte was van zijn freelancewerk; niet voor de eerste keer vroeg hij zich af of ze misschien zelfs zijn geheime opdrachtgevers waren. Als je iemand discreet wilde laten omleggen, dan wendde je je toch tot een organisatie die uitsluitend werkte met voormalige professionals van de veiligheidsdiensten, die getraind waren in dodelijke acties…

Kon hij die fucking Kindred maar vinden, dacht Jonjo boos terwijl hij zijn huis naderde, dan zou alles weer prima in orde zijn. Hij zocht in zijn zakken naar zijn sleutels. Zijn huis was pas vier jaar oud en stond in een rijtje van vrijstaande en halfvrijstaande woningen gebouwd op een voormalig stuk onland in Silvertown, vlak bij het Barrier Park. Ieder huis had een tuin en een inpandige garage op de begane grond. Jonjo had in de hal een deur ingebouwd, zodat hij van binnenuit toegang had tot de garage – waar hij zijn taxi parkeerde – aangezien hij vaak spullen in en uit zijn auto moest laden zonder dat de buren hem zagen.

'We redden ons wel,' zei hij hardop tegen De Hond.

Hij bleef als aan de grond genageld staan. Dat voornaamwoord had iets losgewrikt in zijn geheugen. 'We'… Wie had onlangs ook 'we' gezegd op zo'n manier dat zijn geheugen werd geactiveerd…? Hij dacht diep na, en hij herinnerde zich de ondervraging van Mohammed; hij was afgeleid door die lul van een Bozzy, en het was hem niet meteen opgevallen. Wat had hij precies gezegd? 'We reden naar Chelsea, zeg maar. Toen hij zei dat hij zijn regenjas zou halen, vertrouwden we het niet helemaal – omdat hij tussen de struiken woonde – en we dachten dat hij ons misschien verneukte, dat hij zou weglopen.' *We vertrouwden het niet helemaal.* Dat hij óns zou verneuken. Maar volgens Mohammed zat hij alleen met Kindred in de auto. Waarom zei hij dan 'we'? Koninklijk meervoud? Flikker op, zeg. Er zat nog iemand in die auto, afgezien van Mohammed en Kindred. Tijd om onze vriend Mo nog eens met een bezoekje te vereren, dacht Jonjo, en zijn humeur klaarde op; hij had altijd al gedacht dat het antwoord daar ergens in die rioolput, in The Shaft, lag.

Iemand riep zijn naam en hij keek op. Het was Candy, zijn buurvrouw. Ze kwam aangelopen over het grasveld, ging op haar hurken zitten en speelde wat met De Hond, en zei dat hij er goed uitzag door dat nieuwe dieet.

'Snipperdag, Candy?'

'Ja,' zei ze. 'Ik had nog een paar dagen te goed.' Ze glimlachte. 'De boog kan niet altijd gespannen zijn.'

'Precies.'

Ze was redelijk knap, dacht Jonjo, beetje dikke neus, ze was zelf ook een beetje aan de dikke kant, maar ze had mooi blond haar en schone nagels.

'Heb je zin om vanavond een hapje mee te eten?' vroeg ze. 'Ik maak moussaka en soesjes. Ik heb een paar dvd's gehuurd.'

'Als het maar geen oorlogsfilms zijn.' Ze lachten, ze wist iets over zijn militaire verleden. 'Ja,' zei hij, 'dat is leuk, Candy, hartstikke leuk.'

'Vergeet De Hond niet.'

Jonjo glimlachte, maar dacht niet echt aan het etentje en aan wat er ongetwijfeld daarna te gebeuren stond. Met zijn gedachten was hij bij zijn volgende bezoek aan The Shaft en aan de methoden die hij zou toepassen om ervoor te zorgen dat Mohammed hem alles zou vertellen wat hij wist.

30

De stoom was verbazingwekkend dik, bijna als waterige melk, als langzaam doorgeroerde waterige melk, in beweging gebracht door luchtstromen telkens wanneer er mensen langs liepen. Een potdichte mist, maar dan van stoom, dacht Adam.

'Dit is gaaf,' zei Ly-on.

Adam draaide zich om. Hij zag Ly-on omdat hij vlak naast hem zat. Zijn kleine bierbuikje hing over de rand van zijn handdoek heen, zijn krulhaartjes waren nat en plakten tegen zijn schedel.

'Ik ben hier nog nooit geweest,' zei hij.

'Als je het te warm vindt, moet je het zeggen, hoor.'

Mhouse was die ochtend om de een of andere reden vroeg weg-gegaan, en Adam was alleen achtergebleven met Ly-on in de flat. Hij had afgewassen in de gootsteen (nadat hij een ketel had opge-zet), had met een emmer water de wc doorgespoeld en met nog een emmer de stortbak gevuld. Eén koudwaterkraan voor een heel gezin had zo zijn nadelen, het deed hem aan de Derde Wereld den-ken. Toen hij terugkwam in de keuken stond Ly-on zijn tanden te poetsen boven de gootsteen. Adam voelde zich plotseling goor en ongewassen en meteen kreeg hij overal jeuk. Hij besefte dat hij be-hoefte had aan een heet bad. Een Turks bad. Toen hij stond te be-delen bij London Bridge Station had iemand hem een folder ge-geven van de Purlin Nail Lane Baths, en zo was hij op het idee gekomen. Woorden als 'sudatorium' en 'tepidarium' maakten een eenvoudige wasbeurt tot iets exotisch en tijdloos. Hij ging naar bui-ten, vond op de eerste verdieping een openbare telefoon die het nog deed, en belde Mhouse.

'Waar neem je hem mee naar toe?' zei Mhouse.

'Naar de sauna in Deptford. De Purlin Nail Lane Baths.'

'Maar hij kan niet zwemmen.'

'We gaan ook niet zwemmen.'

De sauna was verbazingwekkend duur – tien pond voor volwas-senen en vijf pond voor kinderen – maar hij veronderstelde dat je er voor dat geld van 's morgens tot 's avonds kon blijven, als je daar zin in had. Het was die dag alleen geopend voor mannen, en om-dat het donderdagochtend was, was het erg rustig. Hij liet Ly-on het zwembad zien.

'Het is een meer, man,' zei hij onder de indruk. 'Gaaf.'

'Wil je daar in zwemmen?'

'Reken maar, Johannes. Leer je mij? Ik vind dat leuk, Johannes.'

'Ja, op een dag zal ik het je leren.'

Ze trokken hun kleren uit in het frigidarium en betraden met een handdoek om hun middel geslagen de stoomruimte. Aan het zo nu en dan kraken en piepen van de houten banken hoorden ze dat ze niet alleen waren. Hij en Ly-on gingen zitten en wachtten tot het zweet begon te stromen.

Toen Ly-on zei dat hij goed doorbakken was, gingen ze naar het koude bad. Ze hingen hun handdoek op en Adam nam Ly-on op zijn arm: hij was verrassend licht. Ly-on sloeg een arm om Adams nek en ze liepen over de betegelde trap het ijskoude water in.

'Jeetje,' zei Ly-on toen zijn verhitte lijfje in het koude water kwam. 'Het is net een droom. Hé, ho, jottem, man; hé, ho, jottem.'

Adam liet hem even drijven en hield zijn handen vast.

'Hoe oud ben je, Ly-on?' vroeg Adam

'Twee, denk ik,' zei hij.

'Nee, je bent ouder.'

'Misschien zeven, heeft mama nooit gezegd. Misschien vier?'

'Ik denk dat je ongeveer zeven bent. Waar is je papa?'

'Heb ik nooit gehad, een papa. Alleen mama.'

'Ga je naar school?'

'Nee. Mama zegt dat we thuis leren.'

Na het koude dompelbad gingen ze naar de heetste ruimte, het laconium. De hitte was overweldigend, ze raakten er allebei door verdoofd: ademen was amper mogelijk, van een gesprek kon geen sprake zijn en ze hielden het er maar een paar minuten uit. Ly-on fluisterde: 'Ik ga dood, ik verbrand,' en dus gingen ze snel terug om af te koelen in het koude bad, voordat ze voor nog meer stoom teruggingen naar het sudatorium. Maar het hielp allemaal wel, Adam had zich in zijn hele leven nog niet zo schoon gevoeld: al zijn poriën stonden wijd open, alle klieren en openingen waren helemaal schoongespoeld. Onder een hete douche waste hij zijn haar en baard, en ook Ly-ons krullenkop. Ze kleedden zich weer aan en liepen Purlin Nail Lane op.

'Heb je trek?' vroeg Adam.

'Drinken,' zei Ly-on. 'Ik heb dorst.'

Ze gingen een pub binnen, waar Ly-on twee halve liters limonade met ijs dronk en Adam twee halve liters bier, waardoor hij in één klap het gewicht terug had dat hij in de sauna was kwijtgeraakt. Hij at gebakken aardappelen met bonen en geraspte kaas, en Ly-on at voor het eerst van zijn leven spaghetti. Ze gingen naar Greenwich; Adam nam hem mee naar het scheepvaartmuseum en ze wandelden langs de rivier, waar Adam een sweatshirt voor hem kocht waar LONDEN op stond.

'Wat is dat?' vroeg Ly-on, 'Londen?' terwijl hij, tot genoegen van Adam, het woord las.

'Daar woon je. In Londen.'

'Ik woon in The Shaft.'

'The Shaft is in Londen.' Hij gebaarde naar de rivier, naar de overkant, naar Millwall en Cubitt Town, waarachter de bergen van glas en staal van de Canary Wharf te zien waren. 'Dat hoort allemaal bij Londen.'

Ze gingen met de Dockland Light Railway terug naar Bermondsey en liepen naar Rotherhithe. Terwijl ze over de pokdalige voetpaden van The Shaft liepen en hand in hand de diverse gehavende binnenpleinen overstaken, stelde Ly-on hem allerlei vragen over de stad waarin hij woonde.

'Dus als iemand zegt, hé, Ly-on, man, waar kom jij vandaan? Dan zeg ik, ik kom uit Londen.'

'Ja.'

'Dus dan zeg ik: "Ik ben Londen, ik ben een Londen.'

'Londenáár. Je bent een Londenaar.'

'Londenaar...' Daar moest hij over nadenken. 'Dat is vet, Johannes. Hé, ho, jottem.'

'Daar moet je trots op zijn. Het is een geweldige stad. De beste stad ter wereld.'

'Ben jij ook een Londenaar, Johannes?'

'Nee, ik niet.'

'Waarom niet?'

'Omdat ik hier niet woon. Ik kom hier niet vandaan. Ik ben op bezoek.'

Ze waren vrijwel op gelijke hoogte met de lange vent die hen tegemoet kwam, toen Adam plotseling zag wie het was. Hij liet hem passeren en veranderde toen enigszins van looprichting om een schuine blik op hem te kunnen werpen. Hij bleef staan en keek om. Het was de man van de driehoek, de man van de steeg achter Grafton Lodge, de man die hij bewusteloos had geslagen. De man liep vastberaden, met kwieke tred, alsof hij te laat was voor een afspraak. Hij had Adam niet gezien en was hem straal voorbijgelopen zonder opzij te kijken; maar hij was natuurlijk niet op zoek naar een man met een baard en een jongetje aan zijn hand.

'Wat is er, Johannes?' vroeg Ly-on met bezorgde stem. 'Ben je bang?'

Adam ontspande zijn greep om de hand van het jongetje.

'Niets. Kom, we gaan naar huis.'

In de flat – Mhouse was inmiddels thuisgekomen – raapte Adam zijn schamele bezittingen bij elkaar, terwijl Ly-on haar probeerde uit te leggen wat spaghetti was. ('Een soort touwtjes, mam, van die zachte dingen. Glijdt zo naar binnen.') Adam stopte zijn oude krijtstreeppak en diverse overhemden in twee plastic tassen en controleerde grondig of er in zijn kamer nog iets achterbleef wat met hem in verband kon worden gebracht.

'Hoezo, je vertrekt?' zei Mhouse verbaasd en ontstemd, toen Adam haar twee weken huur vooruitbetaalde.

'Ik zei toch dat mij een baan was aangeboden. In...' Hij dacht razendsnel na. 'In Edinburgh.'

'Waar is dat?' vroeg ze, terwijl ze het geld aannam.

'In Schotland.'

'Bij Manchester?'

'Ongeveer. Als iemand iets vraagt, zeg dan maar dat ik naar Schotland ben. Onthou je dat? Schotland.'

Ly-on lag op een paar kussens naar tekenfilms op tv te kijken.

'Ik ga een paar dagen weg,' zei Adam, en hij hurkte naast hem.

'Oké.' Ly-on hield zijn blik op het scherm gericht. 'Als je terug bent, gaan we dan weer naar de mist?'

'Natuurlijk.'

'Hé, ho, jottem.'

Bij de voordeur maakte Mhouse een opgewekte, onbezorgde indruk.

'Pas op jezelf,' zei ze. 'Wees voorzichtig.'

'Ik kom terug,' zei Adam, hoewel hij wist dat het niet waar was, en plotseling voelde hij zich niet meer in staat zijn gevoelens onder woorden te brengen; het enige wat hij wist was dat hij voorgoed afscheid nam van dit gezinnetje dat hem onderdak had geboden.

'Ik vond het leuk hier, weet je,' zei hij. 'Bij jou en Ly-on.' Hij raakte haar arm aan en ging met zijn vingertoppen langs de ronding van haar biceps. 'Vooral bij jou.'

Ze veegde zijn vingers weg.

'Dan moet ik dus op zoek naar een andere huurder?'

'Ja, eigenlijk wel.' Hij slikte. 'Mag ik je een afscheidszoen geven?'

Ze draaide haar gezicht en bood hem een wang aan.

'Op je lippen.'

'Er wordt niet gekust.'

'Alsjeblieft.'

Ze keek hem aan. 'Als je ervoor betaalt.'

Hij gaf haar een briefje van vijf pond en drukte zijn lippen op de hare. Hij ademde in, rook haar bijzondere geur, de mengeling van haarlak, talkpoeder, goedkoop parfum, en probeerde die tot zich te nemen en op te bergen in zijn geheugen voor de toekomst. Hij voelde hoe haar tong heel even langs zijn tanden gleed; hun tongen raakten elkaar.

'Ga nu maar,' zei ze op vlakke, gevoelloze toon. Ze trok zich terug. 'Nu.'

Was dat een spontaan teken van genegenheid of een bewijs van afkeuring? vroeg Adam zich af terwijl hij zonder links of rechts te kijken The Shaft uitliep met zijn twee plastic tassen. Zal ze me een beetje missen, of ben ik gewoon een man, één in een lange rij mannen die haar allemaal hebben teleurgesteld en weer zijn verdwenen? Het enige wat hij wist was dat ze hem hadden opgespoord en dat als hij niet onmiddellijk vertrok, zijn achtervolger ongetwijfeld terecht zou komen bij flat L, derde woonlaag, blok 14. Er was geen sprake van een kwaadaardig, buitengewoon toeval; die lelijke kerel was maar om één reden in The Shaft: hij weet dat ik me hier ergens ophoud, dacht Adam bij zichzelf, en met terugwerkende kracht ging er een golf van angst door hem heen, waardoor hij even stil bleef staan. Wat zou er gebeurd zijn als hij hem niet gezien had? Of als hij en Ly-on zijn pad hadden gekruist...?

Hij versnelde zijn pas en liep in zuidelijke richting. Hij wilde zich in een menigte begeven, in een metrostation, bij Canada Water, zoiets was prima. Hij zou vandaaruit wel bellen.

'Hé, Adam. Ik kan niet geloven. Fantastisch, fantastisch.' Vladimir omhelsde hem als een broer, vond Adam, hij was bijna in tranen: als een broer die ergens in een oorlog vocht en als vermist was opgegeven.

'Jij mijn eerste bezoeker,' zei Vladimir, die een stap naar achteren deed en hem welkom heette in zijn flat.

Vladimirs tweekamerflat bevond zich in Stepney, in een gebouw dat in de jaren twintig van de vorige eeuw was gesticht door een liefdadigheidsfonds voor sociale woningbouw, de Oystergate Buildings vlak bij Ben Jonson Road. Het was grijs en goor, en helemaal opgetrokken uit wit geglazuurde baksteen – zodat het leek op een griezelig, spookachtige gebouw uit een zwart-witfilm – en het glazuur was gebarsten en besmeurd. De voorgevel was opgedirkt met overal open portalen, smalle balkons en gietijzeren balustrades, een wereld van verschil met de strenge hoeken en lijnen van The Shaft. Vladimir beschikte over een badkamer, keuken, slaapkamer en zitkamer. In de zitkamer stond een nieuwe, zwarte driezitsbank, een leren sofa en een flatscreen-tv. De rest van het kleine flatje leek geheel kaal – geen handdoeken in de badkamer, geen keukenspullen – op een matras en een paar slordige dekens op de vloer in de slaapkamer na.

'Jij slaapt op sofa,' zei Vladimir.

'Hoe kom je aan die spullen?'

Vladimir pronkte met zijn creditcard. 'Dit land van jou is geweldig.'

Ze gingen uit en aten kipburgers en friet bij een Chick-N-Go. Adam betaalde; het was het minste wat hij kon doen, vond hij, en Vladimir scheen geen geld op zak te hebben, hij leefde uitsluitend van zijn creditcard. Ze kochten een sixpack bier en gingen terug naar de Oystergate Buildings. Adam betaalde Vladimir een maand huur vooruit, tachtig pond. Vladimir zei dat alles zou veranderen als hij de maandag daarop zou beginnen als bode in het nabijgelegen Bethnal & Bow NHS Trust Hospital. Zijn beginsalaris was tienenhalfduizend pond per jaar. Hij liet Adam zijn uniform zien – een blauwe broek en een wit overhemd met epauletten en een blauwe stropdas – en een halskoord met identiteitskaart met daarop zijn foto en zijn nieuwe naam, 'Primo Belem'. Vladimir vroeg of hij vijftig pond van hem kon lenen, hij zou hem terugbetalen zodra hij zijn eerste salaris had ontvangen. Adam gaf hem het geld, hij was nu zelf ook bijna blut en hij zou een bezoekje moeten brengen aan zijn bank in de driehoek.

'Ik heb monkey,' zei Vladimir. 'Wij vieren feest dit weekend voordat ik ga werken. Wij roken monkey, beste die er is.'

'Tof,' zei Adam.

Die nacht lag hij op de krakende sofa (Vladimir had hem een van zijn dekens geleend) te denken aan Mhouse en Ly-on. Hij had weer last van zelfmedelijden en was zich bewust van zijn onzekere toekomst, van zijn unieke, absurde situatie en van de nieuwe dreiging die hij, door snel te reageren, had kunnen afwenden, althans dat hoopte en veronderstelde hij. Hij miste Mhouse en Ly-on, moest hij toegeven, hij miste zijn leventje met hen in The Shaft. Maar hij troostte zichzelf: ondanks de deprimerende omstandigheden waarin hij zich bevond, zijn ongewone situatie, had hij het enige gedaan wat mogelijk was. Hij had The Shaft moeten verlaten: gelukkig waren Mhouse en Ly-on nu veilig, en dat was het enige wat echt belangrijk was.

31

Wat is dat toch met dokterswachtkamers in dit land, vroeg Ingram zich af. Hij stond op het punt honderdtwintig pond te betalen voor een kort consult van tien minuten bij een van de meest gevraagde en exclusieve huisartsen van Londen, en hij had zich net zo goed in een tweederangs hotel uit de jaren vijftig kunnen bevinden. Lelijk, beschadigd nepmeubilair, een versleten tapijt met bloemmotief, een stoffig setje tweedehands jachttaferelen aan de wand, een paar verdroogde graslelies in de vensterbank, en een stapel tijdschriften van twee jaar oud op een wankele salontafel. Als dit New York, Parijs of Berlijn was geweest, dan zou alles schoon, nieuw, kwalitatief hoogstaand zijn, met veel glas, staal en weelderig groen, en het hele decor zou maar één boodschap uitstralen: ik ben zeer succesvol, ik ben hightech en hypermodern, u kunt al uw medische problemen aan mij toevertrouwen. Maar hier in Londen, in Harley Street...

Ingram zuchtte hoorbaar, zodat de andere wachtende patiënt in het vertrek – een vrouw met een sluier tot onder haar ogen en een hoofddoek tot vlak boven haar wenkbrauwen – hem aankeek. Ze had een jongetje bij zich dat een arm in een mitella had. Ingram glimlachte naar haar; misschien lachte ze terug, hij meende de rimpels rond haar ogen enigszins te zien samentrekken, daarmee het belachelijke van de situatie bevestigend, maar hij wist het niet zeker, dat was het probleem met die sluiers, sterker nog, dat was de bedoeling van sluiers. Hij pakte een tijdschrift, *Horse and Hound*, bladerde het door, legde het terug en zuchtte opnieuw. Misschien moest hij gewoon weggaan; hij voelde zich een beetje belachelijk door die paar bloedvlekjes en die krachtige, angstaanjagende jeuk-aanvallen. Waarom zou hij de arts daarmee lastigvallen?

'Ingram, ouwe reus. Kom verder, jongen.'

Ingrams huisarts, dokter Lachlan McTurk, was een rasechte Schot, maar een Schot zonder Schots accent, behalve wanneer hij zo nu en dan deed alsof. Hij leed aan ernstig overgewicht en was nog net geen geval van ziekelijke obesitas, hij had een hoofd vol dik, warrig grijs haar en een blozend gezicht. Zowel 's zomers als 's winters droeg hij pakken van tweed in diverse tinten mosgroen. Hij was getrouwd en had vijf kinderen, maar hoewel Ingram al wel dertig jaar patiënt bij hem was, had hij mevrouw McTurk noch een van zijn kinderen ooit ontmoet. Hij was een man van cultuur, wiens gretigheid om iedere vorm van kunst te onderzoeken en te be-proeven met de jaren nooit was afgenomen. Ingram vroeg zich wel eens af waarom hij überhaupt de moeite had genomen arts te wor-den.

'Wil je ook een "*wee dram*", Ingram? Het is bijna twaalf uur.'

'Beter van niet, dank je. Ik heb nog een belangrijke vergadering.'

Lachlan McTurk had alle voor de hand liggende onderzoe-ken gedaan: bloeddruk, hartslag, hem beklopt, reflexen, hij had naar hart en longen geluisterd en niets ontdekt wat reden tot zorg kon geven. Hij schonk zichzelf drie vingers whisky in en vulde het glas bij met water uit de koude kraan. Hij nam plaats achter zijn bureau en stak een sigaret op. Hij noteerde wat in een dos-sier.

'Als je een auto was, Ingram, zou ik zeggen dat je je APK met vlag en wimpel had doorstaan.'

'Maar waar komt dat bloed dan vandaan? En waarom? En die verrekte jeukaanvallen?'

'Wie zal het zeggen? Het zijn geen symptomen die ik een-twee-drie herken.'

'Dus er is niets om me zorgen over te maken?'

'Nou ja, iedereen heeft ontzettend veel om zich zorgen over te maken. Maar volgens mij ben jij zo gezond als een vis en kun je wel honderd worden.'

'Ik neem aan dat ik opgeblazen zou moeten zijn.' Ingram trok zijn colbert weer aan. 'Wat zeg ik nu? Ik bedoel opgelucht. Ik zou opgelucht moeten zijn.'

'Rook je?'

'Al twintig jaar niet meer.'

'Hoeveel drink je, ruwweg?'

'Paar glazen wijn per dag, zo ongeveer.'

'Laten we zeggen een fles. Nee, je bent in topvorm, naar mijn professionele mening.'

Ingram dacht na. 'Misschien neem ik toch een klein glaasje.' Hij kon zich net zo goed laten trakteren voor die honderdtwintig pond, vond hij. McTurk schonk hem in en reikte hem het glas aan.

'Heb je de nieuwe productie van *Playboy of the Western World* in het National Theatre al gezien?' vroeg McTurk.

'Eh, nee.'

'Absolute must. Net als die expositie van August Macke in het Tate Liverpool. Wat je verder ook doet deze maand, doe me een lol en ga daarheen.'

'Staat genoteerd, Lachlan.' Ingram nipte aan zijn whisky. 'Ik moet zeggen dat ik de laatste tijd een beetje gespannen ben. Nogal veel aan mijn hoofd en zo.'

'Aha, de Angstgodin Stress. Stress kan de gekste dingen doen met het menselijk lichaam.'

'Denk je dat het door de stress zou kunnen komen?'

'Wie weet? "Er is meer tussen hemel en aarde dan jouw geest kan bevatten, Horatio".' McTurk drukte zijn sigaret uit. 'Bij wijze van spreken. Weet je wat?' zei hij. 'Ik zal wat bloedtestjes bij je doen. Dan slaap je tenminste rustig.'

Dat gebeurt er dus, dacht Ingram, een eenvoudig bezoekje aan je huisarts, en voor je het weet worden er medische toestanden en gezondheidsproblemen ontdekt waar je totaal niets van af wist. McTurk nam een flinke spuit bloed af uit een ader in zijn rechterarm en verdeelde het over een aantal monsters.

'Wat voor tests?' vroeg Ingram.

'De hele santenkraam. Even zien of er bellen gaan rinkelen.'

Mooi zo, dacht Ingram, daar gaat nog eens vijfhonderd pond.

'Je denkt toch niet,' begon hij, 'ik bedoel, zou dat het gevolg kunnen zijn van een – hoe noem je dat? – een seksueel overdraagbare aandoening…?'

McTurk wierp hem een sluwe blik toe. 'Nou, als er bloed uit je achterste droop en je had jeuk aan je pik – of vice versa – dan zou ik mijn bedenkingen kunnen hebben. Wat heb je allemaal uitgespookt, Ingram?'

'Niet, niets,' zei Ingram snel, en hij had meteen spijt van de wending die de diagnose had genomen. 'Ik vroeg me gewoon af of mijn woeste jeugd nu misschien zijn tol eiste.'

'O ja, syfilis. Nee, nee, dat zou ik onmiddellijk ontdekt hebben. Nee, geen kwikbaden voor jou, jochie.'

Ingram verliet de praktijk zwakker en aanzienlijk zieker dan toen hij gekomen was. Hij had ook lichte hoofdpijn van de whisky. Idioot.

32

De Targa cirkelde eenmaal om de kleine roeiboot heen, waarna Joey gas gaf en stroomafwaarts voer. Het werd eb en Rita hoorde het schorre, veranderende geluid van de motoren terwijl de schroeven werden omgeschakeld en de Targa midden in de stroom stil kwam te liggen, met het achterschip in de stroomrichting, wachtend tot het roeibootje door het tij naar hen toe kwam drijven. Rita ging op het achterdek staan met een bootshaak in de aanslag. Ze zag een vanglijn die bevestigd was aan de boeg van het bootje in het water drijven, viste die snel uit het water, legde hem om een bolder, trok het bootje tegen de zijkant van de Targa aan en legde het vast.

Ze hadden op het punt gestaan hun dienst te beëindigen toen ze werden gewezen op het verlaten bootje – het was waargenomen toen het onder de Lambeth Bridge door voer – en ze waren stroomopwaarts gevaren. Rita stond op de boeg en zocht ernaar met haar verrekijker. Plotseling zag ze het uit de schaduw van de Waterloo Bridge komen drijven, het was nauwelijks tweeënhalve meter lang, een gedrongen, brede praam gemaakt van smerig lichtblauw polyester, met een laag vrijboord, ontworpen voor korte tochtjes tussen

schip en wal of tussen twee steigers, met een doft en twee roeidol-
len maar zonder riemen, voor zover Rita kon zien, terwijl ze haar
laatste halve steek legde. Achterin lag een hoop dekzeil van grijs
plastic, en daaromheen klotste zo'n vijf centimeter bruin water.

'Een ogenblik,' riep ze tegen Joey, terwijl ze een eind touw greep.
Even een extra lijn uitgooien, dacht ze bij zichzelf, dan kunnen we
hem op sleeptouw nemen; ik zou niet willen dat die vieze oude
praam onze mooi geverfde zijkant beschadigt. Ze knielde op het
dek, boog voorover en haalde het uiteinde van de lijn door de slui-
ting in de boeg en wilde er een knoop in leggen, toen het dekzeil
bewoog en ze een gil slaakte, eerder een instinctieve waarschu-
wingskreet, maar tot haar eigen ergernis had ze toch gegild.

Iets of iemand begon te bewegen onder het dekzeil, een paar tellen later werd het teruggeslagen, en ze stond oog in oog met haar
vader.

Het duurde slechts een fractie van een seconde voordat ze zag
dat het Jeff Nashe helemaal niet was, maar een andere ongeschoren oudere man met mager gezicht en een sliertig grijs staartje.

'Wel godver...' mompelde de man verbijsterd, terwijl hij in een
knielende houding kwam zitten en over het water naar Somerset
House keek alsof hij ineens werd getroffen door de strenge klassieke geometrie van de gevel. Hij draaide zich om naar Rita, en ze
zag de half verdwaasde blik van een man die aan het eind van zijn
Latijn is. Rita stak haar hand uit, hielp hem aan boord en ving die
onmiskenbare geur op van iemand die zich lang niet heeft gewas-
sen, de stank van de armoede.

'Dank je, schat,' zei hij, toen ze hem recht op zijn benen had gezet. Nu ze vlak bij hem stond, zag ze dat hij eigenlijk helemaal niet
oud was – achter in de dertig, begin veertig – maar wel tandeloos,
de wangen ingevallen, de kaken onnatuurlijk smal, en lippen die
dezelfde zuigende en tuitende bewegingen maken als die van baby's. Ze liet hem zitten in de stuurhut, trok het sleeptouw in en gaf
Joey een teken zodra hij veilig kon wegvaren. Ze haalde een deken
uit een kastje, drapeerde die om zijn schouders en ging tegenover
hem zitten.

'Ik heb hem niet gejat, hoor,' zei hij. 'Ik ben erin gekropen om
een tukje te doen. Allemachtig, dat was schrikken toen je me wakker maakte!'

'Waar was dat, waar u een tukje wilde doen?'

'Tja.' Hij dacht na, likte zijn lippen, wreef langs zijn kin met de knokkels van zijn rechterhand. 'Hampton Court.'

'Dan hebt u een hele tocht achter de rug,' zei ze. 'De rest doen we wel op het bureau.'

'Ik heb niks misdaan, hoor,' zei hij humeurig, verongelijkt door de suggestie. Hij keek een andere kant op, snoof, trok de deken strakker om zijn schouders en haalde met zijn andere hand zijn paardenstaart onder de deken vandaan, een gebaar dat haar opnieuw aan haar vader deed denken. Plotseling ging er een gevoel van ongerustheid en weemoed door haar heen bij de gedachte aan de oude en kwetsbare Jeff, maar ze troostte zich onmiddellijk met de gedachte dat ze er altijd voor hem zou zijn en altijd voor hem zou blijven zorgen. Maar dat was geen troost, besefte ze, terwijl ze nadacht over de huidige situatie, aangezien die te maken had met een toekomst waar ze niet bepaald naar uitzag.

Ze betrad het achterdek, controleerde ten overvloede de sleeplijn en keek naar het zachte pruttelen in het hekwater van de Targa. Ze wilde er niet aan denken dat ze ouder werd en nog steeds op de *Bellerophon* woonde. Dertig, veertig... Hoe langer ze bleef, hoe moeilijker het zou worden om op een dag te verhuizen, hoe vaak ze dat ook dreigde te doen als haar vader haar weer eens boos maakte. Doordat ze alleen was en geen relatie had, dacht ze steeds vaker aan die dingen. Toen ze nog met Gary ging, had ze nooit zorgelijke of angstige gedachten over haar toekomst. Gary had haar mee uit gevraagd en ze vroeg zich af of ze dat wel moest doen. Ze realiseerde zich dat het misschien weer iets zou kunnen worden tussen hen, net zo gemakkelijk als ze het had uitgemaakt.

Ze draaide zich om en keek naar de tandeloze man, die nu Joey lastigviel met zijn problemen en van onder de deken met een vieze vinger naar diens rug wees. Gary zou nooit de ware voor haar zijn, besefte ze, dat stond vast, en het zou een grote fout van haar zijn om hem terug te nemen, alleen maar om zich tijdelijk wat veiliger en zelfverzekerder te voelen. Ze was jong en aantrekkelijk voor mannen, dat wist ze best. Een of andere geluksvogel wachtte ergens op haar, en ze zou hem onmiddellijk herkennen als ze hem zag; daar was toch een of ander liedje over? Ze probeerde zich de woorden en de melodie te herinneren, en het vooruitzicht van haar onvermijdelijke toekomstige geluk vrolijkte haar plotseling op. Ze keek met mededogen naar de tandeloze man: hoe kon iemand zo diep zinken? Ooit was hij het lieve kleine baby'tje van iemand geweest, had hij paardje gereden op een liefhebbende knie, was hij de hoop geweest van zijn vader en moeder... Wat voor afschuwelijke fouten had hij gemaakt? Wat voor smerige streken had het lot hem geflikt? Hoe had hij zo diep kunnen vallen?

Ze draaide zich om en keek naar de rivier, terwijl ze onder de Blackfriars Bridge door voeren. Shakespeare had een huis in Blackfriars gehad, herinnerde ze zich; dat had iemand haar ooit verteld. In die tijd was er nog maar één brug over de Theems, maar er waren wel veel boten, het krioelde toen van de boten op de rivier. Ze lachte in zichzelf, opgelucht dat haar stemming beter was geworden, blij dat ze deel uitmaakte van het leven en het eindeloze verkeer op de rivier.

33

Toen Adam op zaterdagmorgen wakker werd, draaide zijn maag bijna om van de stank, de stank van verschaalde crack. Vladimir had niet kunnen wachten tot het weekend met zijn feestje, temeer omdat hij brokjes hoogwaardige crack in zijn zak had, en daarom was vrijdagavond aangewezen als het juiste moment om een feestje te bouwen vanwege zijn nieuwe naam, zijn bankrekening, creditcard, sofa en tv, zijn betaalde baan als portier in het Bethnal & Bow NHS Hospital, en uiteraard zijn nieuwe flatgenoot en huurder. Adam had niet mee gerookt maar wel erg veel zwaar bier gedronken in een poging te laten zien dat hij zich met plezier in de bedwelmende middelen wilde storten. Ze hadden tv gekeken — steeds waziger, praatzieker en onsamenhangender (beiden hadden tegelijkertijd en vrij associërend commentaar gegeven — ze keken naar een documentaire over bergbeklimmen, voor zover hij zich kon herinneren —, Vladimir aldoor rokend en drinkend, Adam drinkend en drinkend — totdat Vladimir op de een of andere manier overeindkwam en zich naar zijn slaapkamer spoedde met zijn pijp in de hand.

Adam draaide zich om, de leren sofa piepte en kraakte onder hem als een nest jonge vogels, en hij zag dat de tv nog aanstond, met het geluid uit. Keurig gekapte en geklede, glimlachende mensen die het wereldnieuws presenteerden. Hij kwam overeind en werd zich bewust van zijn hoofdpijn en de smerige smaak in zijn mond. Hij ging naar de badkamer, waste zijn gezicht en poetste zijn tanden. Hij trok zijn colbert en zijn schoenen aan, klopte op Vladimirs deur en zei dat hij ergens ontbijt zou gaan halen. Hij meende Vladimir vaag iets te horen mompelen, maar had geen verstaanbare woorden gehoord. Hij durfde zich geen voorstelling te maken van hoe Vladimir zich die ochtend zou voelen; hij vermoedde dat hij nog een paar halen aan de crackpijp had gedaan voordat hij in coma was geraakt.

Adam kocht een krant, ontdekte een cafetaria, bestelde thee en een compleet Engels ontbijt met toast, twee gebakken eieren, bacon, worstjes, champignons, bonen, tomaten en frietjes, en liet het zich allemaal goed smaken. Hij voelde zich voldaan en enigszins beter, wandelde naar Mile End Park, waar hij heel even in het gras ging liggen. Hij werd drie uur later wakker en strompelde naar huis in de Oystergate Buildings.

Vladimir was nog steeds niet op, en deze keer reageerde hij niet toen Adam op zijn deur klopte. Adam keek een poosje naar paardenrennen op tv en maakte een paar keer een kop thee voor zichzelf. De keuken was inmiddels iets beter ingericht: Adam had een waterketel gekocht, een steelpan, twee mokken, twee borden en twee stel messen en vorken, als een arm jong stel dat net gaat samenwonen, mijmerde hij. Er was nog geen koelkast, en dus zette hij de melk op de vensterbank.

Hij dronk van zijn vierde mok thee en vroeg zich af wat hij moest doen. Hij kon hier in de Oystergate Buildings blijven wonen, bedacht hij, in ieder geval een poosje, en doorgaan met zijn lucratieve bedelaarsbestaan. Hij verdiende meer als parttime bedelaar dan Vladimir zou verdienen als ziekenhuisportier, en bovendien had hij plannen voor een aantal brutale variaties op het thema 'verdwaalde blinde' dat hem geen windeieren legde.

Maar hij kon ook de stad verlaten en naar het noorden vertrekken, zoals hij tegen Mhouse had gezegd, en inderdaad naar Edinburgh in Schotland gaan. Er waren ook blinden in Schotland, hij kon daar net zo goed bedelen als hier. Maar Londen had iets waar hij niet buiten kon, besefte hij, iets fundamenteels. Hij kon niet zonder de grootte, de uitgestrektheid, de miljoenen inwoners, de ongelooflijke anonimiteit en bescherming die de stad te bieden had. Hij dacht aan de zeshonderd mensen die iedere week verdwijnen in dit land, de jongens en meisjes, de mannen en vrouwen die de voordeur achter zich dichttrokken in de wetenschap dat ze nooit meer zouden terugkomen, of die 's nachts uit een achterraam kropen, wegrenden en zich aansloten bij die reusachtige bevolkingsgroep van levende geesten die de Vermisten vormden. Tweehonderdduizend vermisten, waarvan de meesten zich ophielden in Londen, vermoedde hij, en net als hij een bestaan leidden onder alle categorieën van de maatschappelijke radar: ondergronds, ongedocumenteerd, ongeteld, onbekend. Alleen Londen was groot en harteloos genoeg om die verloren massa's te kunnen herbergen, de verdwenen bevolking van het Verenigd Koninkrijk, alleen Londen kon hen verzwelgen zonder scrupules, zonder aarzeling.

Nee, dacht hij, hij zou – zoals het cliché voorschrijft – van de ene dag in de andere leven. Zo lang Vladimir zijn crackverslaving binnen de perken hield (geen politie-invallen, graag) zou hij redelijk veilig zijn in de Oystergate Buildings. Het leven kon zijn gebruikelijke onvoorspelbare loop nemen. Denkend aan Vladimir besloot hij hem een mok thee met suiker te brengen, en hij klopte opnieuw op zijn deur.

'Vlad? Ik heb hier een kop thee voor je, mate.' Hij duwde de deur open. 'Zullen we samen even...'

Het was onmiddellijk zonneklaar dat Vladimir dood was. Hij lag op de matras, half gedraaid, met een arm uitgestoken alsof hij nog één keer naar zijn crackpijp wilde grijpen. Zijn ogen en mond waren open.

Adam liep achterwaarts de slaapkamer uit en trok de deur dicht. Hij beefde zo erg dat de thee over de rand van de mok klotste. 'Kut, nee hè,' kreunde hij hardop, 'nee, nee, nee.' Hij vervloekte zijn pech, zijn ongelooflijk stomme pech, maar werd onmiddellijk overvallen door schuldgevoel: de afschuwelijke gedachte maakte zich van hem meester dat hij Vladimir misschien had kunnen redden. Hij wist zeker dat hij, voordat hij ging ontbijten, Vladimir iets had horen kreunen. Misschien was hij toen nog in leven, nauwelijks, maar voldoende om zijn hulp in te roepen. Als hij op dat moment naar binnen was gegaan, had hij hem misschien nog kunnen helpen door een dokter te bellen of een ambulance. Maar al dat terugblikken was zinloos, besefte hij. Hij zette de beker neer en ging weer de slaapkamer binnen. Hij wist dat hij Vladimirs lichaam niet mocht aanraken, maar niettemin sloot hij diens oogleden met een vingertop, duwde zijn mond dicht en legde hem recht, zodat hij keurig op bed lag met zijn armen naast zich. Nu leek het alsof hij sliep, min of meer. De complete inertie zei echter genoeg, de afwezigheid van ook maar de kleinste beweging: het op en neer gaan van de borst, opengesperde neusgaten, de kleine fysieke tics die ieder van ons onwillekeurig heeft en die bewijzen dat we in leven zijn.

Adam veronderstelde dat Vladimir zich met zijn monkey een enorm hart- en vaattrauma had gerookt: zijn zwakke hart had het wellicht begeven door een haal te veel aan de pijp, een laatste, duizelingwekkende adrenalinestoot die hem fataal was geworden. De lekke hartklep, waarvan zijn aardige, vrijgevige mededorpsbewoners dachten dat hij die met hun geld had laten vervangen, had het finaal begeven. En zo had Vladimir met een zalige overdosis de geest gegeven. Misschien was het niet eens zo'n beroerde manier om ertussenuit te knijpen, mijmerde Adam, terwijl hij de deken over hem heen trok en besloot een lange wandeling te maken om eens goed na te denken.

Hij had verwacht dat het vreemder zou voelen om in een flat te wonen met een dode vriend in de kamer naast je, bedacht Adam, maar toen hij Vladimir eenmaal had 'afgelegd', discreet met een deken had bedekt en de deur achter zich had dichtgetrokken, merkte hij dat er uren voorbijgingen zonder dat hij ook maar één keer dacht aan het lijk in de slaapkamer.

Hij had besloten niets overhaast te doen – gewoon afwachten, nadenken, plannen verzinnen en de tijd nemen – om te zien of zich een plan van aanpak aandiende waarmee Vladimirs lichaam keurig kon worden verwijderd en begraven, zonder aandacht te vestigen op het feit dat hij, Adam Kindred, op de vlucht en gezocht voor moord, in de flat had gelogeerd. Dat bleek gemakkelijker gezegd dan gedaan. De hele zondag dacht hij na, en het enige wat hij kon bedenken was gewoon weglopen en later anoniem de hulpdiensten bellen. Vladimir kende geen van de bewoners van de Oystergate

Buildings, zelfs niet zijn naaste buren. Hij woonde er nog niet lang genoeg, en dus zou niemand hem missen of onverwacht langskomen. Adam vermoedde dat het 'gemeenschapsgevoel' in de Oystergate Buildings niet bepaald sterk ontwikkeld, om niet te zeggen totaal afwezig was. De zondag ging langzaam voorbij. Adam wandelde door de straten van Stepney, ging naar de bioscoop en zag een slechte film, kocht een pizza, nam die mee naar huis en at hem op terwijl hij televisie keek.

Toen hij op maandagochtend nog steeds geen slim plan had bedacht, besloot hij zijn schamele bezittingen in een paar plastic tassen te stoppen. Hij vroeg zich af waar hij heen moest: de verleiding was groot om terug te keren naar de bekende beschutting van de driehoek bij de Chelsea Bridge, maar hij besefte meteen dat hoe vertrouwd die plek ook was, zijn veiligheid er niet langer gegarandeerd was: de politie had er een inval gedaan en die lelijke man van Grafton Lodge kende de plek ook. Nee, hij moest ergens anders net zo'n veilige plek zoeken, er waren vast en zeker nog meer van die plaatsen in Londen.

Hij trok de voordeur achter zich dicht – hij dacht: misschien Hampstead Heath? Ruime open plekken – en had net de sleutel omgedraaid toen een postbode in korte broek en zware laarzen en met een stoffige blauwe tulband op moeizaam de trap op kloste.

'Mooi zo, hebbes. Meneer Belem?'

Adam draaide zich om. 'Hm?' zei hij op neutrale toon.

'Hier uw naam en handtekening, graag.'

Adam schreef en tekende 'P. Belem' en kreeg een aangetekende envelop overhandigd met in de hoek het wapen van Bethnal & Bow NHS Trust.

'Fijne dag verder, meneer Belem,' zei de postbode, en hij liep verder de galerij op.

Adam deed de deur van het slot en ging zijn flat weer in.

34

Het had bijna een week geduurd voordat Jonjo Mohammed had gevonden, tot zijn grote frustratie. Die vent leek op ongeveer vijf verschillende adressen te wonen, en hij had Bozzy en zijn trawanten zwaar moeten betalen om hem op te sporen.

Uiteindelijk ontdekten ze hem in een rijtjeshuis in Bethnal Green, waar hij logeerde bij een oom. Jonjo besloot dat de volgende ontmoeting vlotter zou verlopen zonder de aanwezigheid van Bozzy, en dus reed hij alleen naar Bethnal Green en parkeerde zo'n twintig meter voor de tijdelijke verblijfplaats van Mohammed. Jonjo zag hem een aantal keren gaan en komen – met neven en vrienden – voordat hij alleen het huis verliet en naar zijn Primera liep, waarschijnlijk om als taxichauffeur wat geld te verdienen. Jonjo volgde hem een paar minuten, totdat Mohammed de Primera parkeerde langs het trottoir – de alarmlichten knipperend in de middagzon – en een nachtwinkel binnenging om iets te kopen. Jonjo parkeerde zijn taxi dubbel zodat Mohammed onmogelijk weg kon rijden, en wachtte af.

Er werd driftig op het raampje geklopt.

'Sorry, joh. Maar ik kan zo niet...'

Jonjo smeet het portier open en mepte Mohammed languit tegen het plaveisel. Hij hielp hem overeind en stofte zijn spijkerjasje af. Mohammed herkende hem onmiddellijk.

'Moet je horen, man, je kunt mij niet zomaar...'

'In mijn kantoor graag, Mo.'

Ze namen plaats achter in Jonjo's taxi, Mohammed op het klapstoeltje, Jonjo tegenover hem, breeduit en op zijn gemak. De deuren zaten op slot.

'Ik heb een grote familie,' zei Mohammed. 'Ooms, broers, neven; als iets met mij gebeurt, ze kennen Bozzy. Dan is hij er geweest, ja?'

'Je kunt ons allemaal een groot plezier doen.' Jonjo leunde voorover en legde zijn hand op Mohammeds knie om het spastische wippen te stoppen. 'Ik wil je geen pijn doen, Mohammed, ik wil je geld geven.' Hij telde tweehonderd pond uit en gaf die aan hem. 'Hier, pak aan.'

Dat deed Mohammed. 'Waarom?'

'Omdat jij me gaat vertellen wie er nog meer bij jou in de auto zat op de avond toen je die loser naar Chelsea reed. En daarna vertel je me waar ik die persoon die bij je was kan vinden. En daarna geef ik je nog driehonderd pond.' Jonjo haalde een dikke stapel bankbiljetten uit zijn jaszak.

'Ik was alleen, man.'

'Nee, je was niet alleen. Je zei dat die loser verdween in dat stukje wildernis om zijn regenjas te halen, terwijl jij in de auto zat te wachten.'

'Ja, nou én?'

'Waarom is hij dan niet weggelopen terwijl jij als een stropop in de auto zat?'

'Eh… omdat ik hem bedreigd had. Ik zei dat ik zijn fucking been zou breken als hij me niet betaalde.'

'Hij was zeker schijtensbenauwd?'

'Reken maar. Daarom deed hij ook wat ik zei.'

'Dus je vertróúwde hem. Je zat gewoon in de auto te wachten, en vertrouwde erop dat hij terug zou komen met zijn regenjas.'

'Eh… ja.'

Jonjo griste hem de tweehonderd pond uit de hand.

'Zelfs de stomste fucking eikel van een taxichauffeur van de hele wereld zou nooit zoiets doen. Als jij in de auto bleef zitten, wie ging er dan met Kindred mee?' Jonjo wapperde met het geld voor Mohammeds neus. Mohammed keek ernaar en likte zijn lippen. Zijn knie begon weer te wippen.

'Het was iemand die Mhouse heet.'

'Een man die Mouse heet?'

'Een vrouw.'

Op Jonjo's gezicht viel geen verbazing vanwege deze informatie af te lezen, ook al was hij erg verbaasd.

'En weet je waar ze woont?'

'Ja.'

'Als je me erheen brengt, krijg je de rest van het geld.'

Jonjo wachtte tot het donker was voordat hij terugging naar The Shaft. Hij ging de trap op en liep snel over de galerij naar flat L. In zijn zak had hij een klein, dik breekijzer dat hij boven het slot in de deurpost zette; hij drukte er met zijn volle gewicht tegenaan,

en terwijl hij een tillende beweging maakte, hoorde hij de schroeven van het slot kreunen en het hout splinteren. Hij schoof het
breekijzer langs de boven- en onderkant van de deur: geen grendels. Hij wachtte even, keek om zich heen om te zien of er iemand
keek en ramde met een krachtige trap van zijn werkschoen de deur
open. Hij stapte snel naar binnen, deed de deur achter zich dicht
en bleef staan in het halletje. Er klonk geen enkel geluid, de flat
was leeg. Er brandde licht in de keuken en hij liep stilletjes de zitkamer in, waar hij een tv, kussens en twee fauteuils aantrof. In de
keuken viel zijn oog op de elektriciteitskabel en de rubber tuinslang die door het raam naar binnen kwamen, en hij lachte het
spottende lachje van de verontwaardigde belastingbetaler. Dat
soort lui stelen je het brood uit je mond, dacht hij bij zichzelf. Wat
is dit toch voor een wereld waarin…
  'Hallo.'
  Jonjo draaide zich heel langzaam om, en hij zag een jongetje met
krulhaar en een smerig T-shirt dat tot aan zijn knieën kwam in de
deuropening van een slaapkamer staan.
  'Hallo, jochie. Maak je geen zorgen, ik ben een vriend. Waar is
mama?'
  'Mama werkt.'
  'Ze vroeg of ik iets wilde komen halen voor haar.'
  Hij liep langs het jongetje de slaapkamer in: matras op de vloer,
smerige lakens, een paar kartonnen dozen. Hij trok de kleerkast
open, rommelde tussen de kleren die er hingen en voelde achterin
of daar ook nog iets lag. Hij haalde schoenen tevoorschijn, een plastic tas vol seksspeeltjes, dildo's. Door de chemische geur van goedkope parfum begonnen zijn ogen te tranen. Toen had hij een zwaar-
dere doos, nee, een diplomatenkoffer te pakken. Die kende hij maar
al te goed: zware sloten, glanzend leer, koperen sierwerk op de
hoekpunten. Hij klikte hem open: leeg. Maar hij was van Kindred;
de puzzelstukjes begonnen op hun plaats te vallen en hij voelde zijn
opwinding toenemen. Het joch stond slaperig maar nieuwsgierig
naar hem te kijken, hij leunde tegen de deurpost en krabde aan zijn
dij.
  'Van wie is dit?'
  'Van mama.'
  Jonjo keek in de andere kamer: een kale matras, kale vloerplan-
ken, nog meer dozen met troep. Zoals sommige mensen konden

leven, walgelijk gewoon. Hij liep naar de deur met de koffer in zijn hand.

'Dag, jochie.'

'Ben jij een vriend van Johannes?' vroeg het jongetje.

Jonjo bleef staan en draaide zich om. 'Wie is Johannes?'

'Hij woonde hier maar nu is hij weg. Zeg maar dat hij terug moet komen, zeg maar dat Ly-on wil dat hij terugkomt.'

'Kent mama Johannes?'

'Ja. Ze vindt Johannes erg aardig. Hé, ho, jottem.'

'Zal wel.' Jonjo aaide hem over zijn bol, groette en deed de deur zo goed mogelijk achter zich dicht.

Bozzy stond te wachten bij het vernielde speeltuintje. Hij wees naar de diplomatenkoffer in Jonjo's hand.

'Hoe kom je daaraan?'

'Van die Mouse-vrouw. Kindred heeft daar gewoond.'

'Kut. Al die tijd?'

'Ja. Waar werkt ze?'

Bozzy grijnsde. 'Werken? Ze tippelt bij de Cherry Garden Pier.'

'Is het een stoephoer…?' Dat verbaasde Jonjo… Waarom woonde Kindred in bij een hoer? 'Weet je het zeker?'

'Is de paus katholiek? Twintig pond voor een wip, mate. Zonder condoom, dertig. Allemaal heel chic, weet je wel.' Hij grinnikte in zichzelf.

'Hoe kom ik bij de Cherry Garden Pier?'

35

De rivier was prachtig vanavond, dacht ze, en het water stond erg hoog. Het was het bewegende zwart, het begin van de ommedraai, van de grote watermassa die begon aan de terugreis naar zee: de zwarte rivier die krachtig stroomde en de lichten die onbeweeglijk weerkaatsten op het voortrazende oppervlak. Mhouse zag de kracht en de betovering ervan – niet dat ze het zelf zo onder woorden zou brengen – maar de rivier leidde haar af, en ze mijmerde nog even door, totdat ze zich weer herinnerde hoezeer ze baalde.

Een rustige avond, veel te rustig. Ze liep al uren te tippelen rond de Cherry Garden Pier, de zijstraten en de stegen in, op zoek naar klanten, naar mannen. Ze had een meisje ontmoet die erover dacht naar King's Cross te verhuizen, omdat er niets te doen was hier in Rotherhithe. Ze liep zelfs helemaal terug naar Southwark Park, maar daar hielden zich alleen maar homo's op, hoewel één kerel haar vroeg mee te gaan naar het meer, waar hij zogenaamd een schuurtje had waar ze heen konden, maar ze zei dat hij zijn meer en zijn schuurtje in zijn reet kon steken, ben je helemaal gek...

Ze stak een sigaret op. Ze zag het grote ziekenhuis, St. Bot's, met alle lichten aan, een eindje stroomafwaarts liggen. Dat zou een elektriciteitsrekening geven! Het was jammer dat Johannes 1603 weg was; hij was een soort geldkraan geweest die je maar hoefde open te draaien als je wat nodig had. Honderd pond te weinig? Een hele nacht met Johannes. Hij was best aardig (ze was niet zo dol op mannen met baarden, om eerlijk te zijn) – vriendelijk, zacht-aardig, behulpzaam – en hij mocht haar graag. In ieder geval neuk-te hij haar graag, dat was wel duidelijk, zeg. Ly-on vond hem ook aardig en dat leek wederzijds te zijn. En dus liet ze zich van tijd tot tijd door hem neuken, zij had wat extra geld en hij had een dak boven zijn hoofd met satelliet-tv; waarom moest hij dan zo plot-seling vertrekken? Ze had schulden bij Mister Quality en Margo, en die drongen er steeds weer op aan dat ze hun terugbetaalde. Een heleboel geld. En je kon Mister Q. maar beter niet tegen je heb-ben...

Ze vroeg zich af of ze Johannes 1603 kon opsporen en hem zijn kamer weer aanbieden, misschien zelfs een huurverlaging voorstel-len. Hoe wou je dat doen, stomme trut? Ik zou het bij de kerk kun-nen proberen, dacht ze. Hij kwam heel vaak in de kerk, en mis-schien wisten ze daar wel waar hij was. Misschien bevalt het hem niet in Schotland. Misschien komt hij wel terug naar The Shaft, naar Mhouse en Ly-on, zijn gezinnetje. Misschien wilde hij echt wel...

'Hallo, schat.'

Ze draaide zich om en zag een man op het pad langs de rivier staan. Waar was die ineens vandaan gekomen? Ze liep langzaam naar hem toe en duwde haar bustier omhoog zodat haar decolleté duidelijker zichtbaar werd. Een decolleté werkte altijd, grappig eigenlijk.

'Waar ben je naar op zoek, liefje?' vroeg ze.

'Ik heb hier ergens mijn auto staan,' zei hij, gebarend met zijn duim. 'We kunnen een eindje gaan rijden.'

'Ik stap nooit in een auto, schat... sorry. Kom maar met me mee, dan zal ik je eens lekker verwennen.'

Ze liep naar de King's Stair Gardens en hoorde zijn voetstappen achter zich. Ze gebruikte altijd het portiek van een soort waterpompstation, dat heel diep en donker was; er konden mensen vlak langs lopen zonder te zien wat je daar deed.

Ze stapte het portiek in en voelde meer dan dat ze zag hoe hij de ruimte opvulde. Lange kerel. Ze greep naar zijn gulp. Haal hem eruit en pak hem in je handen, dat was haar tactiek. Geef ze geen tijd om na te denken. Klaar voordat je het weet, voordat ze de kans kregen te zeggen wat ze precies wilden.

Ze voelde zijn sterke hand om haar pols.

'Rustig, schatje, niet zo snel. Ik heb zelf ook een plannetje.'

'Veertig pond,' zei ze. 'Zonder condoom vijftig. Een kamer kost honderd, voor een halfuur.'

Ze klikte haar aansteker aan. Ze schrokken zich altijd rot als ze wisten dat je hun gezicht duidelijk had gezien; dan lieten ze eventuele nare geintjes wel achterwege. De vlam verlichtte zijn grote gezicht, ze zag de ogen met bleke wimpers, de slappe kin met het kuiltje, en door het dansende vlammetje leek het zelfs nog dieper. Op de een of andere manier kwam hij haar bekend voor.

'Ken ik jou niet?' zei ze. 'Heb ik jou niet eerder gehad?'

'Nee. Tenzij je ook in Chelsea werkt.'

'Ik ben nog nooit in Chelsea geweest, schat.'

'Dat ben je wel.'

Hij greep haar bij de keel, tilde haar op en ramde haar tegen de muur, zodat de lucht uit haar longen werd geperst.

'Waar is Adam Kindred?' beet hij haar toe. 'Als je zegt waar hij is, takel ik je niet toe.'

Ze kon geen woord uitbrengen, en bracht een stikkend, gorgelend geluid voort. Ze had haar handen om zijn pols geslagen, die aanvoelde als een dikke boomstam, en haar tenen raakten nauwelijks de grond. Hij ontspande zijn greep enigszins en liet haar een paar centimeter zakken.

'Nooit van gehoord,' zei ze.

'En van "Johannes"?'

Om de een of andere reden herinnerde ze zich hem weer. Hij was de vent die ze een paar weken geleden op een avond voor The Shaft uit een taxi had zien stappen. Vooral de taxi was haar opgevallen, en daarna was ze langs hem gelopen, langs die grote, lelijke klootzak met het kuiltje in zijn kin die nu zijn hand om haar keel had. Maar wat had hij te maken met Johannes 1603?

'Welke Johannes?' zei ze. 'Er lopen zoveel Johannesen rond.'

'Wat dacht je van de Johannes die bij jou heeft ingewoond. Zullen we met hem beginnen?'

Ze voelde zich zwak en geïntimideerd omdat hij haar meteen doorhad. Hoe de fuck wist hij dat? Wie had hem dat verteld? En ze kreeg een afschuwelijk voorgevoel: plotseling besefte ze dat ze het in haar eentje moest opnemen tegen deze grote, sterke kerel, dat haar leven op het spel stond, net als die keer toen ze in de auto was getapt met die ene klootzak van een klant. Je veranderde in een dier, dat voelde je gewoon.

'Vertel me wat je weet over Johannes,' zei hij.

'O, die lul,' zei ze op verbitterde toon. 'Die is vorige week opgerot naar Schotland.'

'Wat? Naar Schotland?'

Ze voelde dat hij oprecht verbaasd was, hij verslapte zijn greep op haar nog meer, en ze voelde dat dit haar ogenblik was. Ze ramde haar knie in zijn ballen, met volle kracht, en hoorde zijn luide kreet van pijn terwijl ze onder zijn arm door dook en het op een rennen zette.

Maar hij had haar binnen een paar seconden ingehaald, en ze kon niet hard rennen op die fucking hooggehakte laarzen. Hij kreeg haar te pakken vlak voordat ze de rivier met zijn verlichte wandelpaden had bereikt, greep haar handen stevig vast en duwde haar de donkere King's Stairs Gardens in, waar hij iets vreemds deed met haar hals – hij duwde zijn vingers aan de zijkant diep naar binnen terwijl hij met een duim stevig achter een oor drukte – en ze voelde hoe een kant van haar lichaam helemaal slap werd en ze een tintelend gevoel in haar linkerhand kreeg.

Ze stompte hem in zijn gezicht met haar rechterhand, sloeg haar nagels in zijn wang, trok die met kracht naar beneden en voelde zijn huid scheuren. Ze zag zijn zwiepende hand te laat aankomen en probeerde nog weg te duiken, maar hij sloeg haar zo hard met de rug van zijn hand dat ze alleen nog voelde dat ze vloog; Mhouse vloog door de lucht, als een klein vogeltje.

En daarna niets meer.

36

Goran, de hoofdbode, liep de bodekamer binnen, liet zijn blik langs de zes bodes gaan die daar zaten te slapen, sms'en of de krant te lezen, en controleerde zijn klapbord.

'Oké... Wellington en Primo naar zaal 10; mevrouw Manning, chirurgie.' Hij zweeg even. 'Hallo, oproep voor Primo, kom er maar in, Primo. Aarde aan Primo...'

Adam reageerde aanvankelijk niet, ook al keek hij Goran recht aan, omdat hij héél even vergeten was dat híj Primo was, maar plotseling was hij zich er weer van bewust, kwam overeind en stak zijn duim op. Wellington hees zich langzaam op van zijn stoel, haalde een hand door zijn grijze haar en keek hem aan.

'Kom op, Primo, man, dit wordt leuk.'

Terwijl Adam op de dienstlift wachtte die hem naar zaal 10 zou brengen, ving hij een glimp van zichzelf op in de bekraste roestvrijstalen ombouw van de liftdeur, en zag hoe het lamplicht weerkaatste op zijn kale schedel en het effect sorteerde van een lichtgevend keppeltje op zijn hoofd, als het begin van een soort halo. Hij wreef met zijn hand over het stekelhaar dat alweer op zijn glimmende schedel groeide en voelde het zacht raspen tegen zijn handpalm, ondertussen verstrooid glimlachend. Dit was zijn tweede dag op het werk, maar voor zijn gevoel had hij nu pas besloten wat hij met het lichaam van Vladimir aan moest. Hij surfde op de golven van zijn ervaring, zoals hij het zelf noemde, drijvend op de woelige stroom van gebeurtenissen die hem voortbewoog. Gewoon doen, had hij zichzelf voorgehouden, later zou hij genoeg tijd hebben om rustig na te denken.

Pas nadat de postbode weer was vertrokken en Adam weer de flat was binnengegaan drong plotseling tot hem de simpele schoonheid, het zuiver geniale en voor de hand liggende door van het plan dat hij, staande bij de voordeur, spontaan en bijna achteloos had bedacht, en dat hem in staat stelde zonder te beven met 'P. Belem' te tekenen op het ontvangstbewijs van het postkantoor. Hij was rechtstreeks naar de badkamer gegaan, waar het hem nog verrassend veel tijd kostte om al het haar van zijn hoofd te verwijderen en zijn volle baard terug te trimmen tot een sikje à la Vladimir. Toen Adam tamelijk gechoqueerd naar zijn spiegelbeeld keek – en voor het eerst oog in oog stond met zijn nieuwe uiterlijk – zag hij de frappante gelijkenis: hij zag er ongeveer uit als duizenden, misschien wel tienduizenden mannen in Londen, kaalgeschoren hoofd en een keurig getrimd baardje rond de mond en op de kin. Niemand die de foto van Vladimir/Primo op zijn identiteitskaart bekeek, zou enige aarzeling hebben om hem te identificeren. De ogen waren een beetje anders, de neus was rechter, maar volgens de maatstaven voor een in plastic gesealde pasfoto was Adam Kindred met behulp van schaar en scheermes in alle opzichten veranderd in 'Primo Belem'.

En zo bleek het ook in de praktijk te werken: hij trok Vladimirs uniform aan en meldde zich bij de administratie van het Bethnal & Bow Hospital, verontschuldigde zich ervoor dat hij een beetje te laat was, en werd doorverwezen naar de bodekamer, waar hij zijn identiteitskaart aan Goran liet zien, zijn identiteit werd bevestigd, hij een formulier invulde en het formulier overhandigde dat in de aangetekende brief had gezeten. Hij werd begeleid naar het meldpunt voor bodes en werd gekoppeld aan ene Wellington Barker voor kennismaking met en algehele instructie in zijn nieuwe werkkring. En zo simpel ging het. Er waren overdag twintig bodes werkzaam in het ziekenhuis, en 's nachts zes. Een veeltaliger gezelschap was moeilijk voor te stellen: niemand toonde enige belangstelling voor hem, niemand stelde persoonlijke vragen behalve naar zijn naam. 'Primo' ging hem net zo gemakkelijk af als 'Johannes'.

In zaal 10 ontdekte Adam wat Wellington bedoeld had met 'dit wordt leuk'. Mevrouw Manning was een vrouw van vijfendertig met ziekelijk overgewicht, die tweehonderdtwintig kilo woog en bij wie operatief de maag zou worden verkleind. Haar magere echtgenoot en drie moddervette kinderen stonden zenuwachtig rond het met kaarten en knuffels bedekte bed. Wellington liet Adam zien hoe de lier werkte (bodes in het Bethnal & Bow leerden al werkende), en samen hezen ze mevrouw Manning uit bed, lieten haar zakken op de krakende brancard en reden haar naar de lift en de operatiekamer.

Ze kletste vrolijk honderduit – 'Als ik terugkom, herkennen jullie me niet meer, jongens' – maar onder haar opgewekte humeur voelde Adam haar angst voor de toekomst, voor de nieuwe mevrouw Manning die ze probeerde te worden, zoals hij ook achter de drie kinnen en de kwabbige, uitpuilende wangen een gezichtje ontwaarde dat ooit knap moest zijn geweest. Hij wilde haar geruststellen – maakt u zich geen zorgen, mevrouw Manning, het is helemaal niet erg om iemand anders te worden – maar hij glimlachte alleen maar en zei niets.

'Ongelooflijk wat ze allemaal kunnen tegenwoordig,' zei Adam, nadat ze haar hadden geparkeerd in de rij patiënten die wachtten op de anesthesist, en terugliepen naar de lift

'Ja, maar weet je…' Wellington trok een raar gezicht. 'Ze mag dan haar kilo's kwijtraken, maar dan is ze er nog niet, man.' Adam luisterde aandachtig – Wellington was al achttien jaar bode in het Bethnal & Bow en hij wist waar hij het over had – terwijl hij er werkte had het ziekenhuis een inmiddels beroemde afdeling ontwikkeld die gespecialiseerd was in ziekelijk overgewicht.

'Het vet is weg, weet je, maar dan loop je met van die flappen rond, al dat uitgerekte vel is leeg. Je lijkt wel een ingezakte waslijn. Dan moet je nog drie jaar lang operaties ondergaan om het weg te snijden.' Wellington wierp hem een onheilspellende blik toe. 'Stel je eens voor, man, al die littekens. Dat ziet er niet leuk uit.' Misschien had mevrouw Manning redenen te over om bang te zijn.

Adam was moe toen zijn dienst erop zat. Afgezien van het samen met Wellington her en der halen, brengen en dragen van patiënten, hadden ze ook tien schragentafels klaargezet in een afgeschermd deel van de kantine voor een presentatie met lunch voor beginnende managers van de NHS, bloedmonsters naar het pathologisch lab gebracht, klinische verslagen bij de medische secretaresses bezorgd, zakken met in ontbinding verkerend menselijk weefsel van operatiekamers naar de ovens gebracht en met een soort elektrisch golfkarretje diverse keren met lege zuurstofcilinders naar wachtende vrachtwagens gereden en met volle exemplaren terug naar het magazijn.

Op de terugweg naar Oystergate Buildings liep hij een goedkope zaak voor elektrische apparatuur binnen en bestelde een koelkast. Tegen de verkoper zei hij dat het merk hem niets uitmaakte, als hij maar de volgende ochtend bezorgd kon worden. Hij betaalde met Vladimirs creditcard (gelukkig had Vladimir een papiertje met de pincode in zijn portefeuille gestopt), en ondertekende voor de tweede keer met 'P. Belem'. Daarna vroeg hij in een bouwmarkt een gezette man om zo'n bestelling met handvatten en wieltjes, en kreeg op vermoeide, neerbuigende toon te horen dat zoiets een opklapbare steekkar heette. Samen met de steekkar kocht hij een blauwe overall met een rits van voren, een gifgroen hes en een honkbalpet met een afbeelding van een hamer en een spijker.

De volgende dag had hij nachtdienst, en dus was hij 's morgens en 's middags vrij. Hij besloot dat wat hij van plan was vreemd genoeg beter bij daglicht kon gebeuren dan in het holst van de nacht. Overdag zou hij geen aandacht trekken, terwijl hij 's nachts des te meer zou opvallen.

De koelkast werd om tien uur bezorgd door twee vloekende mannen – 'Wat? Geen lift? Wat is dit voor een gebouw?' – die hem met tegenzin hielpen hem uit te pakken en aan te sluiten in een nis in de keuken. Hij genoot van het geruststellende gezoem. Hij zei dat hij de doos graag wilde houden, als ze daar geen bezwaar tegen hadden.

Toen ze vertrokken waren, nam hij de lege doos mee naar Vladimirs kamer en sloeg de deken weg. Vladimir zag er niet meer uit alsof hij sliep, hij zag er erg dood uit: zijn huid was bleek, zijn gezicht vertrokken tot een grimas, de wangen ingevallen, de ogen uitpuilend onder de oogleden. Wat nu volgde was het moeilijkste van alles, besefte Adam terwijl hij zijn latex handschoenen aantrok, en hij werd misselijk toen hij Vladimir in foetushouding vouwde. Hij was verrassend soepel – Adam had een stijf lijk verwacht – maar toen herinnerde hij zich dat rigor mortis na vierentwintig of zesendertig uur verdwijnt en dat de spieren dan weer verslappen. Godzijdank. Hij zette de koelkastdoos over Vladimirs magere lijf heen, draaide de doos om en plakte hem dicht met meters tape. Met een keukenmes sneed hij bij de bodem gleuven in het karton. Toen trok hij zijn overall en veiligheidshes aan, zette zijn honkbalpet op, plaatste de doos op de steekkar en verliet de flat. Hij liep er bonkend de vier trappen mee af en reed de Oystergate Buildings uit.

Hij koos stegen en achterafstraten, en begaf zich zo meanderend naar de Limehouse Cut, anderhalve kilometer verderop, een kanaal dat liep van de Bow River naar het Limouse Basin. Hij zag er volkomen normaal uit, wist hij: een gewone bezorger op een gewone werkdag, die met een nieuwe koelkast in een kartonnen doos op weg was naar een bezorgadres. Niemand die hij tegenkwam keurde hem ook maar een blik waardig.

Het kostte een halfuur om Vladimir naar het gebied te rijden dat hij de vorige dag had verkend. Zijn handen waren ontveld en zijn schouders deden pijn, maar de toegangsweg naar een bedrijventerrein leidde naar het kanaal en er was een hek naar het jaagpad dat over honderden meters langs het kanaal liep, tot waar het kanaal aansloot op de Bow Creek bij de gasfabriek. Er keken geen woonhuizen of andere gebouwen op uit, alleen maar blinde gevels van pakhuizen en met prikkeldraad omgeven parkeerplaatsen voor vrachtwagens. Het pad leek nauwelijks gebruikt te worden, grote concentraties vlinderstruiken sproten uit de scheuren in de lage muur langs het kanaal, en vlinders dartelden tussen de paarse bloemen. Hij bleef staan om een vrachtwagen langs te laten: opnieuw was hij een totaal onopvallende verschijning aangezien de nabijgelegen pakhuizen zijn aanwezigheid, compleet met steekkar en grote kartonnen doos, verklaarden. Toen de vrachtwagen uit het zicht verdwenen was, reed hij de steekkar het jaagpad op en duwde die een paar meter voorbij het ingangshek. Hij kiepte de steekkar licht voorover zodat de kartonnen doos op de stenen rand langs het jaagpad leunde.

Hij keek om zich heen: een zwak middagzonnetje scheen tussen de mooiweer-cumulus en lichtte het tafereel op; de vlinders jubelend van het licht en de felle kleuren. Hij hoorde kinderen schreeuwen op de speelplaats van een nabijgelegen school, en ergens dichtbij werd een motorfiets getest of een wedstrijd gestart, want het knallen en brommen van krachtige motoren vulde plotseling de lucht. Hij wierp een laatste blik op de doos en duwde die toen terloops met een voet het kanaal in. Hij viel met een zware plons in het water en bleef even drijven, waarna het water door de spleten die hij had aangebracht naar binnen stroomde. De doos kwam langzaam overeind, zakte steeds dieper, en verdween ten slotte met wat pruttelende luchtbellen onder de oppervlakte.

Hij vond dat hij iets moest zeggen, iets voor Vladimir. 'Rust in vrede' klonk een beetje bot, en dus beperkte hij zich tot een zacht 'Dag, Vlad, en bedankt voor alles,' voordat hij zijn nieuwe opklapbare steekkar ook in het water gooide, waar die zich voegde bij de enorme rotzooi op de bodem van het kanaal: de rubberbanden en supermarktkarretjes, de gietijzeren ledikanten, kapotte fornuizen en uitgebrande auto's van joyriders.

Terwijl hij wegliep, vroeg hij zich af hoe lang het zou duren voordat Vladimirs lichaam ontdekt werd. De nieuwe doos zou het wel een poosje uithouden, dacht hij, voordat het karton langzaam zou vergaan. Een week? Een maand? Het maakte niet uit, besefte hij. De laatste goede daad die Vladimir voor hem had verricht was zijn totale anonimiteit. Vladimir wie? Zelfs Adam kende zijn achternaam niet en hij wist ook niet uit welk deel van de voormalige Sovjet-Unie hij afkomstig was. En zelfs áls hij gevonden en geïdentificeerd werd – o ja, dat is hem: de vermiste hartpatiënt die de reddingsoperatie van zijn dorp was ontvlucht – zou niemand de overdosis van deze sneue drugsverslaafde in verband brengen met Primo Belem, ziekenhuisbode bij Bethnal & Bow, en kerngezond.

Adam liep terug naar Oystergate Buildings en voelde zich zelfverzekerder en kalmer dan hij zich sinds het begin van deze krankzinnige affaire had gevoeld. Hij had nu een naam, een flat, een baan, een paspoort; hij had geld, een creditcard en binnenkort ook een mobiele telefoon... Het besef drong tot hem door dat Adam Kindred eigenlijk niet meer bestond; Adam Kindred was overbodig, verdrongen, achterhaald. Adam Kindred was van de aardbodem verdwenen, was nu echt ondergronds gegaan. Er lagen een nieuw leven en nieuwe mogelijkheden voor hem; de toekomst behoorde aan Primo Belem.

37

Candy's gezicht vormde een parodie van geschoktheid, een slechte karikatuur van shock, de ogen wijd open, de mond in de vorm van een 'O'.

'Nee,' zei ze.

'Ja.'

'Nee.'

'Ja, ik vrees van wel.'

'De Hond? Onmogelijk.'

'Ik snap er ook niks van, Candy lieverd,' zei Jonjo, en hij probeerde zo gekwetst en verbijsterd mogelijk te kijken. 'Ik boog voorover om het bakje met hondenvoer voor hem neer te zetten en hij haalde ineens naar me uit, zomaar.' Jonjo kletste voor de vuist weg en probeerde een overtuigende reden te bedenken waarom zijn linkerwang bedekt was met een lap gaasverband dat vastgeplakt zat met pleisters. Hij voelde zich een beetje schuldig tegenover De Hond – een vredelievender schepsel bestond niet op aarde – maar het was het enige wat hij op dat moment kon bedenken. Candy was de garage in komen lopen terwijl hij zijn golftas achter in de taxi laadde, en toen ze hem zag, ging ze meteen op de toer van 'mijn-god-wat-is-er-met-jou-gebeurd?'

'Hij heeft nog nooit gebeten,' zei ze. 'Ik bedoel, ik geef hem kusjes…'

'Nooit een hond kusjes geven, Cand.'

'Een zoentje op zijn neus, meer niet. Nee, er moet iets anders zijn geweest, er heeft hem iets dwarsgezeten. Arme Jonjo.' Ze strekte haar arm uit, aaide hem over zijn gemillimeterde haar, vleide zich tegen hem aan en kuste hem op de wang waar geen pleister op zat. 'Kom maar gezellig langs vanavond, dan heb ik een lekker bordje soep voor je klaarstaan.'

Ze kuste hem opnieuw op zijn lippen en Jonjo kromp ineen, alsof het pijn deed. Sinds hun recente intieme samenzijn was alles veranderd; sinds hun etentje *à deux* en de seks die erop gevolgd was, alles net zo voorspelbaar als de cognac en bonbons bij de koffie. Ze had zich zijn leven binnengewerkt met de tact van een achterdochtige maatschappelijk werkster, vond hij: opbellen, sms'en, onaangekondigd langskomen, cadeautjes voor hem kopen die hij niet wilde – kleren, eten, drankjes, dingen voor aan de muur.

'Ik heb iets anders vanavond, schat. Sorry.' Nooit iets beginnen met je buurvrouw, dat zou hij zich inprenten voor zijn volgende leven.

'Zal ik De Hond dan nemen? Waar is hij? Ik ga wel met hem wandelen en dan zal ik hem eens streng toespreken: zijn baasje aanvallen, wat denkt hij wel?'

Hij bracht De Hond naar haar en reed naar de golfbaan van Roding Valley om wat te kalmeren. Hij deed negen slagen over de eerste hole, moest vijf keer putten bij de korte *par-three* tweede hole, en ramde vanaf de derde tee de bal in de rioolzuiveringsinstallatie van Chigwell. Hij liep meteen terug naar het clubhuis, liet het golfen kwaad en gestrest voor wat het was, en vroeg zich af hoe hij ooit had kunnen denken dat een rondje golf ooit het wespennest in zijn hoofd zou kunnen kalmeren.

Hij zat aan de bar van het clubhuis met een gin-jus d'orange voor zich. Zijn mishandelde wang klopte, alsof hij ontstoken was. De teef. De vuile vieze hoer. Hij had willen weglopen en haar laten liggen, maar hij wist dat ze vier nagels vol had met huid, bloed en DNA, en dus moest ze de rivier in.

Hij bestelde nog een gin. Hij had vandaag gewoon thuis moeten blijven en zich bij wijze van remedie moeten laten vollopen, dat zou geholpen hebben. Maar dan zou Candy weer op bezoek zijn gekomen… Hij haalde zijn scorekaart tevoorschijn en schreef op 'KINDRED = JOHANNES', in de hoop dat het zijn hersenen in werking zou stellen. Hij was niet van plan geweest dat tyfushoertje dood te slaan – uiteindelijk zou ze hem heus wel alles hebben verteld – maar hij was doorgeslagen, volgens de regels van sergeant Snell, nadat ze hem geschopt en gekrabd had. Hij had zijn zelfbeheersing verloren – het was een reflex geweest – en had haar een onderhandse opdonder gegeven (die niemand ooit ziet aankomen), en ze vloog door de lucht, met haar hoofd tegen de stenen muur. Hij meende zelfs dat hij haar nek had horen breken, maar er bestond hoe dan ook geen enkele twijfel dat ze dood of zo goed als dood was, gezien de manier waarop ze slap op de grond viel en bleef liggen.

Hij had een poosje vloekend lopen ijsberen, het bloed stelpend met een papieren zakdoekje, en was toen nonchalant naar de rivier gelopen om te zien wat daar gebeurde: niets dus. En dus raapte hij haar op, sloeg haar zacht in het gezicht, praatte tegen haar en deed het voorkomen alsof hij haar wilde bijbrengen uit haar dronkenschap voor het geval er iemand toekeek, en hij keek voortdurend of er bewakingscamera's hingen. Niets en niemand te zien. Hij zag dat het water hoog stond en dat het razendsnel eb werd, en dus gooide hij haar over de muur in het water, en binnen een seconde was ze verdwenen.

Jonjo zat op een parkbankje met Bozzy en een lange magere man die aan hem was voorgesteld als Mister Quality. Ze bevonden zich op een klein pleintje niet ver van The Shaft; Bozzy had Mister Quality hierheen gebracht, en Jonjo had hem vijftig pond moeten geven voor dit 'consult'. Een paar vermoeide jonge moeders en hun jengelende kleuters zaten aan de andere kant en een oude kerel speurde systematisch alle vuilnisbakken na.

'Laat de btw maar zitten,' zei Mister Quality, terwijl hij het geld in zijn zak stak en in zichzelf lachte om een of ander binnenpretje.

'Ik ben op zoek naar iemand die Johannes heet,' zei Jonjo en hij probeerde zich te beheersen. 'Hij logeerde bij een straathoertje genaamd Mhouse, in een van jouw flats, geloof ik. Een paar weken lang.'

'Ik ken Mhouse,' zei Mister Quality. 'Wij zijn goeie vrienden.'

'Mooi, en wie is die Johannes dan?'

'Johannes 1603.'

'Nog een keer?'

Mister Quality herhaalde wat hij had gezegd.

'Wat betekent dat? 1603 is geen achternaam. Dat is een getal. Een jaartal.'

'Zo heeft Mhouse hem aan me voorgesteld: Johannes 1603.'

Jonjo keek naar Bozzy voor bevestiging van het feit dat Mister Quality gek was.

Bozzy haalde zijn schouders op. 'Ik weet niks, man.'

'Dan kun je net zo goed oprotten.'

Bozzy vertrok beledigd, maar zo waardig mogelijk.

Jonjo wendde zich weer tot Mister Quality, die bezig was een uiterst dunne joint op te steken. Dit land was helemaal naar de kloten aan het gaan. Hij beheerste zich.

'Hoe zag hij eruit, die Johannes 1603?'

'Blank, net als jij. Jaar of dertig. Lang zwart haar. Dikke zwarte baard.'

Aha, een dikke zwarte baard, dacht Jonjo; dat verklaart het een en ander.

'Weet je waar hij is?'

'Als hij niet bij Mhouse is, dan weet ik het niet.'

Mister Quality kuierde verder, vijftig pond rijker. Die moest nodig een flink pak slaag hebben, dacht Jonjo, de arrogante klootzak; hem uitlachen, zomaar wiet roken op klaarlichte dag, in een park, met kinderen die in het gras spelen. Jezus. Die hele tent moest nodig eens worden uitgemest, de spuit erop, de ongediertebestrijding erin. Hij dwong zichzelf kalm te blijven. Johannes 1603, zei hij tegen zichzelf, wat betekent dat? Er moet een verklaring voor zijn... Waarom zou Kindred zo'n rare naam kiezen? Maar naarmate hij verder dacht begon hij zich een stuk beter te voelen en de gedachten aan een plaatselijk Armageddon verdwenen naar de achtergrond: hij was iets op het spoor, hij had weer wat informatie gekregen, het gewone 'Johannes' was veranderd in 'Johannes 1603'. Hij had ook een signalement, hij had iemand ontmoet die Kindred kende, die hem onlangs nog had gezien en met hem had gesproken. Laat de Metropolitan Police maar barsten. Hij voelde dat hij steeds dichter bij zijn doel kwam.

Hij liep terug naar The Shaft en slenterde wat rond over het modderige binnenplein waar de flat van Mhouse op uitkeek, en bekeek de inwoners die kwamen en gingen. Hij ging de trap op naar flat L en klopte puur voor de vorm op de deur. Hij besloot er nog even rond te kijken, of hij iets over het hoofd had gezien, maar de deur was gerepareerd en zat weer stevig op slot. Misschien had Mister Quality alweer een nieuwe huurder...

'Ze is er niet. Ze is weg.'

Jonjo draaide zich om en zag een oude vrouw met een schort in de deuropening van de naastgelegen flat staan. Ze had geen voortanden.

'Sorry, mevrouw,' zei Jonjo, en hij lachte beleefd. 'Ik ben op zoek naar een vriend van me die Johannes heet. Ik meen dat hij hier gewoond heeft.'

'Die is ook weg, Volgens mij zijn ze er samen vandoor, en ze heeft dat arme joch alleen achtergelaten. Walgelijk. Schandalig.'

Jonjo kwam dichterbij. 'Kende u Johannes?'

De vrouw reageerde gepikeerd. 'Niet echt. We waren kennissen, zeg maar.'

'Ik hoorde van iemand dat hij zichzelf Johannes 1603 noemde.'

'Ja, dat verbaast me niks.'

'Waarom zou iemand zich zo noemen?'

'Omdat hij lid was van de kerk,' zei ze met enige minachting. 'Maar nu zijn ze allebei verdwenen en hebben ons mooi in de steek gelaten.'

Jonjo glimlachte. Hij kon zijn geluk niet op. Wat begonnen was als een klotedag, beloofde nu een hoogtijdag te worden.

'En wat voor kerk is dat dan wel niet, als ik vragen mag?'

'De Kerk van Johannes Christus natuurlijk.'

38

Hij had die ochtend bij ruim tien verschillende zoekmachines 'jeuk' ingetypt en het hele internet over gesurft, maar het had allemaal niets geholpen. Sterker nog, dacht Ingram, hij was van de regen in drup gekomen, om niet te zeggen in een stortbui. Een eenvoudige zoektocht naar wat informatie, naar een antwoord, en hij werd overspoeld door vloedgolven aan non-informatie en tienduizenden mogelijke antwoorden. Hij wilde dat hij uit de buurt van die duivelse computer was gebleven en gewoon Lachlan weer had gebeld om advies, van mens tot mens. Nu was hij zich ervan bewust dat hij misschien wel een van vele honderden enge ziektes onder de leden had, waarvan een aantal uiterst onaangenaam, met name de seksueel overdraagbare aandoeningen. Hij had er ook geen idee van gehad dat allerlei illustraties online zo gemakkelijk voorhanden waren; het was afschuwelijk wat er allemaal met een ziek mensenlichaam kon gebeuren. Hij wist ook niet dat er mensen rondliepen met al die verschillende stadia van purulentie, pustulentie, uitslag, gezwellen, ontbinding...

Te veel informatie, dat was de vloek van de moderne tijd, uiterst verontrustend. Maar zijn jeuk leek toe te nemen: per dag zo'n zes bijtende, brandende uitbarstingen ergens op zijn lichaam, schatte hij. Snel verholpen door even te krabben of te drukken, maar zonder enig herkenbaar patroon. Hoofd en voeten, onderbuik en elleboog, oorlel en testikel. Wat was er met hem aan de hand? Zou het gewoon stress zijn, kon stress tot dit soort marteling leiden?

Ingram probeerde deze onaangename gedachten uit zijn hoofd te bannen terwijl hij zich voorbereidde op zijn bijeenkomst met Burton Keegan. Hij had hem gevraagd om tien uur in zijn kantoor te zijn. Om tien over tien belde mevrouw Prendergast met de mededeling dat de heer Keegan had gebeld om te zeggen dat hij ietwat verlaat was. Uiteindelijk kwam hij om 10.40 uur aanzetten, één en al excuses, iets met zijn zoontje op de bijzondere school waar hij op zat; hij had hysterisch gereageerd op een nieuwe docent. Ingram hoorde tot zijn verbazing dat Keegan een kind met het syndroom van Asperger had, en zijn sudderende woede omdat hij had moeten wachten verdween snel.

Keegan ging zitten, er werd koffie en water besteld en geserveerd, er werd gekeuveld over het bedrijf, het weer en Keegans aanstaande thuisreis naar de VS, toen Ingram besloot in de aanval te gaan.

'Er zit me iets dwars, Burton, en daarom wilde ik met je praten, onder vier ogen.'

'Ik dacht al dat er een kwestie was.'

'Het is geen "kwestie", maar gewoon een vraag, namelijk deze: heb jij een ontmoeting gehad met Philip Wang om drie uur 's middags op de dag dat hij vermoord werd?'

Keegan slaagde er bijna in zijn schok en verrassing te verbergen. 'Ja, dat klopt,' zei hij.

'Maar je hebt mij of de politie daar nooit iets over verteld. Waarom niet?'

'Omdat het niet belangrijk was, onze bijeenkomst was puur routinematig.'

'Waarom heb je tegen me gelogen?'

Keegan keek hem aan. 'Ik was het vergeten.'

Ingram zag hoe hij na de eerste schrik zijn kalmte herwon. 'Waar ging het gesprek over?' vroeg Ingram.

Keegan schraapte zijn keel. 'Voor zover ik me herinner was Philip op tournee langs alle Britse ziekenhuizen waar we onze derde-fase-tests van Zembla-4 hebben lopen. Hij was enthousiast over de vooruitgang die we boekten en drong er bij me op aan het middel zo snel mogelijk voor te leggen aan de VWA en de MHRA.'

Iedere goede leugen, dacht Ingram, heeft een kern van waarheid. Dat werd spionnen toch ook geleerd? Het feit dat hij op de hoogte was van Wangs bezoek aan de ziekenhuizen was niet langer een wapen voor hem, nu Keegan die ook had genoemd.

'Merkwaardig,' zei Ingram. 'Dat is precies het tegenovergestelde van wat Philip mij twee dagen eerder had verteld.'

Keegan glimlachte. 'Ik denk dat hij dan van gedachte is veranderd. Hij was zeer gemotiveerd en drong erop aan dat we zo snel mogelijk zouden handelen.'

'We zullen het nooit meer te weten komen, hè?' zei Ingram, en hij bedacht dat hij eindelijk had gehoord waar het allemaal om draaide. Keegan en Wang waren het blijkbaar volstrekt oneens geweest, hadden lijnrecht tegenover elkaar gestaan. 'Vreemd eigenlijk dat jij de laatste was die hem in plaats heeft gezien.'

'Hoe bedoel je, "in plaats"?'

'Ik zei "in leven".'

'Nee, je zei: "de laatste die hem "in plaats" heeft gezien. Sorry, maar dat zei je echt.'

'Mij best. *Slip of the tongue.* Jij was de laatste die hem in leven hebt gezien.'

'Nee, zijn moordenaar – Adam Kindred – was de laatste die hem in leven heeft gezien,' zei Keegan met kalme logica en keek op zijn horloge. 'Sorry dat ik een einde aan ons gesprek moet maken, Ingram, maar ik moet nu echt weg.' Hij stond op.

'Het gesprek is nog niet afgelopen, Burton. Ik heb nog meer vragen.'

'Stuur maar een mailtje. Er staan vandaag erg belangrijke zaken op de agenda. Met al dat gepraat over Philip komen we niets verder.'

Nu ging Ingram ook staan. 'Dit kan niet zomaar terzijde worden geschoven...'

'Als je niet gelukkig bent met wat ik te melden heb, bel dan Alfredo. Bedankt voor de koffie.' Hij verliet het kantoor.

Ingram voelde een brandende jeuk opkomen op zijn linkerkuit, die hij verdreef door met zijn been langs de scherpe glazen rand van de salontafel te wrijven. Het was waarschijnlijk allemaal stress.

39

Burton Keegan schonk nog wat whisky in het glas van Paul de Freitas.

'Eigenlijk heb ik genoeg gehad,' zei De Freitas, 'maar eigenlijk ook niet.'

'Ben je er klaar voor?'

'Kom, we gaan ervoor.'

Ze bevonden zich in Burtons werkkamer op de bovenste verdieping van zijn huis in Notting Hill, vlak onder het dak en met een mooi uitzicht op het duistere Ladbroke Grove. Hier had hij zijn gescrambelde telefoon. De echtgenotes van beide mannen waren in de keuken aan het afwassen na hun gezamenlijke etentje.

Burton belde het privénummer van Alfredo Rilke, en hij voelde dat hij een droge mond kreeg en zijn schouders verstrakten. Het bleef moeilijk – er was nog steeds dat element van angst, van het onverwachte, als je met Alfredo praatte –, zelfs na tien jaar met hem te hebben samengewerkt, intiem met hem te hebben samengewerkt. Hij was twintig minuten vroeger dan het afgesproken tijdstip.

'Burton,' zei Rilke, 'fijn dat je belt. Hoe is het weer in Londen?'

'Verrassend goed.' Burton voelde het zweet in zijn handen staan – koetjes en kalfjes betekende altijd een slecht begin. 'Ik heb Paul hier bij me. Kan ik de speaker aanzetten?'

'Natuurlijk. Hallo, Paul. Hoe gaat het met de mooie mevrouw De Freitas?'

'Uitstekend. Hoe gaat het met jou, Alfredo?'

Te vrijpostig, stelde Burton ongerust vast.

'Ik zat eerlijk gezegd al een poosje te wachten op nieuws van jullie,' zei Rilke, en de toon van zijn stem veranderde. Burton keek De Freitas aan en legde een vinger op zijn lippen.

'We hebben een probleempje met Ingram,' zei Burton. 'Hij is op de hoogte van mijn ontmoeting met Philip Wang op die laatste dag. Ik denk dat hij denkt dat hij iets ontdekt heeft.'

Er viel een lange stilte en Burton begon zijn nek te masseren. 'Heeft hij enig idee wat er die middag besproken is?' vroeg Rilke.

'Nee. Ik heb hem verteld dat Philip opgetogen was en aandrong op versnelde goedkeuring door beide agentschappen, zowel in de Verenigde Staten als in het Verenigd Koninkrijk.'

'Ik wil dat jullie ontzettend aardig doen tegen Ingram totdat dit allemaal achter de rug is. Is dat duidelijk?' In zijn stem klonk een dreigende ondertoon door. 'Waarom is hij achterdochtig geworden? Hebben jullie iets gedaan?'

'Ik ben altijd ontzettend aardig tegen hem,' zei Burton, de vraag omzeilend. 'Ik denk alleen dat hij mij niet mag.'

'Dan zorg je er maar voor dat hij je mag. Bied je verontschuldigingen aan, leg hem in de watten. Wat gebeurt er zoal bij jullie?'

'Alles loopt op rolletjes,' zei Burton. 'Onze mensen zijn bezig alle belangrijke instanties warm te maken voor Zembla-4. We bepleiten bijzondere omstandigheden.'

'We vertrouwen erop dat we een prioriteitsstatus krijgen,' bemoeide De Freitas zich ermee. 'Heb je de laatste rapporten van de who over astma gelezen? De mensheid heeft behoefte aan Zembla-4. Onze timing is perfect.'

Burton kreeg er spijt van dat hij hem dat laatste glas whisky had ingeschonken – je kon je niet veroorloven slap te ouwehoeren tegenover Alfredo Rilke.

Burton nam het over. 'Wij denken dat het principe van de versnelde goedkeuring vanwege bijzondere omstandigheden onweerlegbaar is. Voor sommige van die aidsremmers is binnen weken of maanden goedkeuring verleend.'

'En het post-marketingonderzoek?' zei Rilke. 'Dat wij gaan betalen. Dat moet ook allemaal geregeld zijn.'

'Dat is al geregeld,' loog Burton. Heel soms vergat hij dat Rilke meer wist van farmaceutica dan wie ook. Hij maakte een aantekening op een blocnote: 'post-marketingonderzoek'. Dat had hij zelf ook wel kunnen bedenken. Het was zonneklaar: bijzondere omstandigheden, versnelde goedkeuring, door de vergunninghouder betaald post-marketingonderzoek. Alles viel op zijn plaats, in theorie.

'Er gaan kinderen dood,' zei De Freitas, die Burtons vinger-op-de-mond negeerde. 'De gegevens zijn verbijsterend, exemplarisch, Alfredo. Geweldig. Alles is in gereedheid.'

Rilke deed er weer het zwijgen toe. Toen zei hij: 'Laat de eerste advertorials volgende week uitgaan.'

'Zal ik het tegen Ingram zeggen?'

'Ik zeg het hem wel.'

'En de VWA?' vroeg Burton. 'Zijn die gelukkig met de tests op Europese schaal?'

'Ik denk het wel,' zei Rilke. 'Onze mensen zitten erbovenop, boven op mensen die ook boven op mensen zitten: ook al weet niemand hoe dicht de een op de ander zit. Ik heb gehoord dat iedereen tevreden is. Dus,' hij zweeg even. 'Vergunningen aanvragen, tegelijkertijd, nadat de advertenties een maand gelopen hebben.'

Burton en De Freitas keken elkaar aan, met wijd open ogen. 'En dan zijn we benieuwd naar de hoofdredactionele commentaren.'

'Voor elkaar.' Burton zag duidelijk de logica van het geheel. 'Iedereen is er klaar voor.' De komst van het wondermiddel aankondigen, zorgen dat het publiek erover praat, zorgen dat de journalisten erover schrijven en vervolgens gaan astmapatiënten er hun huisarts om vragen. Er zijn vele miljoenen astmapatiënten in de wereld, die een krachtige lobby vormen en heel wat druk kunnen uitoefenen. Niemand wil de indruk wekken de zaak te vertragen, geen bureaucratische hobbels, muggenzifterij en regeltjes die voorkomen dat er snel een einde wordt gemaakt aan het afschuwelijke lijden van velen en het sterven van kinderen.

'We zitten erbovenop,' zei Burton. 'Nog een heel fijne a...'

'Eén ding nog.'

'Ja.'

'Hebben ze die Kindred nu al te pakken? Dat is het enige wat mij nog uit mijn slaap houdt. Hij is de enige die roet in het eten kan gooien.'

'Het net sluit zich, volgens de laatste berichten. Hij is een paar dagen geleden nog in Londen gezien. We hebben een nieuw signalement, en de nieuwe naam die hij gebruikt. Het is nog een kwestie van tijd.'

Rilke liet nu een wel erg lange stilte vallen.

'Dat is niet goed genoeg, Burton.'

De reprimande was vernietigend, ook al sprak Rilke op milde

toon. Burton voelde hoe de lucht werd weggezogen uit zijn longen en zijn ingewanden samentrokken. Niettemin slaagde hij erin te zeggen: 'Sorry. We hebben er geen verklaring voor hoe Kindred...'

'Hoe vaak moet ik dat nog vragen? Kwestie van prioriteit. Bel je mensen.'

Ze namen afscheid. Burton voelde zich misselijk. Hij wist dat zijn handen zouden trillen als hij ze uitstak.

'Waarom is hij zo geobsedeerd door die Kindred?' vroeg De Freitas met de vergeetachtigheid en het zelfvertrouwen van iemand die behoorlijk aangeschoten is. 'Wat kan die vent ons nog aandoen? Daar is het toch allemaal veel te laat voor, of niet soms?' Hij zette zijn slechtste cockney-accent op en zei: 'Kindred is er geweest, mate.'

'Ja,' zei Burton vaag. Maar ondertussen dacht hij: voor het eerst in tien jaar hoor ik dat Alfredo Rilke zich zorgen maakt. Dit is dus heel serieus. 'Ik zie je zo beneden, Paul,' zei hij. 'Neem je whisky maar mee.'

De Freitas vertrok en Burton dacht terug aan het gesprek die middag met Philip Wang... De normaal zo aardige, milde, intelligente, ietwat gezette Philip Wang, die bevend van onbedwingbare woede en met schelle, overslaande stem dreigde hen overal verantwoordelijk voor te stellen: de dood van kinderen, de hele doofpot, het manipuleren van onderzoeksgegevens. Zodra de tests achter de rug waren zou hij zelf naar de VWA stappen, het kon hem allemaal niets meer schelen. De woede van Philip Wang, terwijl hij de fouten en misstanden opsomde, was zo intens dat het leek alsof die voortkwam uit de dood van een van zijn eigen kinderen. Burton had uitvluchten gezocht, maar het was helaas maar al te duidelijk dat Philip Wang op eigen houtje bijna alles had ontdekt wat er bij de Zembla-tests was gebeurd. Hij was zelfs op ongelukkige, paniekerige wijze onder de indruk geraakt van Wangs opsporingscapaciteiten, gevoelens die hij snel de kop wist in te drukken.

Philip had gezegd dat er bepaalde aspecten in de 'slechtnieuwsverslagen' waren die hem voor het eerst gealarmeerd hadden: verplichte verslagen waarin patiënten werden vermeld die vanwege bepaalde, schijnbaar milde neveneffecten niet meer aan de tests deelnamen: kortademigheid, lage koorts. Dat kwam hem vreemd voor – omdat Zembla zo'n goedaardig medicijn was – en hij besloot zelf verder op onderzoek uit te gaan, en nadat hij de vier ziekenhuizen had bezocht en de klinische dossiers in detail had bestudeerd, had hij tot zijn grote schrik geconstateerd dat er van de tientallen uitvallers (een volkomen normaal aantal bij tests van deze omvang) later veertien op de intensive care waren overleden.

'Er bestond geen enkel verband tussen die sterfgevallen en Zembla-4,' viel Keegan hem in de rede. 'Die kinderen waren al heel erg ziek, weet je nog? We hebben de afgelopen drie jaar duizenden kinderen behandeld met Zembla-4. Statistisch gezien stelt het niets voor.'

'Ik weet precies wat er aan de hand is hier,' had Philip gezegd. 'Dit is precies hetzelfde als met Taldurene.'

'De aard van die Taldurene-sterfgevallen staat nog steeds ter discussie,' zei Keegan, en hij hoopte dat hij overtuigend klonk. Hij kende de zaak, iedereen in de farmaceutische wereld kende de zaak: vijf van de vijftien patiënten waren overleden ten gevolge van nierstoornissen tijdens een bepaalde test in de derde fase van Taldurene; omdat de patiënten al hepatitis hadden, veronderstelde iedereen dat de sterfgevallen niets te maken hadden met het medicijn dat getest werd. Maar ze bleken zich te vergissen.

Wang liet zich niet sussen, en hij herinnerde Keegan eraan dat de tests op kinderen in de De Vere-vleugel niet zijn idee waren geweest. 'Het gaat niet alleen om kinderen die astma hebben,' zei hij, 'ik wilde tests op patiënten die een doorsnede van de hele samenleving vormden. Ik werk niet aan een medicijn dat alleen maar bestemd is voor kinderen.'

'En die heb je gekregen. De tests in Italië en Mexico zijn daar voorbeelden van,' zei Keegan. 'Wij dachten alleen dat we in Groot-Brittannië misschien...'

'Jullie dachten dat jullie versneld goedkeuring zouden krijgen, dat Zembla-4 een prioriteitsstatus zou krijgen. Neem een nichegroep: kinderen. Toon aan dat er een medische noodzaak is. Wat voor keus heeft de vwa? Ik weet precies hoe het werkt.'

'Het verbaast me dat je zo cynisch bent, Philip.'

Wang verloor opnieuw zijn zelfbeheersing, schotelde hem in detail en zeer vakkundig de structuur van de doofpot voor en legde uit hoe ouders, artsen en verplegend personeel nooit de verbanden hadden kunnen zien, dat ze zouden denken, zelfs in het geval van die zeldzame sterfgevallen, die familietragedies, dat er niets onregelmatigs was gebeurd. Het personeel van De Vere deed niet anders dan gegevens administreren, controleren en aanleveren. Calenture-Deutz analyseerde, verzamelde en inventariseerde ze. Als een doodziek kind overleed, werd het genoteerd als uitvaller uit de tests, niet als sterfgeval. De sterfgevallen kwamen op de reguliere, macabere dodenlijst van het ziekenhuis. De tests gingen onverminderd voort.

'Wat waren de aanwijzingen?' had Wang hem uitdagend gevraagd. 'Hoe konden jullie dat vier of vijf dagen van tevoren weten? Iets moet jullie op de hoogte hebben gebracht. Hoe konden jullie ze anders zo snel uit de De Vere-vleugels weghalen? Dat zou ik graag willen weten. Wat was het effect van Zembla-4 op hen?'

'Ik heb geen flauw idee waar je het over hebt,' had Keegan gezegd. Hij had echter wel moeten toegeven dat er misschien inderdaad een bureaucratische blunder was begaan, en wendde terstond gemeende maar beheerste verontwaardiging voor.

'Luister, ik ben hier net zo ongelukkig mee als jij, Philip. We zullen een onderzoek instellen, we zullen alles drie keer checken, we zoeken het tot op de bodem uit... Alles wordt onmiddellijk stopgezet, alles, totdat we ontdekt hebben wat er aan de hand is...' Hij bleef verder praten, hij prees Philip en probeerde hem gerust te stellen, stelde sancties in het vooruitzicht als er ook maar een enkele aanwijzing voor manipulatie werd ontdekt; hij ging net zo lang door tot hij zag dat Philip enigszins gesust was. Ze hadden afscheid genomen, niet meteen weer als vrienden, maar met een handdruk bij de deur.

Onmiddellijk nadat Philip was vertrokken had hij Rilke gebeld. Rilke had hem aangehoord en hem rustig en nadrukkelijk verteld wat er nu, onmiddellijk, moest gebeuren – wie hij moest bellen en wat hij precies moest zeggen.

Burton had een déjà vu terwijl hij de gescrambelde telefoon pakte en het nummer intoetste.

'Hallo,' zei hij tegen de vrouw die opnam. 'Ik wil graag even spreken met majoor Tim Delaporte, alstublieft... Ja, ik weet dat het laat is, maar hij wil mij graag spreken... Mijn naam is Apache. Dank u wel.'

40

Plataan, eik, kastanje, ginkgo – de bomen vielen Adam op weg naar zijn werk op, alsof hij door zijn eigen arboretum wandelde. Het was hartje zomer en de vroege ochtendzon op het dichte bladerdak gaf hem een licht jubelend gevoel, als dat soort geestesgesteldheid voorstelbaar is. Hij weet zijn jubelstemming aan de zon en de natuur, het lichte karakter ervan kwam voort uit het soort werk dat hij deed, de nadelen en onvolkomenheden ervan, vooral in vergelijking met de baan die hij vroeger had. Maar hij mocht niet klagen. Hij was ontwaakt in zijn eigen flat, had gedoucht met heet water, ontbeten met koffie en geroosterd brood en was op weg naar zijn werk, ook al was dat onderbetaald. Het was inmiddels een routine geworden, en men moest nooit het belang van routine in een mensenleven onderschatten: door de routine leek al het andere spannender en spontaner.

Hij meldde zich bij de hoofdbode, Harpeet, en wandelde naar de 'docentenkamer', zoals hij zelf de bodekamer noemde – een kleine verwijzing naar het leven dat hij ooit had geleid aan de universiteit. Er hing een drietal slaperige bodes rond, de laatste leden van de nachtploeg, van wie de dienst erop zat. Adam wierp een blik op de klok aan de muur – hij was twintig minuten te vroeg – meneer de Uitslover. Hij had zijn eerste salarischeque gekregen en op zijn bankrekening gestort; hij had zijn eerste rekening van een nutsbedrijf (water) gekregen en betaald; voor buitenstaanders zag zijn leventje er volkomen normaal uit.

'Hé, Primo. Hoe gaat-ie?'

Het was Severiano, een jonge gast die hij graag mocht en die ongeveer tegelijk met hem bij Bethnal & Bow was komen werken, en die beweerde ziekenhuisbode te zijn geworden om zijn Engels te verbeteren. Ze grepen elkaars hand vast zoals tennissers dat doen over het net na een wedstrijd.

'Hoe was je weekend?'

'Rustig,' zei Adam. 'Binnen gebleven, tv gekeken.' Hij gaf op alle vragen antwoorden die zo neutraal en banaal mogelijk waren.

Hij schonk zichzelf een plastic bekertje thee in uit de ketel, pakte een oude sensatiekrant, bladerde er snel doorheen naar de sportpagina's achterin, maar stelde ondertussen nieuwsgierig vast wat er zoal omging in de wereld van de boulevardpers. Het was zomer, het voetbalseizoen was afgelopen, maar hij voelde dat hij vergeleken bij zijn collega's maatschappelijk gezien een forse achterstand had. Behalve over het werk en alles wat ermee te maken had, wilde iedereen uitsluitend praten over voetbal – van het afgelopen seizoen en het nieuwe. Hij wist een klein beetje over Engels voetbal, maar tijdens zijn lange verblijf in de VS was hij de draad kwijtgeraakt; het spel was ongelooflijk veranderd nadat hij het land had verlaten, en hij besefte dat hij er meer over te weten moest komen als hij een behoorlijk gesprek wilde voeren met zijn collega-bodes, als hij één van hen wilde worden. De eerste week had iemand hem terloops gevraagd voor welke club hij was, en zonder erbij na te denken noemde hij de eerste naam die hem te binnen schoot: Manchester United. Hij was stomverbaasd door de kreten van spot en haat die zijn deel waren. Maar nu was het alsof hij iedere dag als hij op het werk verscheen een shirt van Manchester United aanhad, want hij was voortdurend het doelwit van grove grappen over noorderlingen en obscene opmerkingen over de leden van 'zijn' club (namen die hem absoluut niets zeiden). Een bode had hem recht in het gezicht gezegd: 'Je woont in Stepney en je bent voor Manchester United: lúl die je bent!' Adam lachte schaapachtig terug, wat voor een afschuwelijke sportieve blunder had hij begaan? En dus had hij besloten meer te weten te komen over het Engelse voetbal voordat hij op een goede dag openbaar zou maken dat hij voor een Londense club was die meer geaccepteerd was.

Al bladerend viel zijn oog op een foto: een glimp van onbewuste herkenning trok zijn aandacht, zoals je ook je eigen naam herkent in een lijst met duizenden namen. Hij bladerde terug; het was geen foto maar een *artist's impression*. Hij staarde ernaar; de ogen waren dicht getekend, maar het portret vertoonde zonder enige twijfel gelijkenis met Mhouse, het was duidelijk Mhouse. Hij las het onderschrift met een kil, naargeestig voorgevoel waardoor hij kippenvel over zijn hele lichaam kreeg. 'Jonge vrouw, begin twintig, identiteit onbekend, waarschijnlijk dood door ongeval...' Adam voelde zich duizelig worden. Toen las hij over de tatoeages op het lichaam en zag in hoofdletters: MHOUSE LY-ON.

Hij ging naar buiten, naar het parkeerterrein voor het personeel, voor wat frisse lucht. Hij had de krant nog in zijn hand en in zijn hoofd tuimelden de mogelijke verklaringen over elkaar. Nee, niet Mhouse, hield hij zichzelf voor, dat kan Mhouse niet zijn. Hij las het artikel opnieuw. Het lichaam was gevonden in de Theems bij Greenwich... Begin van ontbinding, ongetwijfeld vele dagen in het water gelegen. Ongeïdentificeerde vrouw. Iedereen met nadere informatie werd verzocht... Er stond een telefoonnummer bij.

Hij ijsbeerde over de parkeerplaats en begon zich steeds slechter te voelen; er bouwde zich een scenario op in zijn hoofd over een grote, lelijke man met een wijkende kin met een kuiltje erin. Maar hoe kon dat? Hij had The Shaft verlaten minuten nadat hij hem er had gezien – een paar minuten – er kon geen sprake zijn van een spoor... Maar Mhouse was dood, dat stond vast. Maar Ly-on dan? Hij besefte dat hij het aan Ly-on verplicht was om zijn moeder te identificeren – niemand anders in The Shaft zou dat doen –, misschien zou zijn moeder dan kunnen rusten in vrede, min of meer.

Hij liep naar de openbare telefoon in de hal en pakte de hoorn. Legde hem terug. Hij moest hier goed over nadenken, er konden grote risico's aan zitten. En dus somde hij alle redenen op waarom hij niet zou bellen om het lichaam van Mhouse te identificeren, en hij moest toegeven dat die redenen overtuigend waren en dat het iemand in zijn situatie ten sterkste aan te raden was zich er rekenschap van te geven. Maar hij besefte ook dat hij niet op een logische, weldoordachte manier zou handelen. Hij dacht aan Mhouse, dood, koud, liggend in een of andere stalen la met een bruin etiket aan haar grote teen waarop een nummer stond, en hij huiverde tot in het binnenste van zijn wezen. Hij wist dat hij haar niet in de steek kon laten. Goed, er waren risico's aan verbonden, maar alles in het leven had zijn risico's, en als je eenmaal dat risico-element aanvaarde, dan kwam er een strategische, wereldse, geïmproviseerde manier van denken op gang die niets te maken had met ratio maar alles met de persoon die je was en het leven dat je leidde. Niemand wist wie hij was, hield Adam zichzelf voor. Niet Adam Kindred zou de identificatie doen, nee, Primo Belem, een vage kennis van het naamloze slachtoffer. Hij kon gewoon zijn naam en adres geven, dat had hij inmiddels al tientallen keren gedaan, zelfs aan de politie. Er was geen sprake van een misdaad in de krant, dus misschien was een simpele identificatie voldoende. Mhouse zou haar naam terugkrijgen en Ly-on zou op een dag te horen krijgen wat er met zijn moeder was gebeurd. Nog belangrijker was dat Adam het gevoel zou hebben dat hij zijn morele plicht had gedaan tegenover Mhouse. Hij zou zijn woeste, maffe samaritaan kunnen terugbetalen. Een andere optie was er niet. Hij pakte opnieuw de hoorn van de haak.

'Marine Support Unit,' zei een stem.

'Hallo...' Wat moest je zeggen? 'Ik heb net de krant gelezen. Ik bel over het lijk van die vrouw dat in de rivier is gevonden, bij Greenwich. Ik geloof dat ik weet wie het is.'

Hij haalde een pen uit zijn zak en noteerde wat hij moest doen en waar hij moest zijn. Hij zei dat hij die avond langs zou komen als zijn dienst erop zat en hing op.

Mhouse was dood. Dat feit moest hij onder ogen zien, er was geen ontkomen aan en ook niet aan het even afschuwelijke feit dat hij op de een of andere manier verantwoordelijk was voor haar dood. Degene die zo wanhopig op zoek was naar hem had Mhouse vermoord op zijn zoektocht naar informatie. Een geweldig schuldgevoel overmande hem en verzamelde zich als gal in zijn keel. Het was gal. Hij kon nog net op tijd buiten op het parkeerterrein komen en daar gaf hij over.

41

De ondergaande zon had de rivier oranje gekleurd, het bruine water van de Theems met oranje bedropen, als op een fauvistisch schilderij. Rita bleef even staan om van het wonderlijke schouwspel te genieten, waarna ze zich omdraaide en van de dependance naar het hoofdkantoor van de MSU liep. Uit de smalle gang die naar de hoofdingang leidde kwam een lange jonge vent die verloren om zich heen keek, met een stukje papier in zijn hand. Hij droeg een krijtstreeppak en een overhemd zonder stropdas, zijn donkere hoofdhaar was gemillimeterd en hij had een keurig zwart baardje.

'Kan ik u helpen?' vroeg ze.

Hij draaide zich om. 'Ik kom een lichaam identificeren,' zei hij. 'Maar ik weet niet precies waar ik moet zijn.'

Ze keken elkaar aan – wat tientallen keren per dag gebeurde –, waarom zou deze keer dan bijzonder zijn, dacht Rita, waarom is deze uitwisseling van blikken belangrijker dan al die andere? Het enige wat Rita besefte was dat het deze keer wat haar betrof op de een of andere manier anders was dan die tientallen andere keren die dag. Er was iets in werking gesteld, een of ander zenuwtrekje dat waakzaamheid registreerde, een verandering van gevoel, een geconcentreerde belangstelling. Dat is vast een heel diep instinct, dacht ze, iets wat verder gaat dan de ratio, het beest in ons dat op zoek is naar een geschikte partner.

'We hebben hier tegenwoordig een tijdelijk mortuarium,' zei ze. 'Hierachter, ik loop wel even mee.' Ze draaiden zich om en ze ging hem voor naar de dependance en portakabin 4.

'Was het die vrouw in de krant?' vroeg ze

'Ja.'

'Wat erg voor u. Familielid?'

'Nee. Gewoon eh… Iemand die ik ken.' Zijn stem trilde onwillekeurig, merkte ze. Ze keek om en zag hoe gespannen hij was, hoe zwaar het hem allemaal viel.

Ze bleven staan voor portakabin 4, het zoemen van de koelinstallatie aan de achterkant was duidelijk hoorbaar. Ze stelde hem voor aan de medische assistent en zei dat hij een formulier moest invullen.

'Naam?' vroeg de assistent.

'Belem.' Hij gaf zijn adres en andere gegevens. Hij kreeg een plastic jas en plastic overschoenen aangereikt.

'Weet je wat,' zei Rita, die medelijden met hem kreeg terwijl hij de beschermende kleding aantrok. Zijn gezicht stond strak, alsof hij zich nu pas realiseerde waar hij was en wat hem te doen stond. 'Ik haal wel even een kop thee voor je. Ik heb het klaarstaan.'

'Dank je wel,' zei hij en hij kwam overeind terwijl de assistent de deur naar het mortuarium opendeed.

Het zou knap moeilijk voor hem worden daarbinnen, wist ze. Ze hadden besloten hier een tijdelijk mortuarium in te richten omdat de msu in Wapping ieder jaar vijftig tot zestig lijken uit de Theems opdregde, een gemiddelde van één per week. Lijken gingen snel tot ontbinding over als ze eenmaal in de rivier lagen, en als ze binnen een week niet geïdentificeerd werden, verhuisden ze naar een van de grotere mortuaria in de stad, waar ze bewaard werden tot er een lijkschouwing was verricht. Door een samenvallen van de getijden en de afwijkende stroming van de rivier werd meer dan de helft van de lijken in of bij Greenwich gevonden, in de grote zuidelijke lus van de rivier om het Isle of Dogs heen. De doden hadden vaak al lang in het water gelegen, waren opgezwollen en in verregaande staat van ontbinding, soms ook waren ze verminkt doordat ze onzacht in aanraking waren gekomen met passerende schepen, of hun ogen waren eruit gepikt door de meeuwen, om nog maar te zwijgen over mogelijk lichamelijk geweld dat hen had getroffen voordat ze in het water waren gedumpt.

Het enige lijk dat zij en Joey hadden gevonden, was van een onvoorzichtige dronkelap geweest. Hij was om middernacht bij laagtij naar een zandbank vlak bij de Southwark Bridge gelopen om te plassen, zakte weg in het drijfzand en kwam tot halverwege zijn dijen vast te zitten. Hij zat nog steeds muurvast toen het vloed werd en het water hem overspoelde, en niemand hoorde zijn hulpgeroep of zag zijn zwaaiende armen. De volgende ochtend bij laagwater zat hij nog steeds vast, met het hoofd naar beneden. Maar deze, die in de krant had gestaan – DB 23 (het drieëntwintigste lijk van dat jaar) – had een schedelbasisfractuur en een gebroken nek en de helft van een been ontbrak, waarschijnlijk afgehakt door een schroef. Ze dacht aan de man – Belem – die nu bij het lichaam stond te wachten tot het laken werd opgetild. Het zou een allesbehalve fraai gezicht zijn.

Ze drukte op de knop van de thee- en koffiemachine en keek toe hoe het water in de plastic beker stroomde. Ze pakte een kuipje melk, een roerstaafje en twee suikerzakjes en liep terug naar portakabin 4. Hij kwam net naar buiten, zijn gezicht was lijkbleek, hij hield een hand aan zijn lippen en hij zag eruit alsof hij ieder moment kon flauwvallen.

'Kom maar even zitten,' zei ze. 'De papieren komen later wel.'

Ze liepen terug naar de wachtruimte, waar ze melk en suiker in zijn thee deed en voor hem roerde. Hij zei niets, was helemaal in zichzelf teruggetrokken, hij staarde naar het formica tafelblad. Hij nipte van zijn thee en keek op.

'Het was haar zeker, hè?' vroeg Rita.

'Ja.'

'Kende je haar al lang?'

'Nee, niet echt.'

'Weet je hoe ze heet? Waar ze woonde?'

'Ja, ze heette Mhouse.' Hij spelde de naam en gaf haar het adres. 'Haar zoontje heet Ly-on. Hij is zeven. Vandaar die tatoeage: hun twee namen.'

'Juist. Mhouse wie?'

'Dat weet ik eerlijk gezegd niet... Ik ken haar achternaam niet.' Ze zag dat die mededeling hem dwarszat.

'We doen dit allemaal wel bij de officier van dienst. Die noteert alle details wel. Laat je bekertje hier maar staan.'

Ze liep terug met hem naar de receptie, waar ze hem overdroeg voor het invullen van formulieren en het geven van een verklaring. Terwijl de officier van dienst naar de juiste formulieren zocht, stak ze haar hand naar hem uit, die hij schudde.

'Ik vind het heel naar voor u, meneer Belem.'

'Bedankt voor uw hulp, dat was heel aardig. Ik stel het erg op prijs,' zei hij.

'Graag gedaan.'

Toen vroeg hij hoe ze heette, wat haar niet verbaasde. Het was een van haar tests.

'Rita Nashe,' zei ze glimlachend, en ze dacht: knappe vent, lang, slank, leuke ogen. Zo te zien intelligent. Meestal viel ze niet op kale koppen en baarden, maar hem stond het goed.

'Ik heet Primo,' zei hij. 'Primo Belem.'

'Aangenaam kennis te maken, Primo,' zei ze. 'Ik ben nu vrij, ik moet weg.'

'Ogenblikje nog, juffrouw Nashe...' De bezorgde blik was terug.

'Ja, wat is er?'

'Denken ze dat ze gedood is?'

Rita zweeg even. 'Gedood? Bedoelt u of ze vermoord is? Ze kan gevallen zijn. Misschien was ze dronken...'

'Ik weet het niet,' zei Primo Belem. 'Ik kan me gewoon niet voorstellen hoe ze dood in de rivier terecht is gekomen. Het klopt gewoon niet.'

'Misschien heeft ze zelfmoord gepleegd. We hebben tientallen zelfmoorden...'

'Ze zou nooit zelfmoord plegen.'

'Hoe weet u dat zo zeker?'

'Vanwege haar zoontje. Ze zou Ly-on nooit alleen achterlaten. Nooit.'

Rita en Joey liepen The Shaft in, op weg naar blok 14, derde verdieping, flat L, en bij iedere stap die ze zetten, nam hun omzichtigheid toe. Rita had zich nog nooit zo onbehaaglijk gevoeld. Het was drie uur 's middags, maar de paar mensen die ze tegenkwamen, liepen meteen een andere kant op of bleven hen stomverbaasd staan aanstaren, alsof ze nooit eerder politie in uniform hadden gezien.

'Wauw,' zei ze tegen Joey. 'In wat voor land zijn we terechtgekomen?'

'We moeten hier niet te lang blijven, Rita.' Hij keek zenuwachtig om. 'We moeten de jongens van Rotherhithe inschakelen.'

'Maar het is een zaak van de MSU.'

'Wij zijn van de waterpolitie, Rita. Wat hebben we hier te zoeken?'

'Bedankt, Joe. Ik stel het erg op prijs van je. Het is een soort voorgevoel. Ik móét even iets onderzoeken, voor mijn eigen gemoedsrust.'

Ze waren bij de trap gekomen. Ze keek om zich heen: dichtgetimmerde flats, overal afval, smerigheid, graffiti. Rita had ontdekt dat de Shaftesbury Estate over een paar jaar zou worden afgebroken, ondanks het feit dat het op de monumentenlijst van toonaangevende twintigste-eeuwse architectuur stond. Als etterende puist in een in rap tempo chiquer wordend Rotherhithe waren de dagen van het complex geteld. Een naakt kind kwam de hoek om gerend, een meisje, zonder een draad aan haar lijf. Ze zag de twee politieagenten en rende gillend weg.

'Blijf jij maar hier beneden, Joey,' zei ze. 'Ik kijk wel even bij de flat.'

'Ik kom er meteen aan, hoor,' zei hij. 'Schiet een beetje op.'

Ze ging de trap op naar de galerij op de derde verdieping, keek over de balustrade en zwaaide naar Joey.

Ze klopte op de deur van flat L. Klopte opnieuw.

'Wie daar?' zei een stem.

'Politie.'

De deur ging open en een lange vent in een bruin trainingspak verscheen breed grijnzend in de deuropening. Ze zag dat hij zilveren ringen om al zijn vingers en beide duimen had.

'De Heer zij geloofd. Eindelijk politie. We zien hier nooit politie. Welkom, welkom.'

Ze zei dat ze hem graag een paar vragen wilde stellen. Geen probleem, zei hij. In de donkere flat achter hem zag ze vrouwen en kinderen in de weer en hoorde ze een baby huilen. Er verschenen twee mannen in witte djellaba's tot op hun enkels; ze verdwenen in een ander vertrek. Het gesprek moest plaatsvinden bij de voordeur: hij was duidelijk niet van zins haar binnen te vragen.

'Ik doe onderzoek naar een vrouw genaamd Mhouse. Ze heeft hier gewoond.'

'Zij gehuurd van mij. Dan is ze weg. Ik krijg vijf maanden huur. Is veel geld.'

'Bent u de verhuurder?'

'Ja, mevrouw. Ben ook voorzitter van de Shaftesbury Estate Bewonersvereniging, de SEBV.'

'En uw naam is?'

'Mister Quality. Abdul-latif Quality. Is mijn appartement.'

'Wie woont hier nu?'

'Zijn asielers. Ik sta geregistreerd bij gemeente. Vraagt u maar na.'

'Hebt u enig idee waar Mhouse heen is gegaan?'

'Nee. Als ik weet, ik ga haar zoeken. Ik wil mijn geld.'

'Ze is dood.'

De gezichtsuitdrukking van Mister Quality veranderde niet. Hij haalde zijn schouders op.

'God is groot. Nu krijg ik mijn geld niet.'

'Wij hebben reden om aan te nemen dat ze geen natuurlijke dood is gestorven. Kent u iemand die haar bedreigd kan hebben, die haar iets wilde aandoen?' Rita wreef met haar hand langs haar voorhoofd, het was vochtig. Waarom transpireerde ze zo? 'Kent u iemand die misschien iets tegen haar kan hebben gehad? Iemand die hier rondhing, haar bespiedde?'

Mister Quality dacht diep na, tuitte zijn lippen, zuchtte. 'Ik nooit zo iemand gezien.'

Rita fronste haar wenkbrauwen. Toen ze tegen Primo Belem had gezegd dat ze van plan was naar The Shaft te gaan, had hij haar gevraagd of ze wilde uitzoeken hoe het met de jongen ging, met Ly-on.

'Weet u waar haar zoontje is?'

'Ik denk ze neemt hem mee toen ze wegliep.'

Rita keek om zich heen. Een oudere vrouw kwam vanaf de trap de galerij op, zag haar, glimlachte breed maar nerveus en haastte zich weer de trap af.

'Wie is die vrouw?'

'Ik nooit eerder gezien.' Hij glimlachte. 'In The Shaft mensen komen en gaan. Bent u klaar met mij, agent?'

'Misschien kom ik nog eens terug.'

'Zeer vereerd om met politie te spreken. Graag, heel graag.'

'Waar woont u?'

'Ik woon hier.' Hij gebaarde naar het donkere interieur van de flat. 'U kunt me altijd hier vinden.'

Rita voelde een grote onmacht; alles, zowel het goede als het slechte, waarvan ze routinematig verwachtte dat haar rol als politiebeambte en haar uniform teweeg zou brengen – status, respect, gebrek aan respect, afkeer, achterdocht, gemakzuchtige veronderstellingen, mogelijke agressie – werkte hier in The Shaft simpelweg niet. Zij was hier de buitenstaander, niet de 'asielers'. Ze was hier buiten de orde, zij waren binnen de orde. Ze wilde zo ver mogelijk wegrennen van Mister Quality, en dat was niet de instelling, de attitude, die ze zou moeten hebben, besefte ze: ze was een publieke ambtenaar die betaald werd om wet en orde te handhaven. Nog nooit in haar leven had ze zich zo overbodig gevoeld.

'Dank u, Mister Quality.'

'Graag gedaan.'

Hij deed de deur dicht en zij liep de trap af naar Joey.

'Laten we maken dat we wegkomen, Joey.'

Rita en Primo Belem zaten in een koffiebar annex Franse bistro genaamd Jem-Bo-Coo in Wapping High Street, niet ver van de MSU. Ze was in burger en droeg haar haar los. Toen ze binnenkwam zat hij al aan een tafeltje achter in de zaak te wachten, bij de wijnflessen die voor de verkoop bestemd waren. Het was haar opgevallen hoe hij bijna komisch en traag reageerde op haar uiterlijk als 'burger'. Hij droeg zijn krijtstreeppak, en het viel haar voor het eerst op dat broek en colbert niet helemaal bij elkaar pasten. Ze had de door hem aan de officier van dienst verstrekte persoonlijke gegevens gecontroleerd en wist waar hij woonde – in een flat in de Oystergate Buildings in Stepney – en ze wist ook dat hij als bode in het Bethnal & Bow Hospital werkte, maar pas sinds een paar weken. Alles aan zijn manier van doen, zijn accent en vocabulaire wees echter op iemand die niet gewend was aan dat soort ongeschoold werk. Hij had iets geheimzinnigs, en ze verheugde zich erop een poging te wagen het raadsel te ontrafelen.

Ze bestelde koffie, ging zitten en vertelde hem over haar bezoek aan The Shaft en wat ze had ontdekt in de flat van Mhouse.

'Er was een man die beweerde dat hij er woonde, ene Abdul-latif Q'Alitti.'

Primo knikte. 'Ja, ik heb gehoord over Mister Quality. Mister Fixit.'

'Voorzitter van de Shaftesbury Estate Bewonersvereniging. Ik heb het nagetrokken: hij is bekend op het gemeentehuis. Er gebeurt niets in The Shaft buiten Mister Quality om.'

'Heb je de jongen nog gezien?'

'Nee, ik vrees van niet. Mister Quality zei dat hij van niets wist.'

Dat antwoord leek hem dwars te zitten. 'Ik vraag me af...' begon hij, maar hij bedacht zich. 'Heb je trek in iets?' vroeg hij. 'Zal ik een muffin voor je halen?' Ze had inderdaad trek, dus ze liepen terug naar de toonbank en besloten samen een muffin met bosbessen te nemen, waarna ze weer plaatsnamen aan hun tafeltje.

'Waarom denk je,' zei ze terwijl ze het fruit uit haar halve muffin pulkte, 'dat die Mhouse misschien vermoord is?'

'Ik weet het niet,' zei hij vaag. 'The Shaft is een gevaarlijke plek, ik heb er een poosje gewoond,' voegde hij eraan toe, 'zo heb ik Mhouse leren kennen...'

'Denk je dat Mister Quality er iets mee te maken kan hebben?'

'Nee, dat denk ik niet. Hij niet.'

'Iemand anders dan?'

'Nee... Nee. Ik vind het gewoon een verdachte zaak.'

'We moeten wel aanwijzingen hebben.'

'Ik weet het... Het spijt me...'

Ze glimlachte, leunde achterover in haar stoel en nam een hap van haar halve muffin. 'Het lijkt wel of je een geest hebt gezien.'

'Ik ben nog een beetje in shocktoestand, weet je. Dat bericht van laatst, en dan dat lichaam bekijken...'

Ze leunde voorover en bood hem de rest van haar muffin aan. 'Kun je me uitleggen wat voor motief iemand zou kunnen hebben om die Mhouse te doden?'

'Ik heb geen idee.'

'Wat deed ze?'

'Van alles.'

'Seksindustrie? Drugs?'

Primo tuitte zijn lippen en zuchtte. 'Ik heb geen idee.'

'Als ze prostituee was, dan staat ze misschien geregistreerd.'

'Waarom denk je dat ze prostituee was?'

'Wil je beweren dat ze dat niet was?'

Hij lachte verbaasd. 'Dat soort dingen laat ik aan jou over,' zei hij. 'Dat weet ik allemaal niet.'

'Primo,' zei ze, haar stem klonk een beetje ernstiger en haar glimlach veranderde in een fronsende blik. 'Hou je soms iets voor me achter?'

'Nee, natuurlijk niet. Goh, is het al zo laat? Ik moet weg. Over veertig minuten begint mijn dienst.'

Ze stonden tegelijk op en deponeerden hun bekertjes en de restjes van de muffin in de prullenbak.

'Je hebt me geweldig geholpen,' zei hij. 'Misschien lukt het me om die jongen op te sporen.'

'Er komt nog een lijkschouwing en een gerechtelijk onderzoek,' zei ze. 'Misschien komen we dan meer te weten.'

'Ik betwijfel het,' zei hij en er klonk een lichte verbittering door in zijn stem, maar hij vervolgde op verontschuldigende toon: 'Maar je weet het natuurlijk nooit.' Hij stak zijn hand uit. 'Heel erg bedankt, Rita.'

Ze pakte zijn hand en hield die een paar seconden langer vast dan gebruikelijk was.

'Luister, Primo,' zei ze, enigszins verbaasd door haar eigen vrijpostigheid, maar ze wilde niet dat hun nieuwe verstandhouding meteen weer ten einde zou komen: ze wilde dat het wat langer duurde, ze wilde zien waartoe het zou kunnen leiden. 'Heb je zin om een keer iets met me te gaan drinken? We kunnen ook gaan eten, een curry of Chinees of zo. Dan kan ik je ook op de hoogte houden van het onderzoek.' Ze zag dat hij razendsnel nadacht – ze liet zijn hand los – en dat hij in gedachten de voors en tegens, de implicaties en complicaties tegen elkaar afwoog.

'Het hoeft niet, hoor,' zei ze.

'Nee, dat lijkt me leuk,' zei hij met een erkentelijke glimlach. 'Erg leuk zelfs. Fantastisch.'

42

Het Italiaanse restaurant met de gele luifels was er nog steeds – waarom zou het er ook niet meer zijn? – in die zijstraat in Chelsea. Een man met een schort voor – een ober – stond het trottoir schoon te spuiten toen Adam langsliep, en binnen dekten andere obers de tafels voor de lunch. Adam pijnigde zijn hersenen en dacht terug aan die avond. Het leek wel alsof die had plaatsgevonden in een andere eeuw, of in een parallel universum. Maar toen was alles begonnen: het feit dat hij nu hier stond had te maken met zijn ontmoeting met Philip Wang, zijn bijna-tafelgenoot. Hij was afwezig geweest en voelde zich kennelijk slecht op zijn gemak; hij herinnerde zich dat hij dingen liet vallen en op een bepaald moment zijn bezwete voorhoofd had afgeveegd met een servet. En hij had natuurlijk dat dossier achtergelaten, dat onder het tafeltje naast hem terecht was gekomen. Hij zag eruit als iemand die veel aan zijn hoofd had. Maar waar kwam zijn stress vandaan, en hoe acuut was die? Had hij iets verkeerds gedaan? Iets gestolen misschien? Maar toen hij had gebeld om te zeggen dat hij het dossier had gevonden en het wilde langsbrengen, klonk Wang opgelucht maar redelijk ontspannen, hij vroeg hem zelfs boven te komen om iets te drinken...

Adam draaide zich om en liep door achterafstraatjes terug naar de rivier. Als het allemaal begonnen was met Wang, dan moest hij meer te weten zien te komen over die man en wat hem bezielde. Werkte hij voor de regering? Was hij de klokkenluider van een of ander ministerie? Misschien had hij zelf iets te maken met de geheime dienst en had hij iets ontdekt dat hij niet mocht weten? Probeerde hij misschien staatsgeheimen te verkopen? Adam schudde het hoofd: complottheorieën tuimelden over elkaar heen. Hij moest zich beperken tot de feiten: Philip Wang was consulterend geneesheer in het St. Botolph's Hospital. Misschien begon het spoor daar.

Adam ging zitten op de bank op het brede deel van het trottoir aan het begin van de Chelsea Bridge en controleerde of er enige activiteit te zien was in of bij de driehoek. Hij kuierde een paar keer langs het hek en wachtte tot er een opening in de verkeersstroom kwam. Alles leek rustig. Een joggend stel kwam druk pratend langs gerend, en toen ze goed en wel voorbij waren klom hij over de balustrade en zocht zich een weg tussen de struiken door naar de open plek.

Het voelde vreemd om terug te zijn, en hij realiseerde zich welke enorme veranderingen hadden plaatsgevonden sinds hij hier de eerste nacht had doorgebracht. Er was hem zoveel overkomen, het leek wel alsof vele jaren van zijn leven waren samengepakt in enkele angstaanjagende, overvolle weken; een heel leven vol avontuur ging aan zijn geestesoog voorbij, alsof hij aan het eind van zijn bestaan was gekomen. Hij bleef even met zijn handen in de zij staan en liet de omgeving langzaam en welbewust tot zich doordringen. Er lag inmiddels veel meer troep en het woedende gevoel van de eigenaar kwam over hem, hij raapte een stuk krant op, frommelde het tot een prop en liet het weer vallen. Hij ging op zijn knieën zitten, trok de graszoden weg waaronder zijn geldkist verborgen zat en haalde er tweehonderd pond en het dossier van Wang uit. Hij wachtte even, bekeek de namenlijst en de onbegrijpelijke aantekeningen die erachter waren gekrabbeld. Er was geen enkele twijfel meer in zijn hoofd: hier moest zijn onderzoek beginnen.

In de ondergrondse terug naar Stepney moest hij onwillekeurig denken aan die politieagente, aan Rita Nashe. Ze was lang en slank en ze had een smal gezicht: knap maar krachtig en enigszins mannelijk als ze haar haar had opgestoken. Met los haar leek ze heel anders – hij herinnerde zich dat hij koude rillingen had gekregen toen hij haar de koffiebar had zien binnenkomen – ze zag er absoluut niet uit als een politieagente. Je zou net zo goed kunnen beweren dat hij het typische uiterlijk had van een ziekenhuisbode. Nee, besefte hij, het kwam omdat hij haar de eerste keer in uniform had gezien – die dag in het mortuarium van de MSU – hij moest de geüniformeerde Rita uit zijn geheugen bannen en vervangen door het beeld van de knappe, lange jonge vrouw in spijkerbroek en fleece trui, met bruin schouderlang haar, die tegenover hem zat in de koffiebar, de bessen uit haar muffin pulkte en lachend achterover leunde. Het leek allemaal heel normaal en gemakkelijk: het feit dat hij nu Primo was, veranderde alles, van de risico's waarover hij zich zorgen had gemaakt was niets bewaarheid. Hij dwong zich weer aan haar gezicht te denken: Rita's gezicht. Het was moeilijk te zeggen wat voor figuur ze had, onder die fleece trui... Hij was blij dat zij hém had gevraagd om ergens iets te gaan drinken; hij zou het zelf niet gedurfd hebben, hoezeer het vooruitzicht hem ook aantrok.

43

City Airport werd er niet aantrekkelijker op als je er vaker kwam, mijmerde Jonjo, terwijl hij zo dicht mogelijk bij de trap naar de cafetaria boven ging zitten, een slok van zijn cappuccino nam en aan de puzzel in de krant begon. SREIBGMJAR. Vierletterwoorden, allemaal met een 'R'... Hij keek op en zag Darren aan komen lopen. Jonjo's glimlach was niet warm, en hij zag dat Darren niet terug lachte maar eerder een soort grimas trok. Dat wordt slecht nieuws, concludeerde Jonjo.

'Beetje snel graag, Dar, ik heb het druk. Ik ben er vlakbij.'

'Dit heeft niets met mij persoonlijk te maken, Jonjo, dat moet je goed weten.'

'Ja, natuurlijk. Voor de dag ermee.'

'Je wordt van de Kindred-zaak afgehaald.'

Dat kwam hard aan – het laatste wat hij had verwacht – nog meer geouwehoer, nog meer stress. Op de een of andere manier wist hij zijn gezicht in de plooi te houden, hoewel hij gerommel in zijn darmen voelde. Maar dit was een serieuze zaak: hij kon nu onmogelijk naar het toilet.

'Je zit me godverdomme te verneuken.'

'Nee, Jonjo. Ik zei het al: er zit enorm veel druk op deze zaak. Ze begrijpen niet hoe het kan dat een of andere klotelul van de universiteit nog steeds vrij rondloopt. Waarom kun je hem niet vinden?'

'Omdat hij slim is, juist omdát het een klotelul van de universiteit is en niet een of andere domme rukker,' zei Jonjo met ingehouden woede. Hij vervolgde: 'En wie zijn "ze" eigenlijk?'

'Dat weet ik ook niet,' zei Darren op klaaglijke toon. 'Ik weet nooit iets, ik heb geen flauw idee.' Jonjo geloofde hem, maar Darren ging door: 'Er zijn allerlei lagen boven mij. Ik heb geen idee wie mij die berichten en instructies stuurt. Ik krijg mijn geld, en ik doe wat me wordt opgedragen.'

'Oké, oké. Cool.'

Jonjo dacht een poosje na en voelde zijn woede toenemen. Toen zei hij: 'Nou, het komt er dus op neer dat jullie Kindred laten lopen. Ik heb tegen die lul van een Rupert, tegen die "Bob", gezegd dat ik er vlakbij was. Nu ben ik er zelfs nog dichter bij. Als jullie me nu van de zaak afhalen is Kindred vrij man. Vertel "ze" dat maar.'

'Er is een plan B. Wacht even.' Darren haalde zijn mobiele telefoon tevoorschijn en hield een kort gesprek, *sotto voce*.

'Ik heb gezegd dat hij buiten moest wachten,' zei Darren verontschuldigend. 'Ik wilde je eerst onder vier ogen spreken.'

Een minuut later zag Jonjo een lange vent met de roltrap omhoog naar de cafetaria komen: donker, gemillimeterd haar en een grote hangsnor, alsof hij meespeelde in een western uit de jaren zeventig.

'Dit is Yuri,' zei Darren.

Jonjo wierp Darren een verbijsterde blik toe, alsof hij wilde zeggen: Wát?

'Yuri heeft twaalf jaar voor de Spetsnaz gewerkt. In Tsjetsjenië, contraterrorisme...'

'Nou, fantastisch, hoor,' zei Jonjo. 'Spreekt hij Engels?'

'Iek spreekt Englies,' zei Yuri.

'Vertel hem alles wat je weet,' zei Darren. Jonjo voelde zich in verlegenheid gebracht en slecht op zijn gemak. Hij wierp een blik op zijn puzzel: plotseling vormde zich om mysterieuze redenen het woord AMBERGRIJS. Wat had dat godverdomme te betekenen? Hij keek op en vertelde Yuri alles wat hij kwijt wilde.

'Kindred woonde een paar weken in de Shaftesbury Estate in Rotherhithe – flat L, derde verdieping, blok 14 – met een prostituee die zich "Mhouse" noemde. Kindred heeft nu lang haar en een baard en noemt zich "Johannes". Hij is er niet meer, en die prostituee,' hij zweeg even, 'is weggelopen.'

'Dank u wel,' zei Yuri langzaam. 'Iek ga naar die Shaftesbury. Iek stel vragen, iek krijg antwoorden.'

'Succes, mate,' zei Jonjo op kille toon. Hij stond op. 'Leuk je weer te zien, Darren. Jij ook veel succes.'

Darren maakte een verongelijkte indruk, hij was niet blij met de suggestie dat hij erbij betrokken was. Hij stond ook op en gaf Jonjo een dikke envelop.

'De helft van je honorarium, even goeie vrienden...'

'Ja, ja, ik weet het. Ga nou maar.'

Jonjo wandelde de cafetaria uit zonder om te kijken.

Bisschop Yemi zweeg even en liet zijn ogen langs zijn schaarse gemeente gaan, alsof hij op zoek was naar een bemoedigende blik, naar enig enthousiasme.

'Stel je voor: stel je voor dat jij Johannes bent, de ware Christus, en dat de Romeinen je omsingeld hebben, met hun woorden en hun speren. Wat zou je doen? En dan doet je discipel Jezus, de timmermanszoon, een stap naar voren. Heer, zegt hij, laat mij doen alsof ik Christus ben, ik wil het doen voor de goede zaak. Terwijl ze mij aanhouden en folteren, kunt u ontsnappen en de strijd voortzetten, het woord verspreiden.' Bisschop Yemi zweeg opnieuw. 'Wat een uitmuntend plan, zegt Johannes. Jezus wordt ingerekend, hij sterft aan het kruis, en de Romeinen denken dat ze hun man te pakken hebben. Ondertussen weet Johannes te ontsnappen naar het zonnige eiland Patmos, waar hij de *Openbaring* schrijft. Alles staat erin: lees het zelf maar in het boek van Johannes. Alleen de ware Christus kan dat boek geschreven hebben. Alleen de ware zoon van God!'

Verdomd interessant, dacht Jonjo, die op de eerste rij zat met het naambordje JOHANNES 1794 op de borst gespeld. Daar zit wat in. Dappere vent, die Jezus, dat hij zichzelf zo opoffert. Jonjo dacht verder: het moet ook een hele troost voor je zijn geweest terwijl je aan dat kruis hing, met spijkers door je handen en voeten, en wist dat je leider was ontsnapt en iedereen te slim af was geweest. De woorden 'ontsnapt' en 'te slim af' kwamen ongelukkig overeen met de hachelijke situatie waarin hij zichzelf bevond. Hij keek stiekem op zijn horloge; de bisschop was al veertig minuten aan het woord. Hij voelde zich nogal onbeschut daar op de eerste rij; hij was de enige nieuwe 'Johannes' die avond. Hij wierp een tersluikse blik op zijn mede-Johannesen, een kleine gemeente van schooiers en halve zolen, mijmerde hij, maar hij putte moed uit het feit dat Kindred hier ook was geweest, in deze zelfde ruimte, dat Kindred ook een Johannes was geweest, slechts 191 plaatsen vóór hem in de rij van Johannesen. Hij zat hem op de hielen, er waren hier mensen die hem kenden, die wisten waar hij gewoond had, waar hij nu woonde. Hij onderdrukte een geeuw met de rug van zijn hand. De bisschop had het onderwerp verlegd naar het kwaad van het short gaan en van risicovolle investeringen op de beurzen wereldwijd, en hij citeerde uit de *Openbaring* om zijn argumenten kracht bij te zetten en zijn minachting te onderbouwen. Hij kon het mooi zeggen, die bisschop Yemi, dat moest Jonjo toegeven, maar hoe lang ging dat godverdomme nog duren?

Ze kregen een stoofpot van rundvlees en nieren voorgezet, die verrassend goed smaakte, moest Jonjo toegeven. Een uitstekende bak voer voor een hongerlijder. In zijn zak had hij het opsporingsaffiche voor Kindred, waarop hij met een zwarte viltstift een zware baard had getekend. Hij liet het aan de drie junkies zien met wie hij aan tafel zat, maar die beweerden dat ze hem nooit eerder hadden gezien.

'Nooit gezien,' zei een van hen.

'Hij is een Johannes, net als wij. Een vriend van mij,' zei Jonjo. 'Hij kwam hier vroeger vaak. Ik probeer hem terug te vinden.'

'Nooit gezien,' herhaalde de junkie.

'Nee,' zei een ander.

Toen de maaltijd was afgelopen en de mensen weer vertrokken, mengde Jonjo zich onder de vertrekkende Johannesen en liet het affiche aan zoveel mogelijk mensen zien, maar zonder succes, alleen maar nee schuddende hoofden en opgetrokken schouders. Hij liep de kerk uit: de gemeente had die avond maar twintig zielen geteld; als hij Johannes nummer 1794 was, dan had hij nog maar een fractie van alle zielen ondervraagd. Hij liep weg, ongebroken; hij zou terugkomen en het blijven proberen.

Hij nam plaats achter het stuur van zijn taxi en startte de motor. Hij voelde nog steeds woede, merkte hij, het gevoel verraden te zijn, gechoqueerd omdat hij zo hooghartig van de Kindred-zaak was afgehaald, een zaak die van hem was en van niemand anders. Het was overduidelijk een motie van wantrouwen – hij was een mislukkeling in hun ogen – wie die 'ze' ook mochten zijn…

En wat zou die snorremans, die Yuri, dan wél kunnen wat hij niet kon? Misschien zou hij Bozzy tippen dat Yuri zou komen rondsnuffelen in The Shaft. Bozzy en zijn jongens zouden hem mooi aan het lijntje kunnen houden, terwijl Jonjo Case rustig en vakbekwaam zijn neus zou volgen en hun Kindred zou aanbieden op een presenteerblaadje. Op dezelfde manier, realiseerde hij zich, als Jezus zich had opgeofferd voor Johannes. Een mooie vergelijking, vond hij: de erkentelijkheid zou vanzelf komen, gevolgd door een bepaalde mate van eerherstel en een aanzienlijke financiële bonus. Hij glimlachte in zichzelf terwijl hij wegreed. Hij moest geduld hebben en doorzetten: het spoor van Kindred was nog warm en werd steeds warmer, en op een goede dag zou een van die stomme Johannesen hem wel herkennen. Het was gewoon een kwestie van tijd.

44

De paars met donkergrijze, overallachtige 'actiepakken' met rits, zoals ze in St. Bot's werden genoemd, vormden een hele verbetering ten opzichte van de jaren-tachtig bodelook, compleet met epauletten en bijpassende stropdas van het Bethnal & Bow, vond Adam. In zijn actiepak voelde Adam zich een paramedicus, iemand met autoriteit, die zó uit een helikopter in een slippende fourwheeldrive had kunnen springen om eerste hulp te verlenen en levens te redden. Het feit dat hij onderweg was naar de De Verevleugel om een dossier met facturen op te halen dat hij moest afleveren bij de medisch secretaresses op de financiële administratie, deed niets af aan het vage gevoel dat hij van zichzelf had als een belangrijke, hoewel ondergeschikte, schakel in die geweldige machine – de medische Leviathan – die St. Botolph's was. Het hele personeel was stiekem dol op hun funky jumpsuits, ongeacht de kleur. De designgoeroe die het kleurenschema had bedacht, begreep de menselijke psyche kennelijk beter dan de meeste psychologen. Zelfs de schoonmakers voelden zich verantwoordelijker voor hun werk dankzij hun gifgroene overalls, terwijl ze hun rechtvaardige strijd streden, het eindeloze gevecht tegen MRSA, *C. difficile* en andere bacteriële infecties.

Terwijl de lift de verdieping waarop de De Vere-vleugel zich bevond naderde, dwong Adam zichzelf geconcentreerd te zijn. Dit was zijn zesde of zevende bezoek aan De Vere in de twee weken dat hij nu werkte in St. Bot's – het domein van Philip Wang –, het personeel begon hem te herkennen en hij ontwikkelde een gemoedelijke verstandhouding met hen, ook al waren er op ieder moment van de dag ruim honderd bodes werkzaam in St. Bot's: OK, afdeling en ambulant. 'Hé, Primo,' begonnen mensen te zeggen; 'Primo is er.' Bij zijn laatste bezoekje kreeg hij een kop thee aangeboden. Het was zijn streven een vertrouwde verschijning te worden, onderdeel van het tijdelijke meubilair, iemand wiens verschijning door iedereen als vanzelfsprekend werd beschouwd.

De overgang van Bethnal & Bow was verrassend gemakkelijk te realiseren geweest. Rizal, een van de oudere bodes, had een broer, Jejomar, die bij St. Bot's werkte. Een van de vaststaande feiten in de Britse medische wereld was dat de bodediensten in alle ziekenhuizen onderbezet waren, vandaar de afhankelijkheid van uitzendbureaus om dat tekort aan te vullen. Primo Belem was met open armen ontvangen: als ervaren ziekenhuisbode met goede referenties en een 'Verklaring omtrent het gedrag' kreeg hij al een geringe salarisverhoging van nog eens tweehonderd pond per jaar, en er was door de directie gesuggereerd dat er een duidelijke mogelijkheid tot promotie voor hem was als hij dat zou willen. Een paar avondcursussen, wat elementaire theoretische bijscholing in human resources, en hij zou gemakkelijk een paar schalen kunnen stijgen; de wereld van de bodes was zijn oester.

Toen hij in de De Vere-vleugel aankwam om de documenten op te halen, heerste er een ongebruikelijke en opvallend opgewonden sfeer: verpleegsters lachten, praatten luid met elkaar en lieten elkaar tijdschriften zien. Een van hen knipte een bladzijde uit, die op het prikbord van de afdeling werd bevestigd, naast de beterschapskaarten, veiligheidsvoorschriften, vakantiekiekjes en ansichtkaarten van dankbare ex-patiënten.

'Hoi, Corazon,' zei hij tegen een verpleegster die hij kende. 'Wat is er aan de hand?'

Ze liet hem een advertorial over twee pagina's uit *Nursing Monthly* zien, met als kop: EEN GENEESMIDDEL TEGEN ASTMA? en gevolgd door een vaag, gloedvol missionstatement over de zoektocht naar een geneesmiddel dat een einde moest maken aan de hedendaagse vloek op het leven van zovelen.

'Wij doen hier de klinische tests,' zei Corazon geëmotioneerd. 'Al drie jaar. Eindelijk is het zo ver.'

'Wat voor klinische tests?'

'Voor Zembla-4.'

Ze wees op de passages in de advertorial.

'Hier? Zembla-4? Gefeliciteerd,' zei Adam gemaakt verrast. 'Fantastisch. Mijn nichtje heeft afschuwelijk last van astma. Soms krijgt ze bijna geen adem.'

'Dit medicijn kan haar redding zijn,' zei Corazon oprecht enthousiast. 'Ik heb gezien hoe het werkt. Ongelooflijk. Zeg maar dat ze er bij haar dokter om moet vragen.'

'Misschien kan ze wel hierheen komen,' zei Adam. Hij kende de vleugel inmiddels goed: twintig comfortabele kamers met eigen badkamer aan een brede gang met vaste vloerbedekking en aan het einde een speelkamer barstensvol speelgoed.

Corazon trok meewarig haar schouders op, alsof ze wilde zeggen: reken er maar niet te zeer op. 'Het is een privéproject, weet je. Erg duur.'

'Bedoel je dat er alleen maar rijkeluiskinderen op deze vleugel liggen?'

'Nee, nee,' zei Corazon. 'Het zijn gewone kinderen. De De Vere Stichting betaalt alles. Maar ze selecteren wel. Als je nichtje heel erg ziek is, mag ze er misschien in.' Ze ging zachter praten, op vertrouwelijke toon. 'Ga maar naar de dokter, zeg dat je nichtje heel erg ziek is van de astma. Zeg dan: kan ze niet naar St. Bot's? Dan stuurt hij haar hierheen, naar de De Vere-vleugel, gratis.'

'Gratis?'

'Ja. Dokters sturen ons hun zieke kinderen. Fantastisch gewoon. Ze krijgen hier Zembla-4. Kan alleen maar hier.'

'Ja, verbazingwekkend. Misschien probeer ik het wel... Wie heeft hier eigenlijk de leiding?'

'We hebben veel artsen. Dokter Zeigler is de laatste. Hij is nu in Amerika, voor de vergunning van de VWA.'

'Ja, natuurlijk. Dus hij werkt voor Calenture-Deutz.'

'Ja. Al onze artsen worden betaald door Calenture-Deutz. Wij krijgen allemaal een bonus van Calenture-Deutz. Daarom zijn we zo blij.'

Adam vertrok weer met zijn dossier met klinische gegevens en facturen, en bezorgde het bij de financiële administratie op de tweede verdieping van het hoofdgebouw.

Na zijn dienst haalde Adam in de bodekamer het document met de namenlijst van Wang tevoorschijn. Hij had diverse kopieën gemaakt en het origineel teruggestopt in de begraven geldkist in de driehoek bij de Chelsea Bridge. Onder het kopje 'St. Botolph's' stonden vijf namen: Lee Moore, Charles Vandela, Latifah Gray, Brianna Dumont-Cole en Erin Kosteckova. Vijf kinderen die opgenomen waren geweest in de De Vere-vleugel in de drie jaar voorafgaand aan de dood van Philip Wang.

Hij liep naar de telefoon in de gang, stopte er een paar munten in en belde de administratie.

'Hallo,' zei hij toen er eindelijk werd opgenomen. 'Ik hoop dat u me kunt helpen. Ik ben net terug uit Zuid-Afrika. Mijn peetdochtertje ligt bij u in het ziekenhuis. Ik zou graag willen weten op welke afdeling. Ze heet' – hij las een naam op van de lijst – 'Brianna Dumont-Cole.'

'Een ogenblikje, alstublieft.'

Het bleef vrij lang stil. Hij werd gevraagd de naam te herhalen. Op de achtergrond hoorde hij het droge klikken van een computertoetsenbord.

'Er is waarschijnlijk een vergissing in het spel, meneer.'

'Nee, nee. Ik wil haar verrassen. Ik ben maandenlang in het buitenland geweest. Ik heb haar bijna een jaar niet gezien... Hallo?'

'Brianna is overleden, meneer. Vier maanden geleden. Het spijt me heel erg. Haar familie kan u alles vertellen.'

Adam hing op zonder nog een woord te zeggen.

Het kostte hem twee dagen en vele ponden om Wangs lijst af te werken en de vier ziekenhuizen in het land te bellen: Aberdeen, Manchester, Southampton en St. Botolph's. Alle namen op de lijst van Philip Wang bleken van overleden kinderen te zijn. Nadat hij de dood van de eerste vijf had vastgesteld, veranderde hij van tactiek: als hij nu belde liet hij vanaf het begin merken dat hij op de hoogte was van de dood van het kind. Hij had een ruime keus aan excuses voorhanden voor zijn verzoek om nadere informatie: het plan voor een herdenkingsparkje, een grafsteen, een liefdadigheidsveiling, een viering op de lagere school ter ere van het kind in kwestie. Zou u mij de precieze datum en het tijdstip van overlijden kunnen geven? Geen probleem. Wij willen geld schenken aan een door het ziekenhuis te bepalen goed doel. Heel erg bedankt. Mijn oom zou graag een gesprek willen met de behandelend arts van destijds. Ik vrees dat dat niet mogelijk is, meneer. Wat het excuus, de smoes of de sentimentele leugen ook was, de antwoorden die hij kreeg bevestigden allemaal dat de veertien namen die Philip Wang op zijn lijst had genoteerd, toebehoorden aan de kinderen die waren overleden in de De Vere-vleugels van de vier ziekenhuizen in Groot-Brittannië, waar in de loop van diverse jaren peperdure en gedegen klinische tests werden gedaan om de doeltreffendheid te testen van een nieuw astmamedicijn: Zembla-4.

Zembla-4…

Adam bezocht een internetcafé. Hij tikte 'Zembla-4' in in een zoekmachine, en in een wip verscheen alle relevante informatie op het scherm. Zembla-4. Calenture-Deutz nv. De website van Calenture-Deutz was nog niet geüpdatet; er verscheen een foto van een stralende Philip Wang, hoofd Onderzoek en Ontwikkeling, zonder vermelding van zijn plotselinge dood. Adam staarde naar de foto en kreeg een vreemd gevoel toen hij terugdacht aan hun laatste ontmoeting. Er was ook een foto van de CEO van Calenture-Deutz, ene Ingram Fryzer – gladde gelaatstrekken, grijs haar –, boven een tendentieuze verklaring namens de directie en de staf waarin in detail werd ingegaan op de ambities en volstrekte integriteit van het bedrijf. Er volgde een lijst van de andere directieleden en een aantal verheven teksten – door middel van moderne grafische middelen afgedrukt over een raster van reageerbuizen, computers, gladde mannen in witte jassen, lachende kinderen in grazige weiden, en ondersteund door een sfeervol muziekje: een elektronische ostinato in majeur – over de hooggegrepen idealen die Calenture-Deutz nastreefde in hun niet aflatende zoektocht naar steeds effectievere farmaceutische producten.

Adam sloot de site af. Theoretisch was hij wijzer geworden, meende hij, maar eigenlijk ook weer niet. Hij besloot zich te concentreren op de vijf sterfgevallen in St. Botolph's. Hij moest nu toegang zien te krijgen tot enkele van de computers van het ziekenhuis.

Hij liep de pub in Battersea, The White Duchess, binnen en zag Rita aan de bar zitten met een flesje bier in haar hand. Hij kuste haar op de wang. Ze konden elkaar inmiddels op de wang kussen nadat ze hun eerste afspraakje (na een maaltijd bij een Chinees) op diezelfde beleefde manier hadden beëindigd. Ze droeg een spijkerbroek en blijkbaar drie losse T-shirts over elkaar, en ze had haar haar in een paardenstaart. Zonder uniform leek ze zich te kleden met een bestudeerde ongedwongenheid, bijna als een van zijn studentes op de campus van McVay, vond Adam. Adam vond haar kledingstijl charmant, hij kon zich niet voorstellen dat iemand achter haar een politieagente zou zoeken.

In de hoek bereidde een klein combo zich voor om op te treden; het zou zorgen voor de live muziek waar op de ramen van de pub reclame voor werd gemaakt.

'Heb je een vergadering gehad?' vroeg ze. 'Chic, hoor.' Adam droeg zijn andere pak. Hij had maar twee pakken, en hij besefte dat hij zijn garderobe moest uitbreiden nu hij omging met Rita.

'Ze willen me bevorderen,' zei hij. 'Maar ik verzet me nog.'

Wat was er anders aan een tweede afspraakje, vroeg Adam zich af. Het verschil was dat alle onzekerheid verdwenen was, veronderstelde hij... Zo'n eerste afspraakje was altijd een kwestie van aftasten, op je hoede zijn; hoezeer je het ook naar je zin leek te hebben, dat was het voornaamste doel van de eerste date: alle deuren stonden nog op een kier voor het geval er een afschuwelijke vergissing in het spel bleek te zijn. Bij hun eerste afspraakje hadden ze in vage bewoordingen verteld over hun werk. Adam had vage toespelingen gemaakt op een periode van geestelijke instabiliteit, naar een redelijk lang verblijf in het ziekenhuis, als verklaring voor zijn huidige lage status in de medische voedselketen. 'Mezelf terugvinden,' zei hij. Rita was even vaag geweest over haar eigen achtergrond en ze had bepaalde vragen handig ontweken. Zo had Adam bijvoorbeeld geen flauw idee waar ze woonde. Maar nadat er een tweede afspraakje was voorgesteld (door Adam) en geaccepteerd, leek alle aarzeling en omzichtigheid weg te vallen. Terwijl ze aan de bar zaten te praten en het jazz-trio begon te spelen, voelde Adam duidelijk de veranderde sfeer tussen hen. De onderliggende bedoeling was voor hen allebei glashelder: totale seksuele aantrekkingskracht. Terwijl hij nog een rondje bestelde en zich omdraaide om de aandacht van de barkeeper te trekken, raakte hij met zijn knie haar dij aan, en daarna liet hij die daar. Ze proostten met hun flesjes.

'Primo,' zei ze. 'Ik vind dat een leuke naam. Maar je hebt geen Italiaans accent.'

'Dat komt omdat ik geboren en getogen ben in Bristol,' zei hij. 'Ik spreek geen woord Italiaans. Nou ja, een paar misschien.' Hij haalde zijn schouders op. 'Ik ben derdegeneratie-immigrant.'

'Waar komt je familie oorspronkelijk vandaan?' vroeg ze, en Adam dacht: dit moet de laatste vraag over mijn achtergrond zijn, dat is beter voor ons allebei.

'Uit Brescia,' zei hij, en hij plukte de naam van de kaart van Italië in zijn hoofd. 'En voordat je het vraagt, ik ben er nog nooit geweest.'

'Wil je iets eten?'

'Graag,' zei hij. 'Ik rammel.'

Ze verlieten de pub en stapten de zachte nacht in. Het was donker maar niet pikdonker, de hemel was nog enigszins verlicht waardoor alles merkwaardig maar nevelachtig zichtbaar was.

'Wacht even,' zei Rita. Ze rommelde in haar tas, haalde haar mobiele telefoon tevoorschijn en tikte een kort sms-bericht in. Adam deed een stap opzij en hoorde hoe het trio zijn set beëindigde met een roffel op de drums en een hengst op de bekkens. Hij was aangeschoten, maar voelde nog een andere reden voor zijn lichthoofdigheid, zijn opwinding, en die had meer te maken met emotie dan met alcohol; hij had het gevoel dat de avond nog lang niet afgelopen was.

'Heb je zin om bij mij thuis nog een kop koffie of zo te drinken?' vroeg ze.

'Dat lijkt me geweldig.'

'Ik woon hier twee minuten vandaan,' zei ze. 'Daarom heb ik je meegelokt naar het zonovergoten Battersea.'

Adam zweeg.

'We gaan hierlangs,' zei ze. Ze gebaarde in de richting van de rivier en ze gingen op pad. Na een paar passen pakte ze zijn hand vast.

'Ik vond het leuk vanavond,' zei ze.

'Dat was het ook.'

'Beter dan bij die Chinees.'

'Dat is het probleem met een eerste afspraakje, weet je: er staat te veel op het spel, er is nog te veel onbekend. Bij het tweede afspraakje is alles anders... Althans dat is mijn ervaring, mijn theorie.'

Ze keek hem aan. 'Je moet me een andere keer maar eens meer vertellen over die theorie van jou.'

Hij vroeg zich af of dat het goede moment was om haar te kussen, maar ze ging hem voor en stak de straat over naar de rivier.

'Ik woon op een woonboot,' zei ze.

'Geweldig,' zei Adam, die moest toegeven dat hij inderdaad aangeschoten was; hij dacht: een woonboot, seks op een woonboot.

'Ik woon op een woonboot met mijn vader.'

Adam zweeg.

'En toen was het stil.'

'Nee, prima. Ik vind het... Cool, weet je.'

'Ik wil hem graag aan je voorstellen, daarom sms'te ik hem.'

'Aha. Prima.'

Ze ontsloot een metalen hek en ze liepen een metalen brug af naar een uitgebreide ligplaats voor schepen. In het donker leken er allerlei soorten boten te liggen, op sommige brandde licht achter de raampjes, en Adam veronderstelde dat het een soort drijvend dorp was. Ze liepen over allerlei verschillende loopplanken tussen de boten door.

'Waar zijn we?' vroeg hij.

'Nine Elms Pier,' zei ze. 'Blijkbaar heeft er hier in de zeventiende eeuw ooit een rij van negen iepen gestaan.'

'O ja? Stel je voor...'

'Vandaar die naam.'

'Dat snap ik, ja.'

'Dus niet alleen een knappe toet.'

Adam zei niets. Hij merkte dat ze een beetje gespannen was.

Ze liepen naar een kleine inham en aan het einde lag een aantal grotere schepen. Een leek op een diepzeetreiler, een ander op een omgebouwde aak, en helemaal achteraan lag een aangepast marineschip, nog steeds met de grijze verf van een oorlogsschip.

'We zijn er,' zei ze en ze stond stil. 'Het goede schip *Bellerophon*. *Home sweet home*.'

Ze ontsloot nog een hek en ze klommen langs een steile ladder aan dek. Best groot nog, dacht Adam terwijl hij om zich heen keek, een soort mijnenveger of een groot patrouilleschip misschien. Rita opende een waterdichte deur en er stroomde licht naar buiten. Een steile ladder leidde naar beneden.

'Achterstevoren naar beneden,' zei. 'Net als bij de marine.'

Adam deed wat hem gevraagd werd en hij hoorde een diepe stem: 'Welkom aan boord, maatje.'

Hij bevond zich in een donkere zitkamer waar een paar lampjes zacht brandden, smal en met een laag plafond maar uitgerust met een verzameling leunstoelen op een ruigbehaard bruin vloerkleed. Een wand was bedekt met boeken. Er hing een flauwe lucht van wierook en in een hoek stond een tv met het geluid uit.

Een man van in de zestig met een mager gezicht en dun grijs haar dat hij in een paardenstaart droeg kwam omhoog uit zijn stoel, greep een kruk en kwam hen begroeten. Adam zag een rolstoel in een hoek van het vertrek staan. De man bewoog zich met zichtbare moeite in hun richting, bijna alsof hij op kunstbenen liep.

'Pap, dit is Primo. Primo, dit is mijn vader, Jeff Nashe.'

'Aangename kennismaking, Primo,' zei hij en bood hem zijn linkerhand aan. Adam greep de hand en schudde die onhandig, maar Nashe hield hem vast. 'Eerste vraag: je bent toch geen fucking smeris, hè?'

'Ik ben ziekenhuisbode.'

Jeff Nashe keek zijn dochter ongelovig aan. 'Is dat waar?'

'Ja.'

'Eindelijk,' zei Nashe. 'Eentje met een echte baan.'

Adam stelde vast dat Nashe een beetje stoned was toen hij eindelijk Adams hand losliet. Het was een man met een krachtig gezicht, hoge jukbeenderen en een scherpe haakneus, maar hij zag er verlopen uit: hij had wallen onder zijn ogen, zijn haar in het jarenzestig staartje was grijs en sliertig. Maar Adam zag ook van wie Rita haar botstructuur had.

'Koffie, thee of een glas wijn?' vroeg Rita.

'Ik zeg geen nee tegen een glaasje wijn,' zei Adam.

'Ik ook niet,' zei Nashe. 'Breng de fles maar mee, schat.'

Ze gingen zitten voor de geluidloze tv – die stond afgesteld op een vierentwintiguursnieuwszender, zag Adam – waar Nashe zo nu en dan een blik op wierp terwijl hij een sigaret rolde, alsof hij wachtte op een bepaald nieuwsitem. Hij bood Adam zijn tabak en vloeitjes aan, waarvoor Adam bedankte.

'Je ziet wel dat ik half invalide ben,' zei Nashe. 'Slachtoffer van een bedrijfsongeval. Zeventien jaar lang geprocedeerd.'

'Wat naar.'

'Dat meen je niet. Het kan je geen zak schelen.'

Hij kwam opnieuw overeind uit zijn stoel, stak de kamer over naar de boekenkast, zonder kruk en redelijk snel, vond Adam, en kwam terug met een boek dat hij in Adams schoot liet vallen.

'Dat was vóór het ongeval,' zei hij.

Adam bekeek het boek, een grote paperback met de titel *Civic Culture in Late Modernity: the Latin American Challenge*, geschreven door Jeff Nashe.

'Fascinerend,' zei Adam.

'Bij tweeënveertig universiteiten, technische hogescholen en hbo's stond dat boek in de jaren zeventig op de verplichte leeslijst.'

Op dat moment verscheen Rita weer met de fles wijn en drie glazen. Ze deed de tv uit en zette het boek terug in de kast.

'Sorry,' zei ze. 'Dat doet hij altijd.'

'Omdat het belangrijk voor me is,' zei Nashe prikkelbaar. 'Ik weet heus wel dat hij me een sneue loser, een mislukkeling vindt. Ik hoef heus geen medelijden van je vriendje, hoor.'

'Hij is mijn vriendje niet en hij heeft ook geen medelijden met jou,' zei Rita ietwat geïrriteerd. 'Oké? Ga nu maar weer zitten en neem een glas wijn.'

Hij deed wat hem gevraagd werd en Rita schonk in. Ze dronken van hun wijn en Rita schonk nog eens bij.

'En Primo,' zei Nashe. 'Op wie heb je bij de laatste verkiezingen gestemd?'

Op het dek stond een briesje vanuit het westen. De blaadjes in Rita's dektuin ritselden, de palmbladen klepperden droogjes en klikten als breinaalden tegen elkaar. Rita en Adam zaten te midden van dit geïmproviseerde struikgewas op het dek waar het voorste kanon had gestaan, en ze rookten een joint. Het werd hoogwater en Adam voelde onder zich hoe de *Bellerophon* zich uit de modder begon los te maken.

'Eigenlijk rook ik niet,' zei Rita. 'En ik moet me ook niet zo op de kast laten jagen door hem. Maar ik wilde hem graag aan je voorstellen, gewoon om je een idee te geven. Hij misdroeg zich nogal vanavond – hij was verdomme nogal met zichzelf ingenomen –

maar meestal doet hij wel aardig tegen gasten.' Ze inhaleerde en gaf de joint aan Adam, die er plichtmatig een paar trekjes van nam en hem aan haar teruggaf. Hij had geen idee of het enig effect op hem had.

'Soms moet ik even alles vergeten.' Ze blies de rook uit en keek hem aan. 'Mooie avond.'

'Ik zal het aan niemand vertellen,' zei Adam. 'Maakt u zich geen zorgen, brigadier.'

'Erg aardig van u, meneer.' Ze glimlachte naar hem en boog haar hoofd lichtjes als bewijs van erkentelijkheid.

'Wat is er met je vader gebeurd?' vroeg hij.

'Hij doceerde Latijns-Amerikaanse Studies aan de Technische Hogeschool van Battersea.' Ze zweeg even. 'En op een avond viel hij van de trap naar de bibliotheek en hield er een ernstige rug-blessure aan over.'

'En dat was het?'

'Dat was het. Hij sleepte hen voor de rechter, zij gingen in be-roep, en hij won. Sindsdien heeft hij niet meer gewerkt. Dat was het bedrijfsongeval waar hij het over had.' Ze nam een flinke haal aan haar joint.

'Latijns-Amerikaanse Studies. Dus daarom heet je broer Ernes-to?'

'Ernesto Guevara Nashe. Ik ben genoemd naar ene Margarita Camilo; ze was bij het rebellenleger van Castro in de bergen van Sierra Maestra. Margarita Camilo Nashe, tot uw dienst.'

'Juist.' Adam dacht: dus ze heet Margarita... 'Dus er is een ster-ke Spaanse, Latijns-Amerikaanse connectie in de familie Nashe.'

'Nee, hoor; hij is nooit in Midden- of Zuid-Amerika geweest.'

'Maar hij doceerde toch Latijns-Amerikaanse Studies. En dat boek?'

'Laten we zeggen dat er in de late jaren zestig openingen waren in het academische leven, carrièremogelijkheden. Hij was histori-cus en hij kon nergens werk vinden. Toen hebben ze aan East Bat-tersea de vakgroep Latijns-Amerikaanse Studies opgezet en hem de baan aangeboden...' Ze haalde haar schouders op. 'Plotseling was hij een Latijns-Amerika-expert. Maar eerlijk is eerlijk: hij vond het schitterend, hij was een soort virtuele revolutionair, totdat hij van de trap viel.'

'Spreekt hij Spaans?'

'Spreek jij Spaans?' Ze schaterde bij het idee alleen al. '*Habla español, amigo?*' zei ze. De bedwelmende magie van de drug begon te werken. Adam meende te begrijpen waarom Rita bij de politie was gegaan.

'Ik moest maar weer eens opstappen,' zei Adam, en hij stond op en verloor bijna zijn evenwicht toen de *Bellerophon* zich losmaakte uit de modder van de Theems en begon te drijven. Rita ving hem op.

Hun kus was voor Adam een enorme, onstuimige ontketening van genot, van begeerte voor Rita. Hij voelde het bruisen in zijn kruis en onderbuik terwijl haar tong diep in zijn mond op zoek ging en hij haar stevig tegen zich aandrukte. Maar terwijl hij dacht: dit is fantastisch, zei een stem in hem: het is allemaal nogal plotseling, een beetje overhaast.

Ze verbraken hun omhelzing.

'Het is allemaal nogal plotseling, een beetje overhaast,' zei Rita. 'Maar je hoort mij niet klagen, hoor.'

'Zoiets dacht ik ook net, ja.'

'Je mag best mee naar beneden, hoor,' zei ze. 'Ik ben een grote meid, ik heb mijn eigen kamer.'

'Vanavond misschien nog maar niet, denk ik.'

'Dat is heel verstandig. Primo Belem, de wijze man. Dank je. Ja.' Ze was high.

Ze liep met hem terug door de jachthaven en over de loopplanken naar de wal. Ze hield zijn arm met beide handen vast en vlijde haar hoofd op zijn schouder. Ze kusten elkaar opnieuw, doelbewuster, intenser genietend van het contact dat hun tongen en lippen maakten. Wat was dat toch met kussen? dacht Adam. Hoe kon dat toch zo belangrijk zijn, die aanraking van vier lippen, twee monden, twee tongen? Soms werd je helemaal duizelig van zo'n eerste kus, besefte Adam, terwijl hij in zichzelf die absurde zwakte herkende waardoor hij duizelig wilde worden, waardoor hij zich tegen haar wilde uitspreken, de emotie wilde verwoorden die hij voelde. Na twee kussen al? Belachelijk, dacht hij. Hij verzette zich.

45

Er was geen twijfel over mogelijk dat de nieuwe advertorial indrukwekkend was, meende Ingram: goede lay-out, chic en uiterst effectief. Twee allerlieflijkste, glimlachende, blonde kinderen, een jongen en een meisje, die liefhebbend opkeken naar een ongelooflijk aantrekkelijke – zeg maar gerust bloedmooie – jonge moeder, die even liefhebbend op hen neerkeek. De kleuren waren stralend, zacht glanzend: goudtinten, crème, lichtgeel. HET EINDE VAN ASTMA? luidde de kop in vette kapitalen, uitgevoerd in geruststellend donker rijtuiggroen. Er stond een hoogdravend citaat van hem bij, over goede krachten in een gevaarlijke wereld, was getekend Ingram Fryzer, bestuursvoorzitter van Calenture-Deutz, en zelfs zijn eigen handtekening stond eronder. Hoe kwamen ze daar nu weer aan? vroeg hij zich af. Toen schoot hem te binnen dat die altijd werd gereproduceerd op alle brochures die het bedrijf deed uitgaan. Ja, de hele advertorial wekte de indruk van grootsheid en bezorgdheid: een schitterende toekomst lag voor het grijpen. Dit was het soort leven dat we allemaal konden leiden, suggereerde de tekst: we moeten geen tijd verspillen, omwille van leuke kinderen en mooie moeders zoals deze. We willen niet dat die moeten lijden.

Ingram sloeg het tijdschrift dicht. Hij zou trots moeten zijn, meende hij. Het geneesmiddel was ontwikkeld door zijn bedrijf, zijn team (met hulp van Rilke Pharmaceutical natuurlijk), en het succes zou afstralen op hem en Calenture-Deutz... Hij bladerde terug naar de advertentie; interessant, geen logo van Rilke, alleen maar Calenture-Deutz. In de proefdruk die hem eerder door Rilke was voorgelegd, werd duidelijk gesuggereerd dat deze strijd geleid werd door Rilke Pharma. Misschien had Alfredo besloten zich in te dekken en te wachten tot de vergunningen binnen waren, tot de officiële stempel gezet was voordat hij de schijnwerper op zichzelf richtte.

Ingram zuchtte hardop; hij besefte dat hij altijd hardop zuchtte in de wachtkamer van Lachlan, maar deze keer was hij alleen. Hij zou trots moeten zijn, ja, verdomme: na jaren van keihard werken en investeringen van miljoenen ponden was het nu nog een kwestie van weken, misschien maanden, voor de officiële licentie voor het medicijn binnen was. De wereld zou er een stukje beter van worden, menselijk leed zou worden verzacht, het lot van de mensheid zou lichter worden, dit tranendal zou zonniger worden – en toch voelde hij zich ongelukkig, somber, machteloos, en zelfs boos. Hoe had hij het zover kunnen laten komen? Waarom waren Burton Keegan en Alfredo Rilke degenen die het voor het zeggen hadden...? Hij wist meteen het even simpele als hardvochtige antwoord op zijn verontwaardigde vraag: geld. Misschien tastte dit zijn goede humeur wel aan. Zijn schuldgevoel. Ze hadden hem zoveel geld gegeven dat hij zich had laten castreren. Want daar kwam het op neer: hij was een eunuch. Een eunuch op de stoel van de bestuursvoorzitter, een ceo zonder ballen...

'Je hebt zeker al thee gehad, Ingram?' zei dokter Lachlan McTurk met de onzekere stem van de Schotse vrek, terwijl hij hem wenkend met een vinger in zijn behandelkamer nodigde.

Ingram liet hem de pagina's in het tijdschrift zien. 'Heb je dit gezien?' vroeg hij.

'Nog maar net, maar zeker vijf of zes patiënten hebben me al gevraagd naar dat wondermiddel. Er staan lovende artikelen over in de pers. Gefeliciteerd, het lijkt me een kaskraker.'

'Dank je. Ja, ik geloof ook...' Ingram wachtte op het warme gevoel van trots, die kick van eigendunk, maar die weigerde te komen. Hij voelde zich bedrukt, depressief.

'En ik neem aan dat je er walgelijk veel aan gaat verdienen,' zei Lachlan, door zijn aantekeningen bladerend.

'Mogelijk,' zei Ingram. 'Maar de vraag is: hoeveel kan ik nog van mijn geld verliezen?'

'Je geld verliezen?'

'Ik bedoel "genieten"...' zei Ingram fronsend.

'Ervan genieten én verliezen: een overdadig uitgavenpatroon,' zei Lachlan lachend, een verrassend meisjesachtig gegiechel voor zo'n grote man. 'Er is niets mis met jou. Cholesterol beetje aan de hoge kant, maar je bent niet de enige. Gamma-GT kan ook een stuk lager, beetje kalm aan doen met de drank. De tests hebben niets opgeleverd. Wat mij betreft ben je kerngezond.'

'Maar ik heb nog steeds van die erge jeukaanvallen. En bloedvlekjes op mijn hoofdkussen. Erg verontrustend allemaal, weet je,' zei Ingram op een veel klaaglijker toon dan hij bedoeld had. Vandaag voelde hij zich bepaald niet stoïcijns. 'En ik vergis me ook steeds met woorden. Ik denk dat ik het ene woord gebruik maar dan zeg ik iets anders.'

'Aha. Catachrese.'

'Heet het zo wat ik heb?'

'Nee, nee,' zei Lachlan haastig. 'Dat is gewoon de linguïstische term voor dat verschijnsel: het tegenstrijdig gebruik van woorden, weet je, een vergissing. Een soort onlogische toepassing van een metafoor. "Verliezen" in plaats van "genieten" is daar trouwens een goed voorbeeld van.'

'Maar ik heb ook wel "temperatuur" gezegd als ik "gesprek" bedoelde. Daar zit geen enkele logica in.'

'Alles is met elkaar verbonden, vooral woorden. Misschien dacht je onbewust aan een "verhit" gesprek.'

'Als alles met elkaar verbonden is, denk je dan dat die "catachrese" iets te maken heeft met die bloedvlekjes en die jeukaanvallen?'

Lachlan keek hem aandachtig, bijna achterdochtig aan. 'Wat ik natuurlijk zou kunnen doen is je een krachtig antidepressivum voorschrijven. Dan loop je met je hoofd in de wolken.'

'Nee, bedankt.' Wees een man, hield Ingram zichzelf voor. 'Ik ben opgelucht. Dank je, Lachlan. Ik ben je zeer erkentelijk.'

'Laat even weten wanneer dat wondermiddel van jou op de markt komt. Dan koop ik een paar aandelen.'

Ingram trok zijn sokken aan en merkte dat zijn bedrukte stemming was teruggekeerd, als die al was weggeweest. Misschien had hij het aanbod van Lachlan van die blije pilletjes toch moeten aannemen: een stukje chemische euforie was misschien wat hij nodig had. Hij stond op, trok zijn loafers aan en pakte zijn stropdas. Zelfs deze sessie met Phyllis had hem niet echt opgevrolijkt. Ze kwam nu de kamer in, gekleed in een lange kamerjas van rode zij met geschubde gouden draken. In iedere hand had ze een glas met rinkelende ijsblokjes.

'Een dubbele wodka met tonic, meneertje,' zei ze, en ze zette hem zijn glas voor. 'Proost, Jack.' Ze blies hem een kus toe. 'Van het huis.'

Ze tikten de rand van hun glazen tegen elkaar aan. Ingram nam twee grote slokken en genoot van de krachtige, droge smaak van de wodka.

'Phyllis,' zei hij op gemaakt spontane toon. 'Ik zat net te denken: wat zou je ervan vinden, ik bedoel, lijkt het je wat om samen met mij op een korte vakantie te gaan?' Hij begon zijn das te strikken. 'Een kort uitstapje. Dag of vier, vijf. Ergens ver weg, waar de zon schijnt.'

'Ik ben wel vaker met enkele van mijn heren op vakantie geweest, ja. Verandering van omgeving is altijd goed.'

Ze ging op het bed zitten en liet haar kamerjas openvallen, zodat hij haar linkerborst kon zien.

'En waar dachten we aan, schatje?' vroeg ze.

'Marokko, dacht ik, ik weet een uitstekend hotel...'

'Nee, liever niet naar de Middellandse Zee.'

'Florida dan? Caribisch gebied? Zuid-Afrika?'

'Dat klinkt een stuk interessanter.'

'Ik ben dan al in de villa...'

'Hotel... Geen villavakanties, liefje. Daar is geen roomservice.'

'Goed, een hotel. En jij vliegt dan separaat...'

'Businessclass.' Ze trok de revers van haar kamerjas dicht.

'Uiteraard. We brengen samen drie of vier gelukzalige dagen door. En dan vlieg jij weer terug.'

'Ik dacht toch maar niet, Jack. Dat soort vakanties kost mij geld. En het is ook nooit zo leuk voor mij, eerlijk gezegd. Maar evengoed bedankt, hoor.'

'We kunnen ook naar de radio als je dat liever doet, ik bedoel naar het oosten: Sri Lanka, Thailand.'

'Nee. Laat maar zitten.'

Ze stond op, liep met een fronsende blik naar hem toe, en wreef met haar knokkels over zijn wangen.

'Waarom vraag je dat, Jackeman van me? Ik vond je al niet je ouwe, pittige zelf.'

Ingram verzon een smoes over drukte op het werk; hij had haar ooit verteld dat hij apotheker was, herinnerde hij zich. Hij zei dat hij zijn zaak wilde verkopen – dat was het, de zaak verkopen, improviseerde hij – en zichzelf wilde trakteren op een vakantie.

'Groot gelijk: jij hebt het opgebouwd, dan heb je ook recht op de opbrengst. Spaar je geld maar op. Je hebt het verdiend. Ik vrees dat ik veel te duur voor je ben op zo'n vakantie. Ik wil het je ook niet allemaal weer afpakken.'

'Goed, geen probleem. Je hebt waarschijnlijk gelijk.'

In de ondergrondse terug naar Victoria voelde Ingram dat zijn humeur ietsje beter werd, ook al had Phyllis zijn voorstel afgewezen. Het idee was een paar dagen eerder bij hem opgekomen, en hij vroeg zich af waarom eigenlijk. Misschien was het gewoon de behoefte aan verandering; een tijdelijke onderbreking van zijn gewone leven met een nieuwe, tijdelijke, zorgeloze partner (hij wist zeker dat Meredith niets zou vermoeden: hij was voortdurend in het buitenland voor congressen en vergaderingen). Een beetje zon en zand, lekker eten, goede wijn, heftige en ongecompliceerde seks op afroep... Misschien was het zo'n slecht idee nog niet, er waren nog wel meer 'Phyllissen' in de wereld...

Hij keek om zich heen naar zijn medepassagiers: sjofele, ineengezakte, uitdrukkingsloze, sombere Londenaren; een aantal zat te lezen, vele hadden oortelefoons in, een knap blond meisje leek naar een minitv'tje te zitten kijken – kon dat? – en hij voelde zijn stemming nog verder opklaren toen hij dacht aan mogelijke vakanties met andere Phyllissen, terwijl hij zich tegelijkertijd afvroeg hoeveel geld Zembla-4 hem zou opleveren. De 'eunuch/miljardair' – hij kon wel leven met dat idee. Misschien kon hij zijn nieuwe Phyllis laten invliegen met een privéjet na het lanceren van Zembla-4. Persoonlijk wilde hij de rest van zijn leven geen voet meer in een lijntoestel zetten. Hij moest denken aan dat trucje dat ze deed met die rode kamerjas van haar, die plotseling openviel. Ze wist precies wanneer ze op welke knoppen moest drukken en hoe ze hem moest opwinden. Dat zou het probleem worden met een andere vrouw: het zou nooit meer hetzelfde worden.

Hij betrad het perron en liep naar de uitgang; hij voelde zich sterker, zekerder, zoals altijd na een sessie met Phyllis. Hou toch op met zeiken, man, hield hij zich voor. Laat die Keegan en Rilke de zaak toch runnen, het zware werk doen, het lobbyen, dat ingewikkelde gedoe met de autoriteiten om de licentie. Maak je niet zo druk, aan het einde van de maand ga je gewoon met je loonzakje naar huis.

Denkend aan Keegan herinnerde hij zich weer hun onbevredigende gesprek. In grote trekken was hij ervan overtuigd dat hij wist wat er die middag gebeurd was toen Philip Wang bij Keegan op bezoek was geweest. Philip had iets ontdekt over de klinische tests van Zembla-4 dat zijn woede had opgewekt, en hij had daar die middag Keegan mee geconfronteerd. Keegan had gelogen, en niet al te overtuigend, en het tegenovergestelde van de leugen – 'Philip was zeer ingetogen' – was het geval geweest: Philip maakte zich zorgen, Philip was achterdochtig, Philip was misschien wel woedend. Hij dacht verder: was Philip soms van plan om de vuile was buiten te hangen? Was dat het onderwerp van gesprek geweest…? En wat een uitzonderlijk toeval dat hij uitgerekend diezelfde avond was vermoord door die Kindred, die sinistere klimatoloog… Nee, nee, nee, berispte Ingram zichzelf, niet doen. Het was gewoon een afschuwelijk, afgrijselijk, luguber toeval. Onmogelijk…

Maar hij wist nog steeds niet wat Philip had ontdekt, wat hem had doen besluiten Keegan ermee te confronteren. Dat was het allerbelangrijkste. Misschien moest hij Keegan nog eens bij zich roepen en hoog spel spelen: doen alsof hij wist waar Wang mee was gekomen, wat hem had dwarsgezeten. Hij dacht verder: Keegan had het gesprek gevoerd en daarom stond het voor honderd procent vast dat Alfredo Rilke ook op de hoogte was van wat Wang had ontdekt. En dus wist zowel Keegan als Alfredo wat er was misgegaan met Zembla-4, wat Philip Wang zulke zorgen had gebaard… Hij schudde het hoofd alsof er een lastige vlieg om hem heen zoemde. Maar het kon ook weer niet zó ernstig zijn, want Alfredo had zelf opdracht gegeven tot het aanvragen van de vergunningen. Nee, het was gewoon een uiterst afschuwelijk drama.

Luigi wachtte op hem op Eccleston Square, waar hij rond de auto liep en met een zeem vlekjes stadsvuil en stoffige waterdruppels verwijderde van het glimmende koetswerk van de Bentley. Ingram stapte achterin en Luigi wachtte even met het dichtslaan van het portier.

'U hebt een telefoontje van uw zoon, signore. Hij komt een paar minuten later.'

'Wat dacht je van wat pudding, Forty, eh Nate?' corrigeerde hij zichzelf haastig. Ingram bood hem de menukaart aan.

'Ik moet eigenlijk weg, pap. We hebben een klus bij…'

'Koffie dan. Je bent hier pas een halfuur.'

'Goed dan.'

Ingram wenkte een ober en ze gaven hun bestelling op; Ingram voelde het ongemak van Fortunatus als een magnetisch veld van hem af stralen. Hij had lang nagedacht over de keuze van het restaurant – niet te chic, te duur of te formeel, maar wel feestelijk. Dit was hun eerste lunch samen sinds... Hij wist niet eens meer sinds wanneer. Zat Forty nog op school? Nee toch? Hoe dan ook, hij had besloten dat het de eerste lunch van een regelmatige reeks zou zijn: hij en zijn zoon zouden elkaar veel vaker ontmoeten.

Dit restaurant was beroemd: de klanten, het gewone volk, moesten een halfjaar van tevoren reserveren en toch had Ingram er – bij zijn vorige bezoeken – veel jonge mensen gezien, uiterst informeel, om niet te zeggen sjofel, gekleed, van wie sommigen beroemd waren. Zelfs vandaag bij de lunch ontdekte hij de tv-presentator, de geridderde balletdanser, de flamboyante actrice met haar irritante lach. Ingram wees hen aan, maar Forty had nog nooit van hen gehoord. En ondanks zijn populariteit bij de modieuze elite bood het restaurant nog steeds de genoegens en gemakken die getuigden van een diepgewortelde traditie. De veelkleurige glas-in-loodramen waren al bekend bij de toneelspelers van de jaren dertig. Het tafellinnen was dik en onberispelijk gesteven, het tafelzilver zwaar en ouderwets, het menu een gerieflijke mengelmoes van Engelse schoolmaaltijden en de moderne fusionkeuken. En toch voelde Forty zich zo slecht op zijn gemak dat Ingram zelf spanning en krampen voelde in zijn schouderspieren.

'Hé, is dat niet die vent van die tv-quiz?'

'Wij hebben geen tv, pap.'

'Hoe is het met Ronaldinho?'

'Rodinaldo.'

'Ja, sorry.'

Hij keek naar zijn kale, ongeschoren zoon die zat te zweten in zijn zware legerjack, naar de rouwranden om zijn nagels van de humus of de compost, en hij moest met moeite een snik onderdrukken. Hij wilde hem in zijn armen nemen en tegen zich aandrukken, hij wilde hem in bad doen, schoon en roze boenen en hem afdrogen met rulle, witte handdoeken.

'Forty, eh Nate, ik wil graag dat je me Ingram noemt. Zou dat lukken, denk je?'

'Dat krijg ik niet over mijn lippen, pap, sorry.'

'Kun je het niet proberen?'

'Dat lukt niet, pap. Ik kan het gewoon niet.'

'Dat begrijp ik. Nee, nee, echt waar.'

Ze zaten een poosje zwijgend aan hun koffie te nippen. Ingram moest zich er wel bij neerleggen, hoewel hij ervan uitging dat als ze elkaar bij de voornaam noemden, hun relatie wellicht losser werd en de kans bestond dat zich een echte vriendschap zou ontwikkelen, zonder die hinderlijke vader-zoonrelatie.

'Hoe gaan de zaken? Je weet dat ik wil investeren, hè?'

'Prima. We hebben meer werk dan we aankunnen.'

'Neem dan meer mensen in dienst. Breid uit. Ik kan je daar heel goed bij helpen, Forty. Kapitalisatie, een nieuw pand...'

'Maar we willen niet uitbreiden, snap je dat dan niet?'

Er was iets met de stand van Forty's kaak en de koppige blik in zijn ogen waardoor Ingram zich geroerd voelde zoals hij lange tijd niet meer geroerd was. Hij voelde hoe zijn keel werd dichtgeknepen van pure emotie, en op zachte toon zei hij tegen zijn jongste zoon: 'Ik hou van je, Forty. Ik wil veel meer tijd met je doorbrengen. Kunnen we niet iedere week afspreken? Dat we elkaar wat beter leren kennen?'

'Ga alsjeblieft niet huilen, pap. De mensen kijken.'

Ingram wreef met een knokkel over zijn wang en merkte dat die nat was. Wat was er aan de hand met hem? Het leek wel of hij een soort zenuwinzinking...

'Hé, familie! Sinds wanneer laten ze hier dit soort schorremorrie binnen?'

Ingram keek op en zag Ivo Redcastle dreigend naast hun tafel staan. Ivo droeg een jack van slangenleer en een strakke spijkerbroek, en hij had zijn zonnebril in het dichte, blauwzwarte haar geduwd.

'Gaat het wel, mate?' vroeg Ivo, en hij keek Ingram aandachtig aan.

'Hoestbuitje.'

'Forty, leuk je weer eens te zien, man. Vet.' Ivo probeerde Forty een soulhand te geven, maar Forty wist niet hoe dat moest, en dus nam Ivo genoegen met een high five.

'Hallo, oom Ivo. Ik moet weg, pap. Bedankt voor de lunch, dag.'

Hij rende bijna het restaurant uit en Ingram had Ivo wel kunnen kelen omdat hij hem zijn afscheidsknuffel had afgenomen. Hij stond op met een ernstig gezicht, legde drie biljetten van vijftig pond op tafel en liep naar de deur, met Ivo naast hem benend.

'Waar zat je?' vroeg Ingram. 'Ik heb je niet gezien toen we binnenkwamen.'

'Achterin, bij de toeristen. Daar val je niet zo op.' Hij keek Ingram opnieuw aandachtig aan. 'Als ik je niet beter kende, zou ik zweren dat je zat te janken.'

'Een soort allergie. Kan ik je ergens afzetten?'

Ze verlieten het restaurant: het gebruikelijke groepje paparazzi was niet onder de indruk.

'Nee, bedankt,' zei Ivo. 'Ik heb een bespreking in Soho. Met een filmproducent.'

'Hoe is het afgelopen met die T-shirts?'

'Nou... Grappig dat je dat vraagt, maar dat ziet er gunstig uit. Ik heb zojuist een heel interessant telefoontje gekregen.'

'En al te snel verloopt 't zomertij, Ivo.'

'Wat?'

'De tijd vliegt.'

'Trouwens,' begon Ivo, en Ingram herkende de veranderde intonatie in zijn stem – zijn vleiende smeekstem – 'misschien moet ik daar nog eens met je over praten. Probleempje met de cashflow. Voor het geval die vent niet betaalt. Maar hij betaalt wel natuurlijk.'

Plotseling klonk het ronkende geluid van een startende scooter, en het insectachtige gezoem werd luider toen hij met hoge snelheid het restaurant naderde en pal tegenover hen stilhield.

'Hé, Ivo!' riep de berijder door zijn integraalhelm heen, en Ivo keek natuurlijk op. Ingram vond het vreemd dat deze paparazzo een foto maakte met een wegwerpcamera. Ivo zette zijn zonnebril op en keek aangenaam verrast.

'Die klootzakken ook altijd,' zei hij. 'Ik wou dat ze me met rust lieten.'

'Tot ziens maar weer, Ivo,' zei Ingram en hij begaf zich naar Luigi en de Bentley.

'O ja. Fantastische advertenties, geweldig!' riep Ivo over zijn schouder terwijl hij wegkuierde, West Street in, in de richting van Cambridge Circus en het krioelende Soho daarachter.

46

De puzzelstukjes begonnen aardig in elkaar te passen, dacht Adam, terwijl hij over de schouder van Amardeep meekeek op het computerscherm. Ze hadden het logboek van de bodes gekoppeld aan de beelden van de bewakingscamera van dezelfde dag.

'Daar is ze,' zei Amardeep, en hij wees op het scherm. 'Per brancard van De Vere naar intensive care op de vierde.' Hij wees naar het logboek. 'Door BPP 35.' Hij controleerde het nummer van de 'bode poliklinische patiënten'. 'Dat was Agapios. En toen…' Hij sloeg een paar bladzijden om en bekeek de beelden. 'Toen peerde ze hem op de zevende. Kijk maar.'

'Wat?'

'Ze peerde hem. Zo noemen we dat in St. Bot's. Ze peerde hem, ze ging dood… En toen vervoerden we haar naar het mortuarium.'

'En de volgende?'

Amardeep scrolde naar de volgende naam op Adams lijst en bladerde door de tv-beelden. Het leidde tot hetzelfde resultaat: per brancard uit De Vere op de zeventiende. Gepeerd op de drieëntwintigste. Alle vijf namen uit St. Botolph's op de lijst van Philip Wang overleden op de intensive care.

'Kunnen we ook achter de doodsoorzaak komen?'

'Dit is alleen maar het logboek van de bodes,' zei Amardeep met een licht beledigde ondertoon in zijn stem. 'Dan moet je de klinische gegevens hebben. Maar waarom wil je dat eigenlijk allemaal weten?'

Het viel Adam op dat Amardeeps wimpers ruim twee centimeter lang waren. 'Ze wilden bij De Vere gewoon wat gegevens hebben,' zei hij vaag. 'Lastig hoor, maar heel erg bedankt.'

In zijn flat in de Oystergate Buildings spreidde Adam die avond het door hem verzamelde materiaal uit op de vloer voor zijn flatscreen-tv. Hij nam de relevante documenten en printjes ter hand van wat hij zelf – met een knipoog naar de wereld van de thrillers – het 'Zembla-dossier' noemde. Het allerbelangrijkste was de fotokopie van Philip Wangs lijst met de veertien namen van kinderen die overleden waren tijdens de klinische tests. Adam pakte vervolgens zijn eigen certificaat voor de aankoop van tien gewone aandelen Calenture-Deutz (à vierhonderdzestig pence) die hij online had aangeschaft toen hij was gaan werken in St. Bot's, en de glossy brochure van Calenture-Deutz die hem als nieuwe aandeelhouder was toegestuurd. Hij sloeg die open bij het gebruikelijke ronkende voorwoord (wie schreef eigenlijk dat soort onzin?) door Ingram Fryzer, bestuursvoorzitter, compleet met foto en flamboyante handtekening van de man zelf, waarbij de horizontale halen van de 'I' van 'Ingram' los stonden van de verticale streep – zodat het meer weg had van een wiskundig symbool dan van een letter. Bij de brochure zat een uitnodiging voor een persconferentie die toegankelijk was voor alle aandeelhouders en die de volgende maand gehouden zou worden in het Queen Charlotte Conference Centre in Londen WC2. Adam had ook een van de advertorials voor Zembla-4 uitgeknipt uit een glossy tijdschrift en daarnaast had hij print-outs van artikelen uit geleerde tijdschriften waarin de loftrompet werd gestoken over de geneeskrachtige werking van Zembla-4 – van het internet geplukt – en een kleurenfoto van Ivo, lord Redcastle, die hij de dag ervoor had gemaakt voor de deur van een restaurant in Covent Garden.

Hij had een subdossier geopend over Ivo, de lord, waarin de aan hem gewijde paragraaf uit *Burke's Landed Gentry of Ireland*, een tijdschriftartikel over zijn huis in Notting Hill, en een sarcastisch en beledigend roddelstuk over de kunstexpositie van zijn nieuwe, derde vrouw. Adam was op zoek naar een zwakke schakel in Calenture-Deutz en kwam er, na bestudering van de namen en achtergronden van de andere directeuren en bestuursleden, al snel achter dat lord Redcastle het meest veelbelovende doelwit was.

Wat Adam betreft was zijn voornaamste oogmerk een eind te maken aan zijn achtervolging. Hij wilde niet langer opgejaagd worden door die man – wie hij ook was –, een jacht die, daarvan was hij inmiddels overtuigd, voortkwam uit Calenture-Deutz en hun nieuwste geneesmiddel, Zembla-4. Als het enigszins mogelijk was, wilde hij zijn oude leven terug. Op de een of andere manier, door een groteske speling van het lot, was hij betrokken geraakt bij een uiterst gecompliceerde samenzwering, en hij moest zichzelf daaruit zien te bevrijden; slinksheid, vasthoudendheid en inside-information waren daarbij zijn voornaamste wapens. Maar achter dat belangrijke oogmerk zat ook het verlangen om op de een of andere manier de gewelddadige dood van de onschuldige Mhouse te wreken, en hij meende dat de enige manier om beide doelen te bereiken was door Calenture-Deutz zelf aan te vallen, in plaats van hun moordzuchtige tussenpersoon. Als Calenture-Deutz zich aangevallen of ernstig bedreigd voelde, dan zou het zich wellicht terugtrekken. Philip Wang had hem onbewust de informatie in handen gespeeld die zou kunnen dienen als een krachtig pressiemiddel tegen het bedrijf. Hij wist – nog – niet wat de precieze details achter die veertien sterfgevallen waren, maar hij was er ten volle van overtuigd dat het om een reusachtige doofpot ging. Hij had veertien keiharde bewijsstukken in zijn bezit. Ergens was er iets heel erg misgegaan met de klinische tests van Zembla-4: zo erg zelfs dat de plotseling doodziek geworden kinderen met grote spoed van de De Vere-vleugel naar de intensive care waren overgebracht. Wat het ook was, wat voor onverwachte reactie het geneesmiddel ook teweeg had gebracht, het had geleid tot de moord op Philip Wang en indirect ook tot de dood van Mhouse. Als de omstandigheden anders waren geweest, was hij naar alle waarschijnlijkheid ook vermoord om dat geheim – wat het ook was – geheim te houden.

Hij liep naar de keuken en maakte een kop thee. Hij raakte altijd weer van streek door dat soort gedachten. De keiharde werkelijkheid achter het geduldige, deductieve denkproces: het was beangstigend, verontrustend. Plotseling dreigt het ernstig mis te gaan met een kind, een arts van Calenture-Deutz realiseert zich de onontkoombare gevolgen, bodes worden snel opgeroepen om het bewijs af te voeren naar de intensive care, in het geniep worden de gegevens en het dossier bijgesteld. Ernstig zieke kinderen, honderden, duizenden, hadden Zembla-4 toegediend gekregen en waren er beter van geworden, maar veertien van hen waren omgekomen… Statistisch onvermijdelijk. Maar waarom die gewelddadige en meedogenloze reactie? Was de regering erbij betrokken, was er een of andere veiligheidskwestie in het spel? Waren die klinische tests een dekmantel voor iets veel slinkers, en was dat, op landelijk niveau, schadelijk voor de regering of de veiligheidsdiensten? Wat stond er allemaal op het spel? Wat zou er gebeuren als die veertien sterfgevallen openbaar werden gemaakt? Op dat punt dwong hij zichzelf te stoppen en niet verder te fantaseren. De dood van chronisch zieke kinderen was op zich niet genoeg, er moest meer achter zitten. Het moest van zeer groot belang zijn dat de overleden kinderen in St. Botolph's waren overgebracht van de De

Vere-vleugel naar de intensive care een paar dagen voordat ze overleden. De relatie met De Vere was verdoezeld, zoniet geheel verbroken. Hoeveel kinderen stierven er gemiddeld per week in St. Bot's? Tien? Tientallen? Het was een erg groot ziekenhuis, de kinderafdeling was zeer uitgebreid. Vijf kinderen die overleden in de De Vere-vleugel, waar klinische tests voor een nieuw medicijn werden gehouden, dat zou een enorme geruchtenstroom op gang brengen. Hij durfde er alles om te verwedden dat alle andere sterfgevallen die Wang had geregistreerd, ook op de intensive care hadden plaatsgevonden. Er moest dus iets aan de hand zijn geweest met de symptomen die de alarmbellen hadden doen rinkelen. Een of andere arts of wie er dan ook de tests leidde, moest het geweten hebben. Haal ze daar weg, ze zijn over een paar dagen dood... Hij dronk van zijn thee. Hij moest met iemand praten die verstand had van medicijnen, die bekend was met de wereld van de farmaceutische industrie.

Hij liep terug naar zijn zitkamer en sloeg een ander dossier open. Hij had de afgelopen weken artikelen verzameld uit allerlei kranten en serieuze opiniebladen met als onderwerp de vervaardiging van geneesmiddelen en de machinaties van de farmaceutische industrie, in een poging erachter te komen of er een journalist was die hij zou kunnen benaderen en die in staat zou zijn zijn gebrekkige bewijslast te interpreteren. Hij was uitgekomen op een lijstje van drie namen: een van *The Times*, een van *The Economist*, en een in een klein gespecialiseerd tijdschrift, de *Global Finance Bulletin*, dat hij had gevonden in de ondergrondse. Het was droog geschreven, barstte van de feiten en was niet geïllustreerd afgezien van grafieken en diagrammen, en leek zich te richten op beleidsmakers van de regering, lobbyisten en financiële instellingen. Een abonnement kostte niet minder dan tweehonderdtachtig pond per jaar voor vier afleveringen. Het was gevestigd in Londen en er was één journalist, ene Aaron Lalandusse, die in iedere aflevering schreef over de farmaceutische industrie. Adam had het gevoel dat Lalandusse zijn man was.

Zijn mobiel ging en Adam schrok; hij was nog steeds niet gewend aan het ding, het symbool van zijn nieuwe, hoewel bescheiden, vorderingen op de maatschappelijke ladder. Het was het ziekenhuis of Rita.

'Hallo, vreemdeling,' zei Rita. 'Wil je me niet meer zien?'

'Sorry,' zei hij. 'Ik heb het erg druk gehad, belachelijk druk. Ik was van plan je te bellen.'

'Waar ben je nu?'

'Thuis.'

'Om zes uur ben ik vrij. En jij?'

'Ik hoef morgen pas weer te werken. Zullen we ergens iets gaan drinken?'

'Waar?'

'Ik kan wel naar jou toe komen. Ik heb tegenwoordig een scooter. Gisteren gekocht.'

'Hé. Een vervoermiddel.'

'Op den duur is het voordeliger.'

'Dat zeggen ze allemaal.'

'Hoe dan ook, ik ben zó in Battersea.'

'Waarom niet ergens halverwege,' zei ze, en ze noemde de naam van een pub aan de rivier die ze kende. Hij zei dat hij er om zeven uur zou zijn.

'Zonder scooter,' zei ze.

'Waarom?'

'Omdat ik geen helm heb.'

47

Er was iets helemaal fout gegaan in de keuken, meende Jonjo. Eieren in kerriesaus? Wie verzon zoiets? Hij nam zijn bord aan van de opschepper, keek kritisch naar de drie witte eieren die heen en weer bewogen in een klonterige, olijfgroene saus, naast een schep rijst. Hij vermeed de junkies en vond een plekje aan een tafel naast een bebaarde man. Hij zag eruit als de tovenaar uit een stripverhaal, vond Jonjo: een grijze puntbaard en lang, grijs haar met de scheiding in het midden. Jonjo mompelde een groet, ging zitten en begon te eten. De klonten in de saus bleken rozijnen te zijn – Joost mocht weten hoe erg dat zootje zou stinken als het er aan de onderkant weer uitkwam. Hij prakte de eieren fijn en mengde de hele handel door elkaar. Hij had weer een preek van bisschop Yemi van anderhalf uur moeten aanhoren, en er was geen sprake van dat hij zich een gratis maaltijd door de neus liet boren.

Hij haalde de opgevouwen foto van Kindred uit zijn zak, streek hem glad op de tafel en schoof hem naar Grijsbaard toe.

'Ken jij die vent? Ook Johannes geweest, net als wij.'

Grijsbaard keek naar de foto en toen naar Jonjo. 'Waarom wil je dat weten?'

'Ik ben op zoek naar hem. Het is een vriend van me.'

'Nooit gezien,' zei Grijsbaard. 'Sorry, ik voel me niet zo lekker.' Hij stond op, liep gehaast weg en liet zijn bord staan. Jonjo schepte het restant op zijn bord en prakte dat door zijn eten. Viel best mee eigenlijk, eieren in kerriesaus.

Er kwam een andere Johannes naast hem zitten, een lelijke kerel met dun kroeshaar en een huidaandoening, als dik plastic met vouwnaden, als zeildoek of oliedoek of zoiets.

'Had die ouwe Thrale weer eens de pest in?' zei hij en hij stak een hand uit. 'Turpin, Vince Turpin.'

'Johannes 1794,' zei Jonjo, die de uitgestoken hand negeerde.

'Aangenaam, Johannes,' zei Turpin met een glimlach, onverstoord, alsof hij heel wat gewend was. Hij lachte een gebit met gaten bloot. Hij sneed zijn eieren in kleine stukjes.

'Ben jij getrouwd, Johannes?' vroeg Turpin gemoedelijk.

'Nee.'

'Dan ben je een verstandig mens, of je hebt geluk gehad. Ik ben meermalen getrouwd geweest, en ik wil je wel vertellen dat negenennegentig procent van mijn problemen te maken hebben met mijn vrouwen.'

'Je meent het.' Jonjo nam weer een grote hap curry. Hij nam alles terug, dit was verrekte lekker.

'De kinderen zijn een zegen, dat moet ik toegeven. Die maken alle ellende goed.'

'Ik heb een hond,' zei Jonjo. 'Daar heb ik mijn handen vol aan.'

Jonjo maakte dat hij snel zijn bord leeg at, hij wilde weg bij die engerd, die olifantenman. Hij stond op, herinnerde zich de foto van Kindred en ging weer zitten. Hij legde hem naast het bord van Turpin.

'Ken je die vent? Hij kwam hier vroeger wel.'

Turpin fronste zijn wenkbrauwen, wees met zijn vork naar de foto en volgde de contouren van Kindreds gezicht.

'Hij heeft wel iets van Johannes 1603. We zijn op dezelfde dag hier aangekomen.' Hij trok de sjaal die hij om zijn nek had opzij en liet zijn plaatje zien. Johannes 1604, zag Jonjo.

'Dat is hem.'

Jonjo dwong zichzelf kalm te blijven, maar hij voelde hoe zijn hart sneller ging kloppen: weer een stapje dichter bij Kindred.

'Dat is een vriend van me,' vervolgde hij. 'Ik ben op zoek naar hem.'

'Hij is hier al weken niet meer geweest. Kwam hier bijna iedere avond. Aardige vent, welsprekend, net als Thrale.' Hij wees met zijn vork naar Grijsbaard. 'Bekakt.'

'Hij heeft wat geld geërfd,' zei Jonjo behoedzaam en hij begon zachter te praten. 'Heb je enig idee waar hij woont?'

'Geld...? Nee, geen flauw idee.'

'Jammer. Want iedereen die mij kan helpen om Johannes 1603 te vinden krijgt twee ruggen beloning.' Jonjo herhaalde glimlachend: 'Twee ruggen. Tweeduizend pond.'

'Even denken,' zei Turpin. 'Ik zal hier en daar eens vragen. Misschien weet iemand iets.'

Jonjo schreef zijn mobiele nummer op een stukje papier en gaf dat aan Turpin.

'Bel maar als je meer weet. En niet vergeten: twee ruggen, hè?'

Hij bracht zijn bord terug naar de balie. Wind je nou niet zo op, hield hij zichzelf voor: die smeerlappen en idioten die samen de gemeente vormden van de Kerk van Johannes Christus waren niet te vertrouwen, daarvan was hij overtuigd. Niettemin had die Turpin iets sluws en berekenends over zich, en zijn ogen waren wijd opengegaan door een sluw en berekenend soort voorpret toen er sprake was van een financiële beloning. Hij liep de kerk uit, de eieren in kerriesaus begonnen zich te roeren in zijn maag, en hij begaf zich naar zijn geparkeerde taxi. Hij wilde zich niet verlaten op een schooier als Turpin, maar voorlopig was die zijn enige hoop.

48

Rita werd wakker en zag dat Primo op nog geen halve meter afstand vanaf het hoofdkussen naar haar lag te kijken. Ze rekte zich uit, kreunde onwillekeurig van genot en sloeg een been over zijn dij.

'Goeiemorgen,' zei ze. 'Hallo.'

Hij kuste haar teder en ze rook en proefde tandpasta: wat een attente man. Ze voelde zijn handen op haar borsten, daarna op haar rug. Ze gleed met haar hand naar beneden en greep zijn pik stevig vast.

'Ik moet naar mijn werk,' zei hij. 'Het spijt me heel erg.'

'Anders mij wel.'

'Doe maar rustig aan. Trek de deur gewoon achter je dicht.'

Hij kuste haar opnieuw en gleed het bed uit. Rita keek toe terwijl hij zich aankleedde. In haar slaperige ochtendeuforie dacht ze terug aan wat er de vorige avond gebeurd was, hoe ze op het terras van de pub naar de rivier hadden zitten kijken terwijl de duisternis viel, en ze zich bovenmatig verheugde op de vrijpartij die er vast en zeker aan zat te komen. Ze hadden gepraat over haar werk, over haar familie – zij had het meest gepraat, herinnerde ze zich –, hand in hand, zo nu en dan kussend, en ze hadden net iets te veel gedronken voordat ze met de bus naar Stepney en de Oystergate Buildings gingen.

Hij stak zijn hoofd om de deur van de slaapkamer.

'Ik bel je wel,' zei hij. 'Ik heb late dienst.'

'Dag, Primo,' riep ze hem na. 'En bedankt!'

Ze hoorde de voordeur dichtslaan en even later het pruttelen van de startende scooter. Ze draaide zich om en vroeg zich af of ze verder zou slapen. Ze had een zalig gevoel, besefte ze, en ze meende dat als ze weer in slaap viel, ze de eerste uren niet wakker zou worden.

Dus waste ze haar gezicht en kleedde zich aan, maakte een kop koffie in het kleine keukentje, at geroosterd brood met boter en vroeg zich af of ze hier in Stepney zou kunnen wonen met Primo... Ze sprak zichzelf bestraffend toe: rustig aan, meid, laat je hart niet met je aan de haal gaan, je kent hem nauwelijks.

En dat was waar, dacht ze, terwijl ze door de kleine flat liep, maar om de een of andere reden leek hij daar niet mee te zitten. Ze stond in de zitkamer: het leek wel alsof hij hier gisteren pas was ingetrokken. Er was een bed, een tv, een zwartleren bank. Hij bleek zijn weinige kleren te bewaren in kartonnen dozen: een paar overhemden, een trui, een pak, een spijkerbroek en sportschoenen. In een andere doos zaten sokken en ondergoed. De flat was schoon, de keuken vrijwel leeg: een paar blikjes, een pak melk, cornflakes. De flat kon binnen een paar minuten verlaten worden, dacht ze: geen boeken, niets aan de muur, geen versieringen, geen souvenirs, niet één van die dingen die een mens in de loop van zijn leven zonder het te willen vergaart. Wat voor beeld van Primo Belem, vroeg ze zich af, krijg je in deze vier vertrekken?

In de zitkamer stond nog een kartonnen doos, vol met krantenknipsels, print-outs en − het eerste wat ze tegenkwam − een soort advertentie van een farmaceutisch bedrijf. Ze voelde zich een beetje schuldig omdat ze snuffelde in zijn papieren, maar aan de andere kant had híj haar alleen achtergelaten in zijn flat; hij zal dus wel vermoed hebben dat ze hier en daar zou snuffelen. Ze bladerde door de documenten in de doos − alles leek te maken te hebben met medische zaken − en er zat een glossy brochure bij van een farmaceutisch bedrijf, Calenture-Deutz, waarvan de naam haar op de een of andere manier bekend voorkwam. Had natuurlijk allemaal te maken met zijn werk in het ziekenhuis, veronderstelde ze, en ze stopte alles weer zo zorgvuldig mogelijk terug. Ze liet haar blik opnieuw door de flat gaan en ontdekte een fotootje dat haar niet eerder was opgevallen en dat achter een snijplank stond, een afbeelding die uit een tijdschrift was geknipt: een samenstel van merkwaardig gevormde wolken in een blauwe lucht boven een uitgedroogd woestijnlandschap. Midden in die bergketen rees een soort obelisk op. Ze keek aandachtiger: nee, het was een gebouw, een smalle wolkenkrabber midden in de woestijn. Wat er nog te zien was van het onderschrift luidde: 'De grootste en hoogste wolkenkamer ter wereld. Onderdeel van de westelijke campus van...' De rest was weggeknipt. Ze zette het voorzichtig terug. Neem hem zoals hij is, hield ze zichzelf voor: jij vindt hem aardig, hij vindt jou aardig, einde verhaal.

Ze trok de deur achter zich dicht. Primo Belem was iemand die óf niets te verbergen had, óf alles te verbergen had. Ze had geen haast om erachter te komen in welke categorie hij viel.

Het werd een heiige dag op de rivier, met een laagje dunne stapelwolken die de zon gedeeltelijk bedekten, zodat het licht dik en goudkleurig was en alle scherpe kanten van de gebouwen omfloerste en de bomen op de oever in Chelsea een dromerige aanblik gaf. Rita stond op het dek van de *Bellerophon* haar planten water te geven en na te denken over de vorige avond. Ze herinnerde zich dat ze drie keer gevreeën hadden – wat een verbetering van haar persoonlijke record was – en ze wist niet meer hoe laat ze in slaap waren gevallen. Vier uur? Nog later? Geen wonder dat ze zo moe was, alsof ze zich eindeloos had uitgesloofd in het fitnesscentrum.

'Wat sta jij daar dom te grijnzen.'

Ze draaide zich om en zag haar vader stijfjes het voordek op komen lopen. Hij leek vandaag wat beter ter been te zijn, of anders was hij zijn kruk vergeten.

Ze zei niets, lachte alleen maar.

'Was het leuk gisteravond?'

'Ja,' zei ze. 'Ik heb me prima vermaakt.'

'Met je Italiaanse bode?'

'Toevallig wel, ja.'

Hij rolde een sigaret.

'Ik vind dat hij er absoluut niet Italiaans uitziet.'

'Hij is een derdegeneratie-immigrant. Nu je het zegt: jij ziet er anders ook niet zo Engels uit.' Ze draaide de kraan dicht, rolde de slang op en borg die netjes op.

'Pap,' zei ze, en terwijl ze het zei vond ze dat dit een belachelijk gesprek was. 'Wat zou je ervan vinden als ik ergens anders ging wonen?'

'Dat zou verdomme tijd worden.'

49

Er lagen drie keurige stapeltjes pondmunten boven op de telefoon, en in zijn zakken had hij er nog meer.

'Dat wordt veertien pond,' zei de telefoniste.

Adam stopte de munten in het apparaat.

'U weet toch dat het veel gemakkelijker is met een creditcard, hè?' zei de telefoniste.

'Mijn creditcard is gestolen.'

'O, wat vervelend. Goed, Ik zal u doorverbinden.'

Adam stond in een telefooncel op Leicester Square. Het was tien uur 's avonds, maar de nieuwe dag was al aangebroken in Australië. Hij hoorde de telefoon overgaan in het huis van zijn zus in Sydney.

'Ja, hallo?' Het was Ray, zijn zwager.

'Kan ik even spreken met Francis Kindred, alstublieft?' Hij hield zijn stem zo neutraal en zakelijk mogelijk.

'Waar gaat het over, mate?'

'Een overmaking vanuit Engeland naar zijn bank.'

'Ogenblikje.'

Er viel een stilte, gevolgd door de hoge stem van zijn vader: 'Hallo? Volgens mij is er een vergissing in het spel.'

Adam voelde hoe de tranen in zijn ogen sprongen.

'Pap, met mij, Adam…' Stilte. 'Pap?'

'Is alles goed met je?'

'Ja, prima. Ik heb het niet gedaan, pap.'

'Ik weet dat je het niet hebt gedaan.'

'Ik moest een tijd onderduiken. Ze dachten dat ik het gedaan had; het bewijs was nogal overtuigend.' De telefoon piepte en hij pompte er nog wat munten in.

'Ga naar de politie, Ad. Die zoeken het wel uit.'

'Nee, dat doen ze niet. Ik moet er zelf uit zien te komen. Maar ik wilde je even laten weten dat alles goed met me is.'

'Nou, dat is een hele opluchting. Emma en ik waren van plan om terug te komen, om te zien of we je konden helpen. Weer op tv komen als dat kon, om nog een oproep te doen.'

Adam slikte. Hij probeerde zo rustig mogelijk te klinken. 'Ik heb gehoord over je eerste oproep,' zei hij. 'Het hoeft niet nog een keer, pap.'

'Er zijn hier mensen aan de deur geweest. Politie, andere onderzoekers. De geheime dienst, denken wij. Die vroegen ons de oren van het hoofd. En er wordt nog steeds geknoeid met onze post, we kunnen zien dat de brieven geopend worden.'

'Dat bedoel ik dus. Het is veel te groot geworden, er zijn andere krachten aan het werk. Luister, ik zal je zo nu en dan bellen, en zodra ik alles heb uitgezocht, laat ik het weten.' Opnieuw de pieptoon en opnieuw gingen er munten in. 'Waarschijnlijk trekken ze dit gesprek ook na; zeg maar dat we met elkaar gesproken hebben. Maar alles is goed met mij, pap.' Door die opmerking moest hij ook huilen, omdat hij zich bewust was van de waarheid en het hachelijke ervan.

'Nou, doe voorzichtig, jongen. O, en bedankt voor het bellen.'

'De hartelijke groeten aan Emma en de jongens.'

'Zal ik doen.'

'Oké, dag pap.'

Hij hing op, veegde zijn tranen weg en vloekte zachtjes. Hij had moeten zeggen: 'Ik hou van je, pap,' of zo'n soort uitspraak moeten doen, maar dat was niet de gewoonte in de familie Kindred. Hij pakte zijn overgebleven munten, wreef het mondstuk van de telefoon af met een papieren zakdoekje en verliet de telefooncel. Hij trok zijn rubberen handschoenen uit en stopte die op weg naar het metrostation in een vuilnisbak. Hij voelde de neiging in de buurt te blijven om te zien hoelang het duurde voordat de politie hem kwam zoeken – dat zou een goede graadmeter voor hun waakzaamheid zijn geweest – maar hij had nu belangrijker zaken aan zijn hoofd.

Het was een ingecalculeerd risico geweest om zijn vader te bellen, dat besefte hij terdege, maar hij was het al weken van plan geweest. Het feit dat hij het nu had kunnen doen leek symbolisch: het was een teken dat er vooruitgang zat in de zaak, het langzame crescendo werd luider en steeds opwindender. Hij probeerde zich voor te stellen hoe zijn vader zou reageren, hij zou met plezier vernemen dat zijn zoon veilig was, dat zijn zoon nog in leven was, althans daar ging Adam van uit. Misschien was hij niet zo bezorgd geweest – zijn stem had niet verbaasd of geëmotioneerd geklonken –, misschien was hij half vergeten dat Adam gezocht werd, ergens aan de andere kant van de wereld. Francis Kindred genoot van zijn pensioen samen met zijn dochter en kleinkinderen; wat kon hij doen als zijn verdorven zoon had besloten zichzelf naar de verdoemenis te helpen? Francis Kindred was niet gemakkelijk van zijn stuk te brengen, maar Adam was niettemin blij dat hij zijn plicht gedaan had: het was een klein stapje voorwaarts in het proces van zijn rehabilitatie als normaal mens. Het klonk misschien absurd, maar hij had het gevoel dat hij zijn familie terug had.

De volgende dag tegen het einde van de middag keek Adam hoe de man van wie hij nu wist dat hij Ingram Fryzer heette, over de kleine piazza liep voor de glazen toren waarin zich de kantoren van Calenture-Deutz bevonden, en achter in zijn geparkeerde Bentley stapte. Adam zat vijftig meter verderop op zijn scooter en zodra hij Fryzer zag, startte hij de motor. Hij had bijna twee uur gewacht, en het was nu even over zessen. Eerder die dag had hij Calenture-Deutz gebeld met de mededeling dat hij verslaggever van *The Times* was en graag met Ingram Fryzer wilde spreken over Zembla-4. Hem werd op bruuske toon te verstaan gegeven dat de heer Fryzer in vergadering zat en niet bereikbaar was, en dat hij contact moest opnemen met ene Pippa Deere van de pr-afdeling van Calenture-Deutz. Nu hij eenmaal wist dat Fryzer in het gebouw was, was hij met een gerust hart op hem blijven wachten. Toen zag hij de glanzende Bentley tot stilstand komen op de parkeerplaats, en enkele ogenblikken later kwam Fryzer naar buiten. Hij zag er ongevaarlijk schuldig uit – lang, donker pak en een volle kop met grijs haar – en Adam had moeite iets negatiefs jegens hem te voelen.

Adam volgde de auto door Londen naar het grote huis van Fryzer in Kensington, zag hoe de Bentley de inrit opreed en de chauffeur naar buiten sprong en het achterportier opendeed. Adam scheurde weg in de richting van Notting Hill. Hij wilde weten waar Fryzer woonde en hoe dicht dat was bij zijn zwager, lord Redcastle. Het bleek dat ze geruststellend ver van elkaar woonden.

Het was moeilijk geweest om zinvolle informatie te vergaren over Fryzer, hij leek nogal op zichzelf te blijven, en de beschikbare gegevens over zijn leven waren nogal saai: een niet echt chique kostschool, een niet briljante studie filosofie, politiek en economie in Oxford, een korte carrière bij een financieringsbank, waarna hij in de jaren tachtig, tijdens de bloeiperiode onder Thatcher, overstapte naar het vastgoed. Het meest interessante dat Adam te weten was gekomen was dat de meisjesnaam van zijn moeder Felicity De Vere was. Fryzer was rond zijn vijfentwintigste getrouwd met lady Meredith Cannon, de dochter van de graaf van Concannon. Drie kinderen bezegelden de verbintenis. Om onduidelijke redenen was Fryzer in de jaren negentig plotseling overgestapt van projectontwikkeling naar farmaceutica, en hij kocht een klein bedrijf met de naam Calenture, dat op de farmaceutische markt meespeelde met een zeer succesvol middel tegen hooikoorts genaamd Bynogol (zowel tablet als inhaler). Kort daarna veranderde de firmanaam in Calenture-Deutz (Adam had geen idee waar dat 'Deutz' vandaan kwam: hij vermoedde dat het een cosmetische toevoeging was, een slimme inval van een reclamejongen: het klonk beter dan het kale Calenture. Calenture-Deutz suggereerde een bepaalde teutoonse *Gründlichkeit*) en de onderneming groeide geleidelijk uit tot een redelijk groot bedrijf, een degelijke middenmoter in de grote farmaceutische competitie. Er was niets wat enige achterdocht wekte, niets wat wees op heimelijke, sinistere ambities.

Informatie over lord Redcastle daarentegen was erg gemakkelijk te verkrijgen. Ivo stond open en bloot op het internet met een slecht ontworpen en slecht functionerende website voor RedEntInc.com waarop een kantooradres in Earls' Court stond vermeld alsmede een telefoonnummer. Hij belde erheen vanuit een telefooncel en een meisje genaamd Sam – 'met Sam' – had hem verteld dat Ivo aan het lunchen was.

'Het gaat toch niet over die T-shirts, hè?' vroeg ze, en haar vragende toon verried enige opwinding.

'Eigenlijk wel, ja,' loog Adam spontaan, en Sam had hem onmiddellijk Ivo's mobiele nummer gegeven. 'Hij wil u vast wel meteen spreken, zeker weten.' Adam belde en Ivo nam zelf op. Hij hoorde het geluid van bestek, serviesgoed en het gemurmel van stemmen in een restaurant. Ivo vertelde hem waar hij zat te lunchen, alsof het adres hem onmiddellijk een bepaalde status verschafte.

'Het gaat over de T-shirts,' zei Adam.

'Bent u geïnteresseerd?'

'Absoluut.'

Adam zei dat hij de rest van de dag vol zat en dus nodigde Ivo hem uit die avond bij hem thuis te komen, en hij gaf hem zijn adres, postcode en privételefoonnummer in Notting Hill. Adam sprak af dat hij er die avond om acht uur zou zijn, zonder ook maar in het minst van plan te zijn er inderdaad heen te gaan. Het enige wat hij wilde hebben was het adres, en nu hij wist waar Ivo woonde, wilde hij alleen maar bevestigd zien dat hij de juiste man te pakken had. De enige informatie die hij had over Ivo's uiterlijk kwam van een fotootje in de brochure van Calenture-Deutz. Hij kocht een wegwerpcamera en wachtte voor het restaurant totdat er iemand naar buiten kwam die op hem leek. Hij was langsgereden op zijn scooter, riep Ivo's naam om helemaal zeker te zijn, en toen Ivo opkeek, drukte hij af. Alles ging in het dossier Calenture-Deutz. En nu wist hij ook dat de man die op die dag in het gezelschap van Ivo was geweest, Fryzer was. Misschien hadden ze gesproken over zaken rondom Calenture-Deutz... Het succes van de klinische tests... De aanstaande persconferentie...

Adam glimlachte in zichzelf toen hij afsloeg bij Ladbroke Grove en op zoek ging naar het nummer van Ivo's huis – daar was het: hoog, wit gestuukt, eigen parkeergelegenheid. Twee mannen droegen een groot abstract schilderij door de voordeur naar binnen. Adam bleef aan de overkant staan en deed alsof hij in zijn stratengids keek. Er leek een bewakingscamera boven de deur te hangen, hij moest dus op zijn hoede zijn. Hij gaf gas en reed weg, hij had weer nachtdienst bij St. Bot's. Hij had dezer dagen al zijn vrije tijd nodig, en het enige nadeel was dat hij Rita niet meer had gezien na hun nacht samen... Hij zou haar bellen – ze spraken elkaar iedere dag – en terwijl hij in oostelijke richting door Londen reed, vermaakte hij zichzelf met aangename beelden van haar naakte lichaam die hij zich voor de geest haalde. Het werd tijd om weer met haar af te spreken. Ze had geen flauw idee, maar voor zijn ontluikende plannen had hij behoefte aan het gezelschap van de familie Nashe.

'Hoe vindt u het?'

'Prima.'

Het was een kleine blocnote van het soort dat je in chiquere hotels naast de telefoon of op de schrijftafel vindt: honderd blaadjes, een rug van stijf karton en boven op ieder blaadje in blauwzwarte inkt en in kapitalen de naam gedrukt: INGRAM FRYZER.

'Een dozijn was een stuk voordeliger geweest,' zei het meisje van PrintPak tegen Adam. 'Dan had u korting gekregen. Dit is best wel duur voor één blocnote.'

'Het is een cadeautje,' zei Adam, en hij gaf haar twintig pond. 'Misschien bestel ik later nog wat bij.'

Toen hij de winkel uitliep, ging zijn mobiel.

'Hallo?'

'Primo Belem?'

'Ja.'

'Met Aaron Lalandusse. Ik heb uw bericht ontvangen.'

'Kunnen we ergens afspreken?'

'Beschikt u echt over al dat materiaal?'

'Ja, inderdaad.'

Lalandusse stelde een pub voor in Covent Garden, niet ver van zijn redactiekantoor in Holborn, en Adam zei dat hij er op het afgesproken tijdstip zou zijn. Zijn plan begon vorm te krijgen. Hij belde Rita en vroeg of ze konden afspreken op de *Bellerophon*.

'Mij pa is er dan ook.'

'Dat weet ik. Ik wil iets met hem bespreken.'

50

'Kan ik je iets te eten aanbieden? Of te drinken?' Alfredo Rilke opende de minibar in zijn hotelkamer. 'Ik heb chips voor je, chocolade, nogakoekjes…'

'Is er ook witte wijn?' vroeg Ingram, die plotseling behoefte kreeg aan alcohol. Rilke had een hele verdieping afgehuurd van de Zenith Travel Inn, vlak bij de luchthaven Heathrow en had Ingram daarheen laten komen, zodat hij een omslachtige rit moest maken dwars door de avondspits. Wat was er verdomme mis, vroeg Ingram zich af, met het Claridge's of het Dorchester?

Rilke schroefde het dopje van de wijnfles open en schonk hem een glas in. Ingram nam het glas van hem aan en voelde meteen dat de wijn nauwelijks gekoeld was. Wat had het voor zin de veertiende rijkste man ter wereld, of wat dan ook, te zijn en er vervolgens deze leefstijl op na te houden?

'Proost,' zei hij en hief het glas, 'goed je weer te zien, Alfredo.'

'Dit is de komende dagen mijn hoofdkwartier.'

'Uitstekend. Dan kun je op onze persconferentie komen.'

'In gedachten zal ik er zeker zijn, Ingram.' Hij zweeg even en trok een ernstig gezicht, alsof hij iets gewichtigs had mee te delen. 'Ik wilde je laten weten dat ik zojuist, een uurtje geleden, heb gehoord – officieus, in het diepste geheim – dat wij de licentie van de vwa binnen hebben.'

Ingram haalde diep adem; hij had behoefte aan meer zuurstof. Hij zette zijn glas neer en merkte dat zijn hand trilde.

'"Goed nieuws" klinkt in dit geval nogal zuinig. Dat betekent dus dat de goedkeuring van het mhra niet lang op zich zal laten wachten.' Hij dacht razendsnel na. 'Maar hoe weet je dat? Je zei dat het nog officieus is?'

'Ja. Laat ik zeggen dat het ons ter ore is gekomen. Onze mensen zijn erin geslaagd voldoende te weten te komen over de inhoud van de rapporten en de aanbevelingen. De adviescommissie zal ook zeer positief oordelen. We hebben het van horen zeggen, zoals dat heet.' Rilke glimlachte. 'Kijk niet zo bezorgd, Ingram. We verkopen geen heroïne. We smokkelen geen wapens of uranium naar schurkenstaten die het internationale terrorisme ondersteunen. Zembla-4 zal, zolang de licentie duurt, miljoenen levens redden. Het is een zegen voor de mensheid.'

'Natuurlijk.' Ingram probeerde ontspannen te kijken.. 'Ik mag er op de persconferentie natuurlijk met geen woord over reppen.'

'Nee, zelfs met geen half woord. Alleen de gewone agenda. Maar ik zal ervoor zorgen dat jij op tijd op de hoogte bent van onze uiteindelijke koopprijs. Die zal zeer genereus zijn. Sommige analisten zullen zeggen meer dan genereus. Maar niet zo genereus dat er vragen worden gesteld.'

'Ik snap het,' zei Ingram, die er niets van snapte en zich afvroeg waar het gesprek heen ging.

'En daarna krijgen we goedkeuring van de vwa.' Rilke spreidde zijn handen alsof hij wilde zeggen: zo simpel is het allemaal.

'De voormalige aandeelhouders zijn misschien een beetje geïrriteerd.'

'Die hebben niets te klagen. We zullen hun een goed aanbod doen. Ze krijgen als troost aandelen Rilke.'

'Maar als ze horen over de licentie voor Zembla-4, zullen ze dan niet vermoeden dat wij het al wisten?'

'Maar hoe hadden wij het kunnen weten? De Voedsel en Waren Autoriteit houdt haar beraadslagingen in het diepste geheim. Niets is zeker. De VWA wijst een op de vier aanvragen af.'

'Juist... Waar gaan we Zembla-4 maken?'

'Laat dat maar aan mij over. Tegen die tijd is het jouw bedrijf niet meer, Ingram. De dagen van lastige, gecompliceerde beslissingen zijn voorbij. Je zult waarschijnlijk verlangen naar je pensionering en al het geld dat je kunt uitgeven.'

'Zeker weten?' vroeg Ingram, en hij maakte er snel een bevestiging van. 'Zeker weten. Je hebt absoluut gelijk.' Hij nam nog een slok warme wijn. RILKE PHARMA SLOKT CALENTURE-DEUTZ OP, zou een krantenkop ergens in het financiële katern luiden, dacht Ingram. Geen heisa, geen krantenkoppen zolang het nieuws over Zembla-4 nog niet gepubliceerd is. En dan nog meer bijval voor Alfredo Rilkes griezelige scherpzinnigheid, en zijn gave om voor een paar honderd miljoen een kaskraker binnen te halen met een licentie voor twintig jaar. Een winst van een miljard dollar over twintig jaar gegarandeerd. Hoe zou het aandeel Rilke Pharma daarop reageren? Niet dat het Ingram iets uitmaakte, hij zou dan allang genieten van zijn bescheiden aandeel in de royalty's van Zembla-4. Ja, dacht hij, als ik institutioneel aandeelhouder van Calenture-Deutz was en het genereuze aanbod van Rilke-Pharma met beide handen aannam, zou ik me toch enigszins benadeeld voelen als ik wist dat ik niet zou kunnen delen in de winst. Ik zou zelfs lastige vragen kunnen gaan stellen. Waarom een bedrijf verkopen als dat net goedkeuring heeft aangevraagd voor een nieuw geneesmiddel? Hij keek weer naar Alfredo, die voor het raam naar het verkeer op de M4 stond te kijken.

'Mijn argument tegenover de aandeelhouders zou zijn...'

'Dat je geen licentie kunt garanderen voor Zembla-4. Niet alle aanvragen worden gehonoreerd, slechts een paar tientallen nieuwe geneesmiddelen per jaar krijgen een licentie. Het uitnemende aanbod van Rilke Pharma is te goed om af te slaan. Pak nu je winst in plaats van het risico te lopen dat je een afgekeurd medicijn op de plank hebt liggen, terwijl je de onkosten van de ontwikkeling ervan nooit zult terugkrijgen. Kwestie van zakelijk inzicht.' Rilke liep naar Ingram en legde zijn grote hand op diens schouder. 'Niemand zal vraagtekens zetten bij je beslissing, Ingram, geloof me. Je bent gewoon een verstandige CEO. Iedereen zal een mooie winst maken. Jouw slimmere aandeelhouders zullen kiezen voor aandelen Rilke in plaats van cash; die mensen gaan heus geen lastige vragen stellen. En natuurlijk weet niemand iets van onze kleine overeenkomst.' Rilke glimlachte. 'En dat is ook een van de redenen waarom ik met jou afspreek in dit soort charmante hotels.'

'Juist. Ja…' Ingram dwong zichzelf opnieuw enthousiast te doen en nipte aan zijn glas; nee, het was niet te drinken. Hij zette het terug. Hij begon zelfs een beetje misselijk te worden. Zodra hij thuis was zou hij een mooie fles opentrekken en een behoorlijk feestje vieren. Maar er schoot hem een onaangename gedachte te binnen, die het feestje dreigde te verpesten.

'We hebben die Kindred met geen mogelijkheid kunnen vinden,' zei hij. 'Jammer is dat.'

'Dat maakt nu niet zoveel meer uit,' zei Rilke met een geruststellende glimlach. 'Nu we de licentie in onze zak hebben is de tijd van Kindred voorbij.'

'Dat is een hele geruststelling,' zei Ingram. 'Staat er trouwens ook cognac in die minibar? Ik voel me niet zo lekker.'

51

Het ingelijste affiche was van een expositie van schilderijen van Paul Klee getiteld ANDACHT ZUM KLEINEN, die in 1982 in Basel was gehouden. Het was een reproductie van een aquarel van Klee, een huis met een puntdak in een door maanlicht overgoten landschap met gestileerde pijnbomen en een dikke witte maan aan de hemel. Onderaan stond de handtekening van Paul Klee en in zijn kriebelige handschrift de titel: *Etwas Licht in dieser Dunkelheit*.

Rita keek naar Primo, die het aandachtig bekeek.

'Vind je het mooi?' vroeg ze.

'Schitterend, dank je wel,' zei hij en kuste haar.

'Een cadeau om je flat in te wijden,' zei ze. 'De flat kan wel wat warmte gebruiken.' Ze gaf hem nog een pakje.

'Dat had je niet moeten doen,' zei hij, terwijl hij het papier stuk scheurde en er een hamertje en een schilderijhaakje tevoorschijn kwamen.

'Geen gemaar,' zei ze.

Ze kozen een wand in de zitkamer; hij timmerde het haakje in de muur en hing het affiche op.

'Het ziet er al meteen heel anders uit,' zei hij, terwijl hij een paar stappen achteruit deed en het affiche bewonderde. 'Wat betekent dat: *Andacht zum Kleinen?*'

'Ik heb het opgezocht. Het betekent zoiets als "Aandacht voor kleine dingen".'

Primo dacht hier een paar seconden over na. 'Heel toepasselijk,' zei hij. 'Zullen we iets drinken om het te vieren?'

Ze hadden onderweg vanuit Battersea een pizza meegenomen en een fles wijn. Ze namen met hun glazen plaats op de leren bank en keken naar het nieuws van tien uur. Rita leunde tegen hem aan.

'We moeten een andere bank hebben,' zei ze. 'Het lijkt wel iets uit een boevenhuis. Waarom heb je hem gekocht?'

'Hij was goedkoop en ik had haast,' zei hij. 'We kopen wel een andere, maak je geen zorgen.'

Rita vroeg zich af of hij de onderliggende betekenis van haar woorden oppikte.

'Hoe was het met pa?' vroeg ze. 'Het leek me beter jullie twee even alleen te laten.'

'Ik heb hem een voorstel gedaan; ik heb zijn hulp nodig met iets. Hij zei dat hij er serieus over zou nadenken.'

'Wat voor voorstel?'

'Iets met het ziekenhuis. Het gaat over een nieuw geneesmiddel. Ik heb hem zelfs een cadeautje gegeven. Ik heb een aandeel voor hem gekocht in een bedrijf, een farmaceutisch bedrijf.'

'Je probeert een kapitalist van hem te maken, hè?'

'Hij vond het een goed idee.'

'Zolang het maar binnen de wet blijft,' zei ze, en ze kuste hem in zijn hals. 'Zullen we onze kleren uittrekken?'

52

Het verscheen op het scherm: INPHARMATION.COM, met zwart-rode letters, waarbij PHARMA fel oranjerood oplichtte. Adam tikte zijn gebruikersnaam in en logde in – zijn wachtwoord was 'chelseabridge' – en hij ging op zoek naar Zembla-4. Hij las een paar bijdragen, doorgaans verzoekschriften van astmalijders die de advertorials hadden gezien en zich afvroegen of en wanneer het medicijn beschikbaar zou komen. Toen schreef hij zijn eigen bijdrage, door de namen in te typen van de overleden kinderen en de ziekenhuizen waar ze gestorven waren, met de mededeling dat ze allemaal hadden meegedaan aan de klinische tests voor Zembla-4 en plotseling waren omgekomen. Daar liet hij het bij. Hij volgde nauwgezet de instructies van Aaron Lalandusse: schrijf een bijdrage en voeg er dan om de twee of drie dagen een bij. En dan maar afwachten.

Aaron Lalandusse was ongeschoren, brildragend en in de dertig, met een warrige haardos. Hij zag eruit alsof hij in zijn kleren had geslapen, maar zijn stem was diep en sonoor en compenseerde het imago van de puberale nerd met een volwassen ernst. Hij had Adams namenlijst en overige documentatie aandachtig bestudeerd terwijl hij spuugblaasjes op zijn lippen stuk blies.

'Hm... Juist...' zei hij, gevolgd door: 'Snotverdomme.'

Adam had met geen woord gesproken over de dood van Philip Wang en alleen maar verteld dat hij tijdens zijn werk in St. Bot's toevallig op de lijst was gestuit, zich zorgen maakte over de inhoud en besloten had het verder te laten onderzoeken.

'Dit is uiterst explosief materiaal,' zei Lalandusse. 'Ik bedoel, als je je vergist, dan krijg je een monsterachtig, nooit eerder vertoond proces aan je broek.'

Adam wees op de cryptische aantekeningen achter iedere naam. 'Dat is het handschrift van dokter Philip Wang, geloof ik, het voormalige hoofd Onderzoek en Ontwikkeling bij Calenture-Deutz. Ik weet niet precies wat ze voorstellen.'

'Ik zou zeggen doseringen, tijdstippen,' gokte Lalandusse. 'Maar dat moet ik dan even nazoeken.' Hij hield de lijst op. 'Dit is een fotokopie, ik moet wel het origineel zien. Ik kan niets schrijven zonder dat ik het origineel heb gezien.'

'Daar kan ik wel voor zorgen,' zei Adam.

Ze hadden elkaar volgens afspraak ontmoet in een kleine, donkere pub met houten lambrisering in Covent Garden. De felle avondzon stond schuin op de gegraveerde en van matglas voorziene ramen van de pub, zodat de kleine bar achterin zo schemerig was dat het leek alsof ze in het souterrain zaten. Een prima plek voor een samenzwering, dacht Adam, terwijl Lalandusse naar de bar liep voor nog twee flesjes bier.

Lalandusse had hem verteld over de invloed en het bereik van de bloggers op Inpharmation.com en had hun strategie uiteengezet zoals hij die voor zich zag. In de eerste plaats berichten verspreiden op internet en afwachten wat de reacties zouden zijn; misschien kon iemand die op de De Vere-vleugels van andere ziekenhuizen had gewerkt, nadere informatie geven. Of misschien wilden ontevreden ex-werknemers van Calenture-Deutz een bijdrage leveren. Op een bepaald moment zouden de geruchten zulke vormen aannemen dat Calenture-Deutz geen andere keus had dan een persbericht uit te vaardigen.

'Je kent dat soort teksten wel,' zei Lalandusse. 'Oprechte verontwaardiging, onverantwoordelijk, schandalig, niet bereid kwaadaardige aantijgingen serieus te nemen, enzovoorts.'

'En dan?'

'Nou, dan kan ik mijn artikel schrijven voor het *Bulletin*, omdat het dan namelijk een verhaal is geworden.' Hij dacht even na. 'Misschien kunnen we breken met mijn gewoonte van jaren en een kopie afdrukken van jouw lijst.' Hij glimlachte enthousiast, de jongen in hem had even de overhand boven de cynische journalist. 'En dan zijn de rapen pas echt gaar.'

Adam logde glimlachend uit en verliet de site. Hij bevond zich in een groot internetcafé aan Edgware Road. Lalandusse had gezegd dat hij alleen de grotere cafés met tientallen terminals moest gebruiken, voortdurend van café moest wisselen en uitsluitend contant moest betalen. 'Ze zullen proberen je op te sporen,' zei hij. 'Je hebt geen idee wat er op het spel staat met zo'n nieuw geneesmiddel. Om hoeveel geld het gaat.' Hij lachte. 'Ze zullen je willen vermoorden.' Hij hield op met lachen. 'Grapje, maak je geen zorgen.'

Adam parkeerde zijn scooter op het trottoir, legde hem met een ketting vast aan de balustrade, klom over het hek de driehoek in en kroop tussen de struiken en laaghangende takken door naar zijn open plek. Het was laat, bijna elf uur, en de slingers met gloeilampen van Chelsea Bridge straalden helder in de marineblauwe nacht: vier schitterende pieken, als de masten van een grote circustent. Hij groef zijn geldkist op, vouwde de originele namenlijst van Philip Wang zorgvuldig op en stopte die in zijn binnenzak. Hij zag dat hij nog ongeveer honderdtachtig pond over had en besloot het geld mee te nemen; de dagen van de driehoek waren voorbij, besefte hij, nu hij als Primo Belem weer lid was van de samenleving. Hij ging staan en keek om zich heen, dacht terug aan de weken dat deze kleine open plek met de overhangende bomen en struiken het enige voor hem was geweest dat op een thuis leek. Hij vroeg zich af of hij hier ooit nog terug zou komen; misschien wel, op een *sentimental journey* ergens in de verre toekomst.

Hij klom weer over de balustrade, glimlachend om die gedachte, ontsloot de box achter op zijn scooter en haalde zijn helm tevoorschijn.

'Nou, nou, nou, als dat mijn ouwe maatje de kerkganger niet is, Johannes 1603.'

Adam voelde hoe zijn hart stilstond van schrik. Hij draaide zich langzaam om en zag Vincent Turpin wankelend uit de schaduw komen lopen. Hij kwam grijnzend op hem af.

'Je hebt geen idee hoeveel nachten ik hier bij de Chelsea Bridge heb doorgebracht in de hoop een glimp van jou op te vangen. Geen idee... De ene nacht na de andere, godverdomme.' Hij was nu vlakbij en Adam rook de alcohol. 'Ik had je bijna niet herkend, maatje, met al dat haar eraf zeg maar, en een ander baardje en zo. Ja, ik keek nog eens goed en ik dacht: dat is Johannes. Zeker weten: Johannes 1603. Weet je nog die avond dat we hier voor het eerst kwamen? Je was zomaar ineens verdwenen, je wilde niet laten zien waar je sliep, weet je nog...? Nou, je zag mij niet, maar ik jou wel; hoe je over het hek sprong. Dat heb ik gelukkig onthouden.'

'Leuk je weer te zien, Vince,' zei Adam. 'Maar ik heb een beetje haast.'

'Je hebt toch wel tijd om even te kletsen met die ouwe Vincey, hè? Kijk nou eens: een scooter – vroem, vroem – wat een keurige, hippe vent, zeg. Het gaat je vast voor de wind, Johannes.' Turpin gaf hem een arm, draaide hem om en liep terug naar de brug, waar een houten bank stond met uitzicht op Lister Hospital aan de andere kant van de stoplichten bij de brede kruising. Adam ging zitten en voelde dat hij een droge mond had.

'Wat kan ik voor je doen, Vince?' vroeg hij.

'Er is iemand op zoek naar jou, man. Een echte nare lul. Grote kerel met een diepe snee in zijn kin. Een lelijke klootzak. Hij is in de kerk geweest, op zoek naar jou.'

'Die ken ik niet,' zei Adam, en de moed zakte hem in de schoenen terwijl hij dacht: hij heeft me opgespoord in de kerk. Misschien is hij zo ook op het spoor van Mhouse gekomen.

'Hij beweert dat jullie goeie vrienden zijn,' vervolgde Turpin. 'Dat je geld geërfd hebt of zoiets. Hij beweert dat hij me twee ruggen geeft als ik je kan vinden.'

Adam dacht: ik moet nu gewoon weglopen. Ik ben veilig.

'Maar dat ben ik niet van plan, als jij dat niet wilt tenminste,' zei Turpin.

'Dat zou ik erg op prijs stellen, Vince.'

'Punt is: het heeft geen zin die ouwe Vince Turpin voor de gek te houden met een of ander lulverhaal; je moet niet denken dat je er zomaar vandoor kunt.' Turpin grijnsde opnieuw. 'Want toen ik jou zag aankomen op je mooie nieuwe scooter, heb ik de moeite genomen je kenteken op te schrijven. Heb ik van buiten geleerd.' Hij legde een hand op Adams arm. 'Als ik dat nummer aan Lelijke Klootzak geef – wat me geen doetje lijkt, ex-politieman, zou ik zeggen – dan heeft hij je zó te pakken.' Turpin greep Adams arm vast en trok hem dichter naar zijn geplooide en geribbelde gezicht toe. 'Als Lelijke Klootzak mij twee ruggen wil geven, dan heb ik zo'n idee dat jij me er wel vier wilt geven om mijn mondje dicht te houden.'

'Ik heb geen vierduizend pond.'

'Ik hoef het ook niet allemaal ineens, Johannes 1603. Welnee, dan zou ik het er toch maar in één keer doorheen jagen, ik heb een enorm gat in mijn hand. Ik wil het beetje bij beetje, een of twee keer per week, als een soort afbetaling in termijnen. Nu eens honderd, dan weer tweehonderd, zodat die ouwe Vince in leven blijft, zijn hoofd boven water kan houden.' Hij zweeg. 'En de lippen van Turpin op elkaar blijven.'

'Goed,' zei Adam. 'We komen er wel uit.' Het enige wat Adam op dit moment kon doen, besefte hij, was tijd winnen. Hij kon Turpin de eerste dagen en weken afkopen, terwijl zijn plan betreffende Zembla-4 zich ontwikkelde. Het enige wat hij nodig had was tijd. Hij haalde de stapel bankbiljetten uit zijn zak.

'Ik kan je nu honderdvijftig geven,' zei hij en hij telde de biljetten.

'Ik neem alles wel,' zei Turpin en griste hem met zijn grote poten het geld uit handen. 'We spreken hier af, zelfde tijd, volgende week woensdag.' Hij grijnsde Adam toe, lachte zijn tanden bloot. 'En geen geintjes, John. Je kunt die scooter morgen verkopen, in de fik steken of in de rivier gooien, maar ik heb zo'n idee dat Lelijke Klootzak je toch wel zal weten te vinden.'

'Oké,' zei Adam. 'Ik zal er zijn, maak je geen zorgen.'

'Doe maar tweehonderd volgende keer. Leuk je weer eens te zien, Johannes.' Hij stond op, zwaaide en liep de brug op naar Battersea.

Adam reed terug naar Stepney, in gedachten verzonken. Turpin had gelijk: het enige wat zijn achtervolger – Lelijke Klootzak – nodig had, was het kenteken van zijn scooter. Er was nu een papieren en een elektronisch spoor dat leidde van de scooter naar Primo Belem en zijn flat in de Oystergate Buildings, ook al verkocht of verstopte hij de scooter, ook al ging hij verhuizen. Er liepen nu sporen in de buitenwereld, sporen die voor het eerst naar hem leidden. Hij zou opnieuw van identiteit moeten veranderen – ophouden Primo Belem te zijn – maar hoe pakte hij dat aan? Moest hij opnieuw ondergronds…? Rustig blijven, hield Adam zichzelf voor, dit duurde maar even: hij hoefde alleen Turpin maar een poosje tevreden te houden. Hij moest zich niet laten afleiden van zijn voornaamste doel; hij moest gewoon doorgaan, alsof die onzalige ontmoeting nooit had plaatsgevonden.

53

Ivo, lord Redcastle, vroeg zich af of er misschien een voorteken was geweest dat hij over het hoofd had gezien. Hij vroeg zich ook af of hij de controle aan het kwijtraken was. Die kerel die hem gebeld had over de T-shirts bijvoorbeeld: *hij had hem niet eens zijn naam gevraagd*. Wat was hij in hemelsnaam voor ondernemer? Sneu gewoon. En erger nog: hij had die onbekende, anonieme man uitgenodigd voor een borrel bij hem thuis om de crisis met de T-shirts te bespreken, waarvoor hij vanzelfsprekend niet eens was komen opdagen. Hij had natuurlijk een paar bloody mary's gehad; nee, praktisch een hele fles witte wijn bij de lunch. Misschien had hij daarom zijn gedachten er niet helemaal bij gehad. Hoe dan ook, het was een beste tegenvaller geweest dat die vent niet was verschenen (en bovendien had hij zich misdragen tegenover Smika, gaf hij toe, en later die avond bij wijze van compensatie veel te veel cocaïne gesnoven – hij was volkomen out gegaan – in een poging de zaak een gunstige wending te geven, wat grandioos mislukt was). Hij praatte zijn gedrag niet goed, hoewel het hem nog steeds dwarszat dat hij er tegen Ingram over had zitten opscheppen in het restaurant, alsof het probleem met de T-shirts eindelijk was opgelost. Idioot. Stomme idioot.

Op de dagen die volgden waren de brieven van de advocaten gekomen, drie stuks, afschuwelijke strenge brieven waarin zijn herhaalde mislukkingen als mens en als zakenman uitvoerig werden toegelicht en zijn toenemende schulden aan diverse crediteuren in detail werden beschreven. Nog zorgwekkender – op een meer verontrustende, existentiële manier – was het jpeg-bestand dat Dimitrios hem had gestuurd: een brandstapel van tienduizend van zijn seksleraar-T-shirts in lichterlaaie op een strand op Mykonos. Hij had Dimitrios altijd beschouwd als een toffe gast, een maatje bijna, ook al kende hij hem niet echt goed… Maar nu: jezus, het was volkomen uit de hand gelopen. Helemaal de pan uit gerezen, en dergelijke.

Maar wat moest hij beginnen met dat laatste telefoontje…? Het was pas tien uur 's ochtends, maar Ivo had behoefte aan drank, dus hij maakte een fles chablis open van de voorraad die hij in de koelkast thuis op zijn werkkamer bewaarde, en belde Sam op het kantoor van RedEntInc in Earls Court.

'Nog iets gehoord over het natrekken van dat telefoontje?' vroeg hij. Hij hoopte het telefoonnummer te pakken te krijgen van die anonieme man die hem had gebeld over de T-shirts. Niet alleen had hij niet naar zijn naam gevraagd, maar hij had ook nagelaten te vragen hoe hij contact met hem kon opnemen.

'We denken dat we hem te pakken hebben,' zei Sam.

'Heb je de politie verteld dat het een obsceen telefoontje was? Heel erg obsceen?'

'Absoluut, daarom waren ze ook zo behulpzaam. Ze zeiden dat het afkomstig was van een telefooncel op Sloane Square.'

'Kut. Bedankt, Sam.'

Ivo nam een grote slok chablis – een geweldig ochtenddrankje, vond hij, licht en zeer smakelijk – en pakte het velletje papier dat volgens de bewakingscamera boven zijn voordeur om 7.47 uur die ochtend door de brievenbus was geschoven door een gehelmde motorkoerier.

Op de envelop stond alleen IVO geschreven in hoofdletters, en er zat een velletje in van Ingrams persoonlijke blocnote – zijn naam stond erop gedrukt – waarop met balpen, en eveneens in hoofdletters, de volgende boodschap stond geschreven: VERKOOP NÚ AL JE C-D AANDELEN. IK ZAL ALLES ONTKENNEN. I.

De 'I' was de onmiskenbare paraaf van Ingram: de twee horizontale streepjes los van de verticale streep. Onmiskenbaar.

Laten we wel wezen, zei Ivo tegen zichzelf, ik ben fucking blut, voor zover mensen als ik ooit blut kunnen zijn. Dat hele fiasco van die T-shirts zou hem tienduizenden ponden kosten. Op zijn bureau lag een kleine, bijna omvallende piramide van onbetaalde rekeningen. De huur van Smika's galerie en de vernissage moesten ook nog betaald worden. Om nog maar te zwijgen over het schoolgeld voor Poppy en Toby...

Dus daarom, dacht hij, kreeg hij nu die instructie, per koerier afgeleverd... Misschien had Ingram de crisis zien aankomen toen ze elkaar laatst in dat restaurant tegen het lijf waren gelopen en hij hem daarna die semi-anonieme reddingslijn had toegeworpen met ingebouwde ontkenning: VERKOOP NÚ AL JE C-D AANDELEN... Natuurlijk moest Ingram doen alsof hij niets van een dergelijke transactie wilde weten: hij kon hier niet openlijk voor zijn, het moest binnen de familie blijven, als het ware. Prima, hij kon best een geheim bewaren. Hij besloot het even te controleren.

Hij belde Ingram op zijn mobiel.

'Ingram, lieverd, met Ivo. Heb je even?'

'Ik sta op het punt de vergadering in te gaan.'

'Ik dacht erover mijn aandelen Calenture te verkopen. Problemen met de cashflow.'

'Niets verkopen, Ivo. Doe niet zo dom. Níét verkopen.'

'Mooi zo. Bedankt, mate.'

Hij belde zijn effectenmakelaar, Jock Tait, senior partner bij Swabold, Tait & Cohen. Na de inleidende beleefdheden vroeg hij het op de man af.

'Jock – hypothetische vraag – zou jij vandaag mijn aandelen Calenture-Deutz kunnen wegzetten? Pronto, zeg maar.'

'Alles?'

'Hypothetisch, ja.'

Tait aarzelde en vroeg tien minuten bedenktijd. Ivo dronk nog een glas chablis en luisterde naar wat kalmerende muziek voordat Tait terugbelde. Hij zei dat hij de aandelen kon verkopen: hij had een koper gevonden die zijn hele portefeuille wilde overnemen.

'Hoeveel brengt dat op, denk je?' vroeg Ivo.

'Nou, de marktprijs is zeg maar vierhonderdtwintig pence per aandeel… Dat wordt ongeveer, 1,8 miljoen. Minus de commissie natuurlijk.'

'En je hebt een koper, zeg je?'

'Ja.'

'Oké, verkopen maar. Verkopen, verkopen, verkopen.'

Het was stil aan de andere kant van de lijn.

'Jock?'

'Wat vindt Ingram hiervan, denk je?' vroeg Jock behoedzaam. 'Het zou een verkeerd signaal kunnen geven aan de markt. Niet dat het mijn zaken zijn.'

'Precies. Maar je kunt gerust zijn: Ingram is akkoord. Evengoed kun je het maar beter onder de pet houden, weet je. *Omerta*.'

'Komt voor elkaar,' zei Jock.

Ivo hing op, dronk zijn glas chablis leeg en schonk zich nog eens in. Het was een vreemd gevoel, om binnen een halfuur van failliet weer miljonair te worden. Wat een grappige wereld toch. In wezen deugde hij best, Ingram – *au fond* – ook al wist Ivo heel goed dat ze elkaar eigenlijk niet mochten. Hij vroeg zich af of Meredith misschien de hand had gehad in deze geheime reddingsoperatie – die lieve Merry, altijd bezorgd om haar kleine broertje. Het was Meredith die Ingram had overgehaald om hem, zeer tegen zijn zin, op te nemen in de directie van Calenture-Deutz en hem een inkomen te garanderen in een overwegend inkomenloos bestaan (afgezien van het door hem beheerde fonds). En nu dit. Ivo verkeerde nu in de positie om al zijn schuldeisers te betalen – zelfs die lul op Mykonos – en nog een miljoen over te houden (exclusief die verrekte belasting natuurlijk). Hij vroeg zich af of dit misschien het geschikte moment was om zich terug te trekken en zich te vestigen op het Ierse familiedomein...

Hij schonk zich nog een glas in. Misschien moesten hij en Smika maar ergens gaan lunchen om het te vieren, discreet dan. Hij zou haar niets vertellen over het geld – alleen maar zeggen dat een of andere filmdeal leek te gaan slagen –, sterker nog: nu hij erover nadacht moest het geld ook maar liever niet op hun gezamenlijke rekening worden gestort, gewoon een poosje op de bank op het eiland Man zetten, ja. Hij pakte de telefoon en belde het privénummer van Ingram – hij hoopte op de voicemail – en als er iemand opnam, zou hij meteen neerleggen. De voicemail, godzijdank.

'Dit is de voicemail van Ingram en Meredith Fryzer. Spreek na de toon een bericht in, alstublieft.'

'Ingram, met Ivo. Ik wilde je alleen even bedanken. Dank je wel. Het allerbeste.'

Ivo hing op. Ingram wist wel waar hij op doelde, het had geen enkele zin om nog meer 'ontkenningen' voor te wenden. Ineens was alles weer koek en ei in huize Redcastle. Hij liep zijn werkkamer uit en riep onder aan de trap naar Smika.

'Zin om ergens te gaan lunchen, darling?'

54

Het was behoorlijk druk, zag Ingram, terwijl Luigi langs de ingang van het Queen Charlotte Conference Centre in Covent Garden reed: er stonden tientallen mensen in de rij om een agenda en een perscommuniqué te verkrijgen en hun naam te laten verifiëren als bonafide aandeelhouders. Hoe is het mogelijk dat al die mensen een stukje van mijn bedrijf bezitten, mijmerde Ingram terwijl hij naar de voortschuifelende rij keek. Hij realiseerde zich dat hij weer zijn gebruikelijke zorgelijke, verbaasde bui had: het gebeurde altijd bij de jaarlijkse aandeelhoudersvergadering, als hij oog in oog stond met die ernstige amateurspeculanten; die vaders en moeders, die excentriekelingen met hun broodtrommels en thermosflessen. Al die honderden, duizenden individuen over de hele wereld die eigenaar waren van een klein stukje Calenture-Deutz en die jaarlijks kwamen opdraven, samen met de snelle jongens en meiden van de pensioenfondsen, de investeringsbanken en de financiële instellingen, om te horen wat de voorzitter en de directie te zeggen hadden over het goed functioneren van het bedrijf waarin zij geïnvesteerd hadden. Het leek een uitzonderlijk verschijnsel, en net als altijd bij de JAV voelde hij zich verscheurd, opgesloten: was dit een bewijs van het gezonde, democratische, verantwoordelijke westerse kapitalisme, of was het een aanwijzing dat het systeem hopeloos soft en veel te toegeeflijk was? Pure toewijding, eerlijk handelen, ondernemersverantwoordelijkheid, of rauw, hard, energiek handelsverkeer dat onder dwang op jaarbasis ter verantwoording werd geroepen voor zijn acties en zijn agenda, in de onwerkelijke situatie waarin het slachtoffer kon worden van rivalen, specifieke belangengroepen, egoïstische investeerders en zo nu en dan van een loslopende idioot?

Als je het over de duvel hebt, dacht Ingram, daar zul je er zo een hebben. Ze reden langs een oudere man met een paardenstaart in een rolstoel, die een bord ophield met de tekst ZEMBLA-4 DOODT KINDEREN – en daaronder het adres van een website dat Ingram niet kon lezen. Hij grinnikte, zich bewust van de ironie. Hij was gewend aan dat soort plakkaten en had wel erger gezien. Een paar jaar geleden was er een spandoek geweest met de tekst FRYZER = MENGELE. Hij glimlachte opnieuw: het geneesmiddel was godverdomme juist ontwikkeld om levens van kinderen te rédden. Dat was nu het probleem als je de deuren opengooide voor het publiek, zelfs een geïnteresseerd publiek – dat soort bijeenkomsten werd weken tevoren aangekondigd, discretie was onmogelijk, het was overal bekend – en je hoefde geen aandeelhouder te zijn om problemen te veroorzaken. De farmaceutische industrie was een geliefd doelwit tegenwoordig – net als de banken, de wapenhandel en de oliemaatschappijen – en iedere anarchistische milieufreak kon een symbolisch protest uiten, zelfs tegen een volstrekt ongevaarlijk middelgroot farmaceutisch bedrijf als Calenture-Deutz. Tijdens een JAV gooide een demonstrant met een doodskopmasker op groene verf op Ingrams pak van tweeduizend pond; een andere keer lagen er mensen in lendendoeken en met geschminkte etterende wonden op het trottoir voor de vergaderzaal en speelden zo een vergiftigingsdood na. Bij al hun vergaderingen werd er wel geprotesteerd en geroepen – idioot gekrijs in de zaal als het financiële verslag werd voorgelezen, spandoeken aan de gevel van het gebouw, rijen zwijgende jongelui met gasmakers op – en dus was het een opluchting toen Ingram die ene lulhannes zag die dit jaar de zaak kwam verstoren. De beveiliging wist er wel raad mee, maar hoe eerder het gebeurd was, hoe beter.

Toen Ingram uit de auto stapte kreeg hij weer zo'n aanval van duizeligheid die hij de laatste tijd vaker had. Hij wankelde, Luigi greep zijn elleboog, en na een paar keer diep ademhalen voelde Ingram zich weer in orde. Bloedvlekjes, afschuwelijke jeukaanvallen, flauwvallen, verkeerde woordkeuze, en bovendien had hij last van misselijkheid en hoofdpijn die zo kort duurde dat het alweer over was voordat hij naar een pijnstillend middel kon grijpen. Het kon alleen maar stress zijn, veroorzaakt door die hele precaire, geheime schikking met Rilke en Rilke Pharma, door de ergernis om Keegan en De Freitas, om nog maar te zwijgen van externe factoren zoals de gruwelijke moord op zijn voornaamste onderzoeker: al die symptomen moesten hieruit voortkomen, uiteindelijk was hij ook maar een mens.

Lachlan McTurk had gezegd dat hij geen tests meer wist – alles was tot dusver zonder resultaat gebleven –, het enige wat nog restte was een uitgebreide echoscopie en een hersenscan, en dus had hij zich daarvoor aangemeld. Er was geen alternatief, had Lachlan gezegd, omdat hij niets kon vinden. Als dat hele gedoe met de licentie voor Zembla-4 achter de rug was en zodra het bedrijf goed en wel verkocht was aan Rilke Pharma, zou zijn gezondheid misschien weer worden zoals die ooit was, ongecompliceerd, normaal.

Hij betrad het gebouw door een achteringang en werd door allerlei gangen naar een vergaderzaaltje geleid waar de directie van Calenture-Deutz bijeenkwam voordat ze het podium betrad. Pippa Deere was druk in de weer en voorzag hem van een knoopsgatmicrofoon. Ze verzekerde hem dat alle internationale beeldverbindingen waren gecontroleerd en dat alles werkte. Juist ja, mooi zo. Ingram kon zich moeilijk concentreren; hij was nog een beetje licht in het hoofd en hij bestelde een kopje koffie om zijn terugkerende misselijkheid te onderdrukken. Hij glimlachte en knikte naar zijn collega's – de artsen en de hoogleraren uit Oxford, de voormalige minister en de bobo uit de bankwereld – en dan waren er de nagels aan zijn doodskist, Keegan en De Freitas, die hem veelbetekenende blikken toewierpen.

Er werd zacht in zijn elleboog geknepen, hij draaide zich om en stond oog in oog met zijn eigen 'Lord on the Board', zijn zwager Ivo, strak in het pak en het dikke haar glanzend achterover gekamd.

'Ivo…' zei Ingram, en hij spon de naam zo lang mogelijk uit om tijd te winnen en liet zich geoorloofd afleiden door de koffie die hem werd aangereikt door Pippa Deere. Hij nam een slok en zocht naar een gespreksonderwerp. 'Heb je die gek buiten gezien?'

Ivo besloot daar niet op te reageren, maar stelde in plaats daarvan zelf een vraag.

'Heb je mijn bericht gekregen?'

'Ja, maar ik snapte er niets van.'

'Precies.'

'Hoezo, precies?'

'Ik wist dat je dat zou zeggen. Precies.' Ivo trok zijn onderste rechterooglid omlaag. '*Precies.*'

'Waarom spreek je een bericht in waar ik niets van begrijp? Waar wou je me voor bedanken?'

Ivo boog zich naar hem toe. 'Voor wat je hebt gedaan.'

'Ik heb helemaal niets gedaan.'

'Q.e.d. *Quod erat demonstrandum.*'

'Wat is er dan bewezen?' Ingram begon geïrriteerd te raken door Ivo's onduidelijkheid.

Ivo zuchtte. 'Ik moest je toch wel bedanken, verdorie. Dat lijkt me niet meer dan fatsoenlijk.'

'Waarvoor?'

'Voor wat je hebt gedaan.'

'Ik heb niks gedaan.'

'Je hebt níét niks gedaan.'

Ingram kreeg het gevoel dat hij in een toneelstuk van Harold Pinter terecht was gekomen, in een sinistere dialoog die kennelijk eeuwig kon doorgaan.

'Ik. Heb. Niks. Gedaan,' herhaalde hij zijn woorden met nadruk.

'Dat weet ik.'

'Dus je geeft toe dat ik niks gedaan heb.'

'Ja, in zekere zin. Maar evengoed bedankt.'

'Waarvoor?'

'Dat je "niks" hebt gedaan.' Ivo maakte met zijn vingers aanhalingstekens in de lucht. 'Ik weet dat jij dat weet. En jij weet dat ik weet dat jij dat weet.' Ivo tikte tegen de zijkant van zijn neus. 'Ik kan lezen,' zei hij op samenzweerderige toon.

'Ik heb geen flauw idee waar je het godverdomme over hebt!'

'Precies. Duidelijk zo. Geen zorgen. Heel fijn, Ingram, ik hou van je.'

Pippa Deere onderbrak hen, ging ze voor naar het podium en wees ze hun plaatsen.

Ingram had de grootste moeite wakker te blijven tijdens de toespraak van professor Marcus Vintage, die de persconferentie voorzat en met zijn monotone stem en Yorkshire-accent sprak over de vooruitgang die de onderneming het afgelopen jaar had geboekt en over de tragische en plotselinge dood van Philip Wang (stilte in de zaal), maar met geen woord repte over Zembla-4, waarna Edward Anthony, de directiesecretaris, een kort financieel verslag voorlas. De zaal was bijna vol, zag Ingram, met mede-eigenaren van Calenture-Deutz, die allemaal ogenschijnlijk geïnteresseerd zaten te luisteren. Hij wierp een blik op de agenda: welkomstwoord door de voorzitter, idem van de directiesecretaris, verklaring van Ingram Fryzer, CEO. 'Verklaring' – daarin zou hij zijn fiscale bommetje laten vallen. Ze hadden geen flauw benul, dacht hij terwijl hij zijn blik over het publiek liet gaan, dat alle aanwezigen hier rijker zouden vertrekken dan dat ze gekomen waren. Althans in theorie. Hij veroorloofde zich een subtiele glimlach.

Het leek uren te duren voordat hij naar de microfoon werd geroepen, hoewel een blik op zijn horloge hem leerde dat er pas vijfendertig minuten verstreken waren. Ingram wachtte tot het flauwe applaus was verstomd en vouwde zijn aantekeningen open.

'Mylords, dames en heren. Ik zou graag een korte, bijzondere aankondiging willen doen die de toekomst van het bedrijf in belangrijke mate kan beïnvloeden. Zoals u allen weet heeft Rilke Pharmaceutical een belang van twintig procent in Calenture-Deutz. Ik deel u vandaag mede dat ik erin heb toegestemd mijn hele persoonlijke aandelenportefeuille te verkopen aan Rilke Pharmaceutical. Hierdoor krijgen zij een meerderheidsbelang.' Het was doodstil in de zaal. 'Echter,' vervolgde Ingram, 'Rilke Pharma stelt een complete overname voor van Calenture-Deutz, in de vorm van aandelen of uitbetaling als alternatief. Rilke biedt zeshonderd pence per aandeel, en dat is ongeveer twintig procent hoger dan de huidige koers. Samen met de voltallige directie van Calenture-Deutz raad ik u ten zeerste aan dit genereuze aanbod te aanvaarden. Wij voorzien de overname...'

'Punt van orde!' klonk een luide schreeuw van achter uit de zaal. 'Punt van orde, meneer de voorzitter!'

Ingram voelde een jeukaanval onder zijn linkervoet. Staande achter de lessenaar stampte hij hard op de vloer.

Marcus Vintage keek hem vragend aan: moest hij het woord geven aan de man van die interruptie? Er klonk gemompel in de zaal, mensen reageerden geschokt, ze speculeerden en berekenden hoeveel geld ze eraan zouden verdienen. Ingram keek om, knikte goedkeurend naar Vintage en zag zijn reusachtig uitvergrote portret op het videoscherm goedkeurend knikken... Hij richtte zijn blik weer op de zaal, hield een hand boven zijn ogen tegen de felle schijnwerpers om te zien wie hem onderbroken had. Zaalwachten naderden een oudere man met paardenstaart in een rolstoel, maar iemand anders had hem al een handmicrofoon gegeven.

'Ik zou de raad van bestuur graag willen vragen' – zijn elektronisch versterkte stem klonk nasaal en agressief, de stem van de haat, dacht Ingram – 'of ze ons zou kunnen informeren over het exacte aantal kinderen dat is overleden tijdens de klinische tests voor Zembla-4.'

Verontwaardiging, geschreeuw en kreten van verbijstering weerklonken voordat zaalwachten zich op de man stortten, hem de microfoon uit handen rukten, met rolstoel en al optilden en de zaal uit droegen, terwijl hij schreeuwde: 'Wij willen antwoorden! Wij willen de waarheid horen!' Ingram zag dat de man die de videocamera's bediende voor de internationale beeldverbinding zijn camera had gericht op de man in de rolstoel en diens optreden had geprojecteerd op het grote scherm.

De zaal applaudisseerde. Waarom eigenlijk? vroeg Ingram zich af. Om zijn eigen standvastigheid, om het snelle verwijderen van het anarchistische geluid, om het gunstige vooruitzicht voor de rijken? Professor Vintage sloeg met zijn hamer op tafel en riep met zwakke stem: 'Stilte! Stilte, graag!' Ingram voelde het bloed wegtrekken uit zijn gezicht, het werd donker in de zaal. Hij greep met beide handen de lessenaar vast en slaagde erin overeind te blijven. Het werd rustig in de zaal, mensen die waren gaan staan om de verstoring te zien, gingen weer zitten. Ingram haalde een paar keer diep adem, keek in zijn aantekeningen en begon te vrezen dat hij ter plekke moest overgeven.

'Zoals ik dus zei voordat ik zo ruw werd geïnterrumpeerd...' Gelach. 'De overname van Calenture-Deutz door Rilke Pharmaceutical vindt een van de komende weken plaats, zodra aan de diverse vereisten voor overname is voldaan. Calenture-Deutz zal als merknaam blijven bestaan, maar zal functioneren onder de unieke paraplu en de financiële krachten van het derde grootste farmaceutische bedrijf ter wereld. Als uw voorzitter en CEO kan ik er alleen maar ten stelligste op aandringen dat u dit genereuze aanbod zult aanvaarden.'

Een daverend applaus weerklonk in de zaal. Ingram keek naar de raad van bestuur en zag uitsluitend klappende mannen, zelfs Keegan en De Freitas, hoewel puur formeel en zonder het enthousiasme van de zaal. Hoeveel bonus zouden zij krijgen, vroeg Ingram zich af. Keegan keek hem aan en gaf hem een knikje van verstandhouding, maar zonder glimlach. Ingram meende dat hij enigszins bezorgd keek. De Freitas hield op met klappen en fluisterde iets in Keegans oor. Ingram richtte zich weer tot de zaal, maakte een lichte buiging en slaagde erin het podium te verlaten.

Hij probeerde zo geluidloos mogelijk over te geven, wat niet eenvoudig was; maar hij was zich bewust van de andere mensen die gebruikmaakten van het toilet. Hij spoelde regelmatig door in de hoop dat het stromende water het geluid van zijn braken zou overstemmen. Lieve hemel, dacht hij, waarschijnlijk voedselvergiftiging of iets dergelijks: hij voelde zich leeg, uitgeput. Hij veegde zijn mond af met een papieren zakdoekje, controleerde of er geen spatjes gal op zijn overhemd en das zaten, en trok voor de zevende keer het toilet door. Grappig eigenlijk hoe je je door een uitgebreide kotspartij zowel beroerd als beter kon voelen, mijmerde hij, terwijl hij de toiletdeur van het slot deed. Je veranderde in een simpel organisme in een toestand van kramp, waarvan het enige doel was het uitstorten van je maaginhoud, een instinctief opererend wezen waarvan alle mentale functies waren uitgeschakeld. Het putte je uit, maar het verjongde je ook, het was een kortstondig bezoek aan het primitieve schepsel dat je ooit was geweest; een soort reis door de tijd naar je verloren dierlijke ik. Hij bevond zich alleen in de toiletruimte, alle anderen waren gaan lunchen. Hij waste zijn handen langzaam en zorgvuldig en hield zich voor dat hij rustig moest blijven. Misschien moest hij nog maar een keer naar Lachlan.

Hij verliet het toilet en liep de gang op, waar Ivo hem stond op te wachten.

'Het gaat wel weer, Ivo. Aardig van je om op me te wachten. Maak je geen zorgen, ik...'

'Het kan me geen zak schelen hoe het met je gaat, mate. Ontzettende klootzak die je bent. Heb je zo ontzettend de pest aan me? Hoe kun je me dit aandoen? En mijn gezin?'

Ingram zuchtte. 'Je praat de hele dag al in raadsels. Waar heb je het nu weer over?'

'Zeshonderd pence per aandeel.'

'Ja, dat lijkt me een uitstekend aanbod.'

'Ik heb verkocht tegen vierhonderdtachtig.'

'Wat verkocht?'

'Al mijn aandelen Calenture-Deutz. Drie dagen geleden.'

'Nou, dat was dan knap stom van je.'

'Jij zei dat ik moest verkopen.'

Ingram keek hem aan. 'Ben je gek of zo? Natuurlijk heb ik dat niet gezegd: ik heb je juist het tegendeel gezegd.'

'Precies.'

'Hou toch eens op met dat "precies" de hele tijd.'

Ivo kwam dreigend dichtbij en gedurende een fractie van een seconde meende Ingram dat Ivo zou gaan slaan, maar hij zei slechts met trillende stem: 'Ik krijg je nog wel. Ik maak je helemaal kapot.'

Hij beende weg naar de uitgang, beledigingen schreeuwend zonder om te kijken: 'Ontzettende klootzak! En we zijn nog wel familie van elkaar, lul! Familie!' Ingram voelde nu op verschillende plaatsen jeukaanvallen losbarsten: op zijn linkerbil, op zijn kin. Hij krabde aan beide tegelijkertijd.

'Meneer Fryzer?'

Het was Pippa Deere; ze keek bezorgd, haar neus en wangen glommen.

'Wat is er, Pippa? Ik voel me niet zo goed, ik denk dat ik de kopie maar oversla.'

'Pardon?' Op het gezicht van Pippa Deere viel slechts verbijstering af te lezen.

'De lunch. Ik sla de lunch over.'

'Er staan allemaal journalisten die u willen spreken.'

'Journalisten? Wat moeten die met mij? Ze hebben toch een perscommuniqué gekregen? Daar staat alles in.'

'Ja, dat klopt. Toch willen ze u spreken.'

'Zeg maar dat ik ze volgende week zal spreken.'

'Het gaat over dat "punt van orde".'

'Verdorie.' Ingram wierp een smekende blik naar het plafond. 'Een of andere idioot schreeuwt wat onzinnigs en dan moet ik dat gaan uitleggen aan journalisten? Er zijn altijd wel demonstranten. Niemand wilde met mij praten toen iemand me met een spuitbus onder de groene verf spoot. Wie heeft die vent trouwens binnengelaten? Wat heb je op die manier aan beveiliging?'

Pippa Deere stond op het punt in huilen uit te barsten. 'Het blijkt dat de man die de zaal werd uitgezet aandeelhouder is. Toen hij werd verwijderd, is hij gewond geraakt; hij is uit zijn rolstoel gevallen en heeft zijn hoofd bezeerd. Hij heeft een interview gegeven aan een paar journalisten...' Ze snoof. 'Ik heb de tape maar één keer gehoord, maar hij zei iets over veertien kleine kinderen die zijn overleden bij de klinische tests voor Zembla-4. Het spijt me heel erg, meneer Fryzer, ik wist ook niet wat ik moest doen.'

Ingram voelde een zware vermoeidheid over zich neerdalen, een reusachtige mantel van vermoeidheid.

'Het zijn allemaal enorme, kwaadaardige, abjecte leugens. Goed dan, breng me maar naar de heren van de pers.'

55

'Ik weet niet hoe ik je moet bedanken, Primo,' zei Jeff Nashe, en zijn stem was bijna hees van oprechtheid. 'Het was absoluut fantastisch. Ik heb me niet meer zo... lévend gevoeld sinds mijn ongeval.'

'Je was fantastisch,' zei Adam. 'Het had niet beter gekund.'

Hij reed Jeff in diens rolstoel over Kingsway op weg naar een bushalte vanwaar ze naar Battersea zouden reizen. De verwonding die Jeff op zijn voorhoofd had, was verbonden door een van de beveiligingsbeambten die hem het congrescentrum had uitgesmeten. Het was een fikse snee die inmiddels schuilging achter een pleister, maar het straaltje bloed dat over zijn gezicht liep vormde tot de verbeelding sprekend bewijsmateriaal voor zijn gewelddadige verwijdering – zinloos geweld van fascistoïde beveiligingstuig om een oude, half invalide man in een rolstoel het zwijgen op te leggen tijdens en te verwijderen uit een vergadering waar hij het recht had bij aanwezig te zijn en waar hij slechts zijn taak uitoefende als bonafide aandeelhouder van een publieke onderneming. Dat was min of meer wat Jeff de journalisten die hem geïnterviewd hadden had verteld: hij was boos, expressief en goedgebekt geweest. Twee van de verslaggevers hadden foto's gemaakt van zijn bebloede gezicht, en Adam ging ervan uit dat zijn portret morgen de krantenpagina's zou sieren.

Het was Aaron Lalandusse geweest die zijn collega's had geattendeerd op de plaats en het tijdstip van de persconferentie van Calenture-Deutz, en op een mogelijke verstoring. Jeff had een persoonlijk accent toegevoegd aan wat anders een kleurloze en zelfgenoegzaam bedrijfsfeestje was geweest, en zijn opmerking werd tot in detail gestaafd door het bewijsmateriaal dat voor handen was op Inpharmation.com. Calenture-Deutz zou uiteraard alles ontkennen – het perscommuniqué over de op handen zijnde overname door Rilke Pharma deed waarschijnlijk al de ronde – maar er was nu sprake van geruchten en tegengeruchten, voldoende beschuldigingen en ontkenningen om de nieuwsgierigheid te voeden en nader onderzoek te stimuleren. Aaron had voldoende materiaal om zijn stuk voor de *Global Finance Bulletin* te schrijven, wat uiteindelijk het hoofddoel van de hele exercitie was.

Adam – zelf ook aandeelhouder van Calenture-Deutz – had zich in de zaal op enige afstand van Jeff geposteerd. Hij was er samen met hem heengereden vanaf Battersea, in een taxi met de rolstoel en het bord, maar terwijl Adam wachtte op het juiste moment voor Jeff, concentreerde hij zich op het gedrag van lord Redcastle. Het was onmogelijk te zien of zijn trucje was gelukt, in ieder geval was er niets veranderd aan het programma van de dag. Hij was op het idee gekomen door iets wat Aaron Lalandusse had gezegd tijdens hun eerste ontmoeting. We moeten eigenlijk een plan B hebben dat simultaan kan lopen, had Lalandusse voorgesteld, niet een dat erop volgt: als je een machtige vijand aanviel, was het altijd beter om dat op meerdere fronten te doen. 'Je weet wel, je grijpt hem met beide handen bij de keel, maar tegelijkertijd geef je hem een knietje.' En voor zover Adam begreep, na een zorgvuldig onderzoek van de raad van bestuur van Calenture-Deutz, leek Ivo, lord Redcastle, het meest voor de hand liggende doelwit om te destabiliseren – hoewel de ex-minister ook in aanmerking kwam – en dus was de keuze op Ivo gevallen.

Naarmate de aandeelhoudersvergadering vorderde, hield Adam Redcastle steeds beter in de gaten: hij wekte een serieuze en nadenkende indruk, applaudisseerde als dat moest in navolging van de anderen, en reageerde nooit als eerste. Er was niets aan zijn houding of reacties dat erop wees dat hij een rijker bestuurslid was, maar een zonder aandelen, meende Adam, maar hij riep zichzelf meteen tot de orde: hoe zag een man die al zijn aandelen in een bedrijf verkocht had eruit? Misschien had Redcastle zijn aandelen niet verkocht, maar hij keek bepaald niet blij toen Fryzer de overname aankondigde. Het belangrijkste was dat de onderbreking door Jeff met zijn punt van orde zoveel opwinding en trammelant veroorzaakte dat Aaron Lalandusse scherpe vragen kon stellen over de klinische tests van Zembla-4.

Ze waren bij de bushalte. Jeff Nashe stapte uit zijn rolstoel en vouwde die op.

'Ik heb de pest aan het gesodemieter met dat ding in bussen en treinen,' zei hij ter verklaring. 'Maak je maar geen zorgen, Primo,' zei hij. 'Ik kom wel alleen thuis.'

'Rita heeft me uitgenodigd om te komen eten,' zei Adam.

Rita had lasagne gemaakt met een grote kom sla erbij en kaas en druiven toe. Haar aanvankelijke bezorgdheid om de verwonding van haar vader verdween vrijwel meteen door zijn overduidelijke euforische bui. Adam maakte kennis met haar broer, Ernesto, die tien minuten nadat hij en Jeff gearriveerd waren aan boord kwam.

'Wat heb je met hem uitgespookt?' vroeg Rita aan Adam. 'Ik heb hem nog nooit zo gelukkig gezien.'

'*Rebirthing* heet dat, geloof ik,' zei Adam. 'De oude radicaal uit de jaren zestig is weer opgestaan. Hij deed het trouwens fantastisch. Misschien staat hij morgen wel in de krant.'

Ze zaten te praten in de kombuis van de *Bellerophon* – waar zij met de lasagne bezig was – en hij trok haar naar zich toe en kuste haar.

'Waar gaat dit eigenlijk allemaal over, Primo?' vroeg ze. 'Waarom vraag je mijn pa om een farmaceutisch bedrijf aan te vallen?'

'Niet aanvallen, gewoon een lastige vraag stellen... Ik heb iets ontdekt, in het ziekenhuis,' zei hij, en hij probeerde niet al te flagrant te liegen. 'Er is iets niet in de haak, en ik dacht: waarom zouden ze daar ongestraft mee weg kunnen komen? Maar maak je geen zorgen, Jeff heeft zijn steentje bijgedragen, hij heeft zijn kwartiertje roem weer achter de rug. Nu ligt de zaak in het publieke domein.'

'Waarom heb je die vraag niet zelf gesteld?'

Goeie vraag, dacht Adam. 'Vanwege mijn werk,' improviseerde hij. 'Ik wil mijn baan niet kwijtraken. Kwestie van belangenverstrengeling. Calenture-Deutz heeft veel geld in St. Bot's gepompt.'

'O ja...?' Ze wierp hem een sceptische blik toe. 'Ik heb jou nooit zo beschouwd als een toegewijde wereldverbeteraar.'

'Eigenlijk zouden we allemaal toegewijde wereldverbeteraars moeten zijn, vind je niet?' zei hij op defensieve toon. 'Sterker nog: volgens mij staat dat in jouw taakomschrijving.'

'Touché,' zei ze, en ze werkte Adam zachtzinnig de kombuis uit.

In het zitgedeelte praatte hij met Ernesto over diens op handen zijnde reis naar Dubai.

'Veertig procent van alle torenkranen ter wereld staat momenteel in Dubai,' zei Ernesto. 'Het is een soort Klondike voor torenkranen. Ik zou wel gek zijn als ik daar niet een graantje van ging meepikken: ik kan er mijn salaris verviervoudigen.'

Jeff kwam via de steile trap vanaf het dek naar beneden en bracht een exotische wietlucht mee. Hij had een blik Speyhawk bier in zijn hand.

'Primo,' zei hij, enigszins uit evenwicht, hoewel de boot volmaakt stil lag. 'Enig idee waarom ik dit schip de *Bellerophon* heb gedoopt?'

'Geen flauw idee.'

'Omdat Bellerophon het monster Chimaera versloeg. Een vuurspuwend monster, half leeuw, half geit, tenminste als ik me de klassieke mythologie goed herinner.' Hij nam een slok bier.

'Prima naam.'

'En vandaag hebben wíj de moderne Chimaera verslagen.'

'Verslagen is misschien een groot woord. Met een beetje geluk hebben we hun een aantal wonden toegebracht. Dankzij jou.'

Jeff stak een gebalde vuist boven zijn hoofd. '*Vinceremos!*' brulde hij keihard.

'Ook goeiedag.' Rita verscheen met een dampende schotel lasagne. 'Het eten staat op tafel, jongens.'

Adam at van de lasagne en de sla en dronk te veel rode wijn, zoveel zelfs dat hij een lichte vorm van zintuiglijke deprivatie ervoer. Terwijl Jeff en Ernesto bekvechtten over de morele gevolgen en de bijbehorende morele schande van het werken in een dictatoriale dynastie als Dubai – en Rita zo nu en dan probeerde de vrede te bewaren – leken hun stemmen steeds vager te worden en beperkte Adam zich tot het kijken naar Rita die wijn inschonk en iedereen nog eens opschepte, alsof hij zich in een soort privé-luchtbel bevond. Hij keek verrukt naar haar sterke gelaatstrekken en naar de vasthoudende manier waarop ze losgeraakte haarlokken achter haar oren schoof, naar haar soepele, elegante bewegingen en het gemak waarmee ze borden en schalen schikte op tafel en haar vader het zwijgen oplegde als hij te grof werd door hem een hand op de mond te leggen, en hij ervoer dat smeltende gevoel in zijn onderbuik, de totale overgave van het intellect aan het gevoel.

Maar zijn licht aangeschoten juichstemming, zijn genotzuchtige liefdesroes werd vergald door een zacht, vasthoudend, klaaglijk stemmetje in zijn achterhoofd, als het zoemen van een vlieg of het zachte zeuren van een mug. Alles was die dag naar wens verlopen, maar er was nog steeds één probleem: wat moest hij beginnen met Vincent Turpin?

56

De bladeren van de planten waren zo groen en glanzend dat het leek alsof ze uit dun blik of pvc waren geknipt, meende Jonjo, en vervolgens overgespoten met hoogglanslak. Hij keek om zich heen in de hal van de Risk Averse Group: er leken nog meer planten te staan dan de vorige keer dat hij hier was. Ze moesten iemand hebben, zo leek het, die de bladeren afstofte en -spoelde. Ze waren zo groen en gezond dat het nepplanten leken, vond hij, wat haaks stond op het idee dat je planten verbouwde en in een hal neerzette, waar ze CO_2 opnamen en zuurstof uitstootten, of wat planten dan ook deden, iets met foto's of zo...

Jonjo's gedachten namen de vrije loop omdat hij zich verveelde en doodziek werd van het wachten. Hij keek op zijn horloge: al bijna veertig minuten. Dit was te gek voor woorden, belachelijk: ze hadden hém gevraagd hierheen te komen voor een bespreking met majoor Tim Delaporte in eigen persoon, verdomme. Hij stond op en liep naar het blonde meisje achter de balie.

'Majoor Delaporte is er over vijf minuten,' zei ze voordat hij iets kon zeggen. 'Hij neemt deel aan een telefonische vergadering; hij laat zich verontschuldigen.'

'O, oké;

'Wilt u iets drinken? Water? Met of zonder bubbels? Cappuccino?'

'Kopje thee, graag,' zei Jonjo. 'Met melk en twee klontjes, graag.'

In werkelijkheid duurde het nog twintig minuten voordat majoor Tim klaar was met zijn telefonische vergadering. Jonjo had zijn thee opgedronken en het bijgeleverde chocoladekoekje verorberd. Jonjo wilde net zeggen dat hij niet langer kon wachten, toen een secretaresse hem kwam halen en hem door een lange gang voorging naar het kantoor van majoor Tim.

Hij was nog aan het bellen en gebaarde naar Jonjo dat hij moest gaan zitten. Jonjo bestudeerde al zijn vingernagels aandachtig terwijl majoor Tim zijn telefoongesprek beëindigde; het klonk eerder als een praatje met zijn vrouw over wie er allemaal kwamen eten. Godverdomme, dacht Jonjo.

'Jonjo.' Tim stak zijn hand uit over het bureaublad en schudde die van Jonjo. 'Sorry dat het even duurde, waanzinnig druk vanmorgen. Hoe gaat-ie?'

Jonjo zei dat het prima ging en dat hij graag van deze gelegenheid gebruik wilde maken om rechtstreeks met majoor Tim te praten, omdat hij van gedachten veranderd was over Irak en Afghanistan, en trouwens ook alle andere Arabische landen, nu hij het er toch over had. Hij was bereid erheen te gaan, meer dan bereid zelfs...

De majoor stak zijn hand op en Jonjo zweeg.

'Mensen als jij hebben de Risk Averse Group gemaakt tot wat hij is,' zei majoor Tim plechtig maar volstrekt gevoelloos. 'We zouden vandaag de dag niet zo groot zijn geweest, zouden wereldwijd niet zo'n reputatie hebben gehad zonder mannen van jouw kwaliteit en kaliber.'

'U bent de beste officier onder wie ik ooit gediend heb, sir. Laat dat duidelijk zijn.' Dat vonden ze altijd leuk om te horen, officieren.

'En juist daarom vind ik het zo moeilijk om je nu te moeten meedelen dat we je niet meer nodig hebben.'

'Pardon?'

'Je doet voortaan geen operaties meer, Jonjo. We worden overstroomd door jonge militairen van in de twintig – Joost mag weten wie die oorlog nog voor ons voert – dus hier bij de RAG gaan we het personeelsbestand saneren. Je weet hoe het gaat in het leger, Jonjo: eerste erin, eerste eruit. Spijt me.'

Hij ging staan. Jonjo zag hoe donker zijn pak was, zo diep marineblauw dat het bijna zwart was, het strakke getailleerde colbert, het witte overhemd waartegen zijn abrikooskleurige zijden stropdas fraai afstak.

'Ik wilde je dat persoonlijk meedelen, van man tot man, en niet in een afschuwelijk formele brief. Ik wilde je bedanken als collegamilitair. Je hebt je eervol van je taak gekweten, Jonjo, en je bent het vast en zeker met me eens dat beide partijen er beter van zijn geworden.'

Jonjo voelde een vreemde brok in zijn keel. 'Ouwe soldaten wilt u toch niet kwijt, sir.'

'We raken je ook niet kwijt: je blijft op onze lijst van reservisten staan.' Hij lachte droogjes. 'Voor het geval de yanks besluiten nog meer landen binnen te vallen. Nee, dat is tegenwoordig een zaak voor jonge kerels. Wij willen soldaten die geschoold zijn in IT, telecommunicatie, talen, management.' Hij lachte opnieuw. 'Die oude tijd is voorbij, we kunnen niet meer zomaar al die klootzakken doodmaken.'

Op de een of andere manier werd Jonjo naar de deur geleid. Majoor Tim schudde hem opnieuw de hand en klopte hem op zijn rug.

'Er is tegenwoordig heel wat beveiligingswerk te doen, Jonjo. Niet zo spannend als Risk Averse natuurlijk, maar je kunt er een aardige boterham mee verdienen. We kunnen allerlei referenties voor je verzorgen, heel goeie zelfs, wat je maar wilt.'

Jonjo vond dat hij nog één poging kon wagen. Met zachte stem zei hij: 'Ik heb Kindred bijna te pakken, sir... Ik ben hem op het spoor.'

Majoor Tim glimlachte vaag. 'Ik weet niet waar je het over hebt, ouwe reus.'

'Kindred, ik heb een nieuw spoor. Een kenteken. Kwestie van tijd en ik heb hem te pakken.'

'Ik kan je niet volgen, Jonjo. Foutje in de communicatie.' Hij deed een stap terug zijn kantoor in en stak een hand op. 'We houden contact. Succes.'

Jonjo liep langzaam de gebogen gang door naar de lommerrijke hal, en dacht diep na. Het stonk hier, er hing hier een afschuwelijke lucht, er was hier iets heel anders aan de gang, dacht hij; bijvoorbeeld dat Jonjo Case verschrikkelijk in zijn kont genaaid wordt. Hij had twee keer de naam 'Kindred' genoemd. Als majoor Tim die naam echt niet herkend had, zou hij hem dan niet herhaald hebben? 'Kindred? Welke Kindred?' Dat deden mensen als ze een onbekende naam hoorden. Dat was de natuurlijke manier om je onbekendheid uit te drukken: de naam herhalen. 'Nooit gehoord van ene Kindred, Jonjo.' Nee, niets van dat alles: een lege blik, een keiharde ontkenning. Jonjo piekerde verder, begon zich ongerust te maken; nee, hij wist heel goed over wie ik het had, dus wat was zijn eigenlijke agenda? Waarom was hij hierheen geroepen? Hij trapte er niet in, niks ervan godverdomme, majoor Tim. Hij was er bijna een uur geweest, met de heenreis en zo...

Eenmaal buiten belde hij Darren. Hij voelde een zekere opwinding in zich opkomen, de ongerustheid was verdwenen. Hij voelde de adrenaline stromen, net als vlak voor een aanval.

'Darren, met Jonjo.'

'Jonjo. Hoe gaat het...'

'Wat is er aan de hand? Wat is er godverdomme aan de hand?'

'Aan de hand? Niks... Ik weet niet...'

'Omwille van Terry dan. Zeg me wat er aan de hand is. Ik heb Terry wel zes keer het leven gered. Tel zou me nooit voor de gek houden. Nooit.'

Stilte.

'Je hebt twee uur, schat ik,' zei Darren. 'Ze zien eruit als gewone politie, waarschijnlijk.'

'Hoezo twee uur?'

'Twee uur om te maken dat je wegkomt. Als de sodemieter. Ze nemen je te grazen, mate.'

Jonjo klikte zijn telefoon dicht.

Jonjo hield zijn huis een halfuur lang in de gaten om zich ervan te verzekeren dat er niemand was, voordat hij naar de voordeur wandelde, die opendeed en naar binnen ging.

De Hond was blij hem te zien en reageerde duidelijk verward toen Jonjo hem negeerde en alle kamers behoedzaam doorzocht. De stoelen stonden bijna op de goede plaats, een deur die open had gestaan, was dicht. Waar waren ze naar op zoek geweest?

Beneden in de garage ontdekte hij dat al zijn wapens weg waren – de Tomcat, de M1911, zijn .870 Express Security – en ook de munitie. Hij ging op zoek naar een beitel en wrikte daarmee de half vastgemetselde baksteen in de achterwand van de garage los. In de holte erachter bewaarde hij, in plastic verpakt, een .9 Glock, tienduizend pond contant en een ongebruikte mobiele telefoon met oplader. Meer had hij niet nodig. Maak dat je wegkomt, had Darren gezegd. Dat zou hij doen.

57

Ingram voelde zich enigszins overweldigd. Een verpleegster was zijn kamer binnengekomen en had gezegd dat hij bezoek had. Ze werd onmiddellijk gevolgd door twee jongemannen die de kamer razendsnel onderzochten en haar beleefd naar buiten begeleidden. Alfredo Rilke stapte binnen met een bos bloemen – bijna verwelkende rozen in volle bloei, zag Ingram, duidelijk bewijs van een ingeving op het laatste moment – en trok een stoel bij, terwijl de twee jongemannen bij de deur bleven staan.

Toen haalde hij uit zijn zak iets wat leek op een superkleine transistorradio en zette die aan. Ingram spitste zijn oren: stilte.

'Ultrasoon,' zei Rilke. 'Omgevingsinterferentie, zo kan niemand ons horen.'

'Alfredo,' zei Ingram op licht verwijtende toon, 'dit is een van de beste en duurste privéklinieken van Londen, misschien wel van de wereld. Deze kamer wordt niet afgeluisterd, daar zet ik mijn leven voor op het spel.' Plotseling kreeg hij spijt dat hij dat had gezegd, gezien zijn gezondheidstoestand.

Rilke negeerde hem.

'En, hoe gaat het met je, Ingram?'

'Ik voel me prima – afgezien van een raar symptoom zo nu en dan – maar ik heb blijkbaar een tumor in mijn hersenen.' Hij zweeg even. 'Mijn arts stelde een hersenscan voor, en toen vonden ze hem.'

Rilke trok een sympathieke grimas. Hij zei iets onverstaanbaars in het Spaans dat klonk als '*Madre de Dios*'. Het kwam zelden voor dat Alfredo Spaans sprak.

'Ingram, Ingram, Ingram…'

'Alfredo…'

'Wat moeten we nu doen?'

'Ik heb echt geen idee.'

'Het doet me echt pijn, wat ik je ga zeggen.'

'Nou, ik sta op het punt een hersenoperatie te ondergaan, Alfredo. Mijn prioriteiten zijn heel duidelijk. Mijn incasseringsvermogen is geweldig, maak je geen zorgen.'

Rilke sloeg zijn ogen neer en plukte aan het laken, toen keek hij op en maakte volledig oogcontact.

'Ik neem je bedrijf niet over.'

Ondanks zijn geweldige incasseringsvermogen was Ingram on-aangenaam verrast. Hij dacht aan zijn naderende hersenoperatie – ze zouden zijn hersenen gaan 'ontlasten', hadden ze gezegd – en daaraan ontleende hij perspectief en innerlijke rust.

'Die belachelijke beschuldigingen over die overleden kinderen: is dat de reden?'

'Nee, nee, nee.' Rilke zwaaide met beide handen onzichtbare vliegen weg. 'Dat kunnen we wel aan. Je hebt al aanklachten inge-diend tegen drie kranten en twee tijdschriften. Er is al een ge-rechtelijk bevel dat verdere publicatie verbiedt...'

'Ík? Heb ík aanklachten ingediend?'

'Calenture-Deutz heeft aanklachten ingediend. Burton heeft een paar advocaten in de arm genomen en die zijn heel voortvarend te werk gegaan. Het is een schandaal.' Rilke sprak het woord uit zon-der enige schandalige bijklank, alsof hij gezegd had: 'Het is een sneeuwvlok', of 'Het is een worstje', of zoiets onbelangrijks, meen-de Ingram.

'Smerige, kwaadaardige leugens,' zei Ingram. 'Dat is de echte schaduwkant van onze business.'

'Met leugens weten we wel raad. Daar waren we "zonder kleer-scheuren afgekomen", geen enkel probleem.' Rilke zei het alsof hij die uitdrukking net voor het eerst gehoord had. Zijn gezichtsuit-drukking veranderde in wat Ingram alleen maar bedroefd kon noe-men. 'Ja, we krijgen die beschuldigingen over onze producten bij-na iedere week naar ons hoofd geslingerd. Daar gaan we goed mee om, die kunnen we pareren. Maar deze keer, het spijt me dat ik het moet zeggen, dient zich een complicerende factor aan.'

'Complicerende factor?'

'Jouw zwager, lord Redcastle.'

'Ivo...'

'Twee dagen voor jouw aankondiging van onze overname van Calenture-Deutz heeft hij vierhonderdduizend aandelen verkocht.'

'Dat weet ik.'

Rilke legde zijn storingsapparaat nog dichterbij.

'Het spijt me dat te horen,' zei hij.

'Ivo is een idioot, een volslagen idioot.'

'Een idioot die de indruk wekt dat hij wist wat er te gebeuren stond. Dat er een rotte appel in het mandje lag.' Rilke legde uit

hoe het er vanuit zijn standpunt uitzag: Ivo die al zijn aandelen ver-
koopt. Pal daarop komt de aankondiging van de overname, gevolgd
door de beschuldigingen over die overleden kinderen. 'Heb je gezien hoe het aandeel Calenture-Deutz gekelderd is?'

'Ik ben twee dagen lang door artsen omringd geweest. Tests,
tests, en nog een tests. Ik krijg een hersenoperatie.'

'Jouw bedrijf heeft tweeëntachtig procent van zijn waarde verloren.'

'Dat is absurd.'

Rilke haalde zijn schouders op. 'De markt is niet bepaald ge-
charmeerd van wat er gebeurd is. Een directielid dat zijn aandelen
dumpt. Iedereen denkt dan dat hij wist dat er slecht nieuws op
komst was. Dat er sprake was van een doofpotaffaire inzake de tests
met Zembla-4.'

'Maar er is toch geen doofpot, of wel soms?' Ingram moest onmiddellijk denken aan Philip Wang. Het was als condens die langzaam verdwijnt van een beslagen voorruit. Wat had Philip Wang
ontdekt?

'Natuurlijk is er geen doofpot,' zei Rilke met ijzeren overtuigingskracht. 'Maar de onderneming wordt nu helemaal binnenste-
buiten gekeerd en overhoopgehaald dankzij de acties van jouw zwager. Rilke Pharma kan nu met geen mogelijkheid een verbintenis
aangaan. Ik weet zeker dat je daar begrip voor hebt.'

'Ivo is een man zonder geld. Hij heeft een fortuin verspeeld met
allerlei stompzinnige ondernemingen. Hij was blut: hij had geld
nodig.'

'Ik hoop dat je een goed verhaal hebt bij het onderzoek.'

'Wat voor onderzoek?'

'Van de Autoriteit Financiële Markten. Bureau Ernstige Delicten, wie zal het zeggen?' Hij zag Ingrams volstrekte ongeloof, en
vervolgde: 'Je had het eigenlijk allang van iemand moeten horen,
Ingram: de handel in aandelen Calenture-Deutz is stilgelegd, het
bedrijf staat onder curatele van de AFM.'

Ingram probeerde woedend te worden op Ivo, maar tot zijn lichte verbijstering lukte hem dat niet. In plaats daarvan voelde hij een
ironisch lachje opkomen, dat hij hoestend onderdrukte.

Rilke spreidde zijn handen. 'Je begrijpt onze positie: Rilke Pharma
heeft geen andere keus dan haar aanbod in te trekken. Burton blijft
aan als waarnemend CEO; we moeten zien wat we kunnen redden.'

'Redden?'

'Wij hebben erg veel geld geïnvesteerd in het Zembla-4-pro-gramma, Ingram. We moeten op zoek naar een manier om onze investering terug te verdienen. We kunnen PRO-Vyril overnemen, of de hooikoortsinhaler, misschien nog een paar van je lijnen. Alles is nog niet verloren.' Hij pakte Ingrams hand en kneep erin. 'Het is voorbij, Ingram. Het was ons bijna gelukt, bijna. En het resultaat zou fantastisch zijn geweest.' Hij riep zijn twee mannen en stond op, schakelde het storingsapparaat uit en stopte het in zijn zak.

'En Zembla-4 dan? De licenties? De VWA? Die zullen toch wel...'

'De VWA heeft vanochtend haar goedkeuring ingetrokken. De MHRA heeft in het licht van het hele schandaal haar beslissing in de ijskast gezet. Er komt geen Zembla-4, Ingram. We zullen astma nooit kunnen genezen.'

Rilke leunde voorover en kuste Ingram op de wang.

'Ik mag je graag, Ingram. Ik had me zeer verheugd op onze triomf. En ik vind het heel erg van je ziekte. Ik wens je *buena suerte*.'

Hij liep de kamer uit en een van zijn handlangers trok de deur achter zich dicht.

58

Aaron Lalandusse fronste zijn wenkbrauwen en haalde berustend zijn schouders op. 'Ik kan niets doen. Ze weigeren mijn stukken over Zembla-4 en Calenture-Deutz te plaatsen. Ik mag zelfs die namen niet noemen. Er staan hele legers advocaten te trappelen, klaar om toe te slaan.'

'Maar dat is te gek voor woorden,' zei Adam.

'Natuurlijk,' zei Lalandusse. 'Maar tot nu toe zijn alle bewijzen indirect, dat zul je moeten toegeven. We hebben geen keihard bewijs. Wat we moeten hebben is een rouwend gezin. Een intern memo. Natuurlijk staat het allemaal wel op het web… maar dat geldt voor nog tienduizend andere complottheorieën. Volgens mij heb je iets heel smerigs ontdekt. En het leger advocaten dat tegen ons in stelling wordt gebracht lijkt dat te bevestigen, maar vanuit journalistiek oogpunt zitten we muurvast.'

Adam dacht diep na.

'Ik zou maar even ontspannen, als ik jou was,' zei Lalandusse. 'De handel in aandelen Calenture-Deutz is stilgelegd. Rilke Pharma ziet af van de overname, zo lijkt het. Geen enkele autoriteit ter wereld durft nu nog een licentie te verstrekken voor Zembla-4, door die geruchtenstroom over de processen en de overleden kinderen.' Hij glimlachte. 'Als ik jou was, zou ik behoorlijk tevreden zijn.'

'Er zijn veertien kinderen overleden tijdens de klinische tests van Zembla-4,' zei Adam. 'Dat zijn de feiten. En die hebben ze verdoezeld om een licentie te krijgen waardoor ze miljarden en nog eens miljarden dollars zouden verdienen met de verkoop van een wellicht dodelijk medicijn.' Hij had daar graag aan willen toevoegen dat ze het zo goed verdoezeld hadden dat ze het hoofd van hun afdeling onderzoek en ontwikkeling hadden laten vermoorden nadat hij had ontdekt wat er aan de hand was; dat ze geprobeerd hadden mij, Adam Kindred, te vermoorden omdat ik een soort getuige was die over een belangrijk bewijsstuk beschikte; en dat ze, in een poging mij te vermoorden, een jonge vrouw genaamd Mhouse hadden gedood en van haar zoontje een wees hadden gemaakt. Hij voelde zich klein en machteloos. Wat kon hij nog doen? Dus het enige wat hij zei was: 'Er moet iemand ter verantwoording worden geroepen. Er moeten mensen vervolgd worden. Fryzer hoort in de gevangenis wegens doodslag.'

'Een nobel streven, Primo,' zei Lalandusse. 'Wil je het echt opnemen tegen de falanx aan advocaten van Calenture-Deutz? Mijn hoofdredacteur heeft de handdoek in de ring geworpen. Net als de rest van de Britse pers, zo lijkt het.' Hij nam een laatste slok uit zijn flesje. 'Begrijp me niet verkeerd: het verhaal moet verteld worden, maar dat zou nog wel een tijdje kunnen duren… Vind je het erg om even mee naar buiten te gaan? Ik moet even roken.'

Adam en Lalandusse stonden buiten onder een luifel naar de hardnekkige motregen te kijken terwijl Lalandusse uitgebreid een sigaret opstak. Hij stond te paffen als een schoolmeisje en produceerde enorme rookwolken, alsof hij nog maar pas had ontdekt wat je allemaal met een sigaret kon doen.

'Wat denk je dat er verder gaat gebeuren?' vroeg Adam.

'Ik vermoed dat ze Calenture zullen opsplitsen en de winstgevende lijnen verkopen, "met rook- en waterschade". Ze hebben een nieuwe CEO. De oude is ontslagen, die is zogenaamd "ziek".'

'Fryzer?' Adam wachtte tot Aaron klaar was met hoesten.

'Ja... Sorry... "Ziekteverlof", het gemakkelijkste eufemisme voor als je je bedrijf naar de kloten hebt geholpen.'

'Wat is er gebeurd met Redcastle?'

'Die is onmiddellijk uit de directie getrapt. Is het land uit gevlucht voordat de FIOD hem te pakken kreeg. Ik heb gehoord dat hij in Spanje zit. Die moet de rest van zijn leven onderduiken.'

Adam voelde een lichte genoegdoening. Misschien betekende die hele ineenstorting dat hij eindelijk veilig was, dat die mensen, wie het ook waren, hem niet langer zouden achtervolgen en hem niet meer wilde doden. Waarom zouden ze zich druk maken om ene Adam Kindred, als er geen Zembla-4 meer was om te beschermen? De jacht op hem zou ongetwijfeld worden afgeblazen... En dat gaf hem een goed gevoel, vanwege alle onbeantwoorde vragen die rondzoemden in zijn hoofd en vanwege het schuldgevoel dat hij had met betrekking tot Mhouse... En wat was er met Ly-on gebeurd...? Zou hij goed zijn opgevangen? In een pleeggezin misschien...? Het was een vreemde ervaring voor Adam om aan hen terug te denken: de herinnering aan zijn leven met Mhouse en Ly-on in The Shaft, het leek het levensverhaal van iemand anders. Maar Ly-on was nog ergens, en nu alles rustiger leek te worden, moest hij er eigenlijk achter zien te komen wat er van hem geworden was.

Lalandusse stak nog een sigaret op: het kostte hem drie lucifers en een hoestbui om er goed de brand in te steken. Oefening baart kunst, dacht Adam.

'Ik moest maar weer eens gaan,' zei Adam. 'Ik heb nog een afspraak.' Hij gaf Lalandusse een hand. 'Bedankt, Aaron,' zei hij. 'Je hebt me geweldig geholpen.'

'Nee, jíj bedankt,' zei Lalandusse. 'Het heeft er alle schijn van dat jij de ontwikkeling van een dodelijk medicijn in de knop hebt gebroken; zoiets zie je niet iedere dag. Als ik het allemaal ga opschrijven, neem ik contact met je op – misschien zit er wel een boek in – als het stof is neergedaald.'

'Ja, misschien kunnen we die duivelse klootzak van een Ingram Fryzer te grazen nemen.'

'Reken maar.'

Adam nam afscheid en liep naar het metrostation.

Hij zat op de bank bij de Chelsea Bridge te wachten op Turpin, die te laat was. Het was na elven en er was weinig verkeer langs het Embankment. Voordat hij arriveerde had Adam een poosje op de brug staan kijken naar de driehoek en herinneringen de revue laten passeren. Het tij was aan het keren en er stond een sterke stroming naar het estuarium en de zee. Terwijl hij stond te wachten begon het keihard te regenen, waardoor hij was gaan schuilen onder de bomen bij de driehoek. Er renden een paar mensen met paraplu's voorbij, maar verder waren de straten verbazingwekkend leeg. Adam haalde een wollen muts uit zijn zak en trok die over zijn natte haar, tot aan zijn wenkbrauwen. Het was een koude nacht, hij rilde.

Hij had Rita gebeld en gezegd dat hij late dienst had en dat hij rond middernacht thuis hoopte te zijn. Ze had inmiddels haar eigen sleutels van de flat in de Oystergate Buildings, en ze vroeg of hij nog iets wilde eten als hij thuiskwam. Nee, zei hij, doe geen moeite en blijf maar niet op, ik kruip wel bij je in bed. De gedachte om bij Rita in bed te kruipen wond hem op, hoe hij onder de dekens haar warme lichaam zou aanraken – hij stond op en begon heen en weer te lopen –, hoe hij ernaar verlangde nu bij haar te zijn en niet hier te moeten wachten op zijn afperser, Vincent Turpin, die figuur uit een duister verleden, die hem achtervolgde en hem onder druk zette. Dit werd zijn derde betaling aan Turpin, nog eens tweehonderd pond, en hij begon krap bij kas te raken, had al eens geld van Rita moeten lenen om de eindjes aan elkaar te knopen. Hij besloot dat dit de laatste keer was, nu hij met Lalandusse had gesproken en wist wat er met Calenture-Deutz stond te gebeuren: ze hadden intern meer dan genoeg gelazer om zich te druk te maken om mij, dacht hij. De jacht was vast en zeker afgeblazen.

Hij zag Turpin Chelsea Bridge Road op komen zwalken, hij stak het zebrapad tegenover het Lister Hospital over en hield met een opgestoken hand het niet aanwezige verkeer tegen. Toen hij Adam zag, bleef hij staan en probeerde recht overeind te blijven. Adam zag dat hij een glanzend nieuw leren jack droeg waarvan de mouwen te lang waren. Dus daar ging zijn geld heen.

'Heb je wat te roken, Johannes?' vroeg Turpin en blies hem zijn bierkegel toe.

'Ik rook niet,' zei Adam, terwijl hij Turpin het geld gaf en toekeek hoe hij het omstandig natelde.

'Dat is te weinig. Ik had gezegd driehonderd.'

'Je hebt gezegd tweehonderd. Net als de vorige keer.'

'Alles wordt duurder, Johannes. Stoute jongen, hoor. Dat vindt Vince niet leuk.'

'Je hebt gezegd tweehonderd. Daar kan ik niets aan doen.'

'Ik weet wat, bijdehandje. Je hebt vast wel een creditcard nu het je zo voor de wind gaat. We gaan naar een geldautomaat – kijken hoeveel we kunnen opnemen – ik heb behoefte aan fondsen, zoals dat heet.'

'Nee, meer krijg je niet. Het is afgelopen.'

Turpin zuchtte theatraal. 'Je maakt het me wel erg gemakkelijk om twee ruggen te verdienen, Johannes. Ik hoef alleen maar Lelijke Klootzak te bellen en hem je kenteken te geven. Waar is je scooter trouwens, heb je hem verkocht?' Turpin ratelde door met de welbespraaktheid van de alcoholicus, en Adam dacht: natuurlijk, natuurlijk, natúúrlijk, hij heeft het hem allang verteld. Hij heeft die tweeduizend al. Waarom zou Turpin zo edelmoedig zijn? Dat bestond niet in Turpins leven, zoals hij omging met de wereld. Hij luisterde weer naar Turpin: '... en ik krijg het geld van jou, óf ik krijg het van hem, makkelijk zat, ik heb zijn telefoonnummer. Ik bel hem en geef hem jouw kenteken. Bingo. Tweeduizend pond voor de heer Turpin, dank u zeer beleefd. Maakt mij niks uit.'

Adam dacht snel: hij wilde hier weg, weg van de driehoek. Kon hij het riskeren om Turpin voor nog eens honderd pond van zich af te houden? Hij moest hem aan het lijntje houden: zo had hij meer tijd om een manier te bedenken om het spoor naar Primo Belem voorgoed uit te wissen, een laatste zekerheid. Maar misschien was hij al veilig: degene die hem op de hielen zat, wie het ook was, zou niet voor niets werken. En als Calenture-Deutz aan de grond was gelopen...

'Zeg het maar: de keus is aan jou, Johannes.'

'Goed,' zei Adam, en wilde in de richting van Chelsea lopen. 'Er is een geldautomaat op Sloane Square.'

'Ja, ik ben godverdomme niet gek,' zei Turpin op agressieve toon. 'Nee, ik weet een andere. Misschien heb jij wel vriendjes die de ouwe Vince op Sloane Square staan op te wachten. Nee, we gaan naar Battersea, mate.'

Ze liepen de brug op en Turpin hield Adams arm vast om zelf overeind te blijven. Het leek alsof hij door zijn dronkenschap steeds wankeler werd. Adam schudde zich los.

'Raak me niet aan,' zei hij

Turpin bleef staan. Hij was woedend en leunde met een hand op de balustrade.

'Wil je niet zo'n toon tegen me aanslaan? Wat denk je dat ik ben? Een stuk vuil...? Bovendien ben jij degene die onderuit gaat, stomme lul. Je veter is los.' Turpin vond dit erg grappig en boog zich schor lachend voorover.

Adam keek naar beneden en zag dat de veters van zijn rechterschoen over het natte trottoir sleepten. Turpin stond nog steeds te lachen en leunde achterover op zijn ellebogen tegen de dikke, paarswitte, gietijzeren brugleuning – als een cafébezoeker, vond Adam, die ontspannen tegen de bar leunt. Er kwam een nachtbus langs gedenderd, het licht van de bovenste verdieping scheen op Turpins gekreukelde en verwrongen gezicht.

'Ik heb vandaag een goeie mop gehoord,' zei Turpin. 'Lachen, joh. Lachen is goed voor een mens, dat zuivert het bloed. Alle dokters zeggen dat. Het is goed voor lijf en leden.'

Adam bukte zich om zijn veter te strikken.

'Komt een meisje bij een sociaal werkster,' begon Turpin, 'een lekker ding. En de vrouw vraagt: weet jij wanneer je mama ongesteld is? Ken je hem al?'

'Nee,' zei Adam, die voor de zekerheid ook zijn andere veter opnieuw strikte.

'Hartstikke goed is-ie. Moet je horen. Dus dat meisje zegt tegen die sociaal werkster,' – Turpin zette een hoge piepstem op – 'Ja, juffrouw, ik weet wel wanneer mama ongesteld is. Sociaal werkster: hoe weet je dat dan...? En dat meisje zegt: Nou, dan smaakt papa's lul altijd zo raar.' Turpin stond te schuddebuiken van het lachen.

En plotseling, in een flits, werd het Adam glashelder wat hem te doen stond, hier en nu, en hoe gemakkelijk het zou zijn. Het was in ieder geval een vergelding, een cru soort gerechtigheid voor al het verdriet dat Turpin zijn diverse vrouwen en kleine kinderen had aangedaan. Terwijl Turpin nog dronken stond te schudden van het lachen om zijn mop, schoot Adams arm uit en stak hij twee vingers onder de omslag van Turpins rechter broekspijp. Hij greep de zoom stevig vast en kwam plotseling omhoog van zijn gehurkte positie. Turpin schoot omhoog en verdween over de balustrade, zo snel en vloeiend dat hij alleen maar tijd had om een korte kreet van verbijstering uit te stoten, terwijl hij hulpeloos met zijn armen in de lucht maaide. En toen was hij verdwenen en stortte hij in het donker voorbij de lampjes van de brug. Adam hoorde de plons toen zijn lichaam het water raakte. Even dacht hij erover naar de andere kant van de brug te rennen om hem stroomafwaarts te zien drijven, maar de Chelsea Bridge was moeilijk over te steken – hij zou over twee hoge barrières aan weerszijden van de rijweg moeten springen – en bovendien was het donker, de getijdenstroom was sterk en toenemend in kracht, en Turpins lichaam zou in een mum van tijd afgevoerd zijn, wist hij. Adam wachtte niet langer, hij draaide zich om en liep in de richting van Battersea. Het was in een fractie van een seconde gebeurd, er waren geen auto's gepasseerd, er was verder niemand op de brug geweest. Het ene moment hadden er twee mannen gestaan, het volgende moment was er nog maar één. Makkelijk zat. Turpin was verdwenen, dacht Adam terwijl hij wegliep, en tot zijn verbazing voelde hij niets, hij voelde zich niet anders en hij had zeker geen schuldgevoel. Het was allemaal heel simpel geweest, een besluit dat spontaan bij hem was opgekomen, dat een einde maakte aan Turpin, alsof er een dakpan op zijn hoofd was gevallen, alsof hij geraakt was door een auto. Een dodelijk ongeval. Adam liep op zijn gemak en met ferme pas naar Battersea, waar hij de bus naar huis nam, naar Rita.

59

De levensreis kon erg vreemd verlopen, besloot Ingram, en hij was onlangs op plaatsen geweest die hij niet voor mogelijk had gehouden op zijn persoonlijke tocht van de wieg naar het graf. Hij zat recht overeind in zijn ziekenhuisbed tegen een grote stapel kussens geleund, en zijn kaalgeschoren en zwaar gehavende hoofd was verpakt in een keurige tulband van verband. Hij had een infuus in zijn arm en zijn linkeroog was afgedekt met een zwart piratenlapje, waar hij zelf om had gevraagd om te proberen het uitbundige vuurwerk te temperen dat vonkte en spetterde tegen het stoffige grijze micaruitje, het enige dat zijn linker netvlies momenteel aan zicht bood. Nu er geen licht meer naar binnen viel, leek de duisternis het vuurwerk te hebben uitgedoofd. Zo nu en dan schrok hij nog van een atoombom of supernova, maar verder voelde hij zich redelijk goed, als je drie op een schaal van een tot tien als norm kon beschouwen: misselijkheid, droge keel, verlaagd bewustzijn, absences. Hij kon praten, hij kon lezen (door één oog), hij kon eten – hoewel hij geen trek had. Hij had een sterke behoefte aan koude, suikerhoudende drankjes en vroeg alle bezoekers om gekoelde cola's voor hem mee te brengen – Pepsi, Coke, het eigen merk van supermarkten, het maakte hem niets uit.

Het was drie dagen na zijn operatie – het noodzakelijke 'ontladen' van zijn hersenen – en hij had te horen gekregen dat zijn tumor, samen met ander weefsel, was verwijderd. De chemotherapie zou binnenkort beginnen, en hij mocht bezoek ontvangen. Meredith, zijn vrouw, was vijf minuten geleden vertrokken en had tevergeefs geprobeerd haar tranen binnen te houden.

Op dit moment zat Lachlan McTurk op zijn bed en schonk zichzelf een waterglas in van de maltwhisky die hij als cadeautje had meegebracht.

'Dit vind je lekker, Ingram,' zei McTurk. 'Speyside. Aberlour. Ik weet dat je niet gek bent op de westkust.'

'Dank je, Lachlan. Ik verheug me erop.'

McTurk schonk zich nog eens bij.

'Wie was je chirurg?' vroeg hij.

'Gulzar Shah,' zei Ingram. Hij was een uur eerder even op bezoek geweest: een lange, magere man met zachte stem en donkere oogkassen, alsof hij oogschaduw op had gedaan.

'O, dat is een hele goeie. Absolute top. Heeft hij je een diagnose gegeven?'

'Glioblastoma multiforme,' Ingram sprak de woorden zorgvuldig uit. 'Althans ik geloof dat hij dat zei.'

'O... ja... Hm. O jee... Tja...'

'Dat klinkt heel geruststellend, Lachlan. Shah zei dat hij het resultaat van nog een paar biopsies wilde afwachten voordat hij zijn diagnose wil bevestigen. Maar dat was zijn voorlopige conclusie.'

'Dat is iets wat je liever niet wilt hebben, ouwe reus, meer zeg ik er niet over. Heel link.'

'Nou, dat schijn ik dus te hebben. Veel keus heb ik niet.'

'Nee, dat is zo.'

'Jij bent mijn dokter, Lachlan; wat is jouw prognose?'

Lachlan nam nog een slokje whisky, zoog op zijn tanden en dacht na.

'Nou... als het zich normaal ontwikkelt, heb je nog drie maanden. Maar je moet niet alle hoop laten varen. Tien procent van glioblastoma multiforme-patiënten heeft een remissie: sommigen zijn nog wel vijf jaar blijven leven. Wie zal het zeggen? Jij kunt de uitzondering zijn op de regel. Misschien leer jij de medische wetenschap wel een lesje, en leid je nog een lang en vruchtbaar leven. Maar het is wel een zeldzame en kwaadaardige kanker.' Lachlan pakte zijn hand en gaf er een klopje op. 'Uitzonderlijk. Toch zet ik mijn geld op jou, Ingram. Minstens vijf jaar.'

'Bedankt.'

Er werd op de deur geklopt.

'Ik ga er vandoor, jochie,' zei Lachlan met zijn Schotse accent. Hij duwde Ingram de fles whisky in de hand. 'Neem gerust zo nu en dan een slokje. Het heeft geen zin om terughoudend te zijn. Kop op.'

Terwijl hij vertrok, betrad Chandrakant Das de kamer. Chandrakant verkeerde overduidelijk in shocktoestand: hij kon minutenlang geen woord uitbrengen, zijn gezicht was bleek, zijn ogen vochtig, hij greep met beide handen Ingrams hand vast, sloeg zijn ogen neer, haalde een aantal keer diep adem en probeerde te kalmeren.

'Ik voel me goed, Chandra, verrassend genoeg,' zei Ingram. 'Ik weet dat alles om me heen instort, maar ik voel me sterk genoeg om je te laten komen. Het spijt me.'

Eindelijk was Chandra in staat iets te zeggen. 'Het ziet er niet goed uit, Ingram. Niet goed, niet goed, niet goed, niet goed.'

Chandra verklaarde zich nader. Aandelen Calenture-Deutz gingen momenteel van de hand voor zevenendertig pence en de koers daalde verder. Rilke Pharma had een overnamebod aan de andere aandeelhouders gedaan van vijftig pence per aandeel, maar had besloten dat aanbod te heroverwegen aangezien de onderneming zo snel devalueerde. Ingram was weggestemd als voorzitter en CEO, en slechts dankzij zijn 'gezondheidscrisis' hield het Bureau Ernstige Delicten zich vooralsnog afzijdig.

'Maar ik ben geen penny wijzer geworden van dit fiasco,' zei Ingram. 'Ik heb een fortuin verloren. Waarom moeten ze mij dan hebben?'

'Omdat je zwager ervandoor is met 1,8 miljoen pond,' zei Chandra op gekwelde toon. 'Ze kunnen hem in Spanje niets maken en dus zitten ze achter jou aan. Volgens hen heb jij hem geadviseerd om zijn aandelen te verkopen. Duidelijk geval van handel met voorkennis.'

'In tegendeel. Ik heb hem juist gezegd níet te verkopen.'

'Kun je dat bewijzen?'

Ingram zweeg.

'Ik wil niet dat je je zorgen maakt, Ingram. Burton Keegan houdt de zaak bij elkaar, en de politie op een afstand. Het zou het verkeerde signaal zijn om een man te arresteren en te vervolgen die zo dicht bij... die zo ernstig ziek is.'

'Die goeie ouwe Burton.'

Chandra pakte opnieuw zijn hand vast en zei met oprecht gevoel: 'Ik ben zo blij je te zien, Ingram. En het spijt me zo vreselijk wat er gebeurd is.'

Ingram fronste zijn wenkbrauwen en maakte voorzichtig zijn hand los uit Chandra's greep. 'Dat is nu juist het punt: ik begrijp echt niet hoe het allemaal heeft kunnen gebeuren. Dat zit me zo dwars: alles leek goed te gaan, alles was dik in orde.'

Chandra trok zijn schouders op en spreidde zijn handen. 'Wie zijn wij om dat te zeggen? Om sluitende antwoorden te zoeken? Wie kan voorspellen wat het leven brengen zal?'

'Dat is juist.'

Ingram vroeg Chandra hem een bodempje van Lachlans whisky in te schenken. Hij nipte ervan, zijn keel brandde. Hij rook gebrande gerst, turf, heldere Schotse rivieren. Het gaf hem moed.

'Ik wil weten waar ik sta, Chandra. Voor de draad ermee. Wind er geen doekjes om, nu alles vrijwel verloren is.'

'Voordat ik hierheen kwam, heb ik even een snelle berekening gemaakt,' zei Chandra, en het ongeloof maakte dat hij opnieuw een grimas trok. 'Het ziet er niet goed uit... Vorige maand was je vermogen meer dan tweehonderd miljoen pond. Nu...' Hij haalde zijn telefoon tevoorschijn en tikte cijfers in. Even vroeg Ingram zich af of hij iemand opbelde, maar toen herinnerde hij zich dat tegenwoordig alles mogelijk is op een mobiele telefoon, werkelijk alles.

Chandra hield het toestel op een afstand, alsof hij zijn ogen niet geloofde. 'Nu schat ik je vermogen op ongeveer tien miljoen, met een marge van honderdduizend. Ruw geschat.' Chandra glimlachte. 'Daar zijn je persoonlijke bezittingen natuurlijk niet bij inbegrepen.'

'Dus er is nog licht aan het einde van de tunnel.'

'Een sprankje, Ingram. Je bent nog in behoorlijk goeden doen. Je bent niet arm. Maar je moet wel voorzichtig zijn.'

Hij liet Ingram een paar documenten tekenen. Wat Ingram betreft had hij op dat moment schriftelijk afstand kunnen doen van zijn resterende vermogen, maar hij had het volste vertrouwen in Chandra. En je kon niet leven in deze wereld als je niemand vertrouwde, zoals hij onlangs op wrede wijze had ontdekt. Chandra zou ervoor zorgen dat alles goed kwam, dat Meredith en zijn gezin het vruchtgebruik kregen van wat er overbleef. Misschien moest de broekriem worden aangehaald, maar zoals Chandra al zei, hij was niet arm. Althans dat hoopte hij, dacht hij, plotseling een stuk minder optimistisch. Wie kan voorspellen wat het leven ons brengt? zoals Chandra hem zojuist had voorgehouden.

Chandra raapte zijn papieren bij elkaar, gaf Ingram een hand en verzekerde hem dat alles in orde zou komen. Toen hij wilde vertrekken, stak een verpleegster haar hoofd om de deur.

'Verwacht u nog meer bezoek, meneer Fryzer. Meneer Shah zei dat u zich niet te veel moet vermoeien.'

'Ligt eraan wie er komt,' zei Ingram, en hij dacht: als het Ernstige Delicten is, dan lig ik in coma.

'Het is uw zoon.'

'O, dat is prima.' En hij riep: 'Kom maar binnen, Guy.'

Fortunatus stapte de kamer binnen.

'Ik ben het, pap, vrees ik.'

Hij had een bos bloemen in zijn vuile hand, donkerpaarse bloemen met wasachtige bladeren die de kamer vulden met een sterke geur. Forty gaf ze aan hem.

'Wat zijn dat voor bloemen?' vroeg Ingram, diep ontroerd.

'Fresia's. Mijn favoriete bloemen. Ik heb ze net voor je afgeknipt. We zijn hier vlakbij in een tuin bezig.'

Forty zag eruit alsof hij zojuist was teruggekeerd van het front: het gebruikelijke smerige legerjasje, flodderige, vieze spijkerbroek, zijn hoofd kaalgeschoren. Ingram keek hem vol verbazing aan.

'Hoe gaat het, pap?'

'Ik heb besloten jouw coupe over te nemen. Ik wil er net zo uitzien als jij.'

Fortunatus lachte nerveus.

'Ze hebben mijn haar afgeschoren en toen de helft van mijn hersens eruit gepulkt.'

'Zo ver hadden ze niet hoeven gaan,' zei Forty.

Ze moesten allebei lachen. Ingram lachte het hardst en voelde hoe zijn lichaam als reactie daarop heen en weer bewoog.

'Ik hou van je, Forty,' zei hij. 'Daarom wil ik op jou lijken.'

'Pap,' zei Forty enigszins opgelaten. 'Niet huilen alsjeblieft.'

60

Het was vreemd om je foto in de krant te zien, dacht Jonjo, vooral als je foto nooit eerder in de krant had gestaan. De foto was ongeveer vijftien jaar eerder genomen, rekende hij uit, toen hij in het Britse leger zat, en het onderschrift luidde: 'John-Joseph Case, gezocht door de politie om opheldering te verschaffen in het onderzoek naar de moord op dr. Philip Wang.' Hij frommelde de krant op tot een prop en smeet die naar het achterraam van zijn camper. De prop stuitte van het schuine perspex raam op de van vloerbedekking voorziene vloer, waarna De Hond er onmiddellijk op-af sprong, hem opraapte, apporteerde, aan zijn voeten legde en kwispelstaartend bleef wachten op het vervolg van dit nieuwe spelletje.

Jonjo tilde De Hond op, draaide hem om en nam hem als een baby in zijn armen. De Hond vond het erg prettig om zo vastgehouden te worden en hij likte Jonjo's gezicht met zijn grote, natte tong. Jonjo drukte De Hond stevig tegen zich aan, verward als hij was door de emoties die door hem heen gingen, en hij zei: 'Sorry, mate, maar het kan niet anders.' Hij zette hem voorzichtig weer op de grond. Over twee uur was het hoogwater, dus hij moest niet langer treuzelen.

Verontrust door de publiciteit over zichzelf liep Jonjo het kleine toilet van de camper in en bekeek zichzelf in de spiegel boven de wastafel. De baard begon aardig te groeien; nog diep zwart, hoewel hij hem over een paar dagen misschien zou moeten verven als hij in dit tempo bleef groeien, en hij vond dat zwart hem op de een of andere manier wel stond: hij zag er beter uit dan anders met zijn korte, roodbruine kapsel, en het was ook mooi meegenomen dat zijn meest herkenbare gelaatstrek, de deuk in zijn kin, nu schuilging onder het haar. Misschien had hij tijden geleden zijn baard al moeten laten staan, vroeg hij zich af, maar nu leek hij in ieder geval niet meer op zijn foto in de krant. Hij volgde in het voetspoor van Kindred, dacht hij bij zichzelf, in zijn pogingen te verdwijnen en achtervolging te ontlopen. Tot nu toe was alles in zijn leven tamelijk gladjes verlopen – bedankt, hij mocht niet klagen – totdat Kindred zijn pad had gekruist. Hij had de Falkland Oorlog overleefd, Noord-Ierland, de Eerste Golfoorlog, Bosnië, Irak en Afghanistan, en pas toen Kindred op de proppen kwam, ging alles naar de kloten. Hij dwong zichzelf kalm te blijven.

Hij stopte de Glock in zijn zak en pakte de schop.

'Kom, joh,' zei hij. 'We gaan een eindje wandelen.'

Hij stapte de camper uit en haalde diep adem. Het was een mooie middag – zon en sluierwolken vanuit het zuidoosten –, een typisch Engelse zomerdag met een koele bries vanaf de riviermonding. Hij had een staplaats ontdekt op een nieuwe camping – niet ver van de zee – op Canvey Island in Essex, een merkwaardige met een zeewering omgeven enclave aan de Theems tussen Basildon en Southend-on-Sea, een vreemd binnenwater met verlaten olieraffinade-rijen, met onkruid begroeide betonwegen en roestende straatlan-taarns, en ook reusachtige nog werkende olieraffinaderijen en op-slagdepots, die 's nachts fel verlicht waren, achter de omheining van gaas stoom en oranje waakvlammen uitstootten en de enorme olietankers bedienden die aangemeerd lagen aan grote stalen pie-ren die de rivier in staken. Langs de zeewering in Canvey stonden hier en daar art-decocafetaria's die herinnerden aan de tijd dat het een populair vakantieoord voor Londenaren was, en die nu, voor zover hij gemerkt had in de paar dagen dat hij hier nu woonde, hun bizarre zelf bepaalde openingstijden hadden: soms had je geluk, soms niet.

Tijdens zijn verblijf op Canvey Island was Jonjo op zichzelf ge-bleven; hij ging wandelen met De Hond – twee keer langs de zee-wering het eiland rond, een keer met de klok mee en een keer om-gekeerd – en hij zorgde ervoor dat hij niet te veel contact maakte met zijn kamperende buren, maar dat hun gesprekjes kort en vrien-delijk bleven.

Het probleem was De Hond, om precies te zijn, de basset. Hij kon geen tien stappen verzetten of een of ander kind hield hem staande om De Hond te aaien; sommige moeders zeiden: ach, wat een lieve hond; soms wilde een kerel met hem lullen over rassen en fokken. Hij kon net zo goed een plakkaat om zijn nek hangen, vond hij: MAN OP DE VLUCHT VOOR DE POLITIE MET LIEVE INTERES-SANTE HOND. De Hond was het laatste waar je behoefte aan had als de fucking politie het land uitkamde op zoek naar jou. Hij ver-vloekte zichzelf om zijn sentimentele inslag. Hij had De Hond ach-ter moeten laten bij Candy: een briefje door de brievenbus met de vraag of ze voor hem wilde zorgen omdat hij een paar maanden 'naar het buienland' moest of zoiets, Candy zou het schitterend hebben gevonden; het had zo gemakkelijk kunnen zijn.

Hij en De Hond verlieten het kampeerterrein zonder iemand tegen te komen en wandelden in oostelijke richting door het stad-je naar Smallgains Creek, waar zich de jachthaven en het clubhuis bevonden. Hij stak voorbij de zeewering over, liep langs het ge-bouw van de jachtclub en de werf, op zoek naar het pad dat over de slikken ging en naar Canvey Point leidde, de vlakke, meest oos-telijk gelegen punt van het eiland.

Terugdenkend realiseerde hij zich nu wat het plan was geweest.

Ze zouden hem komen oppikken, waar Darren hem al voor had gewaarschuwd. Nadat ze eerder zijn wapens hadden meegenomen, zouden ze hem hebben opgepakt, in stilte hebben afgemaakt en zijn lichaam ergens hebben verstopt waar het nooit meer zou worden gevonden: einde probleem, plan A. Maar aangezien hij er niet meer was toen ze kwamen omdat hij (dankzij Darren) had weten te ontkomen, waren ze overgestapt op plan B. Het krantenartikel had alles duidelijk gemaakt: bij het doorzoeken van zijn huis naar aanleiding van een 'geheime tip', had de politie een foto gevonden van Philip Wang en de plattegrond van het Anne Boleyn House in Chelsea. Er was ook een gouden horloge gevonden dat van dr. Wang was geweest. DNA-materiaal in het huis kwam overeen met vezels die waren aangetroffen in de flat van dr. Wang.

Maar zo stom ben jij niet, dacht Jonjo, terwijl hij over het pad ploeterde en de werf achter zich liet, en daarom wist hij ook dat hij geheel en al de lul was en vorstelijk werd genaaid. Stel dat hij werd opgepakt en hij zou hun de waarheid vertellen, alles wat hij wist, dan zou hij nog steeds worden omgelegd. Er was geen enkele connectie tussen zijn freelancewerk en de Risk Averse Group – en degene die Risk Averse had ingeschakeld om hem in dienst te nemen. Alles wat hij zei zou worden geïnterpreteerd als woeste verzinsels, wanhopige beschuldigingen. Misschien zou Risk Averse enigszins in verlegenheid komen (hij zag majoor Tim voor zich die een meewarig gezicht trok en uiting gaf aan zijn ongeloof en verbazing), maar een in ongenade gevallen en onlangs ontslagen militair… wie wist waar paranoia niet toe kon leiden? Wat voor bizarre theorieën zich niet konden vormen in een getraumatiseerd brein?

Nee, er zat niets anders op: hij moest vluchten en zich verstoppen, dat stond vast. Net als Kindred; Jonjo zag het ironische van zijn situatie in maar vond het niet leuk. Gelukkig was hij goed getraind; gelukkig had hij plannetjes ontwikkeld voor onvoorziene omstandigheden en rampscenario's. Hij had een telefoontje gepleegd op zijn ongebruikte telefoon naar zijn vriend Giel Hoekstra, die in de buurt van Rotterdam woonde. Hij en Giel hadden elkaar ontmoet tijdens de operatie in Bosnië, merkten dat ze een en ander gemeen hadden en beseften, zoals dat gaat met kerels van de speciale eenheden, hoe gevaarlijk het leven na de diensttijd kon zijn, en hadden daarom plannen gemaakt voor wederzijdse hulp in eventuele noodgevallen: extra parachutes, nooduitgangen op een kier, betrouwbare panden en veilige havens aan woelige zeeën. Hij had Norton kunnen bellen in St. Paul, Minnesota, Aled in Aberystwyth, Wales, Campbell in Glasgow, Jean-Claude in Nantes, of nog vijf, zes anderen, maar hij had besloten dat Giel op dat moment de handigste was, en daarom had hij contact met hem gezocht.

Het enige wat hij tegen Giel had gezegd was dat hij nu, onmiddellijk, Engeland clandestien moest verlaten. Per boot. Na even te hebben gedacht had Giel besloten wat hun te doen stond: zoek een klein provinciestadje met een functionerende zeehaven. Canvey Island, had Jonjo onmiddellijk gezegd, terugdenkend aan zijn vakanties als kind; daar vind je me: Canvey Island in de monding van de Theems, in Essex. Ze hadden een datum en tijdstip afgesproken en Giel had in grote trekken een plan uitgedacht. Vanaf Canvey Island naar een andere kleine kustplaats met een drukke jachthaven, waar de boten af en aan voeren: Havenhoofd, vlak bij Rotterdam. Vervolgens van Rotterdam naar Amsterdam, naar een flat van Giels zuster. 'Paar weken toeristje spelen,' zei Giel. 'Ik heb veel vrienden. Er is veel werk voor iemand als jij, Jonjo. Je kunt het zo druk hebben als je wilt, wij zorgen voor een nieuw paspoort, je wordt Nederlander.' Godzijdank had hij die stapel geld apart gelegd, dacht Jonjo. Hij had de taxi gedumpt, voor tweeduizend pond een vierdehands camper gekocht, en had Londen in oostelijke richting verlaten naar Essex, de kust en de vrijheid.

Hij had een plaatsje genomen op de camping van Canvey Island, waar hij wachtte op zijn rendez-vous met Giel Hoekstra. Hij voelde zowel tevredenheid om zijn vindingrijkheid als toenemende woede omdat hij daar een beroep op had moeten doen. Wat ging er gebeuren met zijn huis, met zijn spullen? Niet aan denken, hield hij zichzelf voor, je bent vrij, de rest is geschiedenis en ouwe troep. Majoor Tim Delaporte steeg met stip naar de eerste plaats van de shitlijst. Nee, niet helemaal de eerste plaats, die werd nog steeds en voorgoed ingenomen door Adam Kindred.

Jonjo bleef staan: hij was nu een paar honderd meter verwijderd van de jachtclub en de werf, en hier was het rustig. Hij liep met De Hond van het kustpad af, maakte zijn riem los, baande zich een weg door het ruige bruine gras van de slikken en bereikte een klein strandje. Hij draaide zich driehonderdzestig graden om en zag niemand. De Hond sprong op en neer over het strand, snuffelend aan zeewier en jagend op zandkrabben, en zijn staart ging woest heen en weer van opwinding. Jonjo keek naar de overkant van de rivier-monding en zag de hoge schoorsteen van de elektriciteitscentrale van Grain en het schiereiland Hoo. Dat was Kent daarginds, mijmerde hij, zo'n anderhalve kilometer verderop. Hij liep terug naar de graspollen aan de rand van het strand, mat met zijn schop een rechthoek af in het rulle, met schelpen vermengde zand en begon snel en zonder moeite te graven in het vochtige leem eronder tot er een keurige kuil op hondenformaat was ontstaan van ruim een halve meter diep en met een paar centimeter water op de bodem. Hij floot De Hond en hoorde hem al snel aan komen hijgen van-af het strand.

'Kom,' zei Jonjo, 'erin.'

De Hond snuffelde rondom de kuil en wist duidelijk niet wat de bedoeling van dit spelletje was. Jonjo zette zijn voet tegen zijn romp en duwde. De Hond sprong in de kuil.

'Zit,' zei Jonjo. 'Zit.'

Hij ging gehoorzaam zitten.

Jonjo haalde zijn Glock tevoorschijn. Hij hield hem dicht tegen zijn been en keek weer om zich heen voor het geval er wandelaars onderweg waren naar de punt over de vlakke, donkerbruine slik-ken voordat de vloed weer opkwam, maar hij zag niemand. Aan de andere kant van de monding van de Benfleet Creek lagen de druk-ke straten van Southend en stak de lange arm van de pier in zee. Hij voelde zich merkwaardig alleen – een man met zijn hond op het uiterste, zilte, deprimerende puntje van een eilandje in de mon-ding van de Theems – en tegelijkertijd te midden van het benau-wende suburbia: daarginds lag heel Essex, aan de andere kant van het water, een paar honderd meter verderop.

Hij keek naar de hond, en er gingen plotseling heel rare gevoe-lens door hem heen, alsof zijn hoofd suisde. Hij richtte het pistool op De Hond.

'Sorry, mate,' zei hij. 'Ik hou van je, dat weet je toch.'

Zijn stem klonk vreemd en krakerig en Jonjo realiseerde zich dat hij huilde. Kút! Hij was aan het instorten: hij had niet meer ge-huild sinds zijn twaalfde. Het was voorbij; hij kon niets meer, hij was over zijn hoogtepunt heen, het was een sneue vertoning, wal-gelijk gewoon. Geen wonder dat Risk Averse hem op straat had gezet. Hij vloekte in zichzelf: beheers jezelf, stompzinnig wíjf dat je bent. Dat noemt zichzelf militair; nou een mooie fucking krijgsheer ben jij! Hij hield de Glock op gelijke hoogte met de kop van De Hond. De Hond keek naar hem op, nog steeds hijgend van zijn inspanningen, knipogend, onverstoord.

Nu de trekker overhalen. Langzaam.

Zoals afgesproken stond Giel Hoekstra bij hoogwater op hem te wachten bij Brinkman's Wharf aan Smallgains Creek, waar bezoekende boten mochten afmeren. Giel liep rokend heen en weer over de kade, een kleine gedrongen man met halflang haar in een staartje. Giel was zwaarder geworden sinds hun laatste ontmoeting, dacht Jonjo, wat een pens had die vent. Ze omhelsden elkaar kort en sloegen elkaar op de schouders. Giel liet hem het krachtige motorjacht zien dat afgemeerd lag en waarmee hij het Kanaal was overgestoken: wit, schuin, gestroomlijnd, met twee krachtige buitenboordmotoren.

'Over drie uur zijn we in Havenhoofd,' zei hij. 'Mooi klein haventje. Geen vragen. Ik ben bevriend met de havenmeester.' Hij grinnikte. 'Sinds kort.'

'Ik wil dit allemaal betalen, hoor,' zei Jonjo, en hij gaf hem een stapel papiergeld. 'Kijk, allemaal euro's.'

'Niet nodig, Jonjo,' Giel deed alsof hij beledigd was. 'Hé, ik doe dit voor jou, jij doet het op een dag voor Giel Hoekstra. Niet nodig, alsjeblieft, zeg.'

'Het is jouw geld, Giel.'

Zijn stem had een andere ondertoon. Giel nam het geld aan.

Jonjo stond in de stuurhut achter het roer – Giel was even naar beneden gegaan om te pissen – en genoot van het besturen van deze krachtige boot, met zijn romige, kolkende hekwater; weg uit Engeland, zijn toekomst tegemoet. Het meedogenloze trillen van de twee motoren dat door het dek heen voelbaar was, versterkte het idee van zijn niet aflatende vastberadenheid, van de ongehinderde voortgang van de reis, van de zekerheid dat ze op hun bestemming zouden aankomen.

Hij ademde diep in, en weer uit. Hij had De Hond uit de kuil getild, de riem vastgeklikt aan zijn halsband en was teruggelopen naar de jachtclub en de werf. Toen had hij hem de riem (met de stalen penning waarop zijn naam en adres stond) afgedaan, met de riem een soort strop gemaakt en De Hond vastgebonden aan de reling bij de werf. Hij gaf De Hond een klopje, nam met hese stem afscheid, en liep weg. Hij keek natuurlijk achterom en zag De Hond rustig op zijn kont zitten en likken aan zijn zij, volkomen op zijn gemak. Jonjo had de halsband in de Smallgains Creek gegooid en was doorgelopen. Een keer blaffen of janken, was dat te veel gevraagd? Binnen tien minuten zou iemand zich over dat beest ontfermen, dat was het nou juist met bassets, ze waren onweerstaanbaar.

Toch voelde hij zich gerustgesteld en stiekem ook tevreden met zijn zwakte, hij veroordeelde zichzelf niet en concentreerde zich op het trillen van de motoren dat door de bodem te voelen was, langs zijn benen omhoogkroop en vreemd genoeg bijna een seksuele opwinding gaf. Rustig, stabiel, vastberaden. Ja, dat zou zijn motto worden, nu hij vrij was, nu hij klaar was met alles en iedereen. En hij besloot dat zijn rustige, stabiele vastberadenheid zou worden geleid door één doelwit: hij moest en zou Adam Kindred vinden. Hij had het kenteken van de scooter, hij had dat stuk smerigheid duizend pond betaald voor het kenteken van de scooter, en meer had hij niet nodig. Het betekende de uiteindelijke val van Kindred: er was nu een spoor – zowel elektronisch als op papier, van de scooter en de eigenaar – terwijl er eerder nooit een spoor was geweest. Als alles achter de rug was, als het stof was neergedaald, als iedereen vergeten was wie John-Joseph Case was, zou hij terugkomen van Amsterdam naar Engeland, stiekem en onopgemerkt, Adam Kindred opsporen en hem vermoorden.

61

Allhallows-on-Sea. Een mooie naam voor een dorp in Kent aan de monding van de Theems. Adam keek in noordelijke richting over het anderhalve kilometer brede water naar Canvey Island aan de overkant, voor de kust van Essex: een plek waarvan je zou kunnen beweren dat hier de rivier eindigde en de zee begon. Hij draaide zich om naar het oosten en keek naar de hoge wolken – cirro-stratus – die uit het zuiden kwamen en verlicht werden door een krachtige nazomerzon. Dat kon wijzen op slecht weer, onweers-dreiging... Je voelde hier dat je op de rand van Engeland stond, dacht hij, omgeven door zee, het vasteland van Europa vlak ach-ter de horizon. De lucht was helder en heiig, en de wind in de ri-viermonding was een beetje kil. De herfst was in aantocht en dit krankzinnige jaar liep ten einde.

Adam, Rita en Ly-on hadden Allhallows-on-Sea met zijn uit-gestrekte kampeerterrein en pretpark verlaten en waren over het kustpad naar Egypt Bay gewandeld. Links van hen lagen de uitge-strekte moerassen van Kent met hun kronkelende kreken, dijken en afwateringssloten; rechts van hen glom de brede rivier met een paarlemoeren glans, en hun schaduwen werden scherp afgetekend op het pad achter hen telkens als de zon zo nu en dan door de rui-ge, hoge bewolking brak. Ze kuierden voort, met hun plastic tas-sen waarin hun picknick zat, en Ly-on holde soms naar het smal-le kiezelstrand onder hen om iets op te rapen of een steentje over het water te keilen. Ly-on was langer en magerder dan toen hij hem de laatste keer had gezien, dacht Adam, en zijn dikke buik was verdwenen. Maar hij wist nog niet zeker of hij wel gelukkiger was.

Toen Adam besloten had op zoek te gaan naar Ly-on, omdat zijn geweten hem daartoe aanzette, voelde hij er niet veel voor om terug te gaan naar The Shaft – te riskant, te veel mensen die hem konden herkennen – en dus had hij een bezoek gebracht aan de Kerk van Johannes Christus, in de veronderstelling dat van alle plaatsen waar Mhouse bekend was, ze hier misschien iets over haar wisten en ook wat er gebeurd was met haar zoon. Hij spelde zijn naamplaatje op en meldde zich bij het kantoor van bisschop Yemi. Hij kreeg te horen dat de bisschop Yemi niet aanwezig was van-wege een gesprek met de burgemeester in het gemeentehuis, dat kennelijk nogal uitliep. Adam zei dat hij een andere keer wel zou terugkomen. Maar toen hij wilde weggaan, zag hij dat de voordeur werd geopend voor de avonddienst door mevrouw Darling, 'Jo-hannes 17' zelf, die de welkomstbalie in gereedheid bracht, met een paar lege 'Johannes'-kaartjes voor zich op tafel voor het geval er zich potentiële bekeerlingen aandienden.

Adam stelde zich voor: Johannes 1603.

'Ik ken jou nog,' zei ze achterdochtig. 'Je ziet er een stuk beter uit, Johannes.'

'Herinnert u zich Mhouse nog?' vroeg hij.

'Ja natuurlijk. Die arme Mhousie. God zegene haar. Afschuwelijk wat er gebeurd is, afschuwelijk.'

'Weet u wat er van haar zoontje is geworden, Ly-on?'

'Met Ly-on gaat het erg goed, er wordt goed voor hem gezorgd.'

Dat nieuws vrolijkte hem op, ongelooflijk zelfs. Hij voelde een golf van opluchting over zich heen komen, zo sterk dat hij even moest gaan zitten.

'Waar is hij? Weet u dat?'

'Hij is in het weeshuis van de Kerk van Johannes, in Eltham.'

'Kan ik hem opzoeken?'

'Dat moet je even overleggen met de directeur, maar aangezien jij ook een "Johannes" bent, denk ik dat het geen probleem is.'

'Wie is de directeur?'

'Wacht even, ik heb hier een brief waar zijn naam op staat.' Ze kwam terug met papieren met een briefhoofd en wees op de naam: Kazimierz Bednarczyk, 'Directeur Speciale Projecten'. Adam zag het purperrode, gebosseleerde briefhoofd – DE KERK VAN JOHANNES CHRISTUS – met het opvallende logo van de stralende zon en het registratienummer voor goede doelen. Op een aparte lijst stonden de namen van enkele beroemdheden vermeld als 'achtenswaardige begunstigers': een vroom parlementslid, de presentator van een praatprogramma, een wedergeboren lid van een jongensband. De Kerk van Johannes Christus had niet stilgezeten, dat was zeker. Een brede laan naar een glorieuze toekomst strekte zich uit voor bisschop Yemi.

Later die dag belde Adam het nummer dat op het briefpapier stond, en hij kreeg van een vriendelijke jongedame te horen dat ze in het weeshuis in Eltham inderdaad een jongen hadden die Ly-on heette. Ly-on 'Smith' – niemand kende zijn achternaam, ook de jongen zelf niet, en dus hadden ze hem voorlopig 'Smith' genoemd zolang hij nog niet geadopteerd was. Adam zei dat hij een huisvriend was en dat hij hem, als dat mogelijk was, graag een dagje mee uit zou willen nemen. Ja hoor, wij zijn voorstander van bezoek en dagtochtjes, werd hem meegedeeld. Er zou eerst een gesprekje plaatsvinden met de heer Bednarczyk, en dan was er natuurlijk de bijdrage van honderd pond.

'Bijdrage...?'

'Ja, de bijdrage voor een dagje uit.'

Adam noemde zijn naam en maakte een afspraak voor de volgende zaterdag.

En dus huurden Adam en Rita een auto, en Rita reed de volgende zaterdag halverwege de ochtend naar Eltham. Adam had Rita verteld dat hij de jongen graag weer eens wilde zien, wilde weten hoe het met hem ging, of hij gelukkig was en of er goed voor hem werd gezorgd. Rita zei dat ze graag als chauffeur wilde fungeren, vond het een prima idee en zag ernaar uit kennis te maken met Ly-on. Ze stopten onderweg bij een supermarkt en kochten eten en drinken – sandwiches, pasteitjes, eierballen, water, cola, vruchtensap – een plaid, papieren bordjes en bekertjes en plastic messen en vorken. Toen ze langs een speelgoedwinkel reden stelde Rita in een opwelling voor speeltjes voor op het strand te kopen: een frisbee, een diaboloset, een strandtennisspel.

Het weeshuis van de Kerk van Johannes in Eltham – het viel Adam op dat de benaming 'Johannes Christus' steeds minder vaak voorkwam naarmate de kerk welvarender werd – was een negentiende-eeuwse villa in een grote tuin met een parkeerplaats in de voortuin. Rita zei dat ze in de auto zou wachten, en Adam ging het gebouw binnen voor zijn gesprek met de heer Bednarczyk.

Eenmaal binnen was het alsof hij een oude school betrad, vond Adam. Kookluchtjes, geboende vloeren, stoffige radiatoren en afbladderend schilderwerk. Een jongenskostschool die betere tijden had gekend en waarvan het leerlingenaantal genadeloos terugliep, dat was het beeld dat hem voor ogen kwam. Door een raam achterin zag Adam een groepje jongens in spijkerbroek en bijpassende smaragdgroene fleecejacks een balletje trappen op een grasveldje dat omgeven was door een cipressenhaag. Ergens boven in het gebouw werd slecht piano gespeeld: de akkoorden werden zwaar aangeslagen, compleet met valse tonen. Een jonge vrouw met een verhit gezicht en gekleed in een nylon jasschort kwam de trap afgestormd met een zwabber en een emmer.

'Weet u waar ik de heer Bednarczyk kan vinden?' vroeg Adam.

'Die gang in, eerste kamer links.'

Adam volgde haar instructies en stond voor een deur met een plastic naamplaatje: K. BEDNARCZYK. Hij klopte aan en een stem zei: 'Binnen.'

Kazimierz Bednarczyk zat achter een met papieren en dossiers bedekt bureau, en achter hem was, door de stoffige, beigegrijze lamellen van een verticale zonwering, een deel van het parkeerterrein zichtbaar. Adam zag hun huurauto en Rita die rondwandelde, een frisse neus haalde en bij wijze van lichaamsbeweging met haar armen in de rondte zwaaide. Het geblondeerde haar en de keurig getrimde blonde baard van Bednarczyk verhinderden Adam niet in hem de man te herkennen die ooit Gavin Thrale heette. Ze keken elkaar een paar seconden recht in de ogen. Thrales gezicht bleef uitdrukkingsloos.

'Meneer Belem,' zei hij, en hij stak zijn hand uit. 'Gaat u zitten.'

Ze gaven elkaar een hand en Adam ging zitten.

'Wat zijn uw plannen voor vandaag?'

'Ik dacht aan een ritje naar de kust, en dan een picknick op het strand.'

'Klinkt uitstekend. Ly-on wordt tegen zessen terug verwacht.'

'Geen probleem, ik begrijp het.'

'Wilt u dit even invullen en dan hier tekenen?' Thrale schoof hem een formulier toe. 'Die bijdrage kunnen we wel laten zitten, omdat jij het bent.'

'Dank je,' zei Adam.

Terwijl Adam het formulier invulde, pakte Thrale de telefoon, toetste een nummer in en vroeg: 'Is Ly-on klaar? Goed. We zien hem in de hal.'

Ze keken elkaar aan.

'Hoe gaat het met je?' vroeg Adam.

'Verrassend goed, gezien de omstandigheden. En met jou?'

'Prima.'

'De kerk is erg goed voor me,' zei Thrale, op zijn hoede. 'Ik meen te weten dat jou deze positie ook is aangeboden.'

'Ja. Maar de tijd was er nog niet rijp voor.'

'Bisschop Yemi is een zeer coulante man.'

'Je zou kunnen zeggen een opmerkelijke man.'

'Heb je gehoord dat hij kandidaat is voor de parlementsverkiezingen? Voor Rotherhithe East. Voor de Conservatieven.'

'Het is inderdaad een opmerkelijke man,' zei Adam.

'Mijn vrienden noemen me Kazio,' zei Thrale.

'Ik heet Primo.'

'Zullen we een keer een borrel drinken, Primo? Even bijpraten? Wat vind je?'

'Ik weet niet of dat zo'n goed idee is, Kazio.'

'Ja... Je hebt waarschijnlijk gelijk. Het kan raar lopen in het leven, hè?' zei Thrale, en hij stond op.

Ze liepen de gang uit naar de hal, waar Ly-on stond te wachten; hij droeg hetzelfde uniform van spijkerbroek en smaragdgroene fleece als de andere jongens.

'Johannes!' schreeuwde hij toen hij Adam zag, en hij rende op hem af. Adam zakte op zijn knieën en omhelsde hem.

'Ik weet dat je voor Ly-on komt,' zei hij breed grijnzend. 'Hé, ho, jottem, man.'

Adam kwam overeind, enigszins overdonderd, terwijl Ly-on zijn tas ging halen.

'Je hebt zijn moeder gekend, geloof ik, hè?'

'Ja. Ze stond soms in de keuken van de kerk. Jij herinnert je haar vast ook nog wel,' zei Adam.

'Het is allemaal een beetje vaag die tijd, moet ik bekennen,' zei Thrale terwijl Ly-on terugkwam. 'Fijne dag nog, meneer Belem.'

'Dank u wel, meneer Bednarczyk.'

En zo waren Adam, Rita en Ly-on in oostelijke richting naar Rochester en Chatham gereden, waar Adam een bordje zag met HOO PENINSULA en zei: 'Zullen we naar Hoo gaan? Klinkt interessant.'

'Hoo,' herhaalde Lyon. 'Hoo, hoo, hoo.'

Ze volgden de borden tot ze er eentje zagen waar ALLHALLOWS-ON-SEA op stond en eentje met STRAND, en ze reden door het dorp totdat de weg doodliep bij het kampeerterrein. Ze reden om het terrein met zijn lange rijen stacaravans, een afgedekt zwembad en ontspanningsruimte heen en parkeerden de auto waar de weg overging in een zandpad. Toen ontdekten ze dat de diverse spelletjes die ze hadden gekocht voor op het strand – de frisbee, de tennisset, en de diabolo (ofwel Chinese jojo) – verdwenen waren. Rita herinnerde zich dat ze de tassen in de winkel had neergezet, maar dacht dat Adam ze had meegenomen en in de kofferbak had gelegd. Misschien stonden ze nog wel in de winkel, zei Adam, ze konden er op de terugweg wel even langsgaan, maar het maakte niet uit, ze bedachten wel iets. En zo liepen ze met de plastic tassen met hun picknick over het kustpad naar Egypt Bay.

Ze vonden een mooi plekje aan de uiterste rand van de baai, spreidden de plaid uit, aten hun sandwiches en pasteitjes en dronken hun frisdrank. Adam had het gevoel dat de tijd een spelletje met hem speelde: het vlakke moerasland achter hem, de stralende riviermonding vóór hem, en daarachter de vage kustlijn van Essex, Canvey Island, de Maplin Sands, Foulness. Ly-on trok zijn spijkerbroek uit en zijn zwembroek aan achter een handdoek die Adam ophield. 'Weet je nog, Johannes: je hebt beloofd dat je me zou leren zwemmen!'

Adam liet zijn blik heen en weer gaan langs de rivieroever. Er lag een lege tanker tijdelijk buitengaats afgemeerd, hij lag hoog op het water, en Adam herinnerde zich dat na de Napoleontische Oorlogen op deze plaats de gevangenisschepen lagen afgemeerd: oude, verrotte, mastloze driedekkers vol met gevangenen op weg naar Australië... Australië, waar zijn vader, zuster en neefjes nu woonden. Niet aan denken. Adam vroeg zich af hoe de leefomstandigheden waren geweest voor de gevangenen op de gevangenisschepen, waarvandaan ze een laatste blik wierpen op Engeland, de vlakke kust van Kent en de donkere Cooling Marshes, hun hoofd vol wanhopige gedachten aan een mogelijke ontsnapping...

'Het gaat wel goed met hem, geloof ik,' zei Rita, en ze gebaarde naar Ly-on. 'Hij praat met geen woord over zijn moeder.'

'Ja,' zei Adam. 'Ik hoop het.'

Rita zette haar zonnebril op en ging liggen om te genieten van de zwakke maar warme zon. Adam voelde een storm aan emoties door zich heen gaan terwijl hij, met de armen om zijn benen geslagen, naar Ly-on keek, en geïnspireerd door de gedachte aan ontsnappende gevangenen en gevangenisschepen, vroeg hij zich plotseling af of het lichaam van Turpin helemaal tot hier stroomafwaarts zou zijn gedreven.

Sinds hun laatste ontmoeting had hij nauwelijks aan Turpin gedacht, en hij had geen last van een bezwaard geweten. Soms vroeg hij zich af of er iets mis was met hem wat zijn gevoelloosheid verklaarde voor wat hij had gedaan, alsof zijn nieuwe leven en alles wat hem de afgelopen maanden was overkomen, hem wezenlijk veranderd en verhard had. Misschien was dat zo, misschien was hij inderdaad in belangrijke mate anders dan de man die hij ooit geweest was. Maar er was niets te betreuren wat Turpin betrof, hij kon zich niet voorstellen dat Turpins vrouwen en kinderen hem zouden missen, zich zouden afvragen waarom hij plotseling uit hun leven was verdwenen. Bovendien, het enige wat hij uiteindelijk had gedaan was hem de rivier in kiepen. Hij hoopte alleen dat Turpins lichaam een van de vele was die door de rivier werden meegenomen, samen met de rest van de troep, en dat zijn lichaam tot voorbij de kronkelende zuidelijke lus van het Isle of Dogs, met zijn diepe poelen en omgekeerde stroming was gekomen, en dat hij die avond door de eb tot voorbij Greenwich, Woolwich, Thamesmead en Gravesend was meegevoerd en uiteindelijk was uitgespuugd in de peilloos diepe, koude wateren van de Noordzee. Op een bepaald moment zou hij ergens bovenkomen, opgezwollen en in staat van ontbinding, ergens op een zandbank, op Foulness Island of in de monding van de Medway, of misschien zelfs wel verder weg, op de stranden van Noord-Frankrijk, België of Nederland, maar niemand zou zich erg druk maken over de verdrinkingsdood van Vincent Turpin.

Hij draaide zich om, ging naast Rita liggen en kuste haar zacht op haar lippen.

'Wat ben je stil,' zei hij.

'Ik denk na,' zei ze en kwam overeind. 'Herinner jij je die moord nog waarover ik je verteld heb? Die ik ontdekt had in Chelsea?'

Adam zei ja, ze hadden het er een paar keer over gehad, waarbij Adam niet veel zei en alleen maar luisterde. Het bewees maar weer eens wat hij altijd beweerde: dat de duizenden verbanden tussen twee discrete levens – dichtbij, veraf, overlappend, elkaar rakend – aanwezig zijn maar onvermoed, ongezien, een enorm onbekend netwerk van bijna, net-niet, misschien. Van tijd tot tijd vangt iedereen in zijn leven een glimp op van het netwerk en die gelegenheid wordt ervaren met een kreet van verrukking of een rilling van bovennatuurlijk onbehagen. De complexe onderlinge verbanden in het menselijke bestaan kunnen even geruststellend als verontrustend zijn. Toen Adam besefte dat Philip Wang een rol had gespeeld in zowel Rita's leven als het zijne, reageerde hij aanvankelijk geschokt, maar naarmate de tijd verstreek, begon dat idee steeds gewoner te worden. Wie wist wat voor andere overeenkomsten, affiniteiten, verbanden en connecties er tussen hen bestonden? Wie zou ooit precies kunnen aangeven hoe onze exacte positie is in het grote netwerk dat ons verenigt?

'Wat is daarmee?' vroeg Adam.

'Heb je dit gezien?' Ze haalde een krantenknipsel uit haar tas en liet het hem zien.

Het was een foto van een man, een militair in krijgstenue, en volgens het onderschrift was het ene John-Joseph Case die gezocht werd door de politie voor het verstrekken van nadere inlichtingen omtrent de moord in Chelsea op dr. Philip Wang.

Adam bekeek de foto en probeerde zijn gezicht zo uitdrukkingsloos mogelijk te houden. Op de foto was de man jonger dan toen hij hem was tegengekomen – toen hij hem bewusteloos had geslagen in de steeg achter het Grafton Lodge Hotel – maar de agressieve blik, de slappe kaaklijn en de gleuf in de kin behoorden onmiskenbaar aan de man die hem al die weken en maanden op de hielen had gezeten. Lelijke Klootzak, zoals Turpin hem had genoemd.

'Wat is daarmee?' vroeg Adam opnieuw, op zijn hoede.

'Dit is de man die ik gearresteerd heb,' zei Rita. 'Degene met twee automatische wapens. Degene die later vrijgelaten is.'

'Juist...' zei Adam, en hij voelde de haartjes in zijn nek overeindkomen.

'En nu wordt hij gezocht voor moord. Voor díé moord. Vind je dat geen wonderlijk toeval?'

'Dat moet je melden,' zei Adam. 'Ze hadden hem te pakken, dankzij jou, en toen lieten ze hem weer gaan. Ongelooflijk. Het lijkt wel een samenzwering.'

'Je reageert wel erg emotioneel,' zei Rita. 'Misschien kan ik maar beter geen slapende honden wakker maken. Ik heb je verteld wat er gebeurde toen ik dieper op de zaak probeerde in te gaan.'

'Nou en?' zei Adam te snel, en hij bond enigszins in. 'Moet je horen, het is aan jou. Maar ik vind dat mensen die dat soort stomme fouten maken, niet ongestraft mogen blijven. Als hij schuldig is, dan moet hij worden vervolgd.'

'Fouten? Ik dacht dat je het over een samenzwering had.' Ze fronste haar wenkbrauwen en dacht even na. 'Misschien verklaart het waarom hij in Chelsea was. Misschien was die Wang betrokken bij iets wat uiterst geheim was...'

'Wie weet.'

Op dat moment kwam Ly-on bij hen vanaf het strand met iets in zijn gebalde vuist. Hij opende zijn hand een beetje en liet een half doorzichtige, kleine krab zien.

'Het is een zeespin,' zei hij. 'Ik heb hem gevangt.'

Adam en Rita feliciteerden hem en stelden voor hem weer naar het water te brengen. Hij stemde in en liep terug naar het strandje.

Adam dacht koortsachtig na: als die John-Joseph Case degene is die ze zoeken, dan ben ik misschien weer vrij man. Misschien ben ik echt vrij, misschien nu al, dacht hij. Dan zou ik weer Adam Kindred kunnen worden... Hij keek naar de zich snel samenpakkende wolken.

'Primo?' zei Rita. 'Is alles goed met je?'

'Ik was aan het nadenken, dromen, fantaseren...'

Rita stopte de foto weer in haar tas, stond op, rekte zich uit en verzuchtte berustend: 'Ik snap er helemaal niets van.'

'Niemand kan voorspellen hoe het leven verloopt,' zei Adam. Met een ruk keek hij over zijn schouders naar het moerasland.

Rita lachte. 'Rustig, joh.'

'Ik weet het niet. Ik dacht even dat er iemand naar ons keek.'

'Ja hoor. Een of ander monster richt zich op uit het moeras, komt je halen en keert je leven ondersteboven.'

'Dat zou niet de eerste keer zijn, weet je.' Hij pakte haar handen en trok haar weer naar beneden. Ze ging weer liggen.

'Hoe bedoel je?' zei ze, 'je leven ondersteboven?'

'Hé, Johannes!' riep Ly-on vanaf het strand. 'Ik heb er weer een.'

'Waarom noemt hij je Johannes?' vroeg Rita terwijl ze hem in zijn hals kuste.

'O, gewoon een bijnaam van vroeger.'

'O ja?'

'Ja.'

Hij kuste haar op haar lippen, zijn tong raakte haar tanden, zijn hand voelde naar haar borst. Ze schoof haar dij tegen de zijne.

'Denk je dat we hier zouden kunnen wonen?' vroeg hij op kalme toon, met zijn lippen op haar keel. 'Wat denk je?'

'Hier...? Het zou een hel zijn om van hier op je werk te komen, niet?'

'Dat denk ik wel, ja. Maar deze plek heeft iets...'

'Zou je in een caravan willen wonen?'

'Nee. Nee, nee. In een huis. Ik dacht: we zouden een huisje kunnen kopen in Allhallows. Ons gezamenlijk inkomen bij elkaar, hypotheek nemen en hier gaan wonen, aan de monding van de rivier.'

'Onze inkomens bij elkaar, hypotheek nemen, huisje kopen...'
Rita leunde een paar centimeter naar achteren zodat ze hem recht
in de ogen kon kijken. 'Is dat een huwelijksaanzoek?'
'Ja, eigenlijk wel,' zei Adam. 'Wat vind je?'
Ze kuste hem. 'Alles is mogelijk,' zei ze. 'Niemand kan voor-
spellen hoe het leven verloopt.'
'Goed punt.'
Ze lagen naast elkaar, zwijgend, op hun rug, op het gras langs
de monding van de Theems in Kent, met achter hen het uitge-
strekte, vlakke moerasland. Hij greep haar hand en hun vingers ver-
strengelden zich.
'Ik hou van je, Rita,' zei hij op kalme toon, en hij voelde een
enorme onmacht ten opzichte van zijn enorme verlangen naar haar.
'En ik hou van jou,' zei Rita even rustig.
Hij voelde een geweldige golf van opluchting en blijdschap van
binnen. Het was zo rustig en beheerst gezegd, zo vanzelfsprekend,
alsof datgene wat ze voor elkaar voelden een onderdeel was van de
natuur, even vanzelfsprekend als de moerassen achter hen, de bre-
de rivier aan hun voeten en de wolken in de lucht boven hen.
'En toch weet ik zeker dat je Adam heet.'
Nu was het Adams beurt om terug te deinzen en haar aan te kij-
ken.
'Wat zei je?'
'Hoezo?'
'Wat zei je daarnet?'
Ze dacht na, verbaasd dat ze haar woorden moest herhalen.
'Ik zei: "En toch weet ik zeker wat je met 'm deed." Met die tas
met spelletjes, bedoel ik.'
'O ja, die spelletjes...'
'De tas met de frisbee, de tennisset, de diabolo, ik kan me niet
voorstellen dat je die in de winkel hebt laten staan. Iemand heeft
ze vast gestolen.'
'Welnee. We hadden gewoon haast,' zei Adam geruststellend,
tijd winnend om tot rust te kunnen komen. 'We hebben zoveel
spullen gekocht. Eten, drinken, flessen, kopjes, een plaid. We had-
den een heleboel tassen bij ons. We hebben ze vast laten staan...'
'We kijken wel even op de terugweg.'
'Goed.'
Adam kwam langzaam overeind en het besef drong tot hem

door: op een dag zou ze erachter komen, dacht hij, zonder haar hand los te laten. Het netwerk kwam aan de oppervlakte. En ze was een intelligente jonge vrouw, politieagent, gewiekst genoeg om er op een dag, en sneller dan hij dacht, achter te komen, en nu ze samenleefden, zouden er onvermijdelijk zoveel aanwijzingen aan het licht komen in hun gesprekken van alledag, hun intieme onderonsjes, te veel indirect bewijsmateriaal, dat een intelligente jongedame iets zou doorkrijgen, gaan deduceren, conclusies ging trekken. Misschien moest hij het haar op een dag maar vertellen, alles opbiechten...

Hij voelde zich plotseling licht en gewichtloos, alsof hij zou wegdrijven zodra hij haar hand losliet. Hij verheugde zich al op die dag, dacht hij, het zou een einde betekenen, een heel wonderlijk soort afronding... Hij ervoer een paar seconden van een ademloze, verblindende blijdschap: misschien zou hij met hulp van Rita zijn oude leven weer kunnen oppakken, weer Adam Kindred worden, welke gevaren er ook dreigden in de buitenwereld, weer Adam Kindred worden en wolken maken die regen produceerden. Hij had het sterke gevoel dat alles goed zou komen, ook al gaf hij tegelijkertijd toe dat het onmogelijk was dat alles in dit moeizame, gecompliceerde, sterfelijke leven dat wij leiden goed zou komen. Maar hij had in ieder geval Rita en dat was het enige wat telde: hij had nu Rita. Daar ging het om, meende Adam, en verder was er de zon en vóór hen de blauwe zee.